ENCICLOPÉDIA HISTÓRICA DA VIDA DE
JESUS

Expediente

Editor
Cristian Muniz

Coordenação Pedagógica e Editorial
Geovana Muniz

Revisão
Ana Paula Ribeiro

Projeto Gráfico e Diagramação
WK Editorial

Capa
Rafael Carvalho

Dados Internacionais de Catalogação na Publicação (CIP)
(Câmara Brasileira do Livro, SP, Brasil)

Silva, Rodrigo Pereira da
    Enciclopédia da vida de Jesus / Rodrigo Pereira da Silva. -- São Paulo : Pae Editora, 2023.
    Bibliografia
    ISBN: 978-85-5558-095-6
    1. Jesus Cristo - Enciclopédias 2. Jesus Cristo - Ensinamentos 3. Jesus Cristo - Historicidade 4. Jesus Cristo - Pessoa e missão I. Título.

17-05187   CDD-232.903

Índices para catálogo sistemático:

1. Vida de Jesus : Cristologia : Enciclopédias
    232.903

Todos os direitos desta edição reservados à PAE Editora
Rua Saguairu, 282
012514-000 - São Paulo - SP
Tel: 11 3222-9015
www.pae.com.br

Impresso no Brasil

ENCICLOPÉDIA HISTÓRICA DA VIDA DE
JESUS

RODRIGO SILVA

Prefácio

Conheço o autor desde década de 1990. Rodrigo Pereira da Silva sempre foi dedicado pesquisador das Escrituras Sagradas, com viés para a área arqueológica, da qual é Doutor, pela Universidade de São Paulo. Tive o privilégio de compor a banca que o declarou Doutor, após sua tese ter sido aprovada por unanimidade.

Certamente sua obra *Enciclopédia Histórica da Vida de Jesus* é uma grande contribuição aos leitores interessados em conhecer melhor a Bíblia Sagrada e ver como a Arqueologia tem contribuído para uma melhor compreensão desse livro, em cujas páginas se encontra delineado o plano da salvação de Deus para o ser humano, através de vida e obra do Senhor Jesus Cristo.

Mesmo sendo obra de elevada erudição, o autor discorre sobre a pessoa de Cristo com linguagem acessível, e isso faz com que o leitor consiga, sem muito esforço, compreender os assuntos e argumentos relacionados a Cristo – o Emanuel, Deus Conosco, e como esse conhecimento é de vital importância no que diz respeito à vida eterna, disponível àqueles que o aceitam como Salvador pessoal.

Certamente que, após ler essa obra, a leitura da Bíblia Sagrada adquirirá novo sabor e significado ao leitor atento e interessado em compreender o plano que Deus tem para sua vida, bem como para toda humanidade.

Ozeas C. Moura
Doutor em Teologia Bíblica, pela PUC - RJ

Introdução

O Famoso escritor e filósofo Bertrand Russell foi, sem dúvida, um dos maiores opositores à existência de Deus e relevância do cristianismo. Em seu livro "Por que não sou Cristão", lançado em 1927 ele foi taxativo em dizer que era praticamente nula a chance de Jesus ter existido. Sendo assim, não via porque perder tempo com um personagem cujas características, em sua opinião, eram pueris e questionáveis.

Em que pese o brilhantismo de Russell, tão aclamado por muitos, fico me perguntando o que teria ocorrido para que ele odiasse tanto a figura bíblica de Jesus? Afinal, caso se trate de um personagem literário mal construído não há porque sentir-se ameaçado por ele, nem trata-lo com tamanho desprezo. Jamais vi um filósofo de prestígio escrevendo um livro apenas para desmerecer a figura mitológica de Papai Noel.

Por isso, o protesto intelectual de Russell me faz perceber que Jesus é muito mais do que um mito natalino, ou personagem inofensivo. Seu nome ameaça e não condiz com a tentativa de minimizar sua mensagem fazendo-a parecer pueril. Existe algo em suas palavras e história que arrepiam até o maior dos descrentes.

John Stuart Mill um dos mais influentes economistas britânicos do século 19, admitiu apesar de seu ceticismo religioso que o próprio Jesus era a maior prova de sua existência. Afinal, se Cristo não existisse, nem nós nem seus discípulos não teríamos condições de inventar alguém assim. C.S. Lewis, ele mesmo um ex ateu, colocou isso de maneira mais poética: "seria preciso alguém maior que Jesus para inventar Jesus. A causa sempre será maior que o efeito".

Caso eu trabalhasse com qualquer hipótese mínima de Jesus ter sido fruto de uma criação humana, então deveria admitir que aquele que o criou mereceria mais que um prêmio Nobel em literatura, mereceria um altar. Afinal, Jesus é simplesmente, a resposta última para a inquietação humana.

Por que, então, alguém da estirpe intelectual de Russell não o admite como Senhor de sua vida? Não sei com certeza, mas uma coisa posso afirmar: aquele que conhece o evangelho e ainda assim rejeita sua mensagem, tentará em vão preencher o vazio existencial da alma, ampliado por sua descrença. No lugar de Cristo, Russell sugere que sejamos fascinados por Pitágoras, um filósofo e matemático que muitos historiadores nem sabem ao certo se existiu.

A filosofia pode existir sem Sócrates e poesia pode existir sem Carlos Drummond de Andrade, mas o cristianismo não terá sentido se Jesus for fictício. Ele é a razão de nossa fé e o motivo de nossa esperança. Por isso revelo meu sentimento de alegria e reverência ao apresentar ao público essa enciclopédia história da vida de Jesus.

Ela não pretende substituir os evangelhos ou torna-los mais completos. Entenda a obra a seguir como um sinal que aponta para algo maior que ela mesma. Ademais, as páginas que se seguem revelam minha própria confissão acadêmica diante do complexo mundo da teologia: quando adentrei o seminário, disseram-me que Deus era infinito e eu não entendi nada. Que ele era todo-poderoso e eu continuei sem entender. Que era eterno, sem começo e sem fim. Diante disto minha ignorância aumentava cada vez mais. Por fim, contaram-me que ele um dia "se fez carne e habitou no meio de nós" (Jo 1:14). Ai comecei a ter uma ideia do que poderia ser Deus e gostei daquilo que descobri.

A história de Jesus é a própria história de Deus, contada de uma forma que intelectuais se espantam, perdidos criam esperança e crianças com pouco esforço entendem. Sem dúvida alguma, a maior história de todos os tempos.

Sumário

Prefácio 04	Semitismos nos evangelhos 89	Por que Jesus foi batizado? 163
Introdução 05	A narrativa evangélica: Mito ou história real? 90	Confronto com o mal 164
Jesus mito ou realidade 09		Tentações no deserto 165
Sistematizações filosóficas 10	O escândalo dos evangelhos 91	Endereços do Mestre 166
Cristo e o tempo 13	Jesus humano 93	Parentes de Jesus 168
Buscando o Jesus histórico 16	Super Jesus? 93	A vida em Cafarnaum 169
Teologia liberal 17	O rosto de Jesus 95	A casa que Jesus frequentou 170
Jesus Existiu? 22	Visão europeia de Cristo 95	O movimento de Jesus 173
Fontes clássicas 22	Uma falsa descrição de Cristo 97	A escolha dos doze 175
Fontes judaicas 25	Como seria Jesus? 98	O apóstolo 176
Aspectos físicos da Terra de Jesus 28	O testemunho das catacumbas 99	Maria Madalena 177
Demarcações geográficas 29	O Messias do Mar Morto 100	Jesus casado? 178
Encruzilhada das nações 30	Que dizem os manuscritos? 101	Maria – a esposa de Cristo? 178
O mundo de Jesus 32	Textos messiânicos de Qumran 103	Magdala 181
Os Herodes da Bíblia 33	Um Messias que redime 106	Jesus como professor 184
Cronologia 34	O servo sofredor 108	Jesus e as autoridades 186
Principais províncias e cidades 36	Os evangelhos e a literatura rabínica 110	Milagres de Jesus 187
A origem dos galileus 42	Jesus: um plágio? 112	Jesus versus curandeirismo 189
Migrações judaicas 43	Magos, morte e ressurreição 113	Caná da Galileia 191
Judeia versus Galileia 44	Evangelhos apócrifos 115	O que Jesus ensinou 194
Populações da Terra Santa 45	Preparação para o Messias 118	O Sermão da Montanha 199
Um judaísmo plural 46	Promessas messiânicas 120	Como orar? 200
O que é apocalipsismo? 47	Os tempos messiânicos 123	Reino dos céus 203
Movimento apocalíptico e esperança messiânica 48	Fatos messiânicos 124	O amor como cumprimento da Lei ... 204
	O Messias Romano 127	O juízo final 205
Estrutura política do judaísmo 49	Anúncio em Nazaré 130	Últimos dias na Terra 207
O Sinédrio 49	Desposada, mas solteira? 131	Jesus diante da porta dourada 212
Partidarismos e messianismos 50	Encontro com Isabel 132	A última Páscoa 214
Os partidos judaicos 52	O casamento de Maria 133	A última ceia de Cristo 217
Família e sociedade 57	Jesus antes de Cristo 134	O traidor 217
Gerando filhos 58	Morte de Herodes 135	Julgamento e crucifixão de Cristo 220
Dando nome ao bebê 59	Contradição cronológica? 136	O galo cantou? 222
Educação 59	Lucas, historiador ou mentiroso? 136	Perante Pilatos 224
E as mulheres? 60	Quando Nasceu Jesus? 138	O açoitamento e humilhação de Jesus ... 225
Ocupações profissionais 60	O aniversário de Jesus 139	Quem matou Jesus? 225
Agricultura 61	Circuncisão 141	Por que Jesus foi rejeitado? 226
Atividade pesqueira 62	Apresentação no Templo 142	O calvário 227
Atividades pastoris 64	Os magos do Oriente 143	O horror da crucifixão 229
Dia a dia 66	O infanticídio de Belém 146	Formato da cruz 230
Pirâmide social 67	Infância e juventude de Jesus 148	Singularidades judiciais 234
Regras de etiqueta 69	A família de Jesus 150	A posição do crucificado 235
O cardápio de Jesus 70	O martírio de Tiago 152	Sepultamento 238
O fermento dos fariseus 72	O idioma de Jesus 153	A ressurreição 240
Vestuário e acessórios 73	Ministério de Jesus 154	A importância da ressurreição 242
Quatro evangelhos – uma história 76	Festa da Páscoa 155	A gênese de um mito 244
Representações medievais 77	Construção do Templo 156	Significado teológico da cruz 248
O que é evangelho? 79	Duração do ministério de Cristo 157	O evento histórico da Cruz 250
A origem e formação dos evangelhos ... 82	A pregação de João Batista 158	Conciso dicionário sobre a vida de Jesus 269
A data de composição dos evangelhos .. 84	Jesus e João Batista 161	
Evidências de datação mais antiga ... 86	João Batista e Qumran 162	Apêndice Cristológico 329

Jesus: mito ou realidade?

O teólogo René Latourrelle escreveu: "O problema da credibilidade cristã decorre da grandeza do cristianismo, principalmente por causa da radicalidade das suas exigências"[1]. De fato, Jesus de Nazaré foi o único homem que em sã consciência disse ser Deus e convidou outros a aceitarem isso. Hoje bilhões de pessoas em todo o mundo norteiam sua filosofia de vida baseadas nos ensinos desse homem que viveu há mais de dois mil anos. Seria ele um louco? Um embusteiro? Ou a figura real de Deus entre os homens?

A fé no mundo

Todas as pesquisas sobre filiação religiosa feitas até o momento mostram que a maior parte do mundo ocidental se diz cristã. Na verdade, o cristianismo segue sendo a maior religião do mundo, embora alguns estatísticos pensem que o número de mulçumanos deve igualar ao de cristãos até 2050 e superá-lo em 2100[2].

Embora países da Europa ocidental tenham se tornado cada vez menos religiosos, o número de pessoas que creem em Jesus ainda é majoritário no Ocidente. E a tendência, segundo Jean-Marc Leger, presidente da WIN/Gallup International é aumentar.

> "O estudo revela que o total de pessoas que se consideram crentes é, na verdade, alto. E com a crescente tendência global de uma juventude religiosa, podemos assumir que o número de crentes continuará aumentando", diz Jean-Marc Leger, presidente da WIN/Gallup International.

Contudo, algumas situações demonstram que existe um hiato entre o que a maioria diz crer e o que eles, de fato, conhecem sobre essa crença.

Uma pesquisa feita no shopping Brent Cross, em Londres, na Inglaterra, e divulgada pelo jornal "Daily Mirror", mostra que as crianças não se preocupam com o Natal e não conhecem o significado da data. Mil jovens foram entrevistados e 20% deles acharam que Jesus Cristo era um jogador do *Chelsea*. Mais da metade acredita que o dia 25 de dezembro seja a data de aniversário do Papai Noel, razão pela qual ganham presentes dos familiares.

O questionário foi feito com a pergunta "Quem é Jesus Cristo?". As opções de resposta eram: A) jogador do Chelsea, B) filho de Deus, C) apresentador de TV, D) candidato de um show de calouros ou E) um astronauta. A primeira opção foi eleita por um em cada cinco entrevistados[3].

Este pode parecer um episódio isolado e de pouca importância, mas não é. Chegaria a ser engraçado, se não fosse tragicômico. A perda de conhecimento teórico e relacional dos cristãos com o fundador do cristianismo tem perturbado muita gente.

Países fundamentais na história do cristianismo que foram palco de importantes acontecimentos ou berço de relevantes movimentos estão se tornando cada vez menos cristianizados.

> A Escócia foi, no início do século XX, pioneira de um movimento missionário de alcance mundial. Hoje, porém, o percentual de cristãos caiu para pouco mais de 55% e, a cada ano, diminui em pelo menos 1%. Há muita incerteza entre os membros da igreja. Nas igrejas protestantes (evangélicas), 23% dos entrevistados disseram não acreditar que Jesus foi alguém real, enquanto 14% dos membros da Igreja Católica pensam o mesmo.

História da fé

A compreensão mais comumente aceita entre cristãos acerca de Jesus é que este seria o filho de Deus em forma humana e teria uma natureza divina. Assim declara o antigo credo apostólico, cujas origens são desde o final do I ou II século d.C.:

"Creio em Jesus Cristo, seu único Filho, nosso Senhor, o qual foi concebido por obra do Espírito Santo; nasceu da virgem Maria; padeceu sob o poder de Pôncio Pilatos, foi crucificado, morto e sepultado; ressurgiu dos mortos ao terceiro dia; subiu ao Céu; está sentado à direita de Deus Pai Todo-poderoso, donde há de vir para julgar os vivos e os mortos."

Este, contudo, é um dado da fé cujo alcance histórico só se dá em nível testemunhal. Ou seja, ele não prova que Jesus era o Filho de Deus, mas apenas testemunha a antiguidade desta crença entre os cristãos. A informação, contudo, não deixa de ser valiosa.

Jesus era um ser extraordinário de natureza única. Seu corpo possuía, de um modo inexplicável, toda a plenitude da divindade (Col. 2:9). Sua natureza eternamente divina tornou-se historicamente humana, sem que uma anulasse a existência da outra. Jesus Cristo é o único ser em todo universo que possui duas naturezas, divina e humana.

Essa declaração confessional tem base bíblica (I Cor. 15:3-8 ss), embora tenha sido formulada aos poucos, à medida que se compreendia melhor os ensinos do Novo Testamento. Grupos dissidentes, no entanto, tentaram, desde os tempos apostólicos, negar essa declaração de fé, mas ela "sobreviveu" relativamente bem através dos séculos, sendo ecoada *oficialmente* desde os credos de Niceia e Constantinopla até à Reforma Protestante e o Iluminismo europeu.

Sistematizações filosóficas

Pesa-se, porém, a crítica de que no percurso da história alguns concílios a tenham enfeitado demais com um complicado jogo de conceitos filosóficos que nem sempre ajudaram a esclarecer o sentido mais profundo de seu conteúdo.

Especialmente no período posterior a Niceia (325 d.C.), os que duvidavam do dogma cristológico eram reputados por segmentos marginais, à semelhança do arianismo ou, antes dele, dos vários grupos gnósticos que produziram os evangelhos apócrifos nunca reconhecidos pela Igreja. Todos os que negassem a divin-

Hoje o cenário é diametralmente oposto. A Igreja Medieval perdeu seu poder de indução. Não legisla mais o conceito de verdades eternas. Apesar da efervescência ainda existente em torno do nome de Jesus, é cada vez maior o número de pessoas dentro e fora das religiões que questionam a veracidade histórica daquele homem chamado Jesus de Nazaré ou, de modo mais confessional, Jesus Cristo, o Filho de Deus.

Mudança de rumo

As mudanças de perspectiva sobre a figura de Jesus começaram no século XVIII, quando os tempos da certeza confessional deram lugar a uma nova época de questionamentos racionais à fé. Vários pensadores começaram a duvidar das declarações tradicionais da Teologia. Os critérios desta vez eram modernamente mais racionalistas e baseavam sua argumentação na metodologia histórica até então jamais usada para descobrir algo a respeito da fé. Sabia-se pelo credo e pelos evangelhos que Jesus veio ao mundo de uma forma sobre-humana, que pregou o amor e realizou milagres. Depois foi morto na cruz, ressuscitou ao terceiro dia e subiu aos céus, deixando a certeza de que vai voltar, trazendo consigo o juízo final sobre os homens.

Mosaico Bizantino do Cristo Pantocrator.

dade de Jesus eram, à uma, relegados à condição de hereges, seguidores de seitas e inimigos de Deus.

Se um intelectual da Idade Média mostrasse desejo de encontrar maiores indícios da historicidade e divindade de Jesus, os teólogos imediatamente o confrontariam com o princípio agostiniano do *fides credere*, isto é, "fé é crer", sem questionar, sem buscar maiores evidências, senão aquelas já oferecidas pela autoridade eclesiástica. No contexto original da expressão, Agostinho escreveu que "fé é crer no que não se vê, pois a recompensa dessa fé será ver aquilo no que se acredita" (*Est autem fides credere quod nondum vides; cuius fidei merces est videre quod credis*)[4].

"Houve tempo em que os descrentes, sem amor a Deus e sem religião, eram raros. Tão raros que eles mesmos se espantavam com sua descrença e a escondiam, como se ela fosse uma peste contagiosa... Mas alguma coisa ocorreu, o céu, morada de Deus e seus anjos, ficou de repente vazio. Virgens não mais apareceram em grutas. A ciência e a tecnologia avançaram triunfalmente, construindo um mundo em que Deus não era mais necessário"[5]. Ruben Alves

A história de Jesus não agradava mais aos ouvidos do pensador iluminista, sua realidade histórica deveria ser reestudada à luz dos novos critérios do racionalismo.

O contexto político e social que resultou nessa nova maneira de encarar a Jesus é muito mais amplo e precisa ser apresentado. A mudança de perspectiva em relação à doutrina de Cristo veio se desenrolando aos poucos e se fez notar principalmente durante os séculos que separam a Reforma Protestante e a Revolução Francesa. Neste hiato de 1517 a 1789 acentuou-se um processo de desescatologização da mensagem cristã que já tivera início no século IV d.C., quando o imperador Constantino pretensamente declarou-se convertido ao cristianismo.

> ### Você Sabia?
>
> *A palavra "desescatologização" vem de eschathon, um adjetivo grego para se referir às realidades últimas. Assim os teólogos falam de escatologia individual para se referir ao que acontece a cada um depois de sua morte e escatologia geral ou coletiva para se referir àquele evento último para onde apontam todos os acontecimentos da história: a segunda vinda de Cristo, seguida do Juízo final. Desescatologização, portanto, é a perda de interesse na esperança cristã da segunda vinda de Cristo.*

O que antes era chamado de "pax romana" passou a ser agora a "pax ecclesiae" (paz da Igreja), a qual se apresentou para o mundo como um sistema único de legitimação do poder eclesiástico dentro e fora da Europa.

Um novo cristianismo

Como se deu a desescatologização do cristianismo? É preciso esclarecer que esse processo não significou uma perda total da dimensão escatológica da Igreja, mas uma diminuição do clima de iminente expectativa ou até mesmo anseio pelo final dos tempos. É que com a chamada "conversão de Constantino" a Igreja de Roma ganhou um espaço que antes não tinha. Depois acentuou ainda mais sua instalação no mundo do poder, quando se tornou, no século VI d.C., a autoridade máxima de toda a cristandade e de todo continente europeu.

> "A Igreja dos mártires recebe férias de martírio. A ameaça permanente de ter de testemunhar com a vida a própria fé a cada momento e por isso a necessidade de uma vigilância escatológica de total desapego afasta-se com a pax constantiniana. A Igreja troca as catacumbas pelos palácios. Com isso, a proximidade iminente da Parusia [i.e. a Volta de Cristo] já não se faz nenhum desejo ardente. A tarefa é a construção da Cidade de Deus na terra." João Batista Libânio[6]

A conversão de Constantino

Cristo e o tempo

A acomodação gradual da Igreja, somada às disputas teológicas com a Reforma Protestante a partir do século XVI, fizeram com que o interesse pelo Juízo Final e pelos dogmas de fé perdesse sua importância. A própria Reforma Protestante começou a dar mais prioridade a assuntos sociais e políticos (especialmente na Suíça e Alemanha) que aos temas bíblicos relacionados ao fim do mundo.

O futuro passou a ser apenas um campo de probabilidades, e o presente, um espaço para o controle do Estado absolutista. O passado era a *tradição*, isto é, uma forma histórica de legitimar o poder de quem atuava no presente, a saber, o clero e a monarquia com seus senhores feudais. Os eventos não eram mais articulados à providência divina, mas a um emaranhado de possibilidades atreladas *exclusivamente* à ação política dos homens. Cristo não era mais o senhor da História.

As expectativas, portanto, deixaram de se estender para o futuro final. Não se vislumbrava muita coisa depois do "daqui a pouco". A história era uma coleção de eventos passados e presentes sem, nenhuma relação com o porvir predito por Deus.

Então veio a Revolução Francesa e com ela a criação do conceito de *progresso* que, embora descortinasse um horizonte mais além, misturava predições de anseio messiânico com prognósticos racionalistas e realidades previsíveis. A esperança na razão e não mais nas promessas divinas conduzia agora os novos rumos da humanidade.

Fato importante

A Revolução Francesa que se instaurou na Europa foi fruto do discurso de intelectuais contrários à religião, que motivaram o povo a expurgar por completo a imagem traumatizante de Deus que por séculos lhes foi imposta. A modernidade rejeitou as caricaturas de Deus juntamente com as verdades bíblicas acerca de sua pessoa. Terminaram negando importantes conceitos revelados por Deus, inclusive sua própria existência e sua revelação por intermédio de Jesus Cristo.

A sociedade começou a respirar uma nova modalidade de interpretação da história que ecoava aqueles ideais escatológicos perdidos pela Igreja, porém sem a base bíblica que os sustentava. O horizonte era promissor, mas não havia nenhum Deus lá na frente. As pessoas passaram a ter uma percepção otimista da realidade, destituída da noção de providência divina. Foi-se a terrível Idade Média e o futuro não seria apenas novo, seria melhor.

E quanto ao passado? Bem, esse agora não era visto mais como argumentos para legitimação de um conceito. A tradição estava sob suspeita, ninguém queria voltar à Idade das Trevas. O futuro era promissor e o passado sombrio. O que se foi tinha de ser analisado com cuidado, não só para desmascarar as mentiras que foram contadas, mas também para impedir o retorno daquilo que consideravam lendas. A história tradicional de Jesus era alistada entre os antigos mitos a serem evitados.

Novo conceito de história

Os pensadores, sobretudo alemães, sugeriram então um novo conceito de história que rompeu com a fórmula "historia magistra vitae" (a história é a mestra da vida), cunhada por Cícero e apropriada por historiadores ligados à tradição da Igreja. É que até meados do século XVIII, os alemães usavam o vocábulo estrangeiro *Historie*, assim sempre no plural, para se referir à narrativa, ao relato de um evento. Então resolveram substituir o termo por outro mais germânico que seria *Geschichte*, uma designação do fato em si e não do relato que se fazia sobre ele.

Com o passar do tempo, *Geschichte* sofreu semântica e passou a juntar o sentido de fato, acontecimento, com o de relato, narrativa. Assim a palavra ficou muito filosófica e foi quase impossível elaborar um conceito único e inequívoco a partir das muitas afirmações que se faziam dela.

Por detrás dessa ebulição intelectual na Alemanha estavam a ideologia francesa e sua poderosa Revolução no decênio de 1789-1799. A emancipação dos poderes monárquicos e religiosos, a queda da Bastilha, a prisão do papa Pio VI, a decapitação de nobres, clérigos e da própria família real em Paris formaram um ineditismo dos novos tempos que tomou toda a Europa de surpresa. Até o continente americano foi atingido. Afinal o que foi a independência dos Estados Unidos e também do Brasil senão o fruto de ideologias francesas?

Todos esses acontecimentos também cunharam o modo dos alemães interpretarem a história. Nada podia se comparar aos eventos extraordinários que se seguiram a 1789. O ser humano finalmente se firmou como o agente dos acontecimentos, o único com capacidade de avaliar e modificar o curso da história. Nem mesmo Lutero conseguiu tamanha proeza.

Então um novo conceito surgiu: o termo *Historie* voltou a ser usado para designar o fato literal, ocorrido. *Geschichte* seria a interpretação posterior, romanceada, que, embora não precise ser necessariamente um "engodo", estaria longe de uma descrição exata do que realmente ocorreu. É um mito, um exagero que nada tem a ver com a realidade dos fatos.

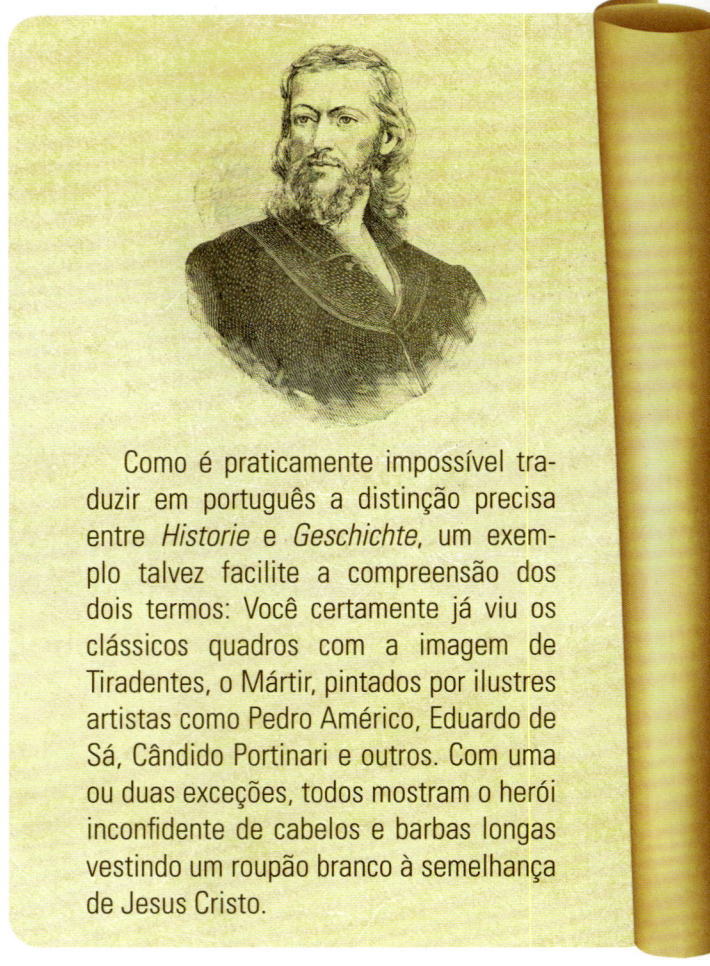

Como é praticamente impossível traduzir em português a distinção precisa entre *Historie* e *Geschichte*, um exemplo talvez facilite a compreensão dos dois termos: Você certamente já viu os clássicos quadros com a imagem de Tiradentes, o Mártir, pintados por ilustres artistas como Pedro Américo, Eduardo de Sá, Cândido Portinari e outros. Com uma ou duas exceções, todos mostram o herói inconfidente de cabelos e barbas longas vestindo um roupão branco à semelhança de Jesus Cristo.

Pois bem, de acordo com alguns especialistas, essa é uma imagem inventada que chega a agredir a história real e a lógica dos fatos. Tiradentes era militar e, como tal, não teria barba nem cabelo longos. Ademais, de acordo com os autos da época, ele teve barba e cabelos raspados no dia do seu enforcamento, não usou nenhuma túnica branca e muito provavelmente não foi *traído* por um de seus seguidores. Todos esses elementos foram criados propositadamente para assemelhar Tiradentes a Cristo e fazer com que os que ouvissem sua história ou vissem sua imagem sentissem profunda simpatia por ele. Afinal o Brasil era um país de maioria cristã e a República precisava de um herói para despertar a simpatia do povo.

Embora a história registre a insurreição liderada por um dentista militar chamado Joaquim José da Silva Xavier, aquele Tiradentes das pinturas a óleo jamais existiu! O primeiro seria um personagem *histórico* (*Historiche*) que realmente existiu. Já o segundo (das pinturas), um ser *mitológico* (*Geschichtlich*) ou "historial", conforme um neologismo inglês sugerido por Heidegger.

Note que não se trata de história e estória, pois o fato realmente aconteceu. O embate é entre história real *versus* história romanceada. Tudo para tornar o relato mais belo e atrativo, convencendo pessoas a se apaixonarem por ele ou pela ideologia que ele representa.

Você sabia?

Anacronismo é um erro de cronologia que consiste em atribuir a uma época ou a uma personagem ideias e sentimentos que são próprios de outra época, ou em representar, nas obras de arte, costumes e objetos de uma época a que não pertencem. Isso aconteceu muito com as imagens de Jesus construídas ao longo dos séculos. Muitos o modelaram de acordo com seu próprio código de valores, criando uma bifurcação entre o Jesus que realmente existiu e outro que a cultura projetou.

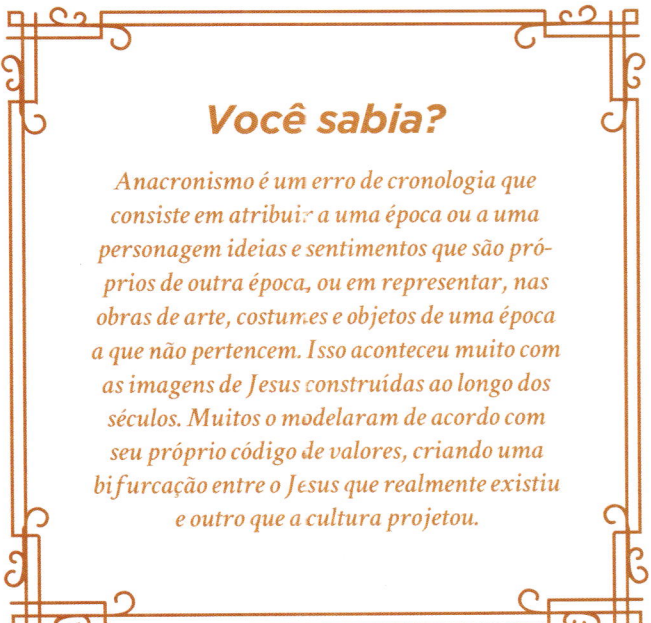

Seriam os evangelhos uma descrição real de Cristo ou mais uma reconstrução teológica feita há dois mil anos?

> ### *Fato importante*
>
> *Existem muitos exemplos de tentativas de acondicionar Jesus aos interesses ou a ideologias de um grupo ou indivíduo. Jefferson, que antes de tudo era descrente, tornou-se o primeiro erudito estadunidense que, em um processo de corte e colagem de textos bíblicos, deu origem ao que chamam de Jesus Americano.*
>
> *Malcom X, o líder na luta pelos direitos civis declarou: "Jesus Cristo era negro!" E Swami Vivekananda, que fundou várias sociedades hindus na América, afirmou que Jesus Cristo era um Yogui (ou Yogi), isto é, um mestre praticante da ioga.*

Buscando o Jesus Histórico

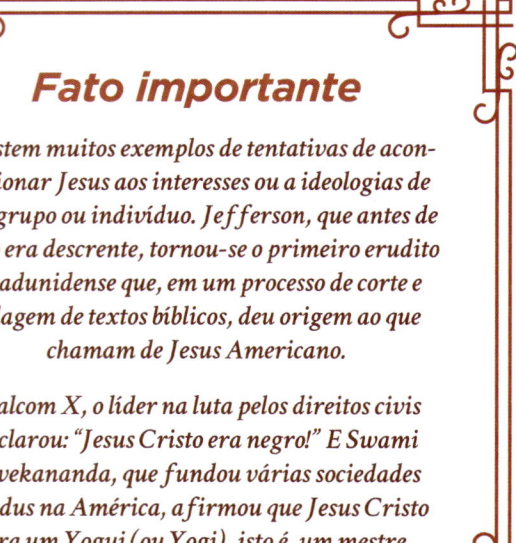

> Desde o século XVII, vários teólogos começaram a trabalhar com esta nova percepção de História, mas quem finalmente a sugeriu como método para se pesquisar a vida de Jesus foi Martin Kähler, em sua obra *Der sogenannte historische Jesus und der geschichtliche, biblische Christus*, publicada em 1892 – o título é quase maior que o próprio livro de apenas 50 páginas!

Para os escritores liberais da Alemanha, haveria um Jesus histórico (que realmente existiu) e um Cristo da fé (criado e mantido pela Igreja ao longo dos anos). Separar ambos era a tarefa principal de sua teologia.

Porém, antes de eclodir a Revolução Francesa ou de Kähler publicar suas ideias acerca de um Jesus histórico e outro *historial*, houve pelo menos um autor que preconizou os ventos da dúvida ao tratar da história de Jesus. Seu nome era Herman Samuel Reimarus (1694-1768), um professor de línguas Orientais na cidade de Hamburgo. Influenciado pelo deísmo inglês, ele não acreditava que Deus estivesse intervindo nos negócios deste mundo. Sendo assim, a pregação evangélica tradicional de um Deus encarnado, que entrou na história dos homens e possibilitou a salvação da humanidade mediante sua própria morte na cruz, não fazia o menor sentido.

Herman Samuel Reimarus 1694-1768

Reimarus afirmou que qualquer investigação crítica sobre a vida de Jesus Cristo "deve manter a distinção clara entre o que Jesus realmente fez e ensinou em sua vida e aquilo que foi narrado pelos apóstolos em seus escritos." De acordo com sua teoria, Jesus foi apenas um judeu como outro qualquer, munido de um espírito agitador e político. Motivado por um messianismo nacionalista, ele teria empreendido uma frustrada revolta contra o império romano, mas acabou abandonado por seus seguidores e condenado à morte na cruz. Os discípulos, então, para não admitir o fracasso do movimento, roubaram seu corpo e inventaram a história da ressurreição e da redenção universal da humanidade como forma de manter aceso o ideal messiânico que ele havia pregado.

Depois de Reimarus, vários outros teólogos surgiram apresentando suas próprias versões sobre o que seria de fato o Jesus histórico e o que seria o Cristo da fé, criado pela teologia e mantido pela tradição da igreja.

Teologia liberal

Teólogos liberais criaram um Jesus ético ou ideal; teólogos racionalistas, um Jesus revolucionário. Cada grupo pintava o retrato do Messias com as cores de sua própria cosmovisão filosófica. No final de tudo, o que sobrara não foi um quadro de como era Jesus, mas como cada um queria que ele fosse.

Reimarus projetou uma enciclopédia de 4.000 páginas na qual pretendia reconstruir de modo científico uma nova versão para a história da religião cristã. Entretanto, foi apenas após a sua morte que a parte dedicada à vida de Jesus foi publicada anonimamente por um editor chamado G. Efraim Lessing. O título proposital foi "-Fragmentos de um escritor anônimo-" (Wolfenbütteler Fragmente [1774-1778]), que em pouco tempo recebeu o apelido de *Fragmentenstreit* ou "fragmentos de controvérsia". O texto não teve muitos seguidores a princípio, mas causou grande impacto com o passar do tempo.

Heinrich Eberhard Gottlob Paulus (1761-1851), racionalista alemão e influenciador de Hegel. Procurava encontrar uma razão natural para todos os supostos milagres realizados por Cristo. A transfiguração, por exemplo, deu-se porque, depois de Jesus e seus apóstolos dormirem uma noite inteira ao relento, Pedro, ainda sonolento, viu o Mestre, que havia acordado antes, de pé diante do sol nascente conversando com dois discípulos secretos que já estavam de partida. Então equivocadamente entendeu os raios do sol como sendo a glória de Cristo e os dois seguidores como sendo Moisés e Elias.

Ferdinand Christian Baur (1792-1860) foi outro discípulo de Hegel que se inspirou no esquema dialético para falar do movimento de Jesus em termos de tese, antítese e síntese. A tese seria os cristãos judaizantes, seguidores de Pedro, que queriam obrigar os não judeus a cumprirem as leis cerimoniais do Antigo Testamento. A antítese seria os cristãos liberais, seguidores de Paulo, que queriam desobrigar os não judeus da prática cerimonial. A síntese seria a Igreja que por meio dos evangelhos (todos posteriores ao séculoII) tentaria uma conciliação entre as duas vertentes cristãs.

David Friedrich Strauss (1808 - 1874), teólogo e exegeta formado em Tübingen, que se tornou muito conhecido após publicar, em 1835, uma controvertida versão sobre a Vida de Jesus. Inspirado na filosofia de Hegel, ele afirmava que os milagres de Jesus e outros eventos de sua vida eram apenas mitos inventados pelos apóstolos e evangelistas com fins teológicos e não históricos. O detalhe dos ladrões crucificados com Jesus era apenas um enfeite mitológico para fazer eco à poesia de Isa. 53:12: "Ele foi contado entre os pecadores".

Rudolf Bultmann (1884-1976) — um dos teólogos mais influentes do século 20, professor de Novo Testamento na Universidade de Marburg, na Alemanha. Influenciado pelo filosofia de Heidegger, Bultmann concluiu que a humanidade contemporânea, acostumada com os avanços da ciência, não poderia mais aceitar o conceito mitológico do mundo expresso nos escritos bíblicos. Logo, tudo aquilo na vida de Cristo que não fosse alcançado pela razão humana deveria ser tomado como mito e interpretado de forma alegórica. A ressurreição, por exemplo, seria apenas uma forma comparativa de entender o ressurgimento da mensagem de Cristo no coração dos discípulos, mesmo depois da morte de seu Mestre e não uma ressurreição literal como anunciava o credo cristão.

Fato importante

Apesar de arriscar certas afirmativas sobre como teria nascido o mito da ressurreição de Cristo, Bultmann não acreditava ser possível alcançar o Jesus histórico. Em outras palavras, o Jesus que realmente existiu não pode ser conhecido do pesquisador atual, por causa da distância temporal entre ambos. Assim ele troca o Jesus histórico pela proclamação de Cristo (Querigma) e neste busca se fundamentar.

Você sabia?

Querigma ou Kerygma é uma palavra grega que foi incorporada ao vocabulário teológico e se refere à proclamação ou anúncio da mensagem de Jesus.

Albert Schweitzer (1875-1965)

Um missionário descrente

Albert Schweitzer (1875-1965) destacou-se por produzir um resumo crítico de todas as principais teorias sobre o Jesus histórico levantadas desde Reimarus até Wrede. Originalmente publicado em 1906, seu livro teve como título *De Reimarus a Wrede, uma História da Investigação sobre a Vida de Jesus* (*von Reimarus zu Wrede: Geschichte der Leben Jesu-Forschung*).

Em 1913, surgiu uma segunda edição ampliada, e Schweitzer, que ainda era jovem, foi aclamado no mundo teológico europeu. Suas ideias ficaram mais populares depois que o livro ganhou uma edição inglesa quando foi traduzido por W. Montgomery e publicado em Londres, em 1910.

Schweitzer dizia que Jesus era apenas um religioso equivocado que compartilhava as ideias escatológicas do judaísmo de seu tempo. Ele acreditou erroneamente que era o Messias e com base nesta ilusão pregou a chegada iminente do reino.

Como este não veio, Jesus decidiu virar um mártir de sua própria causa, pois pensava que assim poderia ter uma intervenção divina em seu favor. Então provocou a ira dos romanos e foi pendurado na cruz. Mais uma vez frustrado, ele questiona: "Deus meu, Deus meu, por que me desamparaste?"

"O Jesus de Nazaré que se apresentou em público como Messias, que pregou a ética do reino de Deus, que fundou o reino do céu na terra e morreu para conferir uma consagração final à sua obra, jamais existiu. Essa imagem foi traçada pelo racionalismo, revivificada pelo liberalismo e revestida pela teologia moderna com roupagens históricas."[7] *Schweitzer*

Além de teologia, Schweitzer era formado em medicina e tocava órgão como ninguém. Chegou a abandonar a confortável vida em Estrasburgo para dedicar-se a obras de assistência social como médico missionário na África. Construiu um hospital para carentes e foi agraciado em 1952 com o prêmio Nobel da paz devido às suas atividades humanitárias.

É claro que é difícil saber se todos os episódios citados sobre ele são reais ou lendários. Contudo, é fato que esse pensador deixou uma profunda marca no coração do povo africano.

Mas, no que diz respeito ao sentimento religioso, mesmo sendo uma figura eclética e cosmopolita, Schweitzer não conseguiu romper com as estruturas mentais da cultura franco-germânica e sua tendência para o secularismo.

Fato importante

Apesar de não acreditar na historicidade de Cristo, Schweitzer dizia admirar esta figura lendária chamada Jesus e procurava fazer dela seu próprio modelo de vida. Jesus, para ele, foi um homem virtuoso por não desistir de sua crença mesmo em face da morte e da não realização de seus planos. Além disso, foi coerente com o que falou, não negando sua mensagem diante dos líderes que estavam para condená-lo.

Conta-se que um missionário que visitou certa vez a ex-colônia francesa do Gabão se surpreendeu ao ouvir de um nativo um curioso depoimento sobre o Dr. Schweitzer. O missionário estava tentando evangelizar o homem falando-lhe de como Jesus era bondoso com os enfermos e como tratava bem as pessoas. O nativo então lhe interrompeu: "Eu conheço esse homem, mas, pelo que eu saiba, o nome dele é Dr. Albert Schweitzer!"

Jesus Seminar (Seminário sobre Jesus) – Fundado em 1985 por Robert Funk e John Dominique Crossan, esse instituto reúne teólogos de vários países com o intuito de estudar a vida e os ensinamentos de Cristo. Sendo a versão contemporânea mais atual dos críticos alemães do passado, seus filiados propõem uma busca pelo Jesus histórico desvinculada dos elementos confessionais mais conservadores.

Você sabia?

Embora movesse de íntima compaixão pelos nativos da África, Albert Schweitzer considerava-os "infantis" por manterem sua fé religiosa mesmo em face aos piores sofrimentos. Para ele religião era apenas um movimento ético-social para preservação da vida, nada mais.

As conclusões do Jesus Seminar diferem muito do que a quase totalidade das denominações cristãs acredita. Seus membros não creem na inspiração bíblica, na historicidade dos milagres de Cristo e na sua morte expiatória enquanto filho de Deus. Embora creiam que os evangelhos contêm verdades históricas, apenas 15 frases citadas de Jesus são reputadas como provavelmente verdadeiras. As demais seriam reconstruções teológicas que nada têm de veracidade histórica.

Jesus existiu?

Teria Jesus de Nazaré, a quem chamaram de Cristo, existido como um ser humano real? O homem "Jesus Cristo", conforme o texto de I Timóteo 2:5 fez parte da história humana ou é um personagem fictício, equiparado a Peter Pan?

Bruno Bauer (1809-1882) foi o primeiro acadêmico a duvidar da existência histórica de Jesus. Sua posição, no entanto, não angariou muitos seguidores nem na ala mais liberal da teologia europeia. Hoje, até mesmo autores ateus como Bart D. Ehrman defendem que, de fato, existiu na história um homem chamado Jesus de Nazaré. Mas onde estão as provas de sua existência?

Fontes históricas

Embora os documentos cristãos que mencionem Jesus possuam seu valor histórico, quando a questão é verificar se ele existiu, essas fontes parecem não valer para muitos investigadores, porque parece um argumento em círculos. Ou seja, pessoas piedosas afirmando aquilo que elas mesmas acreditam. Assim, quando alguns pedem provas documentais de que Jesus existiu, geralmente estão se referindo a fontes fora do Novo Testamento ou dos primeiros autores eclesiásticos.

Essas fontes existem? Sim, mas em quantidade limitada. Não obstante, tal escassez de documentos contemporâneos sobre um personagem histórico não é algo incomum. Veja o caso de Pôncio Pilatos. Qual a evidência arqueológica de sua existência? Apenas uma placa de pedra encontrada em Cesareia Marítima e dois tipos de moedas cunhadas por seu governo (e nenhuma delas traz seu próprio nome). Nada além disso. E note que se trata de um governador romano sobre a Judeia!

Em termos de conquista, ninguém avançou mais com seu exército do que Alexandre Magno. No entanto, embora se acredite que muita coisa tenha sito escrita a seu respeito, nada sobreviveu que fosse contemporâneo a ele. A biografia mais antiga que temos a seu respeito vem de Diodoro Sículo e foi produzida por volta de 250 anos após a sua morte.

Ora se em se tratando de governantes e conquistadores há pouquíssimas informações contemporâneas, não se esperaria que com Jesus fosse diferente. Longe de um palácio, exércitos e avanços militares, Jesus vivia cercado de pessoas simples e nunca andou sequer 10% do trajeto que esses homens percorreram. As informações, portanto, que se têm a seu respeito, apesar de poucas, são importantes, não devendo nada para informações sobre outros vultos da história. O passado é um objeto que se estuda a partir de fragmentos!

Ademais, é notório, até onde se pode saber, que nenhum autor não cristão da Antiguidade (mesmo em seu mais acirrado ataque ao cristianismo) negou a existência histórica de Jesus de Nazaré. Isso demonstra que eles sabiam por diversas fontes que ele realmente existiu, mesmo que não aceitassem ser ele o Filho de Deus.

As fontes históricas extrabíblicas sobre Jesus podem ser divididas em dois tipos: clássicas (para as fontes greco-romanas) ou judaicas (Josefo, Talmude). As fontes cristãs serão discutidas em outra seção.

Fontes clássicas

As fontes clássicas mais antigas referindo-se a Jesus e aos cristãos datam do final do I século e começo do II. Naquele tempo, o seguimento cristão era considerado nos meios romanos como simples *superstição*.

Mara Bar-Serapião era um filósofo estoico da província romana da Síria que se tornou amplamente conhecido em função de uma carta que teria escrito a seu filho, também chamado Serapião, por volta do ano 73 d.C. Muitos a consideram a mais antiga referência não judaica e não cristã a Jesus Cristo.[8]

* - *"Que proveito os atenienses obtiveram em condenar Sócrates à morte? Fome e peste lhe sobrevieram como castigo pelo crime que cometeram. Que vantagem os habitan-*

tes de Samos obtiveram ao pôr fogo em Pitágoras? Logo depois sua terra ficou coberta de areia. Que vantagem os judeus obtiveram com a execução do seu sábio rei? Foi logo após esse acontecimento que o reino dos judeus foi aniquilado. Com justiça Deus vingou a morte desses três sábios: os atenienses morreram de fome; os habitantes de Samos foram surpreendidos pelo mar; os judeus arruinados e expulsos de sua terra, vivem completamente dispersos. Mas Sócrates não está morto, ele sobrevive nos ensinos de Platão. Pitágoras não está morto; ele sobrevive na estátua de Hera, Nem o sábio rei está morto; ele sobrevive nos ensinos que deixou".

*Plínio, o Jovem (61-112A.D.): Procedente de família abastada e amigo particular de Trajano, Plínio foi encarregado pessoalmente pelo imperador para reorganizar a província da Bitínia que se encontrava meio desordenada. Assim, em 111 - 112 o jovem "legado romano"(título que recebera do império) encontrou-se pela primeira vez com os cristãos e, para ter certeza do agrado do imperador quanto a tudo que fazia, mandou-lhe uma carta solicitando instruções sobre como lidar com aquela "seita". Eis o trecho em que menciona o fato:

"Senhor, é norma para mim submeter a ti todos os pontos sobre os quais tenho dúvidas; quem melhor do que o senhor poderia orientar-me quando hesito ou instruir-me quando ignoro?

Nunca participei de processos contra os cristãos; não sei, por isso, a quais fatos e em que medida se aplicam ordinariamente a pena ou as execuções. Eu me pergunto, não sem perplexidade, se há diferenças a serem observadas no que diz respeito à idade, ou se até o neném está no mesmo nível de um adulto; se se deve perdoar a quem se arrepende ou se quem é cristão não ganha nada quando se retrata; se é necessário punir o simples fato de se denominarem cristãos, mesmo que não houver crimes, ou se devo punir apenas os crimes ligados com o nome.

Eis, portanto, a norma que eu mesmo tenho seguido para com aqueles que me foram denunciados como cristãos: aos que confirmavam, eu pergunto uma segunda e uma terceira vez, ameaçando-os sempre com o suplício. Aos que perseveram na confissão, eu mando executá-los, mesmo sem saber detalhes sobre o que acreditam, porque só a sua obstinação e teimosia inflexíveis já me são motivo de pena capital.

Há alguns outros que, embora dominados pela mesma loucura, eram cidadãos romanos. Quanto a estes eu apenas anotei a ocorrência e os enviei para Roma. Como acontece em casos semelhantes, estendendo-se a acusação no processo do inquérito, logo se apresentam diferentes casos.

Foi afixado uma lista anônima, relacionando vários nomes [denunciando pessoas que seguiam a seita]. Aos que negavam ser cristãos, quer no presente ou no passado, se invocassem os deuses segundo as palavras que eu ia ditando e se sacrificavam vinho e incenso (?) diante da tua imagem que eu mandava trazer e, além de tudo isso, se blasfemavam o nome do Cristo – coisas que, segundo se diz, nenhum cristão legítimo faria –, pensei que poderia deixá-los ir. Havia [ainda] outros cujo nome também estava na denúncia feita pelo delator e que confessaram terem, de fato, sido cristãos, mas que abandonaram [a seita], uns há três anos, outros há mais tempo, até vinte anos; todos estes adoraram a tua imagem e as imagens dos deuses e blasfemaram o Cristo.

De resto, disseram-me que toda a falta deles, ou seu erro, limitava-se a um costume de se reunirem num dia fixo, antes do amanhecer, e então cantarem em seu meio um hino a Cristo como se este fosse um Deus. Também, de se comprometerem por juramento a não cometer nenhum crime, nem roubo, nem pilhagem, nem adultério, a cumprirem com o prometido e a não deixarem de dar um depósito reclamado em justiça.

Terminados estes ritos, tinham o costume de se separarem e de se reunirem outra vez para a sua refeição, que, a despeito daquilo que muitos dizem, parece ser simples e inocente; mesmo porque, esta prática fora por eles renunciada depois de meu edito – baseado nas tuas próprias instruções –, segundo o qual eu proibia as heterias.

Julguei tanto mais necessário extrair a verdade de duas escravas, que eram chamadas diaconisas, mesmo submetendo-as à tortura. Tudo o que encontrei foi uma superstição insensata e exagerada.

Devido a tudo isso, resolvi interromper o procedimento [contra os cristãos] e solicitar teu parecer. Julguei que a questão mereceria que eu ouvisse sua orientação, principalmente devido ao grande número dos acusados. Há uma multidão de pessoas de todas as idades, de todas as classes e dos dois sexos que estão ou serão postos em perigo. Não somente nas cidades, mas também nos vilarejos e nos campos *espalhou-se o contágio desta superstição. Contudo, acredito ser possível detê-la e curá-la."* (Carta X, 96)

A resposta de Trajano a Plínio também está preservada:

"Meu caro Plínio, tu seguiste a conduta que devias ter seguido no exame das causas daqueles que haviam sido denunciados como cristãos. Afinal, não é possível instituir uma regra geral que tenha, digamos, uma prescrição fixa para todos. Não há motivos para persegui-los 'ex-oficcio'. Se forem denunciados e a acusação for provada, que sejam condenados, mas com a seguinte ressalva: que aquele que negar ser cristão, e der provas disto pelos seus atos, quero dizer, sacrificando aos nossos deuses, mesmo que ele seja suspeito no que se refere ao passado, obterá o perdão como prêmio de seu arrependimento.

Quanto às denúncias anônimas, não devem ser levadas em consideração em nenhum caso; este era o costume de um detestável procedimento que não deve mais ser seguido em nosso tempo." (Carta X, 97).

* Tácito: descrevendo por volta do ano 115 o incêndio de Roma, ocorrido em 64 d.C., este historiador fala da perseguição de Nero aos cristãos e menciona o nome de Cristo que, para seu entendimento, não era um título, mas um nome próprio:

"Nenhum esforço humano, nem o poder do imperador, nem as cerimônias para aplacar a ira dos deuses faziam cessar a opinião infame de que o incêndio [de Roma] havia sido mandado. Por isso, com vistas a abafar o rumor, Nero apresentou como culpados e condenou à tortura aquelas pessoas odiadas por sua própria torpeza, que a populaça chamava de 'cristãos'. Tal nome vem de Cristo, que no principado de Tibério, o procurador Pôncio Pilatos entregou ao suplício. Reprimida na ocasião, essa execrável superstição fez-se irromper novamente, não só na Judeia, berço daquele mal, mas também em Roma, para onde converge e onde se espalha tudo o que há de horrendo e vergonhoso no mundo. Começou-se, pois, por perseguir aqueles que confessavam; depois, por denúncia deles, uma multidão imensa, e eles foram reconhecidos culpados, menos do crime de incêndio... À sua execução acrescentaram zombarias, cobrindo-os com peles de animais para que morressem devido à mordida de cães de caça, ou pregavam-lhes em cruzes, para que, após o fim do dia, fossem usados como tochas noturnas e assim consumidos". (Anais, XV, 44).

Busto de Nero, imperador de Roma e opositor dos seguidores de Cristo.

* Suetônio (69? – 122?), outro historiador romano, apresenta por volta de 120 A.D., dois registros históricos, um da vida de Cláudio, e outro da vida de Nero, nos quais ele menciona algo que pode ser uma referência a Cristo. No primeiro texto ele comenta a

Primeiros cristãos da era pós-apostólica cultuando Cristo.

expulsão dos judeus de Roma por volta do ano 49 (Cf. Atos 18:2), durante o reinado de Cláudio e ali menciona uma estreita ligação entre os judeus e um certo "Chrésto" que poderia ser uma grafia errada do nome de Cristo.

> "Como os judeus se sublevavam continuamente por instigação de Chrésto; [Cláudio] os expulsou de Roma" (A Vida de Cláudio, XXV).

Falando de repressões rigorosas instituídas pelo governo de Nero, ele comenta:

"... foi proibido vender nas tabernas qualquer alimento cozido, fora legumes e hortaliças, quando an-

O martírio cristão.

tes eram servidas nesses lugares comidas de todos os tipos; os cristãos, espécie de gente dada a uma superstição nova e perigosa, foram entregues ao suplício; foram proibidas as perambulações dos condutores de quadrigas[9], autorizados por um costume antigo a vagabundear pela cidade, enganando e roubando os cidadãos para se divertirem; foram proibidos os pantomimos[10] e suas atuações." (A Vida de Nero, XVI).

* Luciano de Samosata (c. 115- c 181 d.C.) - era um autor satírico greco-siríaco, mas de ancestralidade semita, que escreveu A Passagem do Peregrino, sobre um ex-cristão que mais tarde se tornou um famoso filósofo cínico e revolucionário, morrendo em 165 d.C.. Em duas seções do texto, há uma menção satírica a Jesus, mesmo que seu nome não seja mencionado diretamente:

> "Foi então que ele [Proteus] conheceu a maravilhosa doutrina dos cristãos, associando-se a seus sacerdotes e escribas na Palestina. (...) E o consideraram como protetor e o tiveram como legislador, logo abaixo do outro [legislador], aquele que eles ainda adoram, o homem que foi crucificado na Palestina por dar origem a este culto.(...) Os pobres infelizes estão totalmente convencidos de que eles serão imortais e terão a vida eterna, desta forma eles desprezam a morte e voluntariamente se dão ao aprisionamento; a maior parte deles. Além disso, seu primeiro legislador os convenceu de que eram todos irmãos, uma que vez que eles haviam transgredido, negando os deuses gregos, e adoram o sofista crucificado vivendo sob suas leis...." (Passagem do Peregrino, 11 - 13.)

"Os cristãos, vocês sabem, adoram um homem neste dia – a distinta personagem que lhes apresentou suas cerimônias e foi crucificado por esta razão." (A Morte do Peregrino, 11-13)

Fontes judaicas

* Flávio Josefo (37/8 - 100 A.D.?) – A partir do século XVI, muitos autores colocaram em dúvida a autenticidade destes parágrafos que, se pertencentes à obra, datariam do ano 93/4 A.D. Alguns mais cépticos tentam argumentar que estas partes seriam interpolações feitas posteriormente por escribas cristãos que viviam enclausurados em mosteiros produzindo cópias de manuscritos.

Contudo, vários especialistas hoje advogam a autenticidade da maior parte do trecho. Todas as traduções mais antigas e todos os manuscritos gregos de Josefo (desde os melhores até os menos confiáveis) trazem, com pequenas variações, o conteúdo deste texto[11]. A versão abaixo é a mais aceita por grande parte dos acadêmicos:

"Por esse tempo, surgiu Jesus, homem sábio. Pois ele era obrador de feitos extraordinários, mestre dos homens que aceitam alegremente coisas estranhas e arrastou após si muitos judeus e muitos gregos. Ele era considerado Messias. Embora Pilatos, por acusações dos nossos chefes o condenasse à cruz, aqueles que o tinham amado desde o princípio não cessariam [de proclamar que] passado o terceiro dia, apareceu-lhes novamente vivo; os profetas de Deus tinham respeito dele. Ademais, até o presente, a estirpe dos cristãos, assim chamada por referência a ele, não cessou de existir." (Ant. XVIII, 3, 3).

Falando do golpe de Estado dado pelo sumo sacerdote Anã (ou Hananias), após a morte de Festo (62-A.D.), Josefo diz que o sacerdote saduceu: "Convocou uma assembleia (Sinédrio) de juízes e colocou diante deles o irmão de Jesus que é cognominado Messias, de nome Tiago, e alguns outros. Acusou-os de terem transgredido a lei e os entregou para serem apedrejados." (Ant. XX, 9, 1).

* Talmude Babilônico: Há uns poucos trechos talmúdicos que alguns autores entendem fazer referências distantes à pessoa de Jesus. Não se trata, porém, de uma alusão clara à sua pessoa. Parecem, no máximo, um eco distante de sua existência.

Mas ele é tratado como personagem histórico. Com críticas ou não, *Yeshua* (Jesus) não é negado como personagem histórico pelos judeus, pelo menos baseados na tradição Talmúdica. Contudo, existem muitos personagens que foram confundidos com ele no Talmude.

"Aumenta o problema a confusão acerca da possibilidade de passagens que originalmente não aludiam a Jesus não terem sido mais tarde entendidas como referentes a ele. Textos rabínicos que tratam de outras figuras (por exemplo, Ben Stada, Peloni Ben Netzer) mais tarde foram aplicados erroneamente a Jesus"[12]. (Rabino Michael J. Cook).

Um desses textos é uma tradição externa suplementar, *baraíta*, inserida no Talmude Babilônico para comentar o procedimento correto quanto a um condenado ao apedrejamento. Mas ele é confuso porque fala de apedrejamento e cita como exemplo uma pessoa que foi pendurada ou enforcada e que, alguns creem, pode ser uma referência a Jesus de Nazaré:

"Na véspera do *pessá* (Páscoa), penduraram Jeshu (*há-nozri*). Durante 40 dias um arauto esteve andando à volta dele. [Mas] ele é conduzido ao apedrejamento por ter praticado magia e levado o povo a cometer idolatria, além de desviar Israel. 'Se alguém conhece alguma coisa em seu favor, que venha e dê o testemunho'. Mas não se encontrou nenhuma testemunha favorável a ele e enforcaram-no na véspera do pessá." (Sanhedrin 43[a])

Nesta passagem possivelmente menciona-se Jesus e seus discípulos – embora o número pareça deles equivocado:

"Nossos rabinos ensinaram: Yeshu tinha cinco discípulos: Matai, Nakai, Netser, Buni e Todá. [...]

Quando Matai foi trazido [perante a corte] ele lhes disse [os juízes]: Matai deverá ser executado? Pois está escrito: Quando [hb. Matai] eu virei e aparecerei perante D'us? (Sl 43.3). Imediatamente ele replicou: Sim, Matai será executado, pois está escrito. Quando [Matai] morrer, seu nome perecerá (Sl 41:6). (Sanhedrin 43ª)

Você sabia?

A existência histórica de Jesus de Nazaré não é defendida apenas por cristãos piedosos. Na verdade é praticamente um consenso entre os historiadores de que Jesus existiu de fato no século I de nossa era. Até mesmo acadêmicos ateus e agnósticos como Bart Ehrman, Maurice Casey e Paula Fredriksen ou ainda judeus como Geza Vermes e Hyam Maccoby defendem a historicidade do fundador do cristianismo.

Fato importante

Segundo a apologia de Orígenes escrita por volta de 178 a um judeu chamado Celso (cuja obra contra o cristianismo se perdeu completamente), havia uma acusação de que Jesus seria um filho bastardo, nascido da união adúltera de Maria e um legionário romano chamado Panthera (*Contra Celsum* I, 28 e 68). Como o nome ben Panthera aparece no Sanhedrin 107b e no b Sota 47ª, é possível que ali exista uma referência indireta a Jesus.

Museu de Israel - Ossuário alguém também chamado Jesus

Uma caixa controversa

Os judeus do século I costumavam guardar ossos de seus ancestrais dentro de caixas de pedra chamadas ossuários e depositá-las em túmulos da família feitos nas rochas. Essas caixas costumavam trazer uma inscrição tumular que identificava os restos mortais daquele que estava ali sepultado. Um ossuário em especial trazia os seguintes dizeres grafados em aramaico – uma língua próxima ao hebraico e largamente falada nos tempos de Cristo: "Tiago, filho de José, irmão de Jesus."

Quem primeiro anunciou essa descoberta foi o paleógrafo André Lamaire[13]. Ele chamou a atenção para o fato de que a expressão "Tiago, filho de José" poderia não indicar muita coisa, pois era a fórmula comum daqueles dias ("fulano, filho de sicrano"). Contudo, o complemento "irmão de Jesus" seria algo completamente inédito pois não se colocava o nome de outro parente além do próprio pai. A menos, raciocinou Lamaire, que esse parente fosse famoso o bastante para merecer tal destaque.

Daí o que se seguiu foi um jogo de probabilidades combinadas. Qual a chance matemática de haver dois Tiagos na Jerusalém do século I que teriam um pai chamado José e um irmão famoso chamado Jesus? Praticamente nenhuma. Logo, cogitou-se a forte possibilidade de ser este Tiago o mesmo mencionado em Mateus 13:55 e Marcos 6:3. Ou seja, o irmão do Salvador que se tornou um dos primeiros líderes da Igreja após a ressurreição de Cristo.

A favor desta identificação há o fato de que Josefo também menciona Tiago como irmão de Jesus em sua obra historiográfica acerca dos judeus. Hoje a questão está dividida nas seguintes teorias. Para uns, tudo não passa de uma grosseira falsificação feita por algum comerciante de antiguidades, para outros, o ossuário seria verdadeiro, mas a inscrição não. Outros ainda pensam que a primeira parte, "Tiago filho de José", seria verdadeira, enquanto a segunda, "irmão de Jesus" seria falsa. E há também os que julgam a peça genuína em todos os aspectos.

Estudos futuros poderão iluminar melhor a questão ou deixá-la ainda em aberto, uma vez que questões políticas e judiciais também fizeram parte do episódio. Por outro lado, ainda que não se possa afirmar para longe de qualquer dúvida a autenticidade deste artefato, já existem elementos suficientes para apontar Jesus como uma legítima personalidade histórica.

Fato importante:

"Diremos que a história do Evangelho foi inventada por prazer? Meu amigo, não é assim que se inventa... Nunca os autores judeus teriam encontrado nem esse tom nem essa moral. Os Evangelhos têm traços de verdade tão grandes, tão impressionantes, tão perfeitamente inimitáveis, que seu inventor seria mais espantoso do que o herói. Contudo, esses mesmos Evangelhos estão cheio de coisas incríveis que ferem a razão. Coisas que o homem comum não pode conceber e nem admitir." Jean Jacques Rousseau

Aspectos físicos da terra de Jesus

Ao estudar a narrativa dos Evangelhos, o leitor moderno pode perceber a ênfase e a perspectiva geográfica dos autores ao apresentar a vida e obras de Jesus. Os textos fazem constantes referências tanto a lugares

Você sabia?

O caso do ossuário de Tiago foi parar nos tribunais e vários artefatos foram levados a juízo. Finalmente, no dia 14 de março de 2012, o juiz Áaron Farkash da suprema corte de Jerusalém, que também tinha graduação em arqueologia, declarou numa sentença oficial que "não há evidência alguma de que qualquer destes principais artefatos [incluindo o ossuário de Tiago] foram forjados, e a promotoria não conseguiu provar que suas acusações poderiam ir além de uma razoável dúvida".

Caixa de pedra contendo os ossos de Tiago; para alguns, o irmão de Jesus Cristo.

Deserto da Judeia

imediatos – beira-mar, alto da montanha, interior de uma casa – quanto a territórios mais amplos – as regiões de Tiro e Sidon, as bandas de Cesareia de Filipe, o deserto da Judeia.

Demarcações geográficas

A superfície da "terra de Jesus" variou consideravelmente no decorrer dos séculos, ora sendo mais extensa – como nos dias de Davi e Salomão –, ora mais reduzida, especialmente quando atacada por povos estrangeiros como assírios, babilônios, gregos e romanos.

E não se pode deixar de anotar a ruptura interna ocorrida após a morte de Salomão, que dividiu as 12 tribos em Reino do Norte e Reino do Sul – uma rivalidade que deixou muitas consequências.

De modo geral, mas não uniforme, pode-se dizer que estes seriam os limites geográficos aproximados da terra dos judeus nos dias de Jesus:

Norte – fronteira com a Síria e a Fenícia.

Sul – fronteira com o deserto do Sinai.

Leste – fronteira com parte da Síria e da Arábia.

Oeste – limite litorâneo banhado pelo Mar Mediterrâneo.

Um roteiro limitado

Tudo começa com uma viagem de Nazaré para Belém, onde nasce o menino Jesus. A seguir ele é levado em fuga para o Egito. Depois aparecem em cena Nazaré, o deserto da Judeia, um monte não nomeado e sua pregação na Galileia, Judeia e arredores, onde ele exerceu praticamente todo seu ministério público. Regiões como Decápolis, Pereia e Samaria também contaram com a presença física de Jesus, mas em situações raras e bastante específicas. Esses lugares não parecem ter sido parte de sua rota costumeira.

Você sabia?

Ao contrário de Paulo, que era um homem de educação urbana, Jesus identifica-se mais com uma pessoa do interior. Com exceção de Jerusalém, ele parecia evitar os grandes centros, concentrando-se apenas nas vilas e arredores (cf. Marcos 7:31;8:27). Seus exemplos, parábolas e expressões revelam a profundidade de um homem sábio, mas acostumado ao dia a dia do campo.

Considerando que a maior parte dos três anos e meio do ministério de Jesus fora concentrada na região da Galileia, com poucas idas a Jerusalém e outros territórios, a extensão geográfica de seus milagres e pregações fica anda mais reduzida.

Nos três anos e meio que passou pregando, Jesus não se distanciou mais que 200 km da cidade de Nazaré, onde fora criado. Contudo, isso não significa que ficou ocioso ou parado num único lugar. Considerando que muitas de suas viagens eram a pé, com base nos relatos evangélicos das várias idas e vindas de Cristo pelo território, pode-se calcular que ele tenha caminhado pelo menos 34.600 km durante seu ministério terrestre. Isso é dez vezes mais que a média nacional da população brasileira no mesmo espaço de tempo!

Mas esses limites geográficos da atuação de Jesus tornam-se secundários se comparados ao alcance posterior de seus ensinos que hoje percorrem o mundo inteiro e trazem especial atenção para aquelas antigas paisagens que hoje compreendem Israel, o território Palestino e parte da Jordânia, Síria e Líbano.

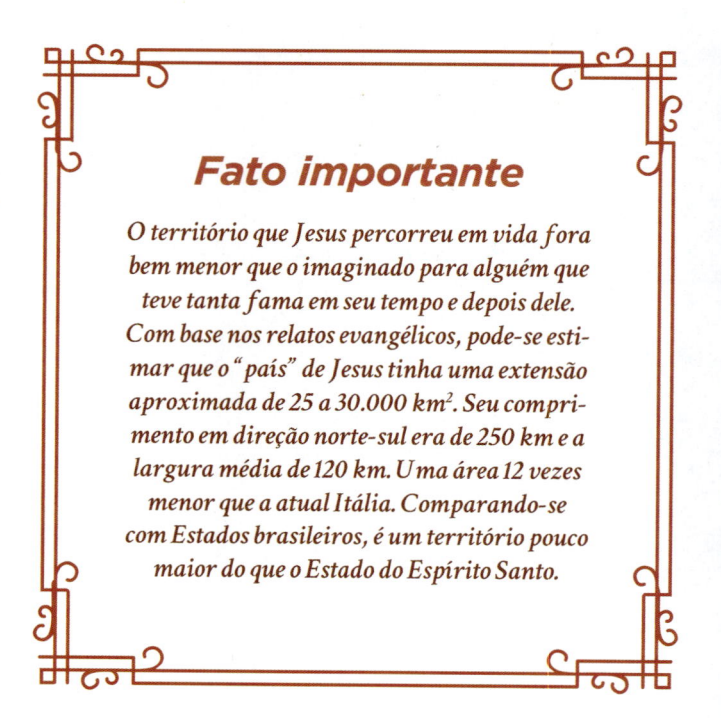

Fato importante

O território que Jesus percorreu em vida fora bem menor que o imaginado para alguém que teve tanta fama em seu tempo e depois dele. Com base nos relatos evangélicos, pode-se estimar que o "país" de Jesus tinha uma extensão aproximada de 25 a 30.000 km². Seu comprimento em direção norte-sul era de 250 km e a largura média de 120 km. Uma área 12 vezes menor que a atual Itália. Comparando-se com Estados brasileiros, é um território pouco maior do que o Estado do Espírito Santo.

Encruzilhada das nações

A terra que em Jesus nasceu era o mesmo território prometido por Deus ao patriarca Abraão e seus descendentes (Gên. 12:7; 13:14-17). Em termos geográficos, aquele pedaço de chão tornou-se o entroncamento de grandes povos do antigo Oriente Médio. As maiores civilizações da Antiguidade (Egito, Babilônia, Assíria, Pérsia e reino Hitita) se assentaram ao redor do território comumente conhecido por "Terra Santa" que é apenas um nome piedoso para o Israel descrito na Bíblia. Não é por menos que antigos autores, desde os tempos bíblicos (Ezequiel 5:5; 38:12) até à Idade Média, referiam-se a Jerusalém como o "centro" do mundo.

O mundo de Jesus

O mundo geográfico em que Jesus viveu integrava o império romano, que abrangia todo o entorno do Mar Mediterrâneo, envolvendo territórios da África, Ásia e Europa. É difícil atualmente precisar os limites fronteiriços da terra dos judeus no tempo de Cristo. O que se sabe é que a Judeia foi conquistada pelos romanos em 63 a.C. e anexada ao império como reino semiautônomo, isto é, com direito a ser governado por um rei local.

Esse rei, apontado pelos romanos, era Herodes, o Grande, o "rei da Judeia" por ocasião do nascimento de Cristo e de João Batista, que recebera extensas porções de terra concedidas pelo senado romano (Lucas 1:5).

No auge de seu poder, seu domínio incluía as regiões da Judeia, Galileia, Idumeia, Pereia, Samaria e outros redutos menores. Porém, após sua morte, o território foi dividido entre seus filhos. Filipe ficou com a parte leste do Jordão, mas viveu a maior parte de sua vida em Roma. Antipas (o mesmo que mandou matar João Batista) ficou com a Galileia e Arquelau, mencionado textualmente em Mateus 2:22, 23; herdou a Judeia, Samaria e Idumeia, mas governou pouco tempo devido a uma desastrosa atuação que desagradou o centro do poder em Roma.

Após o banimento de Arquelau, a Judeia passou a ficar sob a jurisdição de *prefeitos* e mais tarde de *procuradores* romanos que tinham residência oficial não em Jerusalém, mas em Cesareia Marítima, junto ao mar Mediterrâneo. Pilatos, que participou do julgamento de Jesus, foi um desses representantes legais do imperador, administrando com mão de ferro o país.

Com exceção de um breve reinado de Herodes Agripa, como rei da Judeia (Atos 12:1), e outro parcial de Agripa II, a terra dos judeus nunca mais teve um rei local que dominasse todo o território. Os enviados de Roma permaneceram governando a região até à revolta dos judeus em 66 d.C.; que culminou na destruição de Jerusalém e do Templo Judeu no ano 70 d.C.

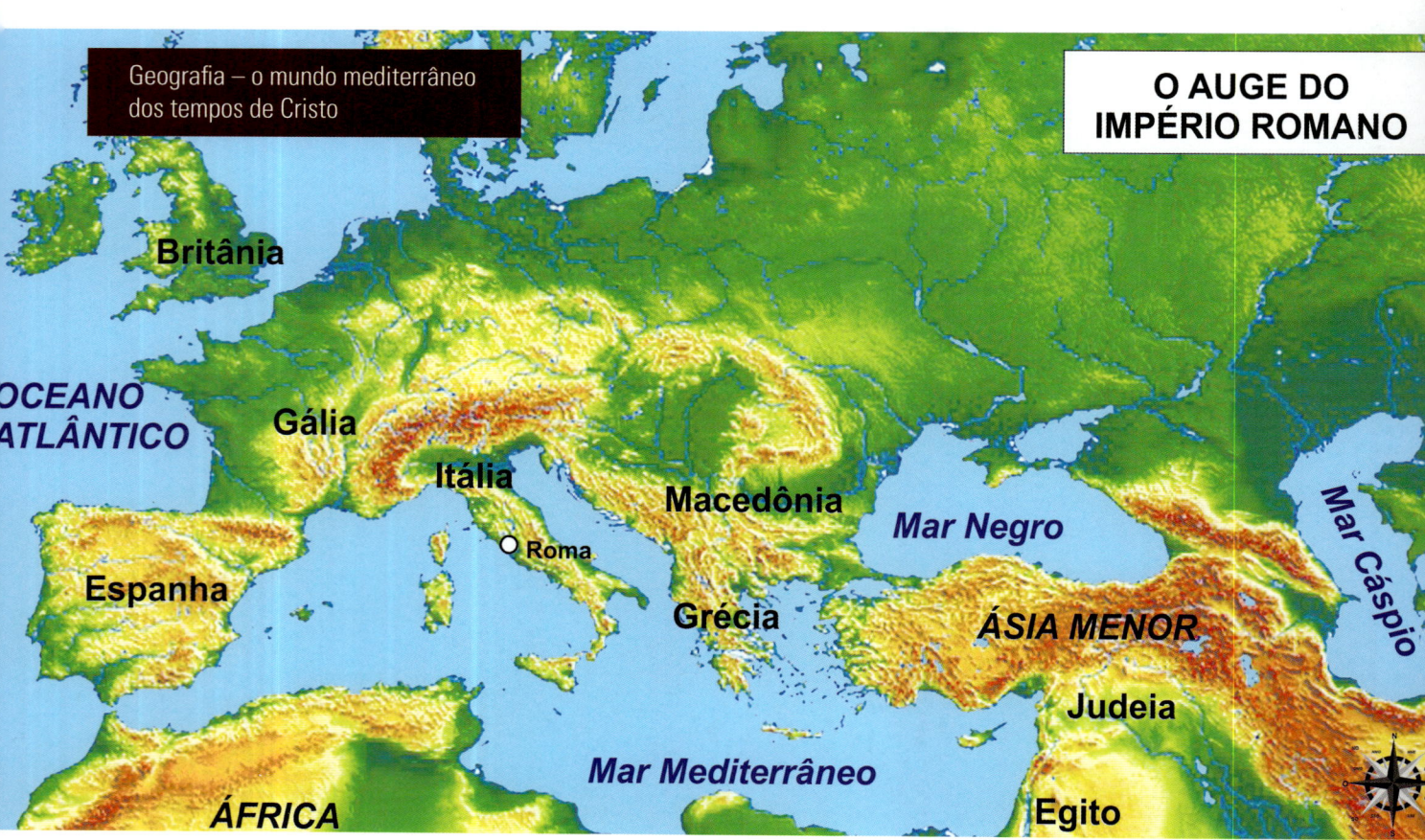

Geografia – o mundo mediterrâneo dos tempos de Cristo

O AUGE DO IMPÉRIO ROMANO

Os Herodes da Bíblia

Após a morte de Herodes, o Grande, alguns de seus herdeiros usaram o designativo "Herodes" como título de realeza. Desse modo é possível encontrar no NT a menção de pelo menos seis Herodes:

1 – Herodes, o Grande, que mandou matar as crianças em Belém; (Mat. 2:2);

2 – Herodes Arquelau ou etnarca, que assumiu a Judeia após a morte do pai (Mat. 2:22);

3 – Herodes Antipas ou Tetrarca, pois governou um quarto do território. Foi ele que assassinou João Batista e teve um breve encontro com Cristo durante seu julgamento em Jerusalém (Luc. 3:19; 9:7; 23:7);

4 – Herodes Filipe, outro Tetrarca que governou a Itureia, Traconites, Gaulanites, Auanites e Bataneia. Não sendo uma figura central, foi rapidamente mencionado em Mateus;16:13; Marcos 8:27 e Lucas 3:1[19];

5 – Herodes Agripa I, neto de Herodes, o Grande, chamado de "rei Herodes", em Atos 12:1, que mandou matar Tiago, à espada;

6 – Herodes Agripa II, bisneto de Herodes, o Grande, famoso por seu encontro com o apóstolo Paulo, conforme registrado em Atos 25:13; 26:32.

Herodes, o Grande

Museu de Israel - Ossuário do Rei Herodes

Você sabia?

Herodes, o Grande, era um indivíduo tão odiado que, quando os arqueólogos encontraram seu túmulo em 2007, se surpreenderam ao ver que fora destruído não por ação do tempo, mas por vândalos que provavelmente o profanaram poucas décadas depois de sua morte. Quem disse isso foi Ehud Netzer, o chefe da expedição que, tragicamente, morreu depois de um acidente, no mesmo local da descoberta.

Fato importante

O famoso Herodes, o Grande, escolhido como rei dos judeus pelos romanos, não era ele mesmo judeu, mas Idumeu. Herodes nascera filho de uma princesa nabateia chamada Cypros e não possuía nenhum parentesco com os judeus senão mediante uma tribo distante de Esaú, a saber, os edomitas.

Apesar de seus esforços para adular Roma e ao mesmo tempo ganhar simpatia dos judeus com grandes construções no seu território, ele era um monarca odiado pela população e vivia sob o constante temor de ser assassinado ou deposto a qualquer momento. Em virtude disso, mandou matar vários membros de sua família, inclusive filhos, o que explica o genocídio de Belém que ele ordenou ao saber que ali havia nascido um menino que seria o "rei dos judeus".

Cronologia

63 a.C.
Pompeu conquista a Judeia e nomeia Hircano como líder do Templo em Jerusalém. O idumeu Antípater, ministro de Hircano e pai de Herodes, o Grande, fica a cargo do governo da Judeia.

48 a.C.
Júlio César derrota Pompeu em Farsália e nomeia Hircano Etnarca. Herodes, filho de Antípater, sufoca uma rebelião na Galileia e cai nas graças de Roma que, após o assassinato de César e do próprio Antípater, o nomeia tetrarca junto com seu irmão Fasael.

40 a.C.
Os partos invadem a Judeia e nomeiam Antígono rei e sacerdote. Herodes foge para Roma e Hircano é mutilado. Antônio recebe Herodes em Roma e lhe assegura um exército com o qual derrotou Antígono 3 anos depois.

4 a.C. – 6 d.C.
Arquelau governa como Etnarca a Judeia, Samaria e Idumeia. Com a deposição de Arquelau, a Judeia passa a ser controlada por uma série de prefeitos romanos.

4 a.C. – 34 d.C.
Herodes Filipe governa Traconítide, Auranítide, Gaulanítide, Bataneia e Itureia (distrito de Paneias).

4 a.C. – 39 d.C.
Herodes Antipas governa a Galileia e Pereia.

31 d.C.
Possível ano da crucificação de Cristo.

34 d.C.
Morte de Estêvão, o primeiro mártir cristão.

41 – 44 d.C.
Herodes Agripa I recebe de Cláudio a outorga da Judeia e Samaria, que neste interim não é mais controlada por um prefeito romano. Ele inicia uma perseguição contra os cristãos em Jerusalém, ordena a morte de Tiago e coloca Pedro numa prisão. Atos 12:1-5.

37 a.C.
Octaviano (o futuro Augusto César) assume o poder em Roma e, após a batalha de Ácio, mantém Herodes no controle da região. No mesmo ano Herodes se casa com Mariana I, neta de Aristóbulo II e Hircano II e conquista Jerusalém juntamente com Sósio.

6/5 a.C.
Possível ano do nascimento de Jesus.

4.a.C.
Herodes, o Grande, morre entre março e abril na cidade de Jericó. Seu filho Arquelau leva seu corpo para o Herodion, palácio no deserto que serviu de túmulo do rei.

14 d.C.
Morre Augusto César (Luc. 2:1) e Tibério assume seu lugar (Luc. 3:1).

26 – 36 d.C.
Pilatos governa como prefeito da Judeia a mando de Roma.

27 d.C.
Jesus inicia seu ministério.

44 d.C.
Herodes morre em Cesareia comido por vermes, conforme Atos 12:20-25. Após sua morte a Judeia é incorporada à prefeitura da Síria e volta a ser controlada por representantes de Roma, desta vez, procuradores.

48 d.C.
Passado um tempo após a morte de seu pai, Herodes Agripa II é nomeado por Cláudio rei de parte norte e nordeste do território judeu.

56 d.C.
Nero aumenta o território dominado por Agripa II que, para adular o imperador, muda o nome da cidade de Cesareia para Neronias. Neste interim ele ouve a defesa de Paulo, conforme Atos 25:13-32, admite (por sinceridade ou zombaria) que este por pouco fez dele um cristão - Atos 26:28.

Principais províncias e cidades

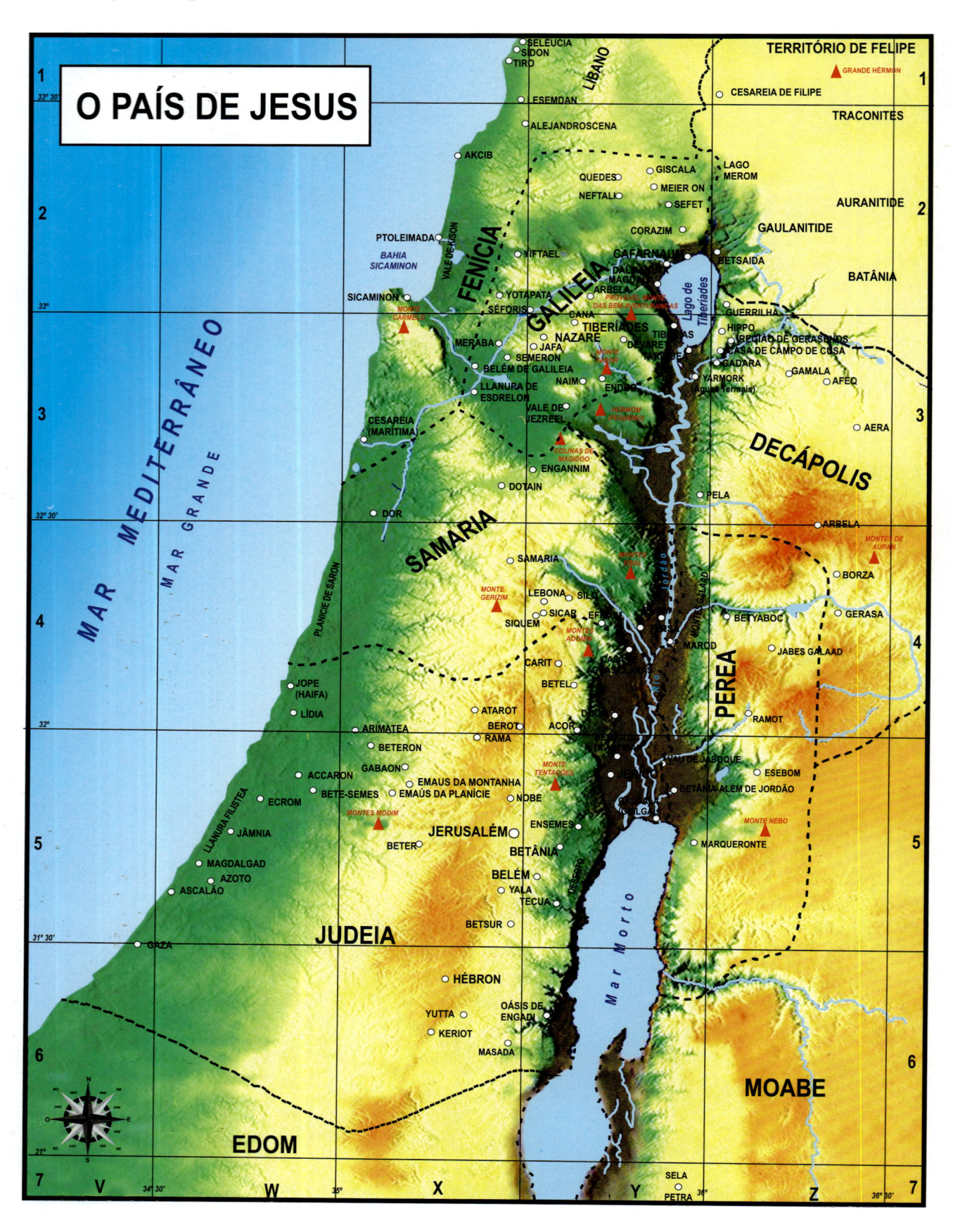

O PAÍS DE JESUS

Mar da Galileia

A região na qual Jesus viveu é uma terra de muitas montanhas, vales e um imenso deserto. Daí a Bíblia chamá-la de "terra de montes e vales" (Deut. 11:11). Praticamente todas as cidades do tempo de Jesus estavam situadas em algum ponto de uma extensa cordilheira que desce desde os atuais limites com o Líbano e a Síria, até às áreas desérticas do Negev ao sul do país. A parte norte está a aproximadamente 1300 metros acima do nível do Mediterrâneo e a parte sul, bem ao contrário, acerca de 400 metros abaixo do nível do mar.

Essa cadeia montanhosa que inicia com os maciços do Líbano e o Monte Hermon é entrecortada pelo vale de Jezreel (Josué 17:16) que a divide deixando ao norte os montes da Galileia e ao Sul os desvios das montanhas de Samaria. É do Hermon, cuja parte sul se funde com as famosas colinas do Golan, que descem as principais nascentes do Rio Jordão. Este, por sua vez, atravessa os lagos Hulé e segue até formar o Mar da Galileia, na verdade um lago de água doce com com 21 km de comprimento e area de 166 km^2. A seguir, esse rio continua seu curso descendo cada vez mais até desembocar no Mar Morto a 390 m abaixo do nível do mar. Sua extensão é de, aproximadamente 190 km.

Acompanhando o vale do Jordão, desde o Mar da Galileia até o Mar Morto, é possível identificar com mais facilidade algumas das principais regiões, cidades, localidades e acidentes geográficos mencionados no Novo Testamento. Vindo do Norte para o Sul, são estas as regiões ou divisões políticas da Terra Santa, durante a vida de Jesus:

1 – Galileia – Um lugar complicado na época porque, ainda que a população fosse judaica em sua maior parte, ali era território comum de muitos judeus e não judeus. Por isso era chamada de "Galileia dos gentios" (Isa. 9:1 e Mat. 4:15). *Gentio* era uma alcunha não muito amistosa para falar do não judeu; seria o mesmo que chamar alguém de pagão.

Ao contrário do que se pensava anteriormente, a arqueologia revelou um ambiente bem religioso na Galileia, porém, menos piedoso que o de Jerusalém.

Modernos samaritanos celebrando a páscoa sobre o monte Gerizin.

Tanto era assim que os habitantes da Judeia consideravam os da Galileia "judeus de segunda categoria" (João 1:46; 7:25).

O sotaque e a dicção dos galileus era outra motivação para serem discriminados pelos que viviam na Judeia. Um galileu geralmente usava expressões aramaicas estranhas, com descuido gramatical e pronúncia indistinta de algumas letras. Isso permite entender porque Pedro foi imediatamente reconhecido como galileu por sua "forma de falar" quando estava no pátio do palácio de Caifás por ocasião do aprisionamento de Cristo (Mat. 26:73).

Tudo isso torna mais que curiosa a informação bíblica de que Jesus inicia justamente ali seu ministério e todos os seus apóstolos (com possível exceção para Judas) eram galileus. Considerando que Nazaré ficava na Galileia e Jesus fora criado neste vilarejo, ele mesmo fora, em virtude disso, considerado galileu (Mat. 26:69 e 73).

A região era ainda subdividida em alta e baixa Galileia. A primeira, muito montanhosa e isolada, não se destaca no relato bíblico. Já a segunda, a baixa Galileia, serviu de ambiente para a maioria dos episódios descritos nos evangelhos. Era um lugar fértil, com bastante chuva que, segundo Flávio Josefo, não teria nenhuma terra sem ser cultivada (Guerra dos Judeus 3.42-43).

Era no entorno do Mar da Galileia que ficavam as principais cidades pelas quais Jesus se movimentava – embora nem todas estejam precisamente localizadas: Cafarnaum (Mat. 17:24; Mc 1:23-28); Corazim (Mat. 11:21), Betsaida (Mt 11.21; 6.45; 10: 13; Jo 1.44), Caná (João 2:1 e 21:2), Genesaré (Marcos 6:53-56), Magadala (Luc. 8:2), Gergesa ou Gadara Mat 8:28 e Luc. 8:26 e Naim (Luc. 7:11-17). Outras cidades não mencionadas no relato bíblico seriam Merom, Tela, Giscala, Tiberíades, Tesá, Cabul, Aczibe. Mas é bom lembrar que a parte leste do Mar da Galileia tem uma jurisdição mais imprecisa, de modo que as cidades que estão do outro lado do Lago são às vezes mostradas como pertencentes a Decápolis, à Tetrarquia de Felipe ou à própria Galileia.

2 – Decápolis – Conforme o próprio nome grego, significa literalmente as "dez" (*deka*) "cidades" (*pólis*). De acordo com Plínio, o Velho, essas cidades seriam: Damasco, Filadélfia, Rafana, Citópolis (Bete-Seã), Gadara, Hipos, Diom, Pela, Gerasa e Canata (*Naturalis Historia* V, 74). Embora exista certa divergência sobre o que representavam essas cidades, a opinião prevalecente é a de que se tratava de uma confederação cosmopolita fortemente marcada por uma cultura helenística comum. O único problema é que o estudo das fontes até agora realizado não descobriu nenhuma evidência de arranjos comerciais, políticos ou militares entre seus membros.

Seja como for, eram todas cidades greco-romanas que partilhavam uma mesma cultura não judaica, mas que se sentiram atraídas pelo ministério de Jesus de Nazaré. Assim, muitos de seus seguidores vinham dessas cidades e, embora fosse um lugar evitado por religiosos judeus mais conservadores, não é inverossímil concluir que Jesus tenha tido algum tipo de atividade efetiva na região (Mat. 4:25; Mar - 5:1-20; 7:31). Mesmo porque, recentes pesquisas mostram que algumas cidades da Decápolis tinham presença judaica em seu território como é o caso de Bete Sean, Gerasa e Hamate Gader.

3 – Pereia – Localizada logo abaixo da Decápolis, a Pereia não é diretamente citada no Novo Testamento, a não ser por uma variante textual de Lucas 6:17. Quem a chama por esse nome é Flávio Josefo. Todavia, sabe-se que "Pereia" vem do grego "Peran" e quer dizer "além". Logo, nos vários momentos em o Evangelho menciona a expressão "além do Jordão", certamente está se referindo a esta região (Mat. 4:15, 25; 8:18; Mar. 3:8; 10:1 etc.).

A Pereia era o caminho ideal para o judeu que quisesse ir de Judá para a Galileia (ou vice-versa), evitando passar pelas terras da Samaria, pois os judeus não se davam com os samaritanos.

4 – Samaria – A rivalidade dos judeus com os habitantes da Samaria era acentuada nos tempos de Cristo, mas as origens dessa disputa vem de muitos séculos antes. Tudo começou após a divisão do povo de Israel em duas nações, após a morte de Salomão em torno de 930 a.C. Uma foi o reino do Sul, chamado Judá e a outra o reino do Norte, chamado Israel.

O povo de Judá seguia adorando Deus em Jerusalém. Mas o povo de Israel misturou seu culto com tradições de outros povos, criando um sincretismo incongruente com a Lei de Moisés. Sendo assim, deixaram de ir a Jerusalém para as festas religiosas e se voltaram para santuários mistos erguidos em lugares como Betel e Dan. A capital do reino do Norte ficou sendo Samaria.

Em 722 a.C., Israel fora conquistado por Salmanazar, rei da Assíria, e muitos israelitas foram transportados para outras partes do seu império. Em contrapartida, pessoas de outras nações também subjugadas foram trazidas para a Samaria (II Reis 17:23-24).

Esses novos cidadãos assimilaram muito da religião judaica, mas a misturaram com sua própria cultura, criando uma visão ainda mais sincrética da fé judaica. Tal situação, agravada pelos casamentos contínuos de judeus e não judeus, fez com que os habitantes de Judá desprezassem os samaritanos e não mais os considerasse gente de sua própria etnia.

> O rabi Eliezer é citado no Talmude como tendo dito que "aquele que aceita um pedaço de pão dado por um samaritano é semelhante àquele que come carne de porco" – algo completamente impensado para um judeu.[14]

Os samaritanos, portanto, seguiram uma forma modificada da Lei de Moisés. Acreditavam que o local correto de adoração a Deus era no monte Gerizim, em Samaria, não no Templo de Jerusalém. Assim, tanto judeus quanto samaritanos evitavam um o caminho do outro, mesmo sendo Samaria a rota mais curta entre a Judeia e a Galileia. Jesus, portanto, deve ter escandalizado bastante os mais conservadores ao optar algumas vezes por passar pela Samaria em sua trajetória entre a Judeia e a Galileia (Luc. 9:51, 52; 17:11; Jo. 4:4 e 5).

5 – Judeia – Nos dias de Jesus a Judeia era, indubitavelmente, a região mais importante para os judeus. Mas o motivo disso não estaria na sua geografia nem na sua beleza natural. Pelo contrário, a Galileia era um lugar muito mais aprazível em termos de temperatura, fontes d'água, vegetação e terreno fértil.

A Judeia, em contrapartida, revela-se uma região por um lado montanhosa (o que dificulta a agricultura) e,

Cafarnaum – Sinagoga

Restos da antiga sinagoga da cidade de Cafarnaum

por outro, desértica, o famoso deserto da Judeia várias vezes mencionado no Novo Testamento (Mat. 3:1; 4:1). Ela também varia grandemente em altitude, pois uma de suas partes, o monte Hebron, eleva-se a 1.020 metros, enquanto outra – na direção do Mar Morto – desce a pouco mais de 400 metros abaixo do nível do mar, sem dúvida a depressão mais profunda do planeta Terra.

Quanto às chuvas, a quantidade de água que cai na Judeia (entre 100 e 600 mm) é mínima se comparada à que cai na Galileia (900-1.200 mm). Isso fora o clima bem complicado. É que, localizada numa zona fronteiriça entre o clima úmido do Mediterrâneo a oeste e a zona desértica a leste, a Judeia acaba produzindo uma vegetação em parte desértica, em parte de estepes, próprias do clima árido e semiárido. Assim a região fica pobre de árvores, sendo mais caracterizada, por um grande tapete de gramíneas (herbáceas).

Mas era na Judeia que ficava a grande cidade de Jerusalém, capital escolhida por Davi. Ali estava o Templo do Senhor, o centro da religiosidade judaica, para onde peregrinavam judeus do mundo inteiro a fim de adorar o Deus de Israel.

Belém, a cidade do rei Davi; Jericó, a primeira conquista hebreia da região e Hebron, local do túmulo de Abraão e Sara eram outros importantes sítios na região da Judeia. Tudo isso aumentava a importância daquele território, fora o fato de que, após o fim do cativeiro babilônico, a Judeia tornou-se essencialmente o território ocupado pelo remanescente que voltou do exílio. E como a maioria deles era da tribo de Judá, o termo "judeu" passou a designar indistintamente todos os descendentes de Abraão ou seguidores da fé abraâmica e seu território reconhecido como como Judá ou Judeia.

Também era ali que ficava a cidade de Jericó do Novo Testamento, local do palácio de Herodes, da pregação de João Batista e do batismo de Jesus. Foi também na Judeia que Jesus jejuou por 40 dias, no deserto.

6 – A Diáspora – Embora não exista nenhuma região na Terra Santa chamada "diáspora", essa poderia ser considerada um território simbólico para abarcar aquela grande parcela dos judeus que não moravam nas terras bíblicas, mas no estrangeiro.

A diáspora refere-se aos diversos deslocamentos forçados dos judeus pelo mundo, devido à conquista de sua terra por uma nação estrangeira (especialmente assírios e babilônios). Em virtude disso, muitas comunidades judaicas foram fundadas mundo afora e, mesmo quando tiveram a oportunidade de regressar a Israel, preferiram continuar vivendo no exterior.

Assim, já no tempo de Cristo havia grandes populações de judeus vivendo no Egito, na Síria, Grécia e também em Roma. Estima-se que somente a população judaica vivendo na capital do império ultrapassaria 100 mil pessoas e a de Alexandria, 1 milhão! A estimativa de é que havia cerca de 6 milhões de judeus espalhados pelo império romano. Desse modo, é possível dizer que os judeus da Terra Santa representavam apenas uma pequena fração de um conjunto maior de pessoas, cuja maioria vivia fora de Israel.

> *Você sabia?*
>
> *Sempre houve espaço, entre os judeus, para um aculturamento greco-romano. Tanto que a língua principal deles passou a ser o grego, razão pela qual os evangelhos foram escritos nesse idioma e não em hebraico ou aramaico, que seriam as línguas mais comuns para os discípulos de Jesus. O intuito seria usar o grego para disseminar a mensagem de Jesus além do território de Israel.*

> "a nação judaica invadiu quase todas as cidades, a ponto de tornar difícil encontrar um único lugar em todo o universo em que não haja judeus". Estrabão, geógrafo grego, I século a.C.[15]

> *Fato importante*
>
> *Sinagogas eram espalhadas por todo esse território estrangeiro e o desafio dos judeus que moravam ali era alinhavar o equilíbrio entre o diálogo com seus vizinhos não judeus e, ao mesmo tempo, preservar sua identidade étnica. A tarefa não era fácil e os modos de lidar com o problema variavam de cidade para cidade. Em algumas localidades os judeus começam a ir ao teatro e assumir comportamentos comuns da vida greco-romana. Em outras se fechavam, mantendo certa distância entre si mesmos e o ambiente que os envolvia.*

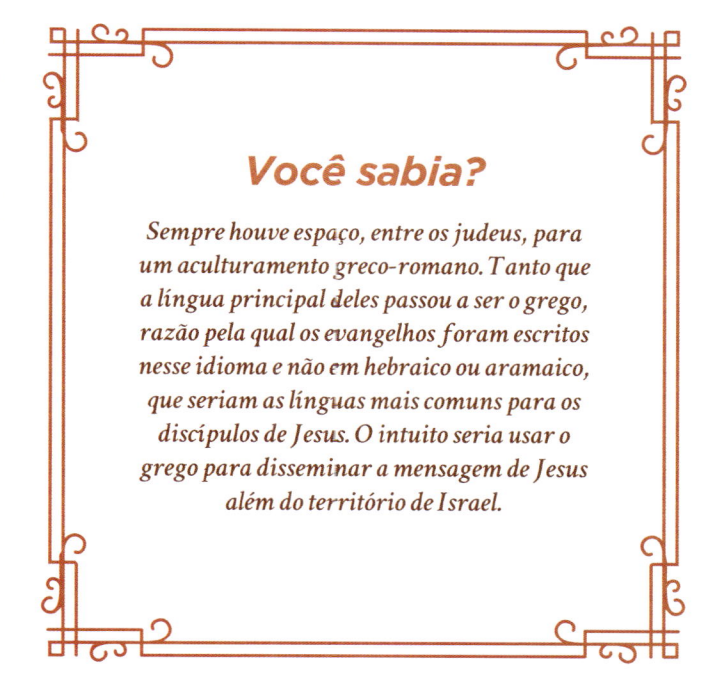

Apesar das diferenças entre si, as comunidades judaicas da diáspora tinham alguns elementos em comum, que as faziam permanecer unidas mesmo num ambiente tão desafiador. Elas mantinham toda semana o culto sabático em suas sinagogas, eram rigorosos quanto às leis alimentares do Levítico, observavam o calendário das festas judaicas e, em ocasiões de solenidade, muitos se esforçavam para peregrinar até o Templo em Jerusalém.

Foi por isso que a cidade de Jerusalém estava tão cheia por ocasião da morte de Cristo. Era a festa da Páscoa e judeus do mundo inteiro vieram para celebrá-la na cidade sagrada. Uma vez ali, puderam testemunhar a execução de Jesus de Nazaré, fato que provavelmente os impactou bastante. Tanto que, semanas mais tarde, em outra festa chamada Pentecostes, os discípulos pregam para uma multidão de judeus da diáspora e vários deles voltam crendo que Jesus era o Messias.

Um pouco antes disso, líderes judeus, tentando entender as palavras de despedida de Jesus, perguntaram uns aos outros se ele não objetivava com aquilo dizer que sua intenção era pregar aos judeus da "Dispersão, entre os gregos, com o fim de lhes ensinar" (Jo. 7:35). Ora, essa é uma referência explícita aos judeus da diáspora que viviam fora de Israel.

A origem dos galileus

Um grande debate que se arrasta nos congressos e publicações acadêmicas sobre Jesus tem a ver com as origens e diferenças entre os judeus da Judeia e os demais que viviam na Galileia. O ponto da discussão que divide opiniões é: Quem seriam, de fato, os galileus durante os tempos de Cristo?

A controvérsia torna-se especialmente significativa para o estudo de Jesus porque, embora ele nascesse em Belém da Judeia, a maior parte de seu ministério foi vivida na Galileia. Ali ele operou a maior parte de seus milagres (27 dos 35 que a Bíblia menciona), deu seus principais ensinamentos, chamou seus discípulos e deu instruções após ressuscitar dentre os mortos.

O problema começa séculos antes de Cristo quando a Galileia foi dividida para as tribos de Zebulom, Naftali, Isacar e Aser. Na época da unificação, o território foi incorporado ao reino de Davi. Mas após a morte de seu filho Salomão, houve uma ruptura no reino. Dez tribos se juntaram ao norte tendo por capital Samaria e duas ficaram ao sul tendo por capital Jerusalém. A Galileia pertencia ao norte e assim formaram-se os reinos de Israel (norte) e Judá (sul), quase sempre em conflitos um com o outro.

Então veio Tiglat Pilezer III e conquistou Israel, em 733 a.C. Uma década depois, sob a administração de Salmanazar V, aquele reino havia desaparecido. Neste ponto muitos historiadores acreditam que o costume assírio de relocar populações inteiras de um lugar para o outro fez com que o território do antigo reino do norte ficasse praticamente vazio.

De acordo com o testemunho bíblico (II Rs 17), o rei da Assíria repovoou a Samaria com estrangeiros vindos da Babilônia, mas não há menção alguma de que a Galileia também tenha sido repovoada. Ao que parece, ela permaneceu vazia e fora dos registros históricos por, pelo menos, 600 anos.

Estudos arqueológicos na região demonstram que foi exatamente isso que aconteceu. Uma investigação de superfícies indica que não houve ocupação humana na Galileia por pelo menos 200 anos após a conquista dos assírios. E o que se encontra despois disso são assentamentos ínfimos e pequenas ocupações militares.

Contudo, a evidência arqueológica mostrou que esse quadro foi alterado no século I a.C. Quando uma grande leva populacional concorreu para a região tornando-a novamente habitada. Em poucas décadas várias vilas e depois cidades começaram a ser fundadas, especialmente no entorno do Mar da Galileia.

A pergunta, pois, que se faz nesta sequência dos fatos é: Quem seriam esses novos habitantes da Galileia?

Galileus: judeus ou itureanos?

Uma leitura equivocada de um texto ambíguo de Josefo e do I Livro dos Macabeus, fez muitos historiadores acreditarem por gerações que os galileus não eram 100% de sangue judeu. Eram descendentes de itureanos convertidos à força ao judaísmo. Isso colocaria o movimento de Jesus num eixo central muito afastado daquela herança judaica que chega até Abraão.

O relato em questão diz que, quando Aristóbulo, o filho de João Hircano, assumiu o poder como governador hasmoneu da Judeia, ele repovoou o lado ocidental da baixa Galileia com famílias da Itureia que foram obrigadas a se converter ao judaísmo. Seu pai já havia feito o mesmo com os idumeus, antes dele. Isso foi em 106 a.C. e, sendo assim, os judeus da Galileia seriam "distintos" daqueles que viviam na Judeia. Eles não eram judeus por ascendência, mas itureanos convertidos à força.

A princípio, pode parecer coisa comum, de menor importância ou até inspirada em segregação racial. Mas não é o caso. Se a Galileia não era composta por judeus "de fato" isso teria implicações muito sérias para o movimento de Jesus que nasceu naquele lugar.

É como se Nagasaki e Hiroshima fossem completamente repovoadas com coreanos naturalizados japoneses. Com o tempo, a cultura nipônica produzida naquelas cidades já não seria tão "japonesa" como aquela produzida em outros redutos com menor presença de estrangeiros.

Porém nenhum documento do passado identifica ou acusa os habitantes da Galileia de serem meio-judeus. Ademais, verifica-se uma singular ausência de indícios arqueológicos que confirme a presença de itureanos vivendo na Galileia. Ainda que seja verdadeiro o relato da conversão forçada de estrangeiros ao judaísmo – algo totalmente estranho ao judaísmo –, não se pode dizer que a Galileia foi o destino desse grupo de estrangeiros recém-convertidos.

Migrações judaicas

Josefo diz que Alexandre Janeu, lider dos judeus de 102 a 76 a.C., estendeu para o norte as fronteiras do reino centralizado em Judá e, a partir daí, a Galileia voltou a fazer parte do território judeu – embora alguns entendam que ela já estaria anexada como herança israelita desde os tempos de Aristóbulo e Hircano.

Num primeiro momento, apenas militares haviam sido enviados para lá. Contudo, com o tempo, outras famílias vindas da Judeia também migraram para a região. Os ancestrais do carpinteiro José, originalmente vindos de Belém, poderiam estar nessa leva dos novos habitantes do lugar.

Os achados arqueológicos também confirmam, a partir de cerâmicas e utensílios domésticos, hábitos comuns àqueles encontrados na Judeia. Tratava-se, portanto, de famílias judaicas que migraram da Judeia para o norte e não de agrupamentos de não judeus.

As cidades e aldeias escavadas revelam que os que ali moravam tinham comportamento religioso similar dos demais que moravam em Jerusalém. A dieta local, por exemplo, não continha nada proibido em Levítico 11. Nenhum osso de porco foi encontrado nas cozinhas, no mercado ou nos lugares de refeição comunitária.

Assim, pode-se dizer que é errado supor que os habitantes da Galileia eram descendentes de pessoas que tinham se convertido ao judaísmo somente cem anos antes. Também é mito dizer que os galileus eram em sua maior parte pessoas incultas, rudes ou sem seriedade religiosa. Pelo contrário, algumas cidades eram tão rigorosas em seu judaísmo como qualquer bairro dentro da cidade de Jerusalém.

Judeia *versus* Galileia

As evidências demonstram que havia sérias rivalidades entre as províncias da Judeia e Galileia, principalmente no que diz respeito às interpretações religiosas. Como já foi dito anteriormente, os judeus provenientes da Galileia eram recebidos com certo desdém na Judeia que arvorava a vantagem de possuir Jerusalém e o Templo – símbolos máximos do judaísmo daquele tempo.

A evidência é fragmentária, mas permite dizer que os galileus não sustentavam em massa o Templo em Jerusalém com seus impostos, dízimos e ofertas. Não que eles rejeitassem a Torá, mas talvez fosse uma forma de protesto contra a obrigatoriedade de mandar esses recursos para uma aristocracia subserviente a Roma. Jesus, porém, preferiu não sonegar este tributo (Cf. Mat. 17:24-27).

É que o Sinédrio de Jerusalém, trabalhando mais com a diplomacia e a adulação dos romanos, conseguira instituir uma lei que obrigava judeus de todas as partes a devolverem tributos para o Templo.

Para complicar a situação, a Judeia estava sendo comandada por um procurador romano que vivia em Cesareia Marítima – região da Samaria. Os galileus ainda eram governados pelos descendentes de Herodes, sem nenhuma intermediação romana entre o povo e o governado. Assim, praticamente nenhum galileu poderia participar da representatividade judaica reunida no Sinédrio. Todos eram da região de Judá. O termo "galileu", em algumas circunstâncias, passou a ser sinônimo pejorativo de "estrangeiro", "cidadão de fora".

Os moradores de Jerusalém, especialmente da elite dos anciãos, consideravam os galileus fracos espiritual, política e intelectualmente. Não que seja verdade afirmar que fossem rudes e pouco intelectuais, contudo, sua interpretação da Torá e dos demais escritos judaicos era vista com reservas pela elite do Templo. Os fariseus, em particular, eram os menos impressionados com a observância religiosa dos galileus que consideravam frouxa.

A Galileia, por sua vez, era muito mais engajada em lutas armadas que o resto do país. A maior parte dos líderes rebeldes que se ergueram contra os romanos veio dali. A Judeia era por demais acomodada em aceitar a presença do invasor estrangeiro no seu país.

As acusações e preconceitos eram mútuos e foi neste turbilhão de preconceitos internos que surgiu o movimento de Jesus.

> O Talmude de Jerusalém recorda o desespero de um sábio judeu do século I, chamado Yohanan ben Zakkai, que não pode fazer mais que duas perguntas sobre a lei em todos os 18 anos que passou ensinando na Galileia: "Oh Galileia, Oh Galileia! No final das contas você vai acabar cheia de malfeitores!"[16]

Corazim – Sinagoga

Você sabia?

As narrativas dos Evangelhos e o simbolismo das parábolas de Cristo remetem constantemente a uma geografia e a um ecossistema que permaneceram em grande parte inalterados até os dias de hoje. A cidade "edificada sobre um monte" (Mat. 5:14), os lírios do campo (Mat. 6:28), as raposas em seus covis (Mat. 8:20) são elementos ainda vistos em diversos cantos da Terra Santa, especialmente na Galileia onde Jesus exerceu a maior parte de seu ministério.

Fato importante

Mateus, citando Isaías, chama as cidades do entorno do Lago de "Galileia dos gentios", isto é, "Galileia dos não judeus" (Mat. 4:15). O quadro demográfico da região ajuda a entender o apelido.

Mesmo que a miscigenação entre judeus e não judeus na Galileia não tenha sido uma realidade histórica propriamente dita ou confirmada, sua região era literalmente cercada por territórios cujos moradores, além de estrangeiros, não eram bem aceitos na convivência com judeus mais zelosos da Lei. Estas regiões seriam: Samaria, Pereia e os centros romanos da extensa Decápolis.

Isso inseriu geograficamente a região num mosaico de culturas, cujo contato com elementos estrangeiros era inevitável. Centros urbanos mais conservadores como Cafarnaum e Magdala tinham de conviver com cidades completamente romanizadas como Tiberíades e Séforis. Para muitos, a convivência gerava uma perda de valores e uma paganização cultural do ambiente. Lugar inapropriado para surgir um Messias!

Populações da Terra Santa

De acordo com dados oficiais, a população de Israel entrou no segundo decênio do século XXI com aproximadamente 8 milhões de habitantes, sendo 6 milhões judeus e 2 milhões de palestinos, árabes e outras etnias. Mas os números no tempo de Jesus eram bem inferiores a isso[17].

Dados recolhidos da arqueologia, métodos dedutivos, análise demográfica, restos de censos romanos e escritos de alguns autores (como Tácito, Filo e Josefo) permitem ter uma ideia da quantidade de pessoas existentes nas regiões por onde passou Jesus. O problema, porém, é que essas fontes não são precisas. Algumas mostram-se exageradas, publicitárias ou incongruentes.

Mesmo entre os autores modernos, os números variam de estudo para estudo. Assim, o que se pode ter são estimativas, sem a menor pretensão de serem números exatos ou absolutos[18].

Acredita-se que o território percorrido pelo Mestre da Galileia contava com algo entre 500 e 700 mil habitantes ou 1 milhão se forem incluídos os não judeus. De modo mais específico, eis alguns números aproximados de lugares de destaque na vida de Jesus Cristo:

LOCAL	NÚMERO APROXIMADO DE HABITANTES
Jerusalém	50 mil (chegando a 250 mil durante as festas religiosas)
Cafarnaum	600 a 1.500
Belém	1.000
Nazaré	200 a 500
Magdala	40.000 (de acordo com Josefo)
Betsaida	200
Galileia	200 a 400 mil – Josefo fala de 3 milhões, mas os historiadores consideram isso um exagero
Judeia	100 a 150 mil

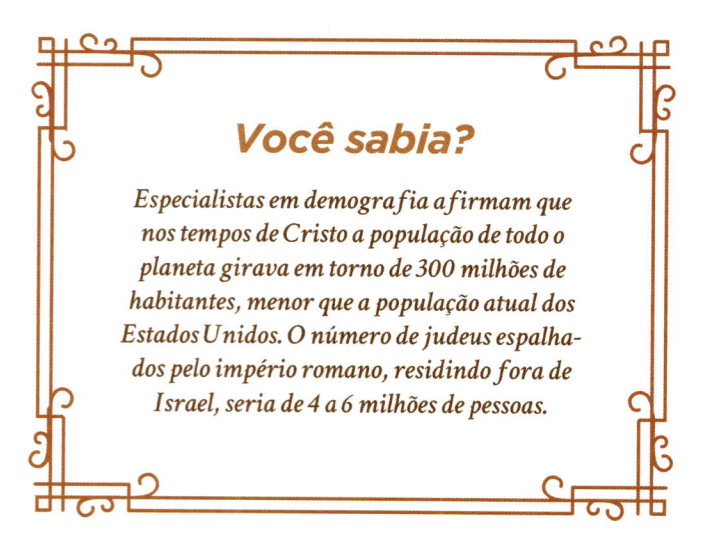

Você sabia?

Especialistas em demografia afirmam que nos tempos de Cristo a população de todo o planeta girava em torno de 300 milhões de habitantes, menor que a população atual dos Estados Unidos. O número de judeus espalhados pelo império romano, residindo fora de Israel, seria de 4 a 6 milhões de pessoas.

Um judaísmo plural

Um dos erros mais comuns cometidos por determinadas abordagens do judaísmo dos dias de Jesus é a desconsideração de seu caráter plural. Ainda que reconheçam a existência de um ou outro segmento judaico mencionado no NT (fariseus, saduceus, zelotas e essênios), muitos pensam que o judaísmo seria um bloco monolítico de características não muito diversificadas. Tremendo erro!

Tal negligência torna-se ainda mais agravante quando estas noções monolíticas são importadas para uma tentativa de reconstrução histórico-contextual do mundo que recebeu o cristianismo primitivo. Na realidade, a própria esperança messiânica deveria ser vista dentro de um arcabouço multifacetado. Como diz Neufeld, aludindo ao judaísmo do Segundo Templo: "Contrário à suposição tradicional de um messianismo inequívoco e consistente no judaísmo primitivo, numerosos estudos recentes têm demonstrado que o messianismo era um fenômeno fluido e diversificado"[19].

Kay Smith completa: "A partir, aproximadamente, do III século a.C. ao II século d.C., o mundo do judaísmo era tremendamente pluralístico. Durante o período do Segundo Templo, os judeus interpretaram e interagiram com suas Escrituras de um modo bem diferente do atual."[20]

Uma das características dominantes entre os judeus que viveram no período em que nasceu o movimento de Jesus era justamente a proliferação de múltiplas seitas judaicas, embora várias delas possivelmente ainda permaneçam desconhecidas para nós. O curioso, no entanto, era que o povo comum da época (talvez a maioria) não se filiava oficialmente a nenhum desses segmentos que propositalmente advogavam certo elitismo em seu processo de filiação.[21]

É importante também evitar o anacronismo de encarar essa diversidade dentro do judaísmo antigo como sendo um decalque exato dos segmentos independentes que hoje temos no Ocidente, onde é possível reconhecer múltiplas "religiões" dentro da religiosidade maior chamada "cristianismo". Fariseus e Saduceus não são segmentos do judaísmo semelhantes a presbiterianos e adventistas dentro do cristianismo.

Do mesmo modo, o conceito de "seitas" judaicas não se enquadra dentro da caracterização moderna de "seitas" comum ao debate evangélico atual acerca da ortodoxia *versus* sectarismo no movimento cristão. Josefo, por exemplo, usa prodigamente a palavra grega *hairesis* para todos os segmentos judaicos que menciona, mas mais frequentemente para fariseus e saduceus. O livro de Atos, por sua vez, aplica o termo ao próprio movimento de Jesus (24:5,14; 28:22). Essa terminologia, como lembra Maier, corresponde ao uso corrente das escolas helênicas de filosofia[22].

Ademais, é importante reconhecer que o que geralmente chamamos de "cristianismo primitivo" ou, talvez melhor, "o movimento de Jesus" é, na verdade, um dentre muitos grupos ou seitas judaicas que disputavam espaço tanto no corredor sírio palestinense do primeiro século quanto na diáspora estabelecida na geografia do Mediterrâneo. Ao que tudo indica, essas distinções no judaísmo são frutos do apocalipsismo que se acentuou na cultura judaica especialmente a partir do cativeiro babilônico[23].

O que é apocalipsismo?

Quando se fala em Apocalipse, muitos imediatamente pensam no famoso livro que leva esse nome. Mas a palavra tem um sentido mais amplo. Ela tem relação com um movimento chamado apocalipsismo, que surgiu nos tempos do Antigo Testamento, gerou estilos de livros chamados "apocalipse", dentre eles o que aparece por último nas Bíblias de hoje.

Prisioneiros da Assíria, Babilônia e depois de Antíoco e Roma, o povo judeu quase perdeu suas esperanças e sua alegria. Com essas perdas, uns viam sua fé esmorecer enquanto outros se sentiam atraídos pela idolatria pagã. E, como se não bastasse, os ensinos da palavra de Deus estavam ficando cada vez mais esquecidos, especialmente depois da ameaça ideológica do helenismo. O chamado "milagre grego" mergulhara o mundo num modo de compreensão da realidade bem diferente daqueles ensinados por Moisés e os profetas.

O povo precisava de uma revelação, de uma demonstração divina de que ainda havia esperança. E é exatamente isso que significa o termo apocalipse e seus derivados (apocalipsismo, apocalíptica). Etmologicamente falando, a palavra vem da junção de dois termos gregos: *Apó* – que quer dizer "afastado de", "contrário a" e *kalíptô* – esconder, ocultar. Assim, apocalipse é literalmente a ação de retirar do esconderijo, trazer para as claras, em suma, "revelar".

Foi, portanto, vivendo a realidade do cativeiro e a necessidade de uma resposta espiritual para o povo que escritores anônimos começaram a produzir livros num estilo "apocalíptico", com o objetivo de restaurar a tradição perdida e dar algum conforto para aqueles que já haviam perdido a esperança quanto ao futuro. Seus tratados consistiam, pois, de visões e experiências místicas acerca do fim do mundo e da intervenção de Javé para libertar seu povo.

Alguns, de linha mais messiânica, transformavam seu escrito numa defesa à vinda do Salvador prometido. A perspectiva, porém, era de uma salvação política. Alguém que viria com um exército, enviado por Deus, para libertar o povo judeu de seus opressores.

A maioria desses autores, é claro, não seria inspirada por Deus. Eram apenas judeus, talvez de boa intenção, refletindo sobre sua fé e procurando consolar o povo. Mas houve entre eles alguns autores inspirados como João, no Novo Testamento e Daniel, no Antigo.

Toda a literatura apocalíptica é, portanto, escatológica e messiânica em sua essência. Ela aborda a questão do tempo do fim, o término deste mundo conforme o conhecemos e o começo de um novo ciclo, ou, em alguns casos, o começo da eternidade. Seu objetivo principal era dar esperança aos que a liam. Contudo, é inseguro afirmar que essa literatura tenha se tornado o centro do judaísmo pensante.

O rabinismo contemporâneo a Jesus praticamente ignorou essa literatura. Porém, na boca do povo simples, tais relatos parecem ter ganhado muita fama. Afinal, eles eram sofredores nas mãos romanas, não tinham a cultura dos escribas, não sabiam brigar como os zelotas, nem podiam fazer política como os saduceus e fariseus. Sua esperança repousava na certeza da intervenção divina. Como a maior parte destes foi atraída pela palavra de Cristo, não é sem razão que o espírito apocalíptico também tenha feito parte do ensino de Cristo, conforme visto em Mateus 24, por exemplo, e também da pregação da Igreja cristã primitiva.

Movimento apocalíptico e esperança messiânica

A perspectiva apocalíptica do antigo Israel não nasceu de nenhuma revolução do período dos macabeus como intentam alguns autores modernos[24]. Nem mesmo a literatura apocalíptica apócrifa ou pseudepígrafa, embora fortemente influenciada pelos acontecimentos intertestamentários, pode ser identificada como produto de uma crise política ou de uma revolta armada como aquela liderada por Judas Macabeu contra o governo dos selêucidas em 164 a.C.

Autores como Bickerman têm procurado demonstrar que os primeiros textos apocalípticos fora da Bíblia, como, por exemplo,. algumas partes do livro de Enoque, seriam anteriores ao período dos macabeus[25]. Sua argumentação talvez não seja totalmente conclusiva, mas supõe uma razoável probabilidade. O próprio tom escatológico encontrado no zoroastrismo do século VI a.C. aponta para essa realidade mais antiga, senão da literatura, pelo menos do sentimento apocalíptico no seio do judaísmo.

É claro que não temos condições de afirmar os graus de relacionamento entre Zoroastro e os judeus no período Persa (ou se houve efetiva comunicação entre ambos). Contudo, percebe-se que já havia mesmo naquele ambiente gentílico a ideia de uma renovação cosmológica do mundo trazida por uma personagem singular na história que os judeus reconheceriam como sendo o Messias.

No que diz respeito ao judaísmo propriamente dito e aos livros que compõem o cânon do Antigo Testamento, é notório que as concepções de fim do mundo e juízo universal de Deus são anteriores até mesmo ao período Persa. Os Salmos 96 a 98, por exemplo, são claramente do período monárquico e trazem vívidas descrições da intervenção última de Deus na história. Logo, ao contrário do que defendeu Norman Cohn[26], não se pode afirmar que os hebreus tenham derivado de Zoroastro aa noção apocalíptica de fim do mundo.

As raízes do apocalipsismo judaico não estão de modo algum fincadas no mundo não judeu que o circundava. As coincidências entre uma e outra escatologia (judaica e persa, por exemplo) podem ser explicadas na possível interação durante o cativeiro, na influência deixada pelos judeus no mundo pérsico ou no fato de ambos os movimentos estarem ecoando uma tradição escatológica longínqua que se conhecia desde os primórdios da humanidade. Seja como for, a linha de desenvolvimento do apocalipsismo judeu deve ser traçada até aos próprios profetas hebreus e não a oráculos pagãos[27].

Um fenômeno curioso, observado especialmente nos profetas, é o exercício hermenêutico de misturar eventos histórico-contemporâneos com eventos escatológicos do futuro. O profeta Amós, por exemplo, já anunciava no século VIII a.C. que o fim estava chegando para Israel (Amós 8:2). Aqui é claro que ele se referia ao fim do reino do Norte, mas no capítulo 5:18-20, que faz parte da mesma temática profética, ele descreve exponencialmente o chamado "dia do Senhor", que certamente abarca muito mais do que um juízo iminente sobre a casa de Israel. Isaías igualmente mistura as promessas de um novo céu e uma nova terra escatológica com as promessas históricas de um Israel abençoado mediante à fidelidade a Deus (Isa.

66). E mesmo nos tempos de Davi, Natã fez-lhe uma promessa que misturava o acompanhamento divino sobre Salomão com o estabelecimento eterno do trono davídico (II Sam. 7:11-17) – esse comportamento do oráculo é um claro sinal de perspectivas messiânicas.

Jesus também usou o mesmo recurso de mistura de eventos atuais com eventos futuros em seu discurso escatológico registrado em Mateus 24. Os motivos, evidentemente, poderiam ser outros, mas o método é tremendamente parecido.

A Bíblia hebraica, portanto, muito antes e além de qualquer influência estrangeira, mostra-se fortemente marcada pela esperança de um "mundo vindouro" (*Olam habbah*) e uma personagem messiânica que propiciaria a Salvação. Mas a versão profética mais antiga não limita a esperança do Messias à vinda de um futuro rei, idealizado aos moldes monárquicos, que traria a projeção política de Israel entre as nações. Pelo contrário, ela apontava para a natureza vicária do Messias visto como o servo sofredor de Isaías 53.

Estrutura política do judaísmo

Toda estrutura política é demarcada por três pilares nos quais o poder é exercido:

1) a cobrança e o direcionamento dos impostos;

2) a ordem pública;

3) a elaboração e a execução do direito e da justiça.

Nos tempos de Cristo esses três setores eram estritamente controlados por Roma, mesmo que usasse funcionários judeus para o exercício do dever. Era o caso dos publicamos que coletavam impostos da população para entregar aos romanos e, por isso, eram odiados pelo povo. Mateus, um dos apóstolos de Cristo, era um ex-publicano.

Os judeus, é claro, não suportavam muito essa "intromissão administrativa" de estrangeiros em sua terra. Contudo, admitia-se que os romanos também beneficiavam o povo ao pavimentar estradas de acesso a Jerusalém e garantir a segurança e o transporte do imposto do Templo cobrado dos próprios judeus para a manutenção de seu santuário. Até Jesus pagou esse imposto (cf. Mat. 17:24-27).

A ordem pública era assegurada internamente pelo prefeito e pelas milícias romanas. Mas deixavam para os juízes locais e a polícia judaica a jurisdição de questões ordinárias do judaísmo em si. Os romanos não queriam envolvimento com polêmicas da religião dos judeus, em razão disso poderiam legislar sobre seus casos. Só não poderiam sentenciar alguém à morte. Isso cabia exclusivamente a Roma. Por isso Jesus foi preso pela guarda do Templo, mas transferido posteriormente para o palácio de Pilatos.

A centralidade do Templo

No tempo de Cristo, o poder judaico se centralizava no Templo de Jerusalém. Logo, mesmo que a Judeia pertencesse à jurisdição romana como qualquer outra província, o governador respeitava a organização interna do território ocupado e só intervinha em casos extremos, a fim de evitar desnecessários conflitos com os subjugados.

Assim, todos os cerca de 6 milhões de judeus espalhados pelo império romano dependiam da jurisdição de Jerusalém para tratar de assuntos internos do judaísmo. E qual era a dinâmica política para atender a todo esse contingente de pessoas?

O Sinédrio

Configurou-se junto ao Templo o Sinédrio ou *Sanhedrin*, uma assembleia de anciãos existente desde os tempos helenísticos, mas cujas raízes conceituais vêm dos dias de Moisés (Números 11:16). O Sinédrio – palavra que literalmente significa "assembleia sentada" – era uma espécie de Suprema Corte da lei judaica que tinha por função administrar a justiça, interpretando e aplicando a Torá (ou Lei de Moisés), tanto em seu aspecto oral quanto escrito. Ele exercia, simultaneamente, a representação legal do povo judeu perante a autoridade romana.

Existem várias referências nos evangelhos ao Sinédrio e àqueles que o compunham. Sobre o julgamento de Cristo é dito: "Então os principais sacerdotes e os anciãos do povo se reuniram no palácio do sumo sacerdote, chamado Caifás" (Mat. 26:3). De igual modo, os evangelhos esclarecem que foram os componentes do Sinédrio que processaram Jesus junto a Pilatos e instigaram o povo a escolher Barrabás para ser solto, ao invés de libertar Cristo (Mat. 27:11-26; cf. Mat. 5:22; 26:59 e Mar. 15:1).

Todas as cidades que tinham uma comunidade judaica poderiam possuir um pequeno Sinédrio, ou Sinédrio Menor, composto por 23 juízes. Mas apenas Jerusalém poderia ter o Grande Sinédrio com 71 membros, a saber: o sumo sacerdote (presidente), um vice presidente ou chefe de justiça e mais 69 membros rotativos. Apenas o chefe dos sacerdotes, anciãos, escribas, fariseus e saduceus eram elegíveis para assumir uma cadeira no concilio. Exigia-se dos membros: modéstia, decência, força, coragem e popularidade entre seus pares.

Você sabia?

Roma ergueu em seu território um conjunto de fortificações, delimitações e ocupações chamadas "limes" que configuram as bordas de seu império. Para eles, os limites de Roma eram os limites do mundo civilizado. O que estava fora dessas linhas deveria ser considerado bárbaro, inferior, sub-humano. Assim, reforçava-se a propaganda que insistia em dizer aos povos conquistados que considerassem um privilégio fazer parte do grandioso império romano.

Fato importante

A política no tempo de Jesus era instável. Os judeus já vinham traumatizados de uma longa trajetória de ocupações e conquistas feitas por outros povos sobre seu próprio território. Primeiro vieram os assírios, depois os babilônios, os gregos e a cada nova ocupação, o povo era espalhado pelos quatro ventos o que aumentava o desafio de manter sua identidade e sua etnia. Alguns eram circunstancialmente mais liberais ou "tolerantes" em relação ao estrangeiro "invasor", enquanto outros acalentavam maior xenofobia.

Foi em meio a esse caos que emergiam os romanos, os novos dominadores estrangeiros. Eles eram efetivos na administração dos territórios conquistados e não aceitavam nenhum tipo de desafio à soberania de Roma. Para eles, quem não era cidadão romano, era bárbaro e, portanto, incapaz de governar a si mesmo. De fato, eles foram tão bem-sucedidos que um terço do mundo conhecido de então estava sob o domínio de César.

Partidarismos e messianismos

Embora houvesse diferentes e divergentes expectativas entre os judeus do século I, é possível dizer que muitos deles aguardavam com ansiedade um Messias que fosse um conquistador político e religioso. Alguém que, à semelhança do rei Davi, os liderasse num grande exército e expulsasse os romanos de seu território. Tal anseio não parecia corresponder à proposta trazida por Jesus de Nazaré.

Nesse quadro messiânico e pluricultural, diferentes grupos rivalizavam pelo poder e pela influência sobre o povo. Destes, pelo menos três disputavam as cadeiras do Sinédrio: os saduceus (o maior partido, formado pela classe sacerdotal), os anciãos (chefes de família rica que eram indicados pelos romanos) e os escribas (o partido minoritário, formado em sua maior parte por fariseus). Os três nem sempre estavam de acordo, mas acabavam fazendo alianças por motivos políticos de interesse comum entre eles.

Os dois primeiros partidos, formados pelos saduceus e anciãos, tinham mais pontos de afinidade. Já o partido dos fariseus representava a oposição. Segun-

Maquete do antigo Templo de Jerusalém

do Flávio Josefo, havia cerca de 6.000 fariseus apenas, mas o número de simpatizantes era elevado se comparado aos demais. O segredo de sua influência era o duplo comportamento que mantinham. Primeiramente, diante da massa popular, os fariseus demonstravam uma piedade judaica tão elevada (orações públicas, guarda do sábado, pagamento integral dos dízimos etc.), que os mais simples lhes consideravam homens santos.

Por outro lado, se opunham à nobreza sacerdotal e dos anciãos da área religiosa, constituindo-se uma nova classe de interpretação das Escrituras com um estilo legalista, mas inteiramente inovador. Assim, os fariseus eram irrepreensíveis aos olhos do povo, ao passo que os sacerdotes-saduceus eram quase totalmente desconhecidos e os anciãos do povo, irrelevantes.

Considerando que os três principais partidos juntos somavam algo em torno de 10.000 a 25.000 partidários, pode-se dizer que 95% da população de todo o território judeu não era diretamente filiada a nenhuma dessas correntes. A população era leiga em relação à maioria das discussões religiosas dessa elite da fé judaica.

Os partidos judaicos

Antes de apresentar os partidos ou seitas do tempo de Jesus, é importante esclarecer que esta linguagem não deve ser confundida com o sentido moderno de partido político ou seita religiosa. Tratava-se antes de uma escola de pensamento com ensinamentos ou princípios que deviam ser observados por aqueles que se filiam àquela agremiação.

Para falar dos partidos existentes entre os judeus do tempo de Cristo, também é preciso levar em consideração duas realidades históricas: primeiro, que o judaísmo do século I, longe de ser um bloco monolítico, revelava-se um mosaico de ideias e segmentos com muitas diversidades de interpretação. Segundo, que a distinção moderna entre política e religião não era comum naqueles tempos; as questões políticas mesclavam-se com as religiosas, de modo que a libertação dos romanos, por exemplo, era tanto um anseio social quanto uma expectativa messiânica. A seguir, você verá os principais partidos judaicos dos tempos de Cristo, tanto os que atuavam no Sinédrio quanto os que coexistiam paralelos a ele:

1 – Fariseus – compunham uma associação de judeus piedosos cujas origens remetem ao período dos macabeus. No período de João Hircano (135-104 a.C.) e Alexandre Janeu (103-76 a.C.), já existem referências a esse grupo religioso. Eles tratavam-se entre si como "companheiros", organizavam-se em comunidades, tomavam refeições em comum e tinham intervenções públicas quando preciso. O regime de admissão e exclusão do grupo era bem severo. Seu título "fariseu" vinha da palavra hebraica *perushim*, que quer dizer "separados ou separatistas".

A tradição rabínica posterior usou uma ironia para retratar o separatismo dos fariseus ao dizer que um fariseu jamais comeria, por exemplo, na presença de um homem com doença venérea, mesmo que ele próprio já estivesse antes contaminado pela mesma doença.

O curioso, no entanto, é que a maioria dos fariseus vinha das classes medianas da sociedade, muitos, antes de serem recrutados para a seita, haviam sido artesãos ou pequenos comerciantes. Contudo, como o próprio nome dá a entender, seu ideal de vida era o afastamento das massas populares, ignorantes, vulgares e pecadoras.

Como se não bastasse tal incoerência, os fariseus ocuparam um lugar no Sinédrio por causa de sua origem humilde e sua suposta influência sobre o povo. Considerados inicialmente um grupo religiosamente leigo (embora alguns fossem levitas), os fariseus representavam certa imagem de democracia no conselho dos sacerdotes e anciãos do povo.

Os fariseus eram, portanto, tremendamente conservadores, avessos às influências estrangeiras sobre o judaísmo e teoricamente inimigos tanto da aristocracia sacerdotal (os sacerdotes-chefes) quanto da aristocracia leiga (os anciãos). O motivo estava no comprometimento desses segmentos tanto com a política romana quanto com as influências gregas na compreensão da Lei de Moisés. Isso fora certas divergências doutrinárias. Mas o poder político os mantinha, pelo menos em parte, unidos. Era como se fossem um congresso nacional com partidos de situação e oposição discutindo leis e votações.

Os fariseus são constantemente associados aos escribas, isto é, profissionais jurídicos especializados na explicação da lei ou torá (Mat. 22:35; 23:2; Luc. 5:17 etc.). Muitos fariseus tornaram-se escribas até para assegurar melhor seu lugar no Sinédrio, mas nem todos os escribas eram de fato fariseus.

2 – Saduceus – embora as origens desse grupo ainda sejam incertas, tudo leva a crer que seu poder começou também nos dias de João Hircano, cerca de 130 anos antes de Cristo, quando certas questões públicas começaram a surgir perante o povo. Talvez viessem das classes ricas, mas tudo leva a crer que a aristocracia sacerdotal foi o berço desse seguimento. Tanto que o Templo e o sumo sacerdote foram sempre a coluna mestra do poder dos saduceus. Não se deram bem com Herodes e seus filhos, mas agiram desde o ano 6 a 70 d.C. como árbitros na política de conciliação dos judeus com os romanos.

Enquanto os fariseus se espalhavam por todo o território, os saduceus estavam mais concentrados em Jerusalém. Na verdade eram poucos em número, mas influentes em termos políticos. Tinham total apoio dos romanos que mantinham seus privilégios em troca de sua fidelidade. Praticamente todos os sacerdotes e aristocratas dos tempos de Cristo eram saduceus. Pouquíssimos evitaram o envolvimento com o partido. Provavelmente Zacarias, o pai de João Batista, fosse um desses.

Mas, apesar de poderosos e influentes, os saduceus não gozavam da simpatia do povo e viviam excluídos (mais que os fariseus). Se por um lado eram bastante liberais no diálogo com o mundo greco-romano, por outro, seguiam um doutrinamento conservador, coerente com sua posição política. Eram defensores da ordem estabelecida e privilegiavam os cinco livros de Moisés a qualquer outro produzido pelo judaísmo.

Assim, o que importava era a sobrevivência atual da nação. Assuntos como ressurreição de mortos, existência de anjos e recompensa eterna era algo que reputavam como acréscimos tardios que nada tinham a ver com a revelação dada a Moisés (Mat. 22:23-33; Mar. 12;18-27; Luc. 20:27-40).

3 – Anciãos do Povo – diferente da sociedade atual que tende a considerar os mais velhos como ultrapassados, o "ancião do povo" foi uma figura sempre respeitada na cultura do Oriente Médio, especialmente na Bíblia. O homem idoso era costumeiramente tido em alta estima tanto por sua experiência quanto pelo seu conhecimento, sabedoria e bom senso. Assim não era incomum as pessoas recorrerem aos anciãos para decidirem casos litigiosos, pendências jurídicas ou até mesmo disputas doutrinárias (Núm. 16:25; Lev. 4:15; I Sam. 15:30; I Reis 20:7).

Porém, com o crescimento da população em áreas urbanas e o estabelecimento de certas formas de governo, a expressão "ancião do povo" já não dizia respeito a todos os idosos da nação, mas apenas a uma elite assim designada para orientar e legislar sobre todos.

No tempo de Cristo, os anciãos eram aqueles chefes de família de origem pura e rica que poderiam ser elegíveis para atuar no Sinédrio. Os romanos escolhiam dentre eles aqueles que deveriam servir de líderes sobre o povo judeu ao lado dos sacerdotes. A ideia é que os anciãos manteriam o povo calmo e, em contrapartida, Roma faria certa "vista grossa" acerca de suas próprias fortunas que estariam atreladas ao recolhimento de impostos no país. Tudo não passava de um jogo de interesses.

4 – Herodianos – após a morte de Herodes, o Grande, e a divisão do reino entre seus filhos, quem mais se destacou no governo foi Herodes Antipas que ficou com a jurisdição da Galileia onde morava Jesus. Ali, Flávio Josefo afirma ter surgido um grupo de judeus militantes cuja função era apoiar a todo custo a permanência de Herodes no poder e a ampliação de seu controle.

Também na Judeia havia partidários dessa agremiação que, certamente, eram beneficiados com a administração herodiana desde os tempos de Herodes, o Grande. Ele nomeou como sumo sacerdote um certo Simão, filho de Boetos, e com isso teve grande apoio desta poderosa família de judeus até mesmo nas gerações seguintes.

Não eram um grupo expressivo. Ao que tudo indica, seu objetivo era fortalecer o poder de Herodes Antipas sobre toda a nação, obtendo temporariamente o apoio de Roma, até que estivessem fortes o bastante para quebrar o jugo dos romanos.

Embora não haja nenhuma alusão direta a Herodes Antipas como Messias, é sabido que tanto seu pai, Herodes, o Grande, quanto seu sobrinho, Herodes Agripa, pretenderam ser os escolhidos de Deus para governar Israel. Logo, não é estranho supor que este monarca, ou pelo menos seus defensores, tivessem pretensões messiânicas ao defender o reinado de alguém tão odiado pela maioria da população.

Talvez essa possível visão messiânica explique o porquê da forte oposição que os herodianos fizeram contra Jesus, unindo-se até mesmo com fariseus para destruí-lo (Mat.14:1-12; 22:16; Mar. 3:6; 12:13; Luc. 23:7-12). Afinal de contas, se Herodes era seu Messias, Jesus de Nazaré seria um forte concorrente e tinha de ser eliminado.

5 – Essênios – representavam uma comunidade monástica que vivia no deserto da Judeia, separada dos grandes centros urbanos, especialmente Jerusalém. Acredita-se que, pelo fato de não aceitarem a política incorreta que se fazia no Sinédrio e no Templo, um grupo de levitas rompeu com suas funções sacerdotais, fundando a seita que existiu do II ou III século a.C. até cerca do ano 68 d.C. no deserto da Judeia, próximo ao Mar Morto.

Normalmente, acredita-se que eles formavam a comunidade que havia em Qumran, da qual só restaram ruínas. Também associa-se a eles a produção ou pelo menos preservação dos famosos manuscritos do Mar Morto, descobertos em 1947.

O Novo Testamento não faz menção deles, contudo, seus textos permitem ter uma ideia do que acreditavam, além de lançar luz em muitos aspectos do ensino de Cristo. Eles, por exemplo, consideravam o sacerdócio de Jerusalém ilegítimo, uma vez que muitos já não eram mais da família de Zadoque. Rejeitavam a validade dos ofícios do Templo e entendiam, por estudos de antigas profecias, que o Messias estava por vir em seu tempo. Alguns de seus textos, porém, dão a entender que eles aguardavam a vinda de não apenas um, mas de dois Messias.

6 – Zelotes – como o próprio nome diz, "Zelote" ou "Zelota" significa alguém que tem um zelo, uma paixão, um fervor, embora com certo tom de fanatismo. Eles eram também conhecidos como sicários ou homens do punhal. "Sica" era um pequeno punhal romano.

Os zelotes eram, enfim, um grupo intensamente patriótico. Eles advogavam que qualquer método, do martírio ao assassinato, seria válido na tentativa de livrar os judeus do jugo de Roma.

Em termos religiosos, Josefo diz que eles separavam-se até mesmo dos fariseus, por considerá-los muito indulgentes com a presença de estrangeiros em seu país. Mas também eram fervorosos com a lei judaica. Tanto que censuraram os judeus que aceitavam pagamento vindo do tributo dado aos romanos e por admitirem chefes mortais ao lado de Deus. Seu intuito era promover uma reforma radical que envolveria a sociedade, uma revitalização das instituições mais importantes do país (especialmente o Templo) e uma manutenção de sua identidade original.

Contudo, não eram tão bons na arte da guerra, muito menos nas reformas que pretendiam. Seu movimento foi um verdadeiro fracasso, embora insistissem em muitas investidas contra Roma.

Um dos apóstolos de Jesus chamado Simão é reconhecido pela alcunha de "o zelote" (Luc. 6:15 e At. 1:13). Mas isso pode ser tanto por uma possível associação anterior com o partido dos zelotes quanto por causa de sua personalidade em relação à lei. Afinal, Paulo era fariseu antes de se unir ao cristianismo, mas também se descreveu certa vez como um zelote religioso (At. 22:3).

Contudo, mesmo sendo impossível afirmar categoricamente se Simão era um ex-zelote que resolveu seguir Cristo, pode-se dizer que o pensamento revolucionário desse grupo estava presente entre os discípulos de Jesus. Eles esperavam que seu Mestre expulsasse os romanos e reestabelecesse o reino a Israel (At. 1:6). Em algumas ocasiões mostravam-se violentos e prontos para o combate armado, mas Jesus recusou a violência (Mat. 26:51 e 52). O reino que Jesus proclamara não seria deste mundo (Jo. 18:36).

7 – Publicanos – não constituíam bem um partido político, muito menos religioso, mas uma classe de cidadãos odiados por todo mundo. Apenas os leprosos e estrangeiros dominadores eram mais rejeitados que eles.

Os publicanos também eram judeus, mas a abominação de seus compatriotas se dava pelo fato deles serem a mais baixa classe de funcionários públicos que recolhiam os impostos para César. Como se não bastasse, eles eram reconhecidos por sua desonestidade, desvio de fundos e extorsão de pessoas menos favorecidas (Mat. 6:46).

Os publicanos cobravam taxas ilegais e, de alguma maneira, Roma não parecia se importar com isso. O que importava era que o montante mínimo esperado chegasse aos cofres do império. O que o coletor lucrasse além disso era problema dele, os representantes do império não se meteriam. Afinal, o interesse do próprio coletor em angariar mais impostos a fim de aumentar sua propina terminava deixando o sistema seguro para o governo, que tinha seu montante mínimo sempre garantido.

Normalmente, os publicanos não tinham responsabilidade sobre as taxas de propriedade ou declaração de renda dos indivíduos. Sua função era taxar produtos comerciais que entravam e saiam no país – importação e exportação. Embora trabalhassem para o governo, eram contratados: uma espécie de funcionário público terceirizado.

Seus direitos e deveres não podem ser definidos em detalhes. Contudo se sabe que um coletor de impostos que lograsse o título de cidadão romano teria total isenção das taxas impostas por outros publicanos provinciais.

A expressão "publicanos e pecadores" (Luc. 15:1; Mat. 21:31) é uma evidência clara do nível de impopularidade que estes cidadãos gozavam. Associar-se a eles sem ser mal visto ou torná-los honestos era uma tarefa impossível para a mentalidade daquela época.

Os rabinos diziam que quem entrasse na casa de um cobrador de impostos estaria imundo e quem recebesse um em casa também. Os publicanos eram vulgarmente comparados a prostitutas, e os romanos os comparavam aos donos de bordel. Talvez por isso Jesus disse ironicamente aos líderes judeus: "Publicanos e prostitutas vos precedem no reino de Deus" (Mat. 21:31).

As conversões de Zaqueu, em Jericó, e Levi Mateus em Cafarnaum, certamente assombraram muitas pessoas e escandalizaram os que estavam considerando a mensagem de Cristo. O fato de Jesus associar-se a esse tipo de gente trouxe interrogações ao seu ministério. Afinal os publicanos não eram bem-vindos nem na sinagoga nem nas dependências do Templo. Poucos deles devem ter tido a chance de ouvir uma pregação de Jesus dentro de uma sinagoga. Se fossem, seriam banidos dali (Luc. 15:1 e 2).

Contudo, talvez pela influência de Mateus, que se tornara seu discípulo, muitos outros publicanos passaram a seguir Jesus (Mar. 2:14 e 15). A lista dos marginalizados em sua companhia não parecia pequena. A todos, porém, Cristo ordenava o abandono da desonestidade e da corrupção (Luc. 3:12-13; 19:18).

Estátua de Julio César

"Dai a César o que é de César"

Estima-se que a Judeia era uma das províncias com maior taxa de impostos no império romano. Na época de Herodes, o Grande, haveria pelo menos 250.000 trabalhadores ativos do sexo masculino e todos deveriam pagar impostos para o governo – o que certamente engordava os cofres de Roma e do próprio Herodes. Em síntese, havia quatro tipos de tributos:

Tributo da terra *(Tributum soli)* – agricultores, grandes e pequenos, fazendeiros e demais homens do campo deveriam tributar 10% de tudo que produziam anualmente para os cofres do governo. Quem morava nas cidades pagava o mesmo percentual como imposto pela casa, ainda que fosse alugada.

Tributo do censo *(Tributum capitas)* – baseado na contagem da população. Dependendo do número de habitantes, poderia ser de 1 denário por pessoa, tanto mulheres de 12-65 anos, quanto homens de 14-65 anos. Crianças eram isentas.

Imposto aduaneiro *(Portoria)* – taxas de comércio eram cobradas por oficiais de porto, de fronteira e também de coletoria que fiscalizava todos os que entrassem e saíssem de uma cidade. O percentual variava entre 2% e 5% sobre o valor do produto comercializado. Contudo, cabia ao publicano avaliar o preço real do produto. Além disso, numa longa viagem, passando por diferentes cidades, portos e postos aduaneiros, um mercador poderia ter seu produto taxado diversas vezes.

Tributo do Templo – meio Shekel (ou siclo) de prata era exigido como imposto para o Templo em Jerusalém. Este imposto já estava previsto na lei dos judeus (Êx. 30:11-16) e foi mantido na administração romana dos tempos de Jesus (Mat. 20:2). Nesta época o meio Siclo equivaleria a 2 dracmas.

Todo judeu que residisse dentro ou fora de Jerusalém deveria pagar esse tributo oficialmente e os publicanos também ficavam responsáveis por arrecadá-lo, embora em algumas circunstâncias outros poderiam ser encarregados de fazê-lo para que pessoas tão execráveis moralmente não tivessem contato com o dinheiro consagrado para Deus (Mat 17:24-27).

Denário de Tibério César

8 – O povo da Terra – apesar de toda a concorrência política e religiosa que os diferentes grupos provocavam, uma boa parte da população (talvez a maioria) não professava seguir nenhum desses segmentos em particular. Por isso foram comumente chamados de ʽam há- ʼaretz, isto é, "povo da terra".

Esse grupo não negava suas raízes judaicas, mas não era tão meticuloso no cumprimento de certos rituais como, por exemplo, as leis de purificação. A maioria dos que se identificavam como ʽam há- ʼaretz eram camponeses, artesãos, gente do povo. Contudo, em termos gerais, mesmo um rico judeu que não seguisse ao pé da letra os rituais do judaísmo poderia ser classificado com essa alcunha.

O interessante é que a expressão ʽam há- ʼaretz não tinha nos tempos antigos o caráter pejorativo dos dias de Cristo. Em Gênesis 23, ela aparece com o sentido de "conselho tribal", eram os intermediários da compra que Abraão fez da cova de Macpela. Em outras passagens, ʽam há- ʼaretz significava apenas "povo, nação" e poderia ser aplicado a Israel, Judá ou a qualquer outro grupo étnico especificado ou não (Gên. 42:6; Lev. 4:27; 20:2; Jó 12:24).

Ao que tudo indica, foi com o fim do cativeiro babilônico e o retorno dos judeus para Jerusalém e Judá que a expressão começou a assumir um tom negativo. Esdras 4:4 afirma que "o povo da terra (ʽam há- ʼaretz) debilitava as mãos do povo de Judá e inquietava-os no edificar". Vários comentaristas creem que o texto se refira aos agricultores e camponeses que, por não serem transportados com a aristocracia judaica para a Babilônia, ficaram para trás, adquirindo costumes pagãos.

Seja qual for a identificação desse grupo, fica claro que o sentido de ʽam há- ʼaretz não é dos melhores. Por isso, o Talmude vai identificar o "povo da terra" como "judeus ignorantes da Torá" (ignoramus).

Jesus parece ter sido simpático a esse tipo de gente. Seu interesse era salvá-los, pois eram "como ovelhas que não têm pastor" (Mar. 6:34). Ademais, o fato de alguns seguidores de Cristo comerem sem lavar cerimonialmente as mãos demonstra que Jesus se associou ao "povo da terra".

Família e sociedade

Os evangelhos ainda oferecem um retrato muito específico da forma de vida dos judeus daquela época. De um modo geral, as famílias eram monogâmicas, patriarcais e indissolúveis – embora houvesse legalidade para o divórcio. Jesus faz seu primeiro milagre numa festa de casamento e usa o tema das bodas em várias de suas parábolas.

Era, enfim, uma sociedade com elementos tanto comuns como estranhos à cultura ocidental moderna.

Aqui você verá alguns temas comuns sobre profissões, educação, infância e entenderá melhor o dia-a-dia dos tempos de Jesus Cristo.

Gerando filhos

Nos tempos bíblicos, a união de um homem e uma mulher em casamento era a semente de uma nova família. Várias famílias reunidas num mesmo espaço rural ou urbano geraram uma sociedade que seria tão forte quanto a união daqueles que viviam dentro de seus limites.

Mesmo que cada casa normalmente fosse cercada por muros altos com apenas uma porta de entrada, as residências eram praticamente coladas umas às outras, de modo que todos viviam muito próximos. Poucos saíam da aldeia local para morar em outro centro. O comum era ficarem por ali mesmo, casarem-se entre si e fortalecerem a permanência do lugar, gerando a maior quantidade possível de filhos.

A principal tarefa da mulher era cuidar da casa e gerar filhos para seu marido. Poucas escapavam dessa função social. Numa sociedade com poucos recursos de segurança e, talvez, elevada mortalidade infantil, ter muitos filhos era um seguro de vida. Principalmente quando esses filhos se encarregavam de levar adiante o nome e a linhagem daquela família.

As grávidas, de modo geral, não davam à luz deitadas, mas sentadas e com o amparo de uma ou duas parteiras. O pai, pelos costumes da época, não participava do parto; esse era um trabalho em que só mulheres tomavam parte. O homem ficava fora e só podia

Antigo relevo encontrado numa tumba em Óstia, Roma, mostrando uma mulher dando à luz.

entrar na casa depois de autorizado pelas mulheres. Porém, assim que a criança nascia, ele recebia um mensageiro – dependendo de onde estivesse – que lhe informava se era um menino ou uma menina.

O recém-nascido tinha imediatamente seu umbigo cortado e atado, a seguir era lavado com água e delicadamente esfregado com sal e óleo, depois disso o bebê era envolto em faixas geralmente de linho. Foi por essa razão que Lucas 2:7 menciona que Maria enfaixou o menino e que, em seguida, ele foi visitado pelos pastores que estavam no campo.

As faixas eram geralmente tiras de aproximadamente 10 cm de largura, que enrolavam todo o corpinho da criança incluindo suas pernas e braços. Só a cabeça ficava parcialmente de fora. É um pouco estranho para a cultura moderna, mas eles literalmente empacotavam o recém-nascido como se fosse um pequeno embrulho. Essa era uma forma de proteger o corpinho do bebê contra o frio da madrugada ou da picada de algum inseto, e também ajudava na hora de transportá-lo juntamente com sua mãe no lombo de um animal.

Bebês eram sempre bem-vindos. Contudo, se fosse uma menina, seu valor social era menor em relação a um bebê do sexo masculino. Não havia a igualdade que se busca hoje.

Para eles, o menino continuaria para sempre parte da família. Mas a menina, ao se casar, passaria a pertencer à família de seu esposo e já não teria mais relação social com a família que a gerou. Seus filhos seriam para perpetuar a geração de seu esposo e não de seu próprio pai.

Dando nome ao bebê

Geralmente quem escolhia o nome de uma criança era a mãe. Contudo, a Bíblia relata momentos – como no caso de João Batista – em que o pai se encarregou dessa tarefa e até os vizinhos intentaram participar na escolha (Luc. 1:57-66).

De modo geral, era comum esperar até o oitavo dia, no momento da circuncisão, para então escolher ou pelo menos anunciar o nome da criança. Embora, novamente, houvesse casos em que essa regra não era seguida. Jesus, por exemplo, teve o nome revelado antes do nascimento.

No mundo ocidental o nome de um bebê é escolhido por motivos mais convencionais que qualitativos. Por exemplo: nasce uma criança e os pais resolvem dar a ela o nome de um dos avós ou de um famoso artista da TV e também tem o caso de que o nome escolhido simplesmente é um nome que a mãe achou bonito e resolveu registrar assim o seu filho.

Nos tempos bíblicos não era assim. Cada nome hebreu tinha um significado, e ele se tornava parte importante da vida da criança. Conhecer o nome era conhecer a própria pessoa. Basta citar a escolha do nome *Jacó*, que quer dizer "agarrador de calcanhar", ou "suplantador". Quando ele mudou de vida, Deus, em pessoa, modificou seu nome para Israel.

O significado de um nome tinha, geralmente, algo a ver com o caráter, personalidade ou com a história de vida de uma pessoa. Por isso, o anjo disse a Maria que seu menino deveria se chamar Jesus, que quer dizer "O Senhor Salva". Afinal, o que seria ele senão o salvador do povo? Isso está em Mateus 1:21.

Educação

De acordo com o Talmude e a Mishná, a primeira grande redação da tradição oral judaica, as crianças do tempo de Jesus deveriam frequentar a escola dos 5 ou 6 até os 13 anos[28]. Então eram entregues a um rabino local e aprendiam uma profissão – geralmente a mesma do pai – e começavam a trabalhar como aprendizes. Era um trabalho pedagógico conjunto que envolvia o pai do aluno e o professor da comunidade.

Foi talvez baseado nisso, que Josefo afirmou orgulhosamente a elevada alfabetização do povo judeu:

"Acima de tudo, podemos nos orgulhar da educação de nossos filhos, pois esta encontra-se entre os aspectos essenciais da vida na observação de nossas leis e práticas piedosas, baseadas, sobretudo, naquilo que temos recebido".[29]

Seria esse um programa educacional realístico que, de fato, atingia todos os filhos de judeus espalhados mundo afora? Ou seria apenas um ideal não concretizado, senão na mente do autor? A limitação das evidências impede uma resposta absoluta.

Considerando, pois, que apenas entre 5% e 10% da população greco-romana saberia ler e escrever, alguns pensam que os judeus seriam uma exceção à regra pois tinham sua identidade étnica baseada nas "Escrituras", o que fazia deles uma população majoritariamente letrada ou, pelo menos, com índices muito acima das culturas em redor. A maior parte dos acadêmicos, porém, sugere que este seria uma visão idealística e que o percentual de judeus alfabetizados não passaria de 3%.[30]

Seja como for, a maioria daqueles que tinham a oportunidade de estudar encerrava os estudos nesta época dos 13 anos. Uns poucos jovens, porém, seguiam a carreira estudantil, aprofundando-se até se tornarem discípulos formais de algum grande rabino que os aceitasse. Somente muito tempo depois, quando o jovem já estava com no mínimo 30 anos, ele teria a oportunidade de se tornar um mestre da Lei. Ele seria, então, um rabino. Mas nem todos os que foram alunos (*talmidim*) logravam esse *status*.

A sala de aula era simples e o currículo bem específico. Era geralmente um anexo da sinagoga separado para esse fim. Por causa de sua ênfase nos livros inspirados, essa escola foi, mais tarde, apelidada de *Beyth Há Sefer*, que quer dizer "casa do livro".

Os alunos sentavam-se no chão e escreviam na areia ou em pedaços de cerâmica quebrada – o papel de rascunho da época[31]. O professor também ensinava sentado e o livro texto eram as Escrituras Judaicas – que os cristãos chamam de Antigo Testamento. Eles aprendiam a ler os livros sagrados, copiá-los e memorizá-los. As principais passagens eram repetidas várias vezes, até estarem decoradas. De modo especial, cada aluno deveria aprender os textos que coincidentemente começaram e terminavam com a primeira e a última letra de seu próprio nome.

E as mulheres?

A posição das mulheres no judaísmo antigo não parece ser algo uniforme, mesmo naquela época. O próprio Talmude mostra, por meio de opiniões conflitantes dos rabinos a esse respeito. Embora tendência maior era excluir as mulheres do "mundo dos homens" – tradicionalmente elas não pudessem jurar num tribunal, nem ensinar numa sinagoga –, havia rabinos que vetavam e rabinos que aceitavam participação feminina no universo das discussões religiosas.

Uns, como o rabino Eliezer, do século I, chegam à beira da misoginia. Ele dizia que ensinar a Torá para uma filha seria o mesmo que ensiná-la uma obscenidade. As mulheres não têm inteligência para compreender a Torá. Melhor ver a Torá queimada que recitada pelos lábios de uma mulher.

Já o rabino Ben Azzai defendia que era obrigação de um pai ensinar a Torá para sua filha. Em uma passagem do Talmude (Meguilá 23-A) fala-se da "possibilidade", porém desaconselhada, de que a mulher lesse a Torá em público no Shabat.

Em outro trecho, ainda, os sábios afirmavam que diante dos mandamentos de Deus, os homens e as mulheres eram iguais, de modo que era até aconselhável que elas conhecessem a Torá para que instruir seus filhos e instar seus maridos a cumprirem suas obrigações religiosas. Recorde a mulher virtuosa de Provérbios 31, que administra os negócios da família, a fim de que seu marido tenha mais tempo para as discussões judiciais do dia a dia.

Um grupo de opinião moderada entendia que embora os preceitos de estudo da Torá não fossem uma obrigatoriedade feminina, não eram também uma proibição, de modo que as mulheres seriam beneficiadas de seu estudo.

De modo geral, as meninas ficavam sob os cuidados da mãe até o momento em que se casavam e iam embora de casa. Já os meninos eram cuidados até aos 5 ou 6 anos, quando então passariam a ser tutoreados pelo pai e um rabino local.

Ocupações profissionais

A maior parte dos homens do tempo de Jesus, talvez 80% ou 90%, trabalhava na agricultura. As mulheres e crianças, embora não tivessem necessariamente uma "vida profissional", participavam nos dias de colheita. Na verdade, toda a comunidade – caso se tratasse de uma aldeia ou pequena vila – era comissionada a se envolver na colheita dos grãos. Portanto, mesmo aqueles que não fossem agricultores por profissão, tinham – por essa tarefa comunitária – uma experiência agrícola.

Essa talvez seja a razão porque temas agrícolas perfazem a maior parte das parábolas de Jesus: a parábola do semeador (Mat. 13:24-30), a semente de mostarda (Mar. 4:30-32), o joio e o trigo (Mat. 13:30-43), a colheita (Mar. 4:26-29).

Além das profissões mais comuns de agricultura e pescaria, exerciam-se também outras de caráter mais artesanal como perfumistas, tecelões, curtidores, carpinteiros, oleiros e fabricantes de tendas. Também não se pode esquecer dos servidores domésticos, escravos, diaristas contratados para serviços braçais e cobradores de impostos (certamente um dos mais odiados pelo povo).

Como acontece em toda sociedade urbana, era inevitável a prática da prostituição e da mendicância mesmo na cidade de Jerusalém.

Agricultura

A vida era dura naqueles dias e o clima não cooperava muito. Estudos em solo revelam que apenas 15% do que se plantava retornava em forma de colheita – isso numa boa safra.

A razão para um percentual tão pequeno se deve ao fato de que a terra boa de plantio era pouca e a região montanhosa. O costume então era construir terraças de cultivo que eram uma espécie de degraus escalonados numa encosta. Muretas de arrimo feitas de pedra eram colocadas para segurar a terra e o surgimento de espinhos era inevitável nesse ambiente.

Tal cenário condiz perfeitamente com a parábola do semeador e as sementes que caíram nas pedras, nos espinhos e na terra fértil (Mat. 13:1-23; Mar. 4:1-20; Luc. 8:4-15). A proporção de colheita mencionada por Cristo ("a cem, a sessenta e a trinta por um") pode ser considerada muito acima do que normalmente se colhia. Esse era um indicativo espiritual dos resultados prometidos por Deus diante do empenho pelo anúncio do Reino.

Em termos gerais, uma colheita farta ou pobre era o indicativo de um ano próspero ou amargo e todos tinham consciência disso. Períodos de estiagem geralmente traziam consigo épocas de fome e privação, como mencionado na parábola do filho pródigo (Luc. 15:14).

Os produtos mais comuns colhidos da terra e que ocupavam a maior parte das plantações eram: trigo, cevada, figos, uva (para a produção de vinho), romã, tâmaras (para a produção de mel) e azeitonas (para a produção de azeite).

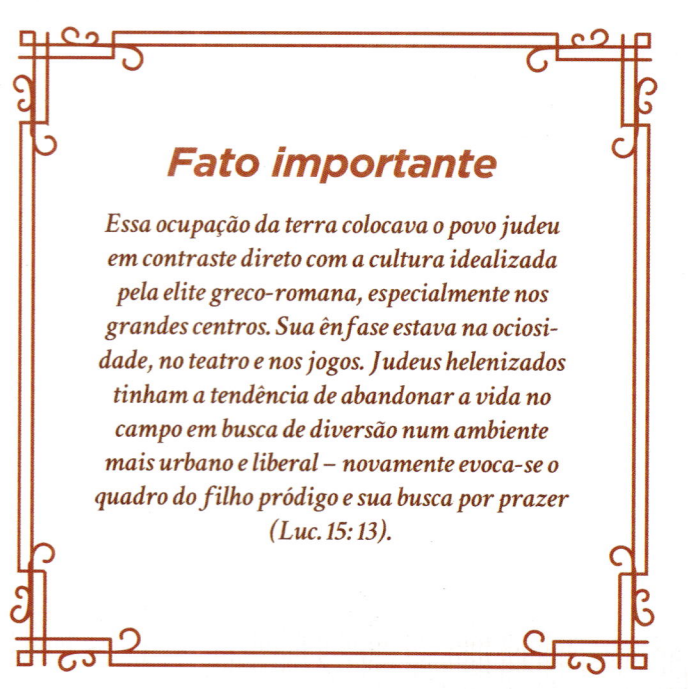

Fato importante

Essa ocupação da terra colocava o povo judeu em contraste direto com a cultura idealizada pela elite greco-romana, especialmente nos grandes centros. Sua ênfase estava na ociosidade, no teatro e nos jogos. Judeus helenizados tinham a tendência de abandonar a vida no campo em busca de diversão num ambiente mais urbano e liberal – novamente evoca-se o quadro do filho pródigo e sua busca por prazer (Luc. 15:13).

Atividade pesqueira

Os evangelhos não falam detalhes sobre a vida da maior parte dos apóstolos de Cristo. Sobre suas profissões, fala-se apenas de Mateus como coletor de impostos (Mat. 10:3) e de quatro outros que seriam pescadores, a saber: Pedro, André, Tiago e João (Mat. 4:18-22; Mar. 1:16-20; Luc. 5:1-11).

É difícil precisar quão valorizada era a atividade pesqueira dos judeus antes de Jesus. Contudo, há várias passagens do Antigo Testamento aludindo à arte da pesca (Isa. 19:8; Ezeq. 26:5, 4; 47:10; Hab. 1:15). O nome "peixe" associado a vários lugares pode ser uma pista da importância desse ofício para os judeus. A existência de um mercado de peixe regular em Jerusalém é sugerida pelo nome dado a uma das portas da cidade: porta do peixe (II Cro. 33:14; Ne. 3:3; 12:39; Sof. 1;10).

Essa atividade estava mais concentrada no Mar da Galileia, embora também houvesse alguma indústria de pesca no litoral mediterrâneo. O peixe do Grande Mar, ou peixe do Mediterrâneo era uma iguaria na ocasião (Ezeq. 47:10).

A cidade de Magdala, na encosta do Mar da Galileia, era conhecida em grego por *Tarichaeae*, que quer dizer "o lugar onde os peixes são salgados". Era, portanto, um centro especializado em salgar pescados para a venda no mercado. O sal era justamente o produto que garantia a viagem dos peixes desde sua origem até alguma cidade interiorana e não marítima como no caso Jerusalém.

A pesca podia ser realizada com anzol (Mat. 17:27; Isa. 19:8), lança (conforme ilustrações do antigo Egito), arpão (em forma de um garfo grande) e gancho (Jó 41:1-7). Mas a pesca com redes era a mais comum

Técnicas de pescas usadas nos tempos de Jesus.

de todas (Ezeq. 26:5, 4; 47:10). O modelo mais usado, conforme ilustrações da época e restos arqueológicos, era parecido com a tarrafa usada em algumas regiões do Brasil.

De forma circular, com pesos de pedras nas bordas, ela era usada da seguinte maneira: seja à margem das águas, de dentro de um barco ou submerso até a cintura, o pescador via o cardume, então lançava a rede projetando-a no ar. Os pesos de pedra faziam com que a rede descesse e os peixes ficassem presos, enroscados nela. O dispositivo era puxado por uma corda atada ao meio do círculo que a fechava como se fosse uma bolsa cheia de peixes.

Ao que tudo indica, Pedro e André estavam lançando esse tipo de rede da margem ou de bem perto dela, o que possibilitou que Jesus os chamasse e fosse ouvido (Mar. 1:16-17).

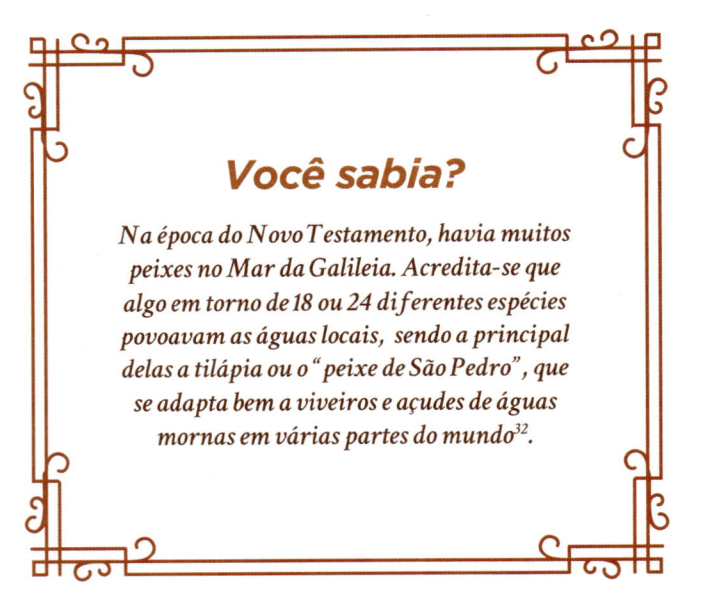

> *Você sabia?*
>
> Na época do Novo Testamento, havia muitos peixes no Mar da Galileia. Acredita-se que algo em torno de 18 ou 24 diferentes espécies povoavam as águas locais, sendo a principal delas a tilápia ou o "peixe de São Pedro", que se adapta bem a viveiros e açudes de águas mornas em várias partes do mundo[32].

Atividades pastoris

O ofício de pastor merece um destaque à parte, por causa da sua ambiguidade social. É que a atividade pastoril era por um lado essencial à vida dos judeus, tanto no suprimento de necessidades básicas (produção de lã, leite, carne) quanto na manutenção do Templo (sem sacrifício de ovelhas não haveria ritual).

Por outro lado, porém, os pastores eram vistos como trabalhadores de segunda categoria, sujos, gente de caráter duvidoso. Só não perdiam em desprezo para os publicanos, mas não ficavam muito atrás destes. Isso realmente é uma surpresa para muitos, considerando o *status* que a atividade pastoral recebeu ao longo da história do cristianismo.

Se você voltasse no tempo indo para os dias de Abraão e os patriarcas, veria que a atividade pastoral era uma nobre ocupação. Jabal era o ancestral dos que habitavam em tendas e possuíam gado (Gên. 4:20). Pastores eram, geralmente, mais ricos que agricultores. E não se pode esquecer que o primeiro homicídio da humanidade se deu por causa de uma celeuma entre dois irmãos: um agricultor, outro pastor de ovelhas (Gên. 4:8-16).

Todos os grupos nômades eram invariavelmente constituídos de pastores com seus rebanhos (Gên. 30:29; 37:12; Êxo. 2:16). Assim eram os filhos de Jacó que, ao migrarem para o Egito, depararam-se com um ambiente bastante diferente daquele ao qual estavam acostumados. Os egípcios eram mais agricultores!

Dando mais valor ao plantio que ao pastoreio, os egípcios evitavam os pastores pelo fato de que um rebanho de ovelhas, cabras e bodes perto de uma plantação era desastre na certa. E mais, na cultura egípcia, a ovelha e o carneiro eram inapropriados para fazer sacrifício aos deuses. Sua carne, embora consumida em algumas raras ocasiões, não era o cardápio mais apreciado nas terras de faraó. Pastores eram uma abominação para os egípcios (Gên. 46:34).

Assim os anos que passaram vivendo no Egito, os hebreus tiveram sempre de enfrentar o preconceito egípcio contra a antiga profissão de seus ancestrais. É claro que, uma vez estabelecidos ali, eles passaram a trabalhar com a terra e o ofício pastoril, embora ainda mantido, já não era sua principal ocupação. Note que na ocupação da terra de Canaã nem todas as tribos eram pastoralistas (Núm. 32:1ss).

À medida que os hebreus se assentavam na terra prometida, o ofício de criar rebanhos foi perdendo cada vez mais a proeminência. Com a ascensão de Davi ao trono, um ex-pastor de ovelhas, esse ofício teve certa evidência principalmente nos hinos que ele compunha falando de Deus como um pastor que cuida e protege. Mas no tempo dos profetas, transformar uma

Enciclopédia Histórica da Vida de Jesus

terra em campo de pastores era o mesmo que torná-la abominável, desamparada (Sof. 2:6).

O velho preconceito parece haver voltado e aumentado em tamanho até os dias de Cristo e também nas gerações seguintes. O tratado judaico da Mishná descreve os pastores como incompetentes, de má índole e chega a insinuar que era perda de tempo salvar um pastor que caísse num buraco.

Documentos antigos mostram que pastores de ovelhas não tinham todos os direitos civis resguardados. Eles não podiam ser ouvidos como testemunha num processo judicial. O judaísmo rabínico os considerava permanentemente imundos e não adequados para entrar numa sinagoga, nem me outro ambiente público.

Muitos pastores talvez tivessem mesmo um comportamento reprovável que reforçasse o preconceito. Outros talvez fossem apenas vítimas de um estereótipo social. Seja como for, os principais rabinos e sacerdotes de Jerusalém haviam banido os pastores e seus rebanhos para lugares que ficassem distantes do perímetro urbano. É muito surpreendente, neste contexto, que Lucas abra a narrativa do seu evangelho com um grupo de pastores visitando o recém-nascido menino Jesus.

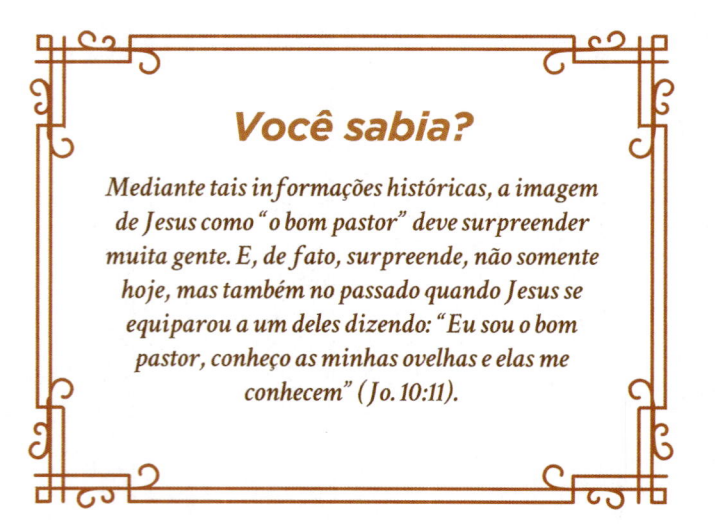

Você sabia?

Mediante tais informações históricas, a imagem de Jesus como "o bom pastor" deve surpreender muita gente. E, de fato, surpreende, não somente hoje, mas também no passado quando Jesus se equiparou a um deles dizendo: "Eu sou o bom pastor, conheço as minhas ovelhas e elas me conhecem" (Jo. 10:11).

Assim como fez com outros grupos marginalizados pela tradição e pelo sistema, Jesus não tratou os pastores como inimigos. Ele, ao contrário, viu virtude que pode até usar para descrever sua própria missão.

Porém, considerando que havia realmente pastores mal-intencionados, Jesus não se limita a dizer: "Eu sou o pastor", mas sim "Eu sou o *bom* pastor". E descreve as características que o apontavam como tal.

Banho romano

Dia a dia

Assim como nos dias atuais, a vida nos tempos de Cristo era um palco de contrastes. Isso pode ser graficamente visualizado na parábola do Rico e Lázaro: "Ora, havia um homem rico, e vestia-se de púrpura e de linho finíssimo, e vivia todos os dias regalada e esplendidamente. Havia também um certo mendigo, chamado Lázaro, que jazia cheio de chagas à porta daquele; e desejava alimentar-se com as migalhas que caíam da mesa do rico; e os próprios cães vinham lamber-lhe as chagas"(Luc. 16:19-21).

Tal descrição não implica um exagero. Embora alguns resistam usar a expressão "classe média" para os dias de Cristo, é fato que havia os mais ricos (minoria), os miseravelmente pobres ou excluídos e entre ambos os mundos uma classe mediana de pessoas que não passavam fome, mas também não tinham grandes somas de dinheiro e conforto.

Os ricos, portanto, viveriam mais no luxo com acesso a coisas que os mais simples talvez passariam toda a vida sem ver ou experimentar. Um banheiro dentro de casa ou a oportunidade de comer carne diariamente eram privilégios que, naquela época, só pertenciam a famílias muito abastadas.

No extremo oposto estaria a realidade de grupos excluídos, como mendigos, leprosos ou viúvas que não tinham herança nem parentes para cuidar de suas necessidades básicas. Jesus provavelmente pertencia àquela classe média, mas os evangelhos o mostram tanto relacionando-se com ricos quanto com pobres.

Uma família comum, nos dias de Cristo, teria seu dia começando bem cedo, com o raiar do sol. As pessoas naquele tempo dormiam cedo e acordavam cedo! O pai sairia para o labor diário e a mãe ficava em casa com os filhos pequenos. Juvenis poderiam ir para a escola rabínica ou com o pai para o trabalho, onde já começariam a aprender uma profissão.

Considerando, porém, que havia épocas de escassez de alimento e desemprego, não era incomum encontrar profissionais de uma área exercendo outra atividade. Diaristas e trabalhadores avulsos (*freelances*) poderiam ser facilmente encontrados por alguém que desejaria, por exemplo, contratar pessoas apenas para vindimar as uvas de sua fazenda. É o caso da parábola dos trabalhadores na vida citada em Mateus 20:1-16.

Pirâmide social

Assim seria uma pirâmide social da sociedade onde viveu Jesus:

1 – Família real de Herodes e (após a perda parcial do poder) os governadores romanos como Pilatos, Félix e Festo.

2 – Classe sacerdotal e membros do Sinédrio – a ponte entre Roma e os judeus.

3 – Pouquíssimos ricos, donos de terras (latifundiários) e demais cidadãos que acumularam influência política o bastante para aumentar e garantir suas riquezas.

4 – Classe abastada, mas não tão poderosa politicamente, representada por fazendeiros, oficiais de governo e militares.

5 – Classe média: artesãos, mercadores, construtores (carpinteiros), tecelões, pescadores/proprietários (que tinham barcos e empregados), servos especiais (alguns escravos letrados eram secretários especiais de um homem rico).

6 – Classe baixa: pequenos agricultores, pescadores avulsos (que trabalhavam para outros ou pescavam apenas para consumo próprio), trabalhadores braçais diaristas, escravos por causa de dívidas contraídas.

7 – Rejeitados e marginalizados: leprosos, mendigos portadores de necessidades especiais, viúvas sem amparo, prostitutas.

Refeições

Enquanto os romanos costumavam ter quatro refeições ao dia, os judeus restringiam-se a duas ceias, uma preferencialmente às 10 horas ou perto do meio-dia e outra ao final da tarde e cair da noite. Não havia um horário rígido.

A primeira refeição deveria ser leve: pão, peixe, frutas secas, grãos torrados, queijo ou coalhada (Ecl. 10:16; Jo 21:4,5, 9). Podia ser tomada no local de trabalho ou a caminho dele (Mat. 14:15; Ru. 2:14). Note que após sua ressurreição, Jesus aparece para seus discípulos nas margens do Mar da Galileia e os convida para uma refeição matutina, que pode ter sido por volta das 10 horas ou meio-dia. O cardápio era peixe e pão! (Jo. 21:5, 9-12).

A outra refeição que era a mais importante – embora não fosse necessariamente mais sofisticada – ocorria no fim do dia com toda a família reunida e convidados especiais, se fosse o caso (Luc. 7:36; 10:40; 17:7-9 e Jo. 12:2).

Nessa segunda ceia, geralmente havia algum alimento quente, como uma sopa de lentilhas e pão à vontade. Normalmente um único prato era servido num só recipiente do qual participavam todos. Isso explica o trocadilho de Cristo usado com Marta quando ela, preocupada com a comida, estaria perdendo o ensino de Cristo. "Pouco é necessário [Marta] ou uma

Um típico jantar num *triclinium* romano

só coisa, Maria escolheu a melhor parte e essa não lhe será tirada" (Luc. 10:42).

Banquetes especiais como a comemoração pela volta do filho pródigo (Luc. 15:23 e 25) e a grande ceia (Luc. 14:15-24) eram geralmente refeições noturnas ou servidas ao cair da tarde. Foi nesse horário que Cristo multiplicou os pães e peixes (Mat 14:15; Mar. 6:35; Luc. 9:12); celebrou a ceia pascal com os discípulos (Luc. 22:15; Jo. 13:2;21-30) e foi ungido por Maria Madalena (Jo. 21:1-8).

No sábado havia uma refeição familiar especial ao pôr do sol de sexta feira e outra após o serviço da sinagoga ou do Templo na manhã seguinte (Luc. 14:1).

Regras de etiqueta

No Oriente Médio, desde os tempos de Abraão e também nos dias de Jesus, compartilhar uma refeição é assinar uma garantia de paz, confiança e, em alguns casos, reconciliação. Compartilhar a mesa é compartilhar a própria vida. Até hoje, dependendo de onde você viajar pelo Oriente Médio, quando alguém o convida para comer em casa, está dizendo que quer iniciar uma amizade com você. Por isso, muitos encontros de Cristo ocorriam durante uma refeição.

Mas se você fosse convidado para comer na casa de alguém naqueles dias, certamente estranharia os costumes bem diferentes dos atuais. Comer sem lavar as mãos e os pés numa bacia, nem pensar! Todos deveriam fazer isso e na frente uns dos outros. Todavia, os três hábitos mais espantosos seriam: comer com as mãos, reclinar-se sobre um fino acolchoado e ter todo o cerimonial em cima da laje de uma casa.

Talheres resumiam-se à colher e faca (o garfo só foi usado a partir da Idade Média). Mesmo assim eram raramente usados. Na maior parte das vezes, era a mão que levava o alimento à boca. Sempre a mão direita, como se deduz do costume oriental visto até hoje entre tribos beduínas. Pedaços de pão molhados em vinho, sopa ou molho substituíam bem as colheres e pareciam mais apetitosos que comer de colher (Veja Ru. 2:14).

As mãos eram cerimonialmente lavadas antes e depois das refeições. Eles não precisavam lavar a louça, mas tinham de lavar as mãos – não necessariamente por motivo de higiene como se pensaria na cultura moderna, mas por uma questão de purificação ritualística –; era, enfim, um comportamento religioso.

Embora não fosse incomum os convidados terem pratos individuais, onde a porção de comida era colocada, havia momentos em que apenas um prato era colocado ao centro e todos juntos participavam dele (Mat. 26:23). Os pratos geralmente eram feitos de pedra, madeira ou argila e pareciam tigelas, como aquelas próprias para comer cereais.

Devido ao intenso calor, as refeições judaicas em geral eram feitas ao ar livre ou no terraço das casas, às vezes, sob uma cobertura feita de pele de animal ou palha e nada mais que isso. A exceção, é claro, seria no inverno, quando a família era quase confinada dentro de casa.

A mesa greco-romana – também usada por judeus – era chamada "triclínio" (*triclinium*). Uma espécie de sofá não muito distante do chão, dividido em três partes como se formasse um "U" ou um retângulo incompleto. Essa abertura permitia que os alimentos e bebidas fossem trazidos para a "mesa" e nela distribuídos. Um exemplar de triclínio encontrado em Pompeia mostrou que o mesmo era um pouco elevado em relação ao chão, permitindo que um empregado de pé ao centro pudesse servir a seus senhores.

Nas regras romanas, cada parte acomodaria três pessoas, mas os gregos iam além disso e os judeus também – Jesus comeu com doze e seu "triclínio" talvez fosse um acolchoado mais simples e rente ao chão, conforme o costume judaico. Almofadas ou "tatames" especiais eram usados para acolchoar o chão em volta do triclínio. Para comer, os convivas se reclinavam sobre seu braço esquerdo e manuseavam alimentos e bebidas com a mão direita.

Família de judeus durante um jantar de páscoa

Fato importante

O lavar das mãos antes de comer era, mais do que um processo higiênico, um ritual religioso de purificação. Não se podia colocar as mãos numa bacia d'água e esfregá-las com sabão. A ideia e ter cerimonialmente outra água limpa despejada sobre as mãos para mostrar que o participante estava limpo.

Era com grande orgulho que os fariseus e líderes religiosos desempenhavam essa cerimônia na frente de outras pessoas com o fim de serem admirados por sua religiosidade. Havia muitas tradições e muitos detalhes, que incluíam até mesmo a posição das pontas dos dedos.

As escolas rabínicas de Hillel e Shammai sustentavam posições distintas sobre o procedimento exato, mas concordavam que o ritual de limpeza era essencial. Se alguém o deixasse de observar estaria impuro diante de Deus e vulnerável à pobreza, à destruição e aos ataques de um demônio específico chamado Shibta.

Foi por causa destas superstições sem fundamento nas Escrituras que Jesus, de propósito, deixa de seguir o ritual quando convidado para comer na casa de um dos principais fariseus (Luc. 11:37-44). Em outra ocasião, seus discípulos também não seguem o protocolo cerimonial (Mat. 15:1 e 2) e, em ambas ocasiões, o questionamento surge, dando oportunidade para que Jesus demonstre a fragilidade de tal tradição.

O cardápio de Jesus

Muitos são curiosos para saber quais eram as receitas mais comuns dos dias de Cristo, como era a culinária daquele tempo. Alguns ingredientes são conhecidos até hoje e alguns pratos também, mas outros seriam totalmente estranhos à cultura ocidental moderna.

A carne vermelha era pouco consumida. Uma família normal teria a oportunidade de comer car-

Mulher em Israel assando pão como nos tempos bíblicos.

ne umas duas ou três vezes ao ano. Lembre-se, o local era desértico com pouca pastagem. Logo, somente em ocasiões muitos especiais como um casamento, o nascimento de uma criança ou uma festa religiosa poderiam ter carne em seu cardápio (Luc.15:29 e 30). Também não se espante em saber que o tempero principal de uma carne era mel misturado com ervas!

As pessoas no tempo de Jesus comiam uma dieta leve, baseada em vegetais. Naquela região do mundo, lentilhas, grãos integrais, frutas, verduras, tâmaras, nozes e peixe eram muito populares. Para lanches, até mesmo algumas espécies de gafanhotos e grilos podiam fazer parte de uma refeição! Todos esses alimentos forneciam nutrição adequada e satisfatória, sem excesso de gorduras ou colesterol.

Muitos alimentos eram consumidos crus. Como não havia geladeira, o sal era um bom elemento de conservação, e frutas geralmente eram desidratadas para serem comidas como passas.

O pão, é claro, era a refeição de todos os dias. Daí as expressões "partir o pão", "comer o pão" comumente usadas para referir-se a uma ceia ou refeição. Outro exemplo seria a famosa expressão do "Pai nosso": "O pão nosso de cada dia nos dai hoje", para referir-se ao alimento diário. Falar do "pão de cada dia" era como dizer "o arroz com feijão", para o brasileiro.

O ingrediente básico era farinha de trigo ou cevada. O pão de cevada era menos apreciado, mas por ser mais barato, era geralmente consumido pelos mais pobres (Jo. 6:9). Poderia ou não levar fermento, desde que não fosse usado em cerimônias religiosas. Aí deveria ser um pão ázimo, isto é, não fermentado.

O pão diário poderia ainda ser acompanhado de uma pasta feita de figos, mel de tâmara (mais comum que o mel de abelha) ou coalhada salgada.

Uma receita de pão

O processo de preparo do pão começava na colheita. Para se fazer a farinha, primeiro "separava-se o joio do trigo". Os grãos eram batidos na eira, triturados com uma prancha de madeira puxada por animais, depois jogados para cima (para separar a palha) e finalmente abanados numa peneira grande e grossa para eliminar qualquer elemento estranho que pudesse ter sobrado, como ervas daninhas, sementes de outras plantas ou a própria palha.

Depois, os grãos eram moídos, esmagados entre duas pedras de mó, uma por cima – que girava – e outra por baixo, que era fixa. Assim você teria sua porção de farinha. O próximo passo era preparar a massa, juntando água ou azeite, sal e fermento (não se punha este último ingrediente quando se tratava de pães para fins religiosos).

Um pedaço de massa fermentada, chamada "levedura", tirada da fornada anterior, era amassada com a massa nova, que era deixada para crescer. Antes de assar, parte da massa era reservada para a "levedura" do dia seguinte. O pão era assado como uma torta achatada, em fornos rústicos, emborcados sobre fogueiras.

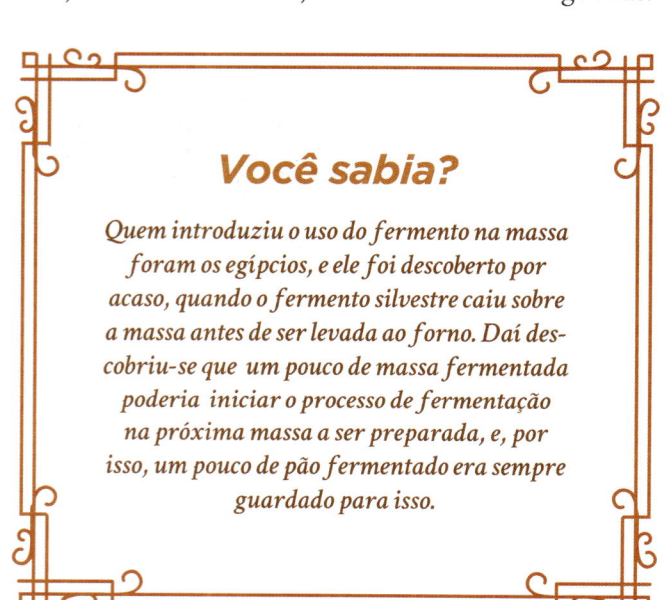

Você sabia?

Quem introduziu o uso do fermento na massa foram os egípcios, e ele foi descoberto por acaso, quando o fermento silvestre caiu sobre a massa antes de ser levada ao forno. Daí descobriu-se que um pouco de massa fermentada poderia iniciar o processo de fermentação na próxima massa a ser preparada, e, por isso, um pouco de pão fermentado era sempre guardado para isso.

O fermento dos fariseus

"E Jesus disse-lhes: Adverti e acautelai-vos do fermento dos fariseus e saduceus. Como não compreendeis que não vos falei a respeito de pães? E sim: acautelai-vos do fermento dos fariseus e dos saduceus. Então, entenderam que não lhes dissera que se acautelassem do fermento de pães, mas da doutrina dos fariseus e dos saduceus. (Mat. 16:6,11-12).

O pano de fundo dessas enigmáticas palavras de Jesus vem dos tempos do Êxodo, quando o povo de Israel saiu do Egito. Para celebrar a libertação, os judeus tinham a festa da Páscoa e antes dela a festa dos pães Ázimos (ou Asmos), isto é, pães sem fermento.

No dia em que o povo foi liberto (14 de nisã, período que compreende os meses de março e abril), Deus ordenou que todo fermento deveria ser retirado das casas, pois implicaria contaminação, simbolizando o pecado, a corrupção e a maldade. O povo tinha de confiar em Deus, obedecendo a cada ordem nos mínimos detalhes (Êx. 12:6, 18).

Pão preparado sem fermento.

Nos tempos do Novo Testamento, os fariseus eram muito zelosos com cada detalhe das cerimônias religiosas e condenavam quem falhasse num só ponto que fosse. Mas como muitos só faziam isso por cerimonialismo e não de coração, Jesus os chamou de hipócritas e ironicamente fez o trocadilho falando do "fermento (isto é, a contaminação) dos fariseus".

Vestuário e acessórios

Existe algo sobre a moda que vale tanto para os tempos bíblicos como atualmente. As vestimentas são tremendamente ligadas a fatores culturais, étnicos e valores sociais. Alguns chegam a conectar as vestimentas a questões de ética e bom senso.

É claro que neste turbilhão de opiniões e estilos, existe espaço para a individualidade e gosto pessoal, embora, a rigor, o modo "pessoal" de cada um se vestir reflete de modo inconsciente ou não um coletivo com o qual ele(a) se identifica por circunstância ou ideologia.

Nos tempos de Cristo, não havia tantos "estilos" como hoje, o que não significa que as pessoas andassem uniformizadas. Contudo, o tipo de roupa que cada um usava era diretamente ligada à sua etnia e sua posição social. Romanos vestiam-se diferente dos gregos e sacerdotes vestiam-se diferente de filósofos.

A peça de roupa mais característica dos romanos teve origem com os etruscos. Somente quem gozava da cidadania romana tinha o direito de trajar a *toga*, e as autoridades deviam cuidar para que os estrangeiros não a vestissem. Quem, por exemplo, era condenado ao exílio perdia o *ius togae* (direito à toga).

Objetos adicionais, adereços ou acessórios poderiam acompanhar a indumentária para dar mais destaque ao *status* da pessoa ou até mesmo para identificá-la profissionalmente. Como advogados romanos que carregavam varas nas mãos (*fasces*) ou médicos que traziam uma bolsa com unguentários.

Por fim, havia também roupas especiais para ocasiões especiais: trajes para dias de luto, para casamento, para cerimônias religiosas. Jesus mesmo se referiu numa de suas parábolas à embaraçosa condição de um homem que entrou numa festa sem as vestes apropriadas para o evento (Mat. 22:1-14). Mas isso não significa que as pessoas tinham um guarda roupas repleto de peças como os de hoje em dia. As roupas eram caras e, dificilmente, um cidadão comum teria mais que duas ou três peças de vestuário. É este contexto que deve-se entender a exortação de João Batista: "Quem tiver duas túnicas dê uma a quem não tem nenhuma; e quem possui o que comer, da mesma maneira reparta" (Luc. 3:11).

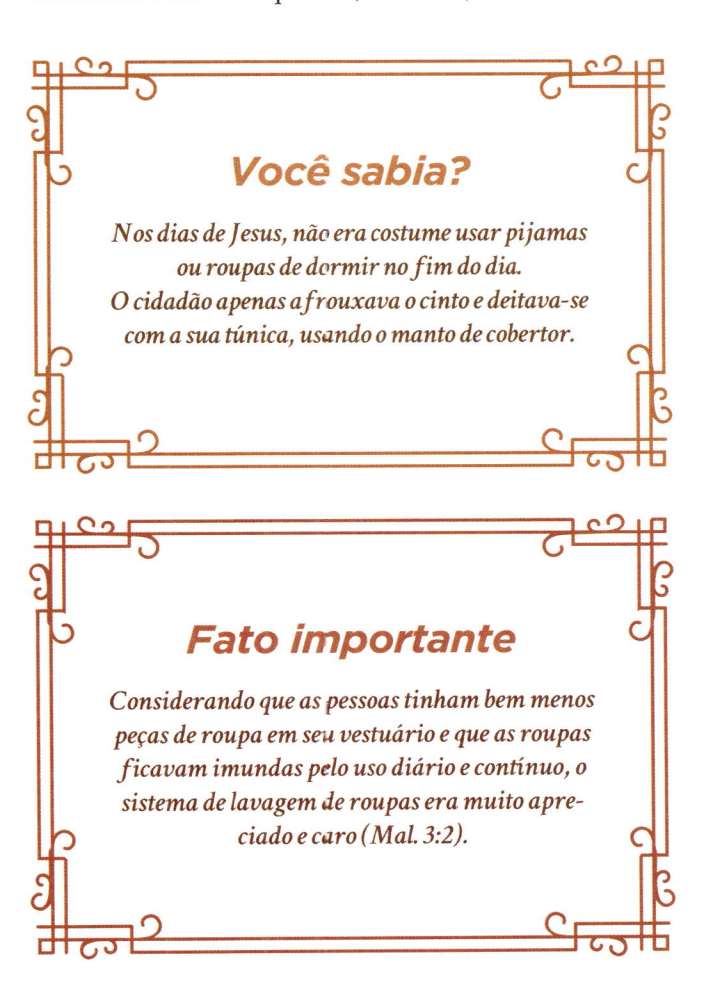

Você sabia?

Nos dias de Jesus, não era costume usar pijamas ou roupas de dormir no fim do dia. O cidadão apenas afrouxava o cinto e deitava-se com a sua túnica, usando o manto de cobertor.

Fato importante

Considerando que as pessoas tinham bem menos peças de roupa em seu vestuário e que as roupas ficavam imundas pelo uso diário e contínuo, o sistema de lavagem de roupas era muito apreciado e caro (Mal. 3:2).

Por isso, as roupas não eram lavadas com a frequência dos dias atuais, de modo que uma veste branca, isto é, limpa ou alvejada era um símbolo de tremendo significado naqueles dias. Essa é a razão porque as vestes de Jesus na transfiguração chamaram tanto a atenção dos discípulos, pois estavam "resplandecentes e sobremodo brancas, como nenhum lavandeiro na terra as poderia alvejar" (Mar. 9:3).

Vestes limpas e bem lavadas eram exigidas daqueles que adentrassem o pátio do Templo levando consigo sacrifícios ou ofertas para oferecer a Deus. As roupas comuns, por estarem geralmente sujas, eram inapropriadas para o ambiente.

Trajes comuns dos tempos bíblicos

Assim a pessoa se purificava nas águas correntes de um tanque especial e em seguida vestia as roupas limpas, de modo a estar apto para comparecer perante o santuário de Deus (cf. Zac. 3:1-10 e, dependendo da versão, Apoc. 22:14).

Moda masculina

A principal peça de vestuário usada por homens e mulheres contemporâneos de Jesus era a túnica. As diferenças básicas eram o tipo de tecido, os adereços e o comprimento: a túnica dos homens era mais curta e ia até o tornozelo; a das mulheres ia até os pés.

No caso dos homens, apenas anciãos em posição de destaque, como os sacerdotes, ou monarcas, usavam túnicas compridas o bastante a ponto de cobrirem os pés. São as chamadas "vestes talares" como as que Jesus usa na visão do Apocalipse 1:13. A palavra "talar" vem do latim *talus* e quer dizer "calcanhar". Daí a expressão "veste talar", aquela cujo comprimento vai até os calcanhares.

Cada judeu normalmente usava duas peças básicas. Mateus 5:40 faz referência a elas: uma seria a túnica (*Chalouk* ou *Ketoneth*) e a outra a capa (*simlah* ou *talith*) – um forro parecido com um cobertor pequeno que as pessoas usavam nas costas em substituição aos turbantes que eram mais usados pela classe dos mais abastados. As capas eram mais usadas quando o cidadão saía para uma viagem ou em local público (At. 12:8).

Como acessórios havia uma cobertura para a cabeça na forma de um pequeno gorro, um cinto que poderia ser feito de couro ou de tecido e outro modelo de túnica (*meil*), sobreposta externamente à túnica básica e que funcionava como um sobretudo ou paletó. Poderia ser aberta na frente (imitando um casaco moderno) ou inteiriça, mas com mangas e cumprimento um tanto mais curtos que a túnica de baixo. Era usada mais na época do frio ou, como as vestes talares, por anciãos, sacerdotes e rabinos do povo.

Os calçados também eram opcionais e muita gente andava descalço, exceto quando empreendiam viagem para algum outro território e teriam de caminhar a pé. Por fim, é provável, mas não conclusivo, que houvesse ainda uma tanga ou saiote sob a túnica como roupa de baixo. Pedro possivelmente usava uma tanga assim quando ficou "nu" ou "despido" no barco de pesca da família (Jo. 21:7). Jesus foi crucificado usando apenas a tanga, porque os soldados já haviam removido suas vestes (Jo. 19:23).

Moda feminina

Segundo o tratado judaico do *Shabbath*, as mulheres mais ricas costumavam usar fitas de lã e seda nos cabelos, além de arcos, presilhas e pentes feitos de marfim, madeira, casco de tartaruga e couro enfeitado de pedras preciosas.

Os cabelos eram a parte mais sensual para a mulher da época, de modo que era costume daquelas mais influenciadas pela moda grega tingi-los por inteiro ou apenas uma mexa, às vezes de preto, ou mais frequentemente de ruivo e loiro (principalmente as que já tinham algum tom grisalho).

As mais jovens mandavam encaracolar a cabeleira aplicando grande quantidade de óleo e perfume. Perucas também eram bem-vindas numa região, por exemplo, infestada de piolhos. E, para completar o visual, xales eram comumente amarrados nos ombros e havia abundância de anéis, braceletes, argolas presas no nariz e brincos, embora, ao que tudo indique, as igrejas cristãs em seus primórdios baniram esse costume entre as mulheres que se convertiam ao cristianismo (veja I Tim. 2:9 e10 e I Ped. 3:3 e 4).

Cores e tecidos

As variações ficavam por conta do clima, do terreno ou das cores que cada um escolhia. Mesmo assim não havia muitas mudanças. Falando especificamente das cores, o processo de obtenção dos diferentes matizes era bastante caro e artesanal.

Por isso nem todos tingiam suas vestes que, normalmente feitas de lã, podiam ter uma variedade de cores naturais, desde o branco até o marrom escuro com vários tons intermediários. Uma lã tingida de púrpura era no mínimo 40 vezes mais cara que uma sem nenhum tipo de tintura.

Sem misturas sintéticas como as que existem hoje, os antigos recorriam a extratos do mundo animal e vegetal a fim de produzir sua variedade de cores e tons. Havia um caramujo do mar chamado *Murex trunculus*, cuja glândula liberava um fluido amarelo que, quando exposto à luz solar, tornava-se azul púrpura e era utilizado para tingir tecidos finos.

O amarelo era tirado das folhas da amendoeira e da casca moída de romãs. O preto vinha da casca de madeira da romãzeira e o vermelho poderia vir tanto de uma planta chamada ruiva dos tintureiros quanto de um inseto do carvalho-quermes, o mesmo que produz a cochinilha.

Os tecidos mais baratos eram feitos de lã. Os de linho eram mais dispendiosos. A diferença estava tanto no trabalho quanto no resultado final. De poucas ovelhas era possível obter lã para uma família. Já o linho, colhido de uma planta que leva o mesmo nome, tinha um longo processo de colheita e fabricação. Além do fato de que necessitava muito mais matéria-prima para se produzir uma única capa do tamanho de um adulto. No Egito, os faraós eram embalsamados com o linho, símbolo de poder e riqueza.

O algodão já era comumente utilizado pelos persas, gregos e indianos, mas não há indícios de que os judeus o cultivassem. A seda, por sua vez, era, mais do que qualquer outro, o tecido mais caro do Oriente. Luxuoso e próprio para reis que o compravam nas mãos de comerciantes vindos do Extremo Oriente (Veja Apo. 18:11 e 12).

Fato importante

Alguns autores pensam que já no tempo de Jesus, a capa tinha uma função religiosa como o talith usado pelos modernos judeus. Se assim fosse, esta seria uma peça indispensável para se aproximar do Templo ou entrar numa sinagoga. Outros, no entanto, afirmam que esse costume litúrgico de cobrir a cabeça em sinal de reverência fora praticado apenas a partir do IV século d.C. Seja como for, a capa era uma peça tão importante que podia ser usada como sinal de penhora no pedido de algum empréstimo (Luc. 6:29).

Quando era esta a situação, a lei exigia que um credor que tivesse por garantia de débito uma capa, a devolvesse ao devedor antes do escurecer (Êx. 22:26 e Deut. 24:12), pois em muitos casos ela poderia servir de cobertor, colchão (se a pessoa dormisse ao relento), capuz e até como tapete para dar as boas-vindas a um soberano muito importante. Daí a atitude dos cidadãos, na entrada triunfal de Jesus em Jerusalém, ao estender seus mantos para que ele passasse por cima montado no jumentinho (Mat. 21:11).

Você sabia?

Profetas itinerantes e eremitas, em alguns casos, para proclamar a apostasia do povo ou anunciar quem eles eram, costumavam usar uma peça única geralmente sem capa ao estilo das que usou João Batista. Eram feitas de pelo de camelo tecido e na cintura traziam uma tira de couro. Para os demais que não se enquadravam na descrição de peregrinos era comum usarem capas e tornozeleiras de couro durante uma longa viagem, principalmente para terras mais frias que Israel.

Quatro evangelhos – uma história

A tradição cristã reconhece como oficiais quatro evangelhos que contêm a vida e as obras de Jesus de Nazaré. São eles: Mateus, Marcos, Lucas e João. Apenas dois (Mateus e João) teriam sido discípulos de Jesus, ao passo que os demais (Marcos e Lucas) pertenceriam possivelmente a uma segunda geração de crentes, ambientados num tempo de pregação apostólica ocorrido após a morte e ressurreição de Jesus. Embora uma antiga tradição aponte Marcos como presente nos eventos últimos da santa ceia, morte e ressurreição de Cristo em Jerusalém.

Os quatro evangelistas de Jacob Jordaens (1625)

Representações medievais

Na iconografia medieval, os evangelistas costumam aparecer em quatro diferentes símbolos extraídos de uma visão de Ezequiel (capítulo 1) refletida no livro do Apocalipse cap. 4. As imagens normalmente aparecem com asas e formas que misturam a face humana e a face de animais.

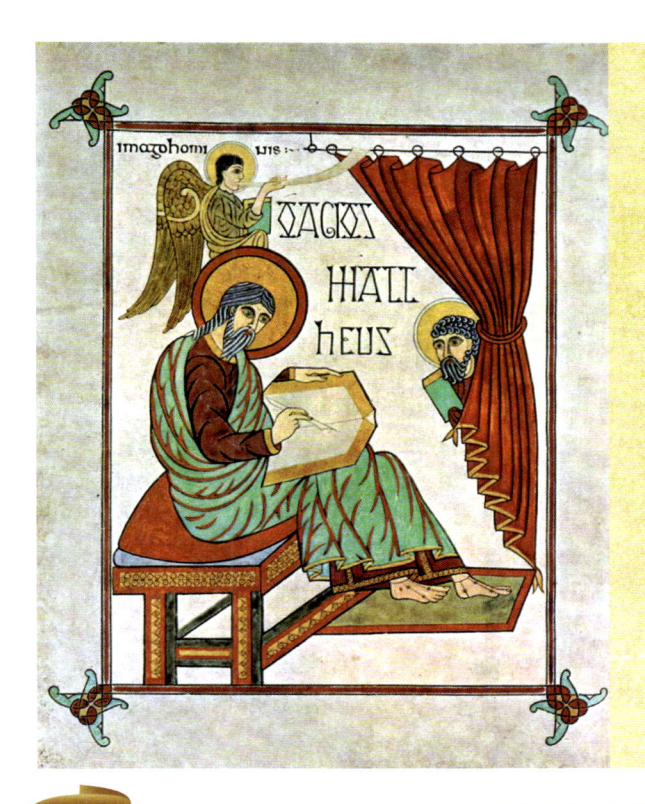

Mateus: Homem com asas, pois descreve Jesus em seu aspecto humano. Enfatiza a genealogia de Cristo e sua ligação com o povo judeu.

Marcos: Leão com asas, pois sua cena de abertura é a de Jesus em meio ao deserto da tentação cercado de animais selvagens. Sendo o leão um símbolo de realeza, também acentua-se Jesus como rei dos reis.

Lucas: Novilho com asas, pois apresenta Jesus de um modo mais eclético e manso. Um Jesus que aceita sua missão e não titubeia em cumpri-la.

João: Águia com asas, pois João é o que mostra Jesus descendo das alturas para habitar entre os homens. É a visão mais divina de Cristo e sua encarnação.

O sentido desses ícones é completamente poético e não se pode dizer que refletem realmente o significado de cada evangelho ou a intenção original das visões do Apocalipse e de Ezequiel. Ademais, sua explicação variou de tempos em tempos desde que apareceu numa das primeiras sugestões feitas por Jerônimo. Seu valor hoje é apenas artístico e não necessariamente teológico. Permanece, contudo, a certeza de que os evangelhos são visões diferentes, porém, complementares e harmônicas da vida e das obras de Jesus de Nazaré.

O que é evangelho?

Comumente, a palavra "evangelho" é usada para se referir às boas novas da Palavra de Deus – o que não é de modo algum errado, levando-se em conta que o termo grego *euangélion*, evidentemente significa "boa notícia". Essa era uma palavra comum no passado, mesmo antes de surgir no mundo o movimento cristão. A inscrição de Priene, datada do ano 9 a.C. e encontrada na Ásia Menor, celebra o nascimento de Augusto como sendo as "boas novas" (*euangelia*) da história da humanidade.

Em termos de ciências bíblicas, *evangelho* é um gênero literário, marcado por características e estilos que precisam ser anotados para a boa compreensão de seu conteúdo. Mas ainda que se trate de um gênero literário, cada autor manifestou sua peculiaridade, seu objetivo e seus enfoques pessoais, conforme as necessidades de seus destinatários. Não eram, porém, meras biografias de Jesus Cristo.

Os evangelistas não intentaram escrever pormenores da vida de Jesus determinando o que ele fez em certa época do calendário. Note que as indicações geográficas ou temporais das narrativas são, na maioria das vezes, genéricas: "na cidade", "num alto monte", "em casa", "no caminho", "naquele tempo", "naquela hora".

Assim, os evangelhos não são relatos biográficos de Cristo no sentido atual da palavra. São o anúncio do *Kerygma*, isto é, da mensagem proclamada por aqueles que foram as primeiras testemunhas do evento e, a seguir, pela igreja de um modo geral.

Sua intenção é apresentar a Jesus como Messias, filho de Deus e Salvador. Seu conteúdo não pode ser lido de modo indiferente. Trata-se de quatro testemunhos, mas um mesmo convite à graça manifestada na história da humanidade.

Contradições ou peculiaridades?

Há autores que tomam certos trechos aparentemente divergentes dos evangelhos e assumem que estes seriam contradições nunca harmonizáveis que indicam uma falta de coerência na produção de cada um deles. Mas essas mesmas divergências podem ser lidas sob outro prisma legitimamente válido, tanto à luz da lógica quanto da crítica literária.

Mateus, por exemplo, acentua muito mais as polêmicas entre Jesus e os fariseus do que o faz Lucas. Este último chega a sugerir uma amizade entre Jesus e alguns fariseus no início de seu ministério, algo totalmente inexistente no relato de Mateus.

Compare a pregação agressiva do Batista, segundo Lucas, endereçada à multidão que o ouvia e de acordo com Mateus, voltada especificamente para os fariseus (Mat. 3:5–10 e Luc. 3:7–9). Mateus é o único a apresentar todo um discurso de lamentação dedicado inteiramente aos escribas e Fariseus (Mat. 23:13–36). Enquanto isso, Lucas, embora também apresente conflitos entre Jesus e o farisaísmo, não se esquiva de apresentar Jesus comendo em casa de um líder fariseu (11: 37–44; 14:1ss) e mais, sendo alertado por eles contra o perigo de Herodes, como se quisessem salvar-lhe a vida (13: 31–33).

João, por sua vez, enfatiza muito mais a superioridade de Jesus em relação ao Batista do que fazem os demais evangelistas. Isso, como você verá mais à frente, também tinha um motivo próprio que justificava essa linguagem.

Cada evangelho, pois, apresenta sua própria caracterização do Cristo, que não deve de modo algum ser entendida como contradição histórica.

"Imaginemos dois livros escritos sobre Martinho Lutero por dois autores católicos, um em 1900, o outro em 1980. O primeiro, de modo lamentoso, escreverá nestes termos: 'Lutero, este monge que abandonou o hábito, que desprezou uma religião, levou, por seu próprio orgulho, a Igreja e a Europa ao fogo e ao sangue ...' O segundo, por sua vez, já dirá: 'Lutero teve sua fraqueza como qualquer um de nós; mas devemos considerar que aqui estamos diante de um monge tremendamente religioso, apaixonado por Deus e preocupado com a salvação dos homens; ele percebeu que a Igreja devia se reformar, voltar-se para as Escrituras, e a Igreja, por sua recusa, o expulsou de seu seio...". Etienne Charpentier[33]

Ora, nenhum historiador sensato questionaria a historicidade de Lutero com base nesses depoimentos diferentes. Nem poderia dizer que, embora diferentes, eles sejam contraditórios. Ambos fazem uma leitura do mesmo fato: Lutero rompeu com o catolicismo. Um acentuou a responsabilidade do monge no processo, enquanto o outro acrescentou a intolerância como também responsável por muito do que aconteceu. Possivelmente houve, entre ambos os autores, o concílio Vaticano II, que tornou os católicos mais otimistas em relação ao protestantismo. Sendo assim, o que viveu depois disso esboçou em seu livro as características do ambiente mais tolerante no qual vivera, enquanto o primeiro apenas ecoou os ares apologéticos de sua época.

Essa mesma analogia pode ser usada para explicar as peculiaridades de cada evangelho ao descrever Jesus de Nazaré, mesmo que pareçam, a princípio, contraditórias. Cada evangelista narrou a vida de Cristo com um colorido próprio de personalidade, ambiente e propósitos. Contudo, nada há de dramaticamente sério que coloque em dúvida a reputação historiográfica daqueles que produziram tais textos. Afinal, pequenos erros, ainda que ocorram, são peculiares até mesmo dos mais exímios historiadores modernos e da Antiguidade.

Fato importante

Muitos pensam erroneamente que, se os evangelistas estivessem num tribunal, seu testemunho seria imediatamente rejeitado por causa das contradições que eles apresentam. A cura dos cegos (ou do cego) de Jericó é um caso clássico. Mateus, a única testemunha ocular a relatar o episódio, diz que eram dois cegos, mas não oferece o nome de nenhum deles. Lucas e Marcos, por sua vez, dizem que era apenas um e Marcos ainda fornece seu nome "Bartimeu".

E não para por aí. Mateus e Marcos dizem que a cura se realizou quando Jesus estava saindo de Jericó. Lucas, porém, diz que isso ocorreu quando Jesus estava chegando à cidade (cf. Mat. 20:29-34; Mar. 10:46-52; Luc. 18:35-43).

Mas será que contradições como essas invalidariam um testemunho diante de um tribunal? Veja o que diz uma especialista no assunto, a Dra. Suzana Camargo Miranta, desembargadora:

*É possível divergências e ambas as testemunhas estarem falando a verdade – as culturas e conceitos pessoais são agregados à pessoa. Toda testemunha capta apenas parcialmente o fato (o cérebro seleciona as informações ocorridas). **É impossível a existência de depoimentos idênticos. Testemunhos iguais revelam que as testemunhas foram orientadas** – a prova não é segura para lastrear a decisão, o que não demonstra que seja mentirosa."*[34]

Você sabia?

J. Warner Wallace foi um detetive de Los Angeles, EUA, especializado em resolver casos envolvendo homicídios. Ele é um especialista em utilizar técnicas de investigação policial para resolver casos complicados de assassinato e apontar o criminoso.

Sendo um ateu, ele utilizou sua especialização investigativa para avaliar o grau de credibilidade do testemunho dos evangelhos acerca de Cristo. A princípio pensava que encontraria razões de sobra para continuar incrédulo em relação ao conteúdo bíblico. Mas suas investigações honestas o levaram para outro rumo – o da convicção de que a narrativa evangélica é histórica e real.

Suas conclusões foram posteriormente publicadas num livro intitulado Cold Case Christianity – Cristianismo: Caso encerrado.

A origem e formação dos evangelhos

Segundo as conclusões mais atualizadas sobre a história da produção dos evangelhos, uma grande parte dos estudiosos têm chegado às seguintes ponderações:

1 – Por conterem uma grande quantidade de histórias em comum, na mesma sequência, e, algumas vezes, utilizando a mesma estrutura de palavras, os evangelhos de Mateus, Marcos e Lucas são chamados sinópticos, isto é, possuidores de uma visão conjunta. João, por sua vez, pertence a uma tradição independente, formada na Ásia Menor, no fim do primeiro século.

2 – Cronologicamente falando, Marcos é o evangelho mais antigo, que serviu de fonte informativa para Mateus e Lucas, e João foi o último evangelho a ser produzido.

3 – Há uma probabilidade, mas não certeza absoluta, que houve num tempo anterior aos evangelhos canônicos um ou mais documentos (*agrapha*) que continham as chamadas Logia de Jesus ou sentenças ditas por Cristo. Esses documentos, em especial um livro que os exegetas dão o nome de Q, serviriam de fonte para os sinópticos.

Como se chegou a essas três conclusões? Tudo começou com Karl Lachmann em 1835. Ele percebeu que Mateus e Lucas coincidem na ordem de seus relatos apenas quando seguem o enredo de Marcos. Quando um deles difere, o outro sempre concorda com Marcos. Além disso, as passagens que apareciam em Mateus e que Marcos não trazia eram, via de regra, frases ditas por Jesus que quase não existem no texto de Marcos.

Três anos mais tarde, Christian Wilke defendeu uma tese de que, pelas coerentes observações de Lachmann, deve-se concluir três coisas: que Marcos precedia Lucas e Mateus, que Mateus e Lucas utilizaram-se de Marcos na produção de seus evangelhos e, finalmente, que haveria outro documento anterior a Marcos que possuía uma coletânea de ditos do Senhor. Este seria posteriormente chamado documento Q, que vem do alemão *Quelle* e quer dizer fonte.

Não se pode provar a existência da fonte Q. Por isso, enquanto muitos acadêmicos apostam nela, outros a consideram inexistente.

O testemunho de Papias

Já no século II, Papias de Hierápolis (que segundo uma antiga tradição teria sido o secretário do apóstolo João, que escreveu o evangelho sob seu ditado) afirma que Marcos fora um intérprete da pregação de Pedro. Ele não escreveu tudo cronologicamente organizado, mas procurou expor ao máximo as preleções do apóstolo relativas aos feitos e ditos do Senhor. Também afirma que Mateus compusera os ditos de Cristo em língua hebraica, que cada um depois interpretou segundo suas capacidades. Segundo suas palavras:

Marcos, tendo se tornado o intérprete de Pedro, escreveu acuradamente tudo o que ele lembrava. Contudo, não foi na ordem exata que Marcos relatou os ditos ou feitos de Cristo. Pois ele nem ouviu o Senhor nem o acompanhou pessoalmente. Por outro lado, porém, como eu disse, ele acompanhou Pedro que proveu as instruções necessárias [para seus destinatários], mas não com a intenção de oferecer uma regular narrativa dos ditos do Senhor. De qualquer forma, deve ser dito que Marcos não cometeu erros ao escrever as coisas como ele as lembrava.... com respeito a Mateus, este ajuntou os oráculos [do Senhor] em língua hebraica, e cada um os interpretou o melhor que pôde. [...] há também uma história de uma mulher que foi acusada de muitos pecados perante o Senhor e que pode ser encontrada no Evangelho segundo os hebreus[35].

Cânon Muratoriano

Como se pode ver, o fragmento de Papias omite qualquer alusão ao Evangelho de João, a não ser que se queira entender a "história da mulher acusada" como sendo uma referência ao controvertido trecho da mulher pecadora em João 8 e o título *Evangelho segundo os hebreus* como uma titulação variada para o IV Evangelho.

Ele também não menciona Lucas. Porém, o *Cânon Muratori* (ou *Muratoriano*), que, segundo alguns, pertence igualmente ao século II, apresenta-o como sendo posterior a Marcos e Mateus.

Este *Cânon Muratori*, também conhecido por fragmento muratoriano ou fragmento de Muratori, é uma cópia da lista mais antiga que se conhece dos livros do Novo Testamento. Foi descoberta na Biblioteca Ambrosiana de Milão, por Ludovico Antonio Muratori (1672–1750), e publicada em 1740. Na lista figuram os nomes dos livros que o autor considerava admissíveis, com alguns comentários.

A lista está escrita em latim e encontra-se incompleta, daí ser chamada de fragmento. Contudo, aparentemente, o cânon aceita quatro evangelhos, dos quais dois são os evangelhos de Lucas e João. Os outros podem ser Mateus e Marcos, mas falta o princípio do manuscrito, onde estariam os nomes dos dois primeiros evangelhos. O texto diz assim:

"... o terceiro evangelho é o de Lucas. Lucas era médico por profissão. [Mas] Depois da ascensão de Cristo, Paulo o tomou consigo porque era um estudante de leis [jurista]. Lucas escreveu sua narrativa a partir de opiniões [pesquisadas] e a firmou com seu próprio nome. Mesmo sem ter tido contato com o Senhor pessoalmente, se aplicou [começando] seu relato pelo nascimento de João Batista. O quarto Evangelho é o de João, um dos discípulos. Questionado por seus condiscípulos e bispos, disse: "Andai comigo durante três dias a partir de hoje e que cada um de nós conte aos demais aquilo que lhe for revelado". Naquela mesma noite foi revelado a André, um dos apóstolos, que, de conformidade com todos, João escrevera em seu nome. Assim, ainda que pareça que ensinem coisas distintas nestes distintos Evangelhos, a fé dos fiéis não difere, já que o mesmo Espírito inspira para que todos se contentem sobre o nascimento, paixão e ressurreição [de Cristo], assim como sua permanência com os discípulos e sobre suas duas vindas, depreciada e humilde na primeira (que já ocorreu) e gloriosa, com magnífico poder, na segunda (que ainda ocorrerá)." Cânon Muratori ou Muratoriano

Como se pode ver, por último, na ordem de composição, estaria o Evangelho de João produzido em Éfeso, na Ásia, logo após o apóstolo ter sido libertado da ilha de Patmos onde escrevera o Apocalipse.

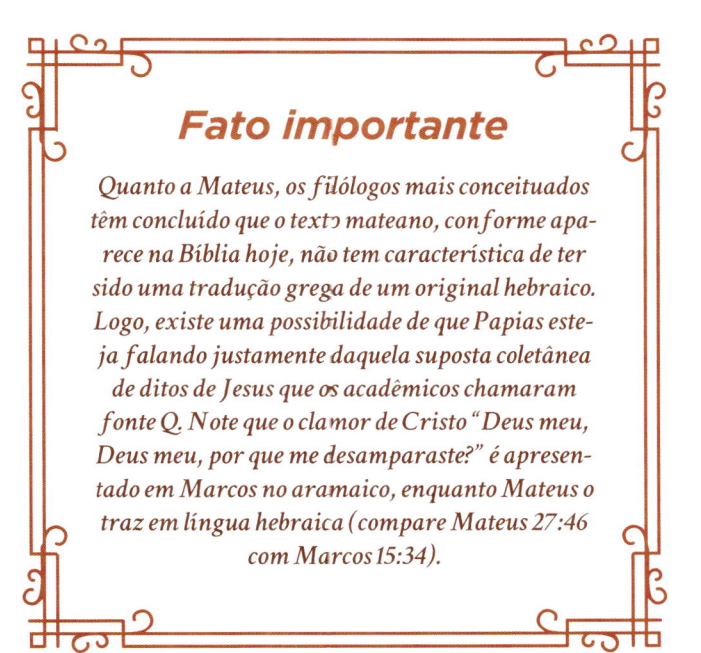

Fato importante

Quanto a Mateus, os filólogos mais conceituados têm concluído que o texto mateano, conforme aparece na Bíblia hoje, não tem característica de ter sido uma tradução grega de um original hebraico. Logo, existe uma possibilidade de que Papias esteja falando justamente daquela suposta coletânea de ditos de Jesus que os acadêmicos chamaram fonte Q. Note que o clamor de Cristo "Deus meu, Deus meu, por que me desamparaste?" é apresentado em Marcos no aramaico, enquanto Mateus o traz em língua hebraica (compare Mateus 27:46 com Marcos 15:34).

Você sabia?

Existem hoje cerca de 5.800 antigas cópias manuscritas do Novo Testamento espalhados em museus e bibliotecas do mundo inteiro. Eles podem estar em forma de rolo, códices, ou até mesmo fragmentos de 6 x 8 cm como é o caso do Papiro 52, depositado na Biblioteca de Johns Rylands, em Manchester. Nenhum texto original saído das mãos do escritor bíblico sobreviveu até os dias de hoje. Contudo, a despeito das diferenças entre as cópias, técnicas de colação textual permitem reconstituir com precisão mais de 95% do texto original. Os pontos conflitantes são porções textuais periféricas que não prejudicam o teor central do livro. É o caso, por exemplo, do binômio Gadara/Gerasa, ou da discutível terminação do Evangelho de Marcos.

A data de composição dos evangelhos

No auge do questionamento quanto à autenticidade histórica dos evangelhos, muitos autores alemães diziam que eles foram escritos no século II d.C. Atualmente essa ideia não é mais defendida na academia. Os posicionamentos quanto à data de composição dos evangelhos podem ser divididos em três linhas:

Conservadores: sinópticos anteriores ao ano 60 e João c. 90AD

Moderados: Marcos ano 60, Mateus e Lucas ano 70; João 90-100 AD

Liberais: Marcos (talvez 50 ou 60) Mateus e Lucas 80-90; João 90-110 AD

Como não existem documentos originais dos evangelhos, mas apenas cópias feitas posteriormente, os argumentos acerca de cada um desses posicionamentos possuem um mínimo de subjetividade e dependem do pressuposto de cada investigador. Contudo, esse é um ponto importante porque, se os evangelhos estão demasiadamente distantes dos eventos que eles descrevem, aumenta-se o nível de confiança na precisão histórica daquilo que eles narram.

Documentos tardios?

De ambos os lados da questão, o que se pode dizer é que os argumentos em favor de uma data mais antiga ou mais recente dos evangelhos são em sua maioria de ordem subjetiva ou interna.

Os que afirmam que os evangelhos seriam documentos tardios, escritos muito tempo depois dos acontecimentos que anunciam, apresentam os seguintes argumentos:

Os discípulos viviam na expectativa da segunda vinda de Cristo, tecnicamente chamada de *parousia*. Enquanto esperavam pelo próximo fim do mundo, não tinham motivos para preservar escritos sobre a vida de Jesus (Veja I Tes. 4:16,17; Mat. 10:23; Mar. 9:1). Somente depois do desapontamento, isto é, décadas mais tarde quando viram que ele realmente não havia voltado, é que resolveram escrever sua história.

Em Mateus 24 e Lucas 21:20 Jesus fala da destruição de Jerusalém, que ocorreu no ano 70 A.D. É impossível que alguém conseguisse falar com tanta precisão de algo que ainda haveria de ocorrer. Por isso, alguns autores dizem que essa mensagem profética seria um *vaticinium ex eventu,* uma expressão teológica vinda do latim, que traduzida significa *"profecia feita depois do fato ocorrido"*. Logo, os evangelhos não podem ser anteriores ao ano 70 d.C.

A divindade de Jesus está claramente exposta nos evangelhos, mas esta só foi compreendida ou sistematizada pela Igreja depois do ano 70. Os que assim pensam afirmam que Jesus nuncase proclamou Deus, o que ocorreu foi uma deificação.

O conceito de Igreja, conforme expressão em Mateus 16:18; 18:17 e 18, também reflete uma teologia tardia. Os primeiros cristãos iam às sinagogas. Não havia ideia de igreja, senão depois da destruição do Templo.

A postura antirrabínica de Mateus 23:23ss parece ecoar o contexto de Jamnia nos anos 80, quando os judeus sistematizaram vários ais contra os cristãos. Logo, não poderia ter sido escrito antes disso.

Não há nada no texto que confirme a autoria de Mateus, Marcos, Lucas ou João (a não ser indiretamente em Jo. 21:24). Marcos, Lucas ou João (a não ser indiretamente em Jo. 21:24). Argumenta-se que foram as comunidades.

Documentos antigos?

Os autores que afirmam que os evangelhos seriam documentos antigos, próximos aos eventos que apresentam, oferecem as seguintes respostas às proposições apresentadas pelos defensores da datação tardia:

1 – Expectativa quanto à *parousia*. Não há evidência conclusiva disto. I Tes. 5:1-11, o documento mais antigo do NT fala da volta de Cristo como algo repentino, não necessariamente "próximo". Ademais, não há na carta nada que indique uma mudança radical de vida em face à chegada do fim

Antigo manuscrito grego do Evangelho de Mateus

do mundo. Note que ninguém é aconselhado a vender tudo, fugir das cidades ou estocar alimento etc. (veja I Tes. 4:9-11). No 4:15, a expressão "os que ficarmos vivos" era, segundo o gramático da língua grega, A. T. Robertson, uma situação hipotética, não uma certeza de que alguns ficariam vivos.

2 – Seria um *vaticinium ex eventu*? Ora, se de fato se tratasse de um prognóstico dado após o cumprimento, o texto deveria ser mais explícito em alguns detalhes fundamentais. Deveria haver, por exemplo, uma nota do evangelista dizendo que aquilo realmente aconteceu, conforme previsto por Cristo. Veja que ele testemunha a profecia, mas não diz nada de seu cumprimento. Note que quando Mateus fala de um evento ocorrido para cumprir algo dito anteriormente, ele sempre usa a expressão "para que se cumprisse o que fora dito pelo profeta" (1:22; 2:6, 17, 23; 12:17; 13:35; 21:4). Outro aspecto: o pedido "para que a fuga não se dê no inverno" (Mat. 24:20) não faz sentido se o evangelho estivesse sendo escrito após o ocorrido. Neste caso, o autor saberia que o referido cerco de Jerusalém ocorreu em outubro/novembro de 66 d.C. (sob o comando de Cestio Galo). Isso foi no outono, não no inverno. De igual modo, os cristãos fugiram para Pela, na Transjordânia. Logo, não faria sentido a ordem genérica: "Fujam para os montes"...

3 - A divindade de Jesus – a afirmação de que os discípulos não entenderam nada da divindade de Cristo é meramente conjectural e baseada no silêncio. Ademais, as afirmações da divindade de Cristo nos evangelhos são progressivas e dedutíveis, assim como a compreensão dos discípulos. Veja confissão de Pedro: "Tu és o Filho de Deus" (Mateus 16:16), a exclamação de Tomé: "Meu Senhor, meu Deus" (João 20:28). Até seus inimigos entenderam sua autoafirmação divina, do contrário não teriam tentado apedrejá-lo por blasfêmia (João 10:33). A citação encontrada em I Cor. 8:6 é unanimemente reconhecida como um primitivo credo cristão, anterior até mesmo a Paulo, o que indica a antiguidade da crença em Jesus como sendo Deus.

4 – Igreja, conceito tardio? Ora, Jesus não falou grego e sim aramaico/hebraico. Logo, embora o termo "igreja" possa pertencer a uma fase posterior do cristianismo, ele poderia naturalmente estar se referindo ao vocábulo hebraico *qahal*, comunidade, e que os tradutores judeus da LXX já haviam diversas vezes traduzido por *ecclesia* no III século a.C.

5 – A postura antirrabínica de Mateus não precisa ser tardia. Ela se acomoda naturalmente ao contexto de Atos 9 e 12, quando a Igreja começa a ser perseguida por certos líderes do judaísmo de Jerusalém.

6 – Autoria confirmada – Todos os autores cristãos do século II e III são unânimes em confirmar as respectivas autorias dos evangelhos. A ausência de seu nome no corpo textual do livro não deve causar espanto algum. Era comum, na Antiguidade, o nome do autor não aparecer dentro de seu próprio texto, mas no *sillybos* ou *sittybos* – uma etiqueta em forma de couro ou papiro que ficava colada na haste do rolo ou aplicada em seu verso à vista do vendedor ou leitor. Estas etiquetas eram a primeira coisa que se perdia num eventual estrago do manuscrito, mas isso não seria um problema se a obra já estives-

se popularmente identificada. Hoje, por exemplo, não há necessidade de colocar Shakespeare como autor de "Romeu e Julieta" – todos que conhecem a obra, sabem por quem foi escrita.

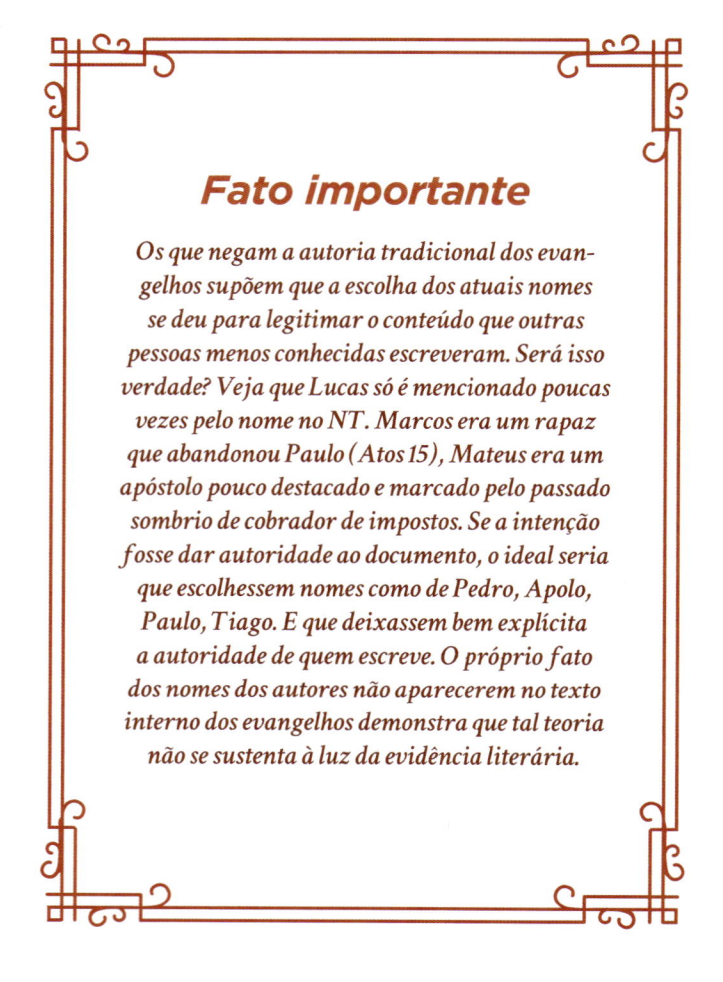

Fato importante

Os que negam a autoria tradicional dos evangelhos supõem que a escolha dos atuais nomes se deu para legitimar o conteúdo que outras pessoas menos conhecidas escreveram. Será isso verdade? Veja que Lucas só é mencionado poucas vezes pelo nome no NT. Marcos era um rapaz que abandonou Paulo (Atos 15), Mateus era um apóstolo pouco destacado e marcado pelo passado sombrio de cobrador de impostos. Se a intenção fosse dar autoridade ao documento, o ideal seria que escolhessem nomes como de Pedro, Apolo, Paulo, Tiago. E que deixassem bem explícita a autoridade de quem escreve. O próprio fato dos nomes dos autores não aparecerem no texto interno dos evangelhos demonstra que tal teoria não se sustenta à luz da evidência literária.

Evidências de datação mais antiga

1 – A comunidade cristã não aceitaria os evangelhos se não tivesse uma mínima ideia de quem os escreveu. Como os autores não são figuras clássicas, nem fundadores de Igrejas (exceto João), sua autoridade estaria na proximidade entre autores e destinatários que reconheceriam seu caráter e seu testemunho.

2 - É difícil supor que o livro de Atos tenha sido escrito depois da morte de Paulo, pois conta a história apenas até à prisão de Paulo não fazendo qualquer menção ao seu martírio. É estranho que um livro que pretende "historiar" a igreja mencione a perseguição de Cláudio e Herodes, mas não diga nada sobre Nero e o incêndio em Roma (embora Paulo morresse sob o governo de Nero). Também silencie sobre a destruição de Jerusalém, a fuga para Pela etc. Atos também não menciona a morte por apedrejamento do principal líder da Igreja, Tiago, ocorrida em 62 d.C. e citada por Flávio Josefo. Atos 24:27-25:1 diz que Festo, apontado como procurador, manteve Paulo encarcerado. Depois disso, ele assumiu o governo da província. Ora, Festo substituiu Felix em 60 d.C. e ficou no poder até 62. É difícil, portanto, supor que o livro de Atos seja escrito depois disso; e como Lucas é anterior ao livro de Atos, sua composição teria de ocorrer ainda mais cedo na história do cristianismo.

3 – João (que certamente é depois de 70) é o único dos quatro evangelistas que não menciona a profecia da destruição do Templo e da cidade de Jerusalém. Os demais que a mencionam não falam nada do fim do Templo, nem da fuga dos cristãos para Pela. Era de se esperar que o fizessem, caso fossem obras tardias (veja, por exemplo, João 21:18).

4 – A mais antiga citação do Evangelho de Mateus vem de Clemente (I Clemente 13:1 e 2) de Inácio de Antioquia (Aos Esmirnianos, 1 e 5). Clemente morreu em 95/6 e Inácio morreu por volta de 115, então o evangelho já deveria estar em circulação bem antes disso. Afinal, diferente dos dias de hoje, a reprodução e circulação de um livro manuscrito demorava muitos anos. Era grande o hiato entre o texto original e as cópias que se faziam dele, a ponto de poder ser citado por alguém geograficamente distante de seu local de origem.

5 – Se os evangelhos são posteriores a 70 e foram escritos para "instruir" a igreja, ficam sem sentido os conselhos de Cristo como os registrados em Mateus 5:23 e 24, pois, afinal, o Templo já estaria destruído.

6 – I Tim. 5:18 menciona Lucas 10:7 como "Escritura". Isso indica que o referido texto já estava escrito e, de alguma forma, consolidado como "Palavra de Deus".

Fato importante

O Papyrus P52 da Biblioteca de Rylands, conhecido como o fragmento de São João, é um fragmento de papiro exposto na Biblioteca de John Rylands, Manchester, Reino Unido. Escrito em grego e datado por volta de 125 d.C., este fragmento contém parte do Evangelho de João, sendo que na frente contém partes do capítulo 18: 31-33, e no verso, os versículos 37-38.

A data de composição deste manuscrito é importante, porque muitos críticos diziam que o Evangelho de João teria sido escrito por alguém que não o próprio apóstolo num tempo tardio do século II, provavelmente depois do ano 130 d.C. Contudo, a descoberta deste documento mostra que o evangelho já deveria ter sido escrito bem antes disso, ainda no século I, para que desse tempo de ser copiado e estar em circulação no Egito – lugar da descoberta do fragmento.

Você sabia?

A Egypt Exploration Society publicou em 2018 um papiro grego que é provavelmente o fragmento mais antigo do Evangelho de Marcos, datando-o entre 150–250 d.C. A princípio pensou-se erroneamente se tratar de uma cópia do I século, um achado que seria o sonho de qualquer papirólogo do Novo Testamento. Contudo, surpresas como esta não impedem supor que sonhos acadêmicos também possam se tornar realidade.

As palavras de Jesus

De um modo geral, acredita-se que os evangelhos canônicos procedem de uma tradição oral aramaica e hebraica que foi posteriormente traduzida para o grego. Os ditos originais de Jesus certamente não foram proferidos em grego. Ele falava a maior parte do tempo em aramaico. Sendo assim, o que os evangelhos atuais apresentam seria uma *tradução* do que Jesus falou e não suas palavras originais.

Os que defendem a hipótese da fonte Q incluem a possível existência de algum documento escrito em hebraico ou aramaico, mas que se perdeu ao longo do tempo. Ele conteria o que os teólogos chamam de *Logia* de Jesus, isto é, alguns ditos originais de Jesus, pronunciados em seus discursos e ensinamentos.

Alguns autores trabalham com a hipótese de que Jesus possuía entre seus ouvintes uma espécie de copistas ou estenógrafos, isto é, indivíduos capazes de acompanhar na escrita a rapidez da fala usando técnicas de estenografia. Em outras palavras, taquígrafos que copiaram alguns ditos de Jesus enquanto ele discursava e, posteriormente, tiveram suas anotações usadas pelos autores dos evangelhos.

Manuscrito apócrifo do Evangelho de Tomé encontrado em 1945 no Egito.

to, isto é, as palavras exatas que ele falou, pode-se certamente conhecer sua *ipssima vox*, isto é, sua voz exata ou, o verdadeiro conteúdo de seus ensinamentos.

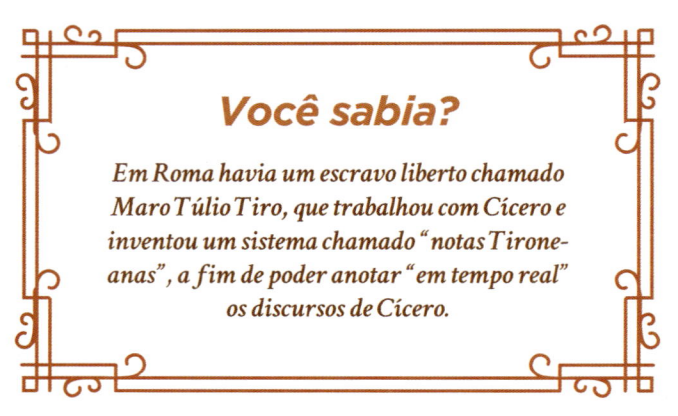

> ### *Você sabia?*
>
> *Em Roma havia um escravo liberto chamado Maro Túlio Tiro, que trabalhou com Cícero e inventou um sistema chamado "notas Tironeanas", a fim de poder anotar "em tempo real" os discursos de Cícero.*

Tábuas forradas com uma camada de cera eram geralmente utilizadas para fazer essas anotações abreviadas, podendo ser reutilizadas assim que o transcrito era decifrado e passado em escrita normal para uma folha de papiro ou pergaminho. O problema é saber até que ponto essa prática estaria em voga no judaísmo e acessível ao movimento de Jesus.

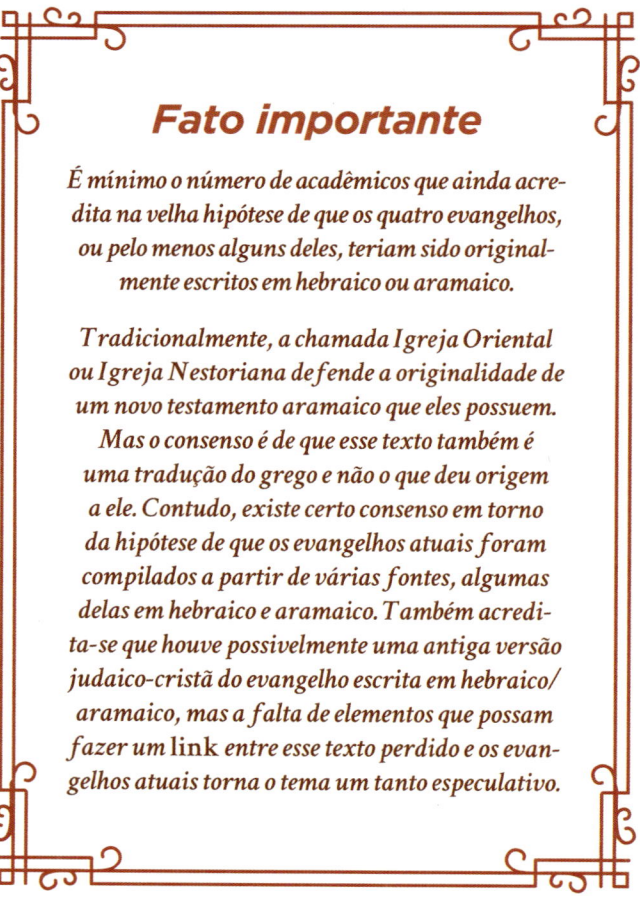

> ### **Fato importante**
>
> *É mínimo o número de acadêmicos que ainda acredita na velha hipótese de que os quatro evangelhos, ou pelo menos alguns deles, teriam sido originalmente escritos em hebraico ou aramaico.*
>
> *Tradicionalmente, a chamada Igreja Oriental ou Igreja Nestoriana defende a originalidade de um novo testamento aramaico que eles possuem. Mas o consenso é de que esse texto também é uma tradução do grego e não o que deu origem a ele. Contudo, existe certo consenso em torno da hipótese de que os evangelhos atuais foram compilados a partir de várias fontes, algumas delas em hebraico e aramaico. Também acredita-se que houve possivelmente uma antiga versão judaico-cristã do evangelho escrita em hebraico/aramaico, mas a falta de elementos que possam fazer um* link *entre esse texto perdido e os evangelhos atuais torna o tema um tanto especulativo.*

Essa é uma hipótese muito difícil de ser confirmada. Contudo, não deixa de ser possível. Sabe-se atualmente que o uso de estenógrafos não era algo incomum no período greco-romano. Antigos registros mostram profissionais desta área atuando desde o século II a.C. E, curiosamente, eram escravos letrados, na maioria das vezes, que desempenhavam esse papel.

O que se pode dizer de mais concreto é que os evangelhos às vezes possuem trechos que denotam a citação de algum documento ou dito original em hebraico e aramaico, possivelmente remetente aos ditos originais de Jesus.

Seja como for, ainda que não se possa saber com certeza absoluta quais foram as *ipsissima verba* de Cris-

Semitismos nos evangelhos

Semitismos são certas características peculiares às línguas semíticas, neste caso específico, o hebraico e o aramaico. Por isso, muitos preferem falar de hebraísmos ou aramaísmos que, em síntese, teriam o mesmo sentido.

No caso dos evangelhos, esses termos equivalem a certas expressões e maneiras peculiares do idioma hebreu ou arameu que ocorrem no texto grego dos evangelhos e podem ser percebidos até mesmo nas traduções modernas. O reconhecimento prévio de alguns desses semitismos ajuda no momento de se fazer o devido uso das regras de interpretação bíblica.

Os antigos hebreus, por exemplo, exprimiam muitas vezes a qualidade ou característica de uma pessoa, utilizando não o adjetivo, mas uma expressão de "filiação", tendência essa seguida no grego do Novo Testamento. Assim, uma pessoa que tinha uma virtude ou era inclinada a certo mal era chamada filho(a) dessa virtude ou desse mal.

"Filho da perdição" = perdido (Jo. 17:12)

"Filho da paz" = pacífico (Luc. 10:16)

"Filhas de Jerusalém" = hierosolimitas (Luc. 23:28)

Não havia nas línguas semíticas a ideia de gostar de duas coisas, porém mais de uma do que da outra. Para eles, o amar e o aborrecer eram usados para expressar ideias de preferência de uma coisa à outra. De igual modo, as comparações eram geralmente expressas mediante negações. Assim fica mais fácil entender expressões como estas:

"Se alguém vem a mim e não aborrece a seu pai, e sua mãe, e mulher e filhos, e irmãos, e irmãs e ainda a sua própria vida, não pode ser meu discípulo" (Luc. 14:26).

"Qualquer que a mim me receber, não recebe a mim, mas ao que me enviou" (Mar. 9:37).

O sentido da primeira expressão é que de todos os bens que um discípulo possui, Jesus deveria ser o mais precioso. Já a segunda emite o conceito de que aquele que recebe Jesus não recebe somente ele, mas também Deus, o Pai.

Palavras hebraicas nos Evangelhos

ἀμήν (amén) = אמן (amén) - Mateus 5:18, 26; 6:2, 5, 16; 8:10; 10:15, 23, 42; 11:11; 13:17; 16:28; 17:20; 18:3, 13, 18, [19]; 19:23, 28; 21:21, 31; 23:36; 24:2, 34, 47; 25:12, 40, 45; 26:13, 21, 34; Marcos 3:28; 8:12; 9:1, 41; 10:15, 29; 11:23; 12:43; 13:30; 14:9, 18, 25, 30; [16:20]; Lucas 4:24; 12:37; 18:17, 29; 21:32; 23:43

βάτος (batos) = בת (bat, uma medida de quantidade) - Lucas 16:6

ἠλί (heli) = אלי (eli, "meu Deus") - Mateus 27:46 (2xx)

λαμά (lama) = למה (lama, "Por que?") - Mateus. 27:46

σαβαχθανί (sabachthani) = שבקתני (shevaktani, "você me rejeitou") - Mateus 27:46

ὡσαννά (hosanna) = הושע-נא (hosha-na) - Mateus. 21:9 (2xx); Marcos 11:9, 10

Palavras comuns do hebraico e do aramaico

ἀββά (abba) = אבא (heb./aram. aba, "pai") Marcos 14:36

γέεννα (geenna) = גי[א]הנם (heb. ge hinom, "gehenna," "inferno," "Vale de Hinnom"); גיהנם (aram. gehinam, "gehenna," "inferno") - Mateus 5:22, 29, 30; 10:28; 18:9; 23:15, 33; Marcos 9:43, 45, 47; Lucas 12:5

ἐφφαθά (ephphatha) = הפתח (heb. hipatah, "ser aberto"); התפתא or אפתח (aram. etpetah o ephtah, "ser aberto") - Marcos 7:34

κορβάν (korban) = קרבן (heb. korban, "dedicado ao Templo"); קרבנא (aram. korbana, "dedicado ao Templo") - Marcos 7:11

κορβανᾶς (korbanas) = קרבן (heb. korban, "dedicado ao Templo"); קרבנא (aram. korbana, "dedicado ao Templo") - Mateus 27:6

κόρος (koros) = כר (cor, uma medida de quantidade); כורא (Aram. cora, uma medida de quantidade) - Lucas 16:7

μαμωνᾶς (mamonas) = ממון (heb. mamon, "mammon," "riqueza"); ממונא (aram. mamona, "mammon," "riqueza") - Mateus 6:24; Lucas 16:9, 11, 13

πάσχα (*pascha*) = פֶּסַח (heb. *pesah*, "Cordeiro Pascal"); פִּסְחָא (aram. *pasha*, "Cordeiro Pascal") - Mateus. 26:2, 17, 18, 19; Marcos 14:1, 12 (2xx), 14, 16; Lucas 2:41; 22:1, 7, 8, 11, 13, 15

ῥαββί (*rabbi*) = רַבִּי (heb./aram. *rabi*, "rabbi," "meu mestre") - Mateus 23:7, 8; 26:25, 49; Marcos 9:5; 11:21; 14:45

ῥαββουνεί (*rabbounei*) = רַבּוּנִי (heb. *rabuni*, "meu mestre"); רַבּוּנִי (aram. *raboni*, "meu mestre") - Marcos 10:51

ῥακά (*raka*) = רֵיקָה (*rekah*, "empty head"); רֵיקָא (Aram. *reka*, "cabeça vazia") - Mateus 5:22

σάββατον (*sabbaton*) = שַׁבָּת (heb. *shabat*, "Sabbath"); שַׁבְּתָא (hram. *shabata*, "Sabbath") - Mateus 12:1, 2, 5, 8, 10, 11, 12; 24:20; 28:1 (2xx); Marcos 1:21; 2:23, 24, 27 (2xx), 28; 3:2, 4; 6:2; 16:1, 2, [9]; Lucas 4:16, 31; 6:1, 2, 5, 6, 7, 9; 13:10, 14 (2xx), 15, 16; 14:1, 3, 5; 18:12; 23:54, 56; 24:1

σατανᾶς (*satanas*)[12] שָׂטָן (heb. *satan*, "satan," "acusador"); סָטָנָא (aram. *satana*, "satan," "acusador") - Mateus. 4:10; 12:26 (2xx); 16:23; Marcos 1:13; 3:23 (2xx), 26; 4:15; 8:33; Lucas 10:18; 11:18; 13:16; 22:3, 31

σάτον (*saton*) = סְאָה (heb. *seah*, uma medida de quantidade); סָאתָא (aram. *sata*, uma medida de quantidade) - Mateus 13:33; Lucas 13:21

σίκερα (*sikera*) = שֵׁכָר (heb. *shechar*, "bebida fermentada," "cerveja"); שִׁכְרָא (aram. *shichra*, "bebida fermentada," "cerveja") - Lucas 1:15

Palavras aramaicas nos evangelhos

ἐλωΐ (*eloi*) = אֱלָהִי (*elahi*, "meu Deus") - Marcos 15.34 (2xx)

κούμ (*koum*) = קוּם (*kum*, "levante") - Marcos 5:41

λειμά (*leima*) = לָמָה (*lema*, "por que?") - Marcos 15:34

σαβαχθανεί (*sabachthanei*) = שְׁבַקְתָּנִי (*shevaktani*, "você me deixou") - Marcos 15:34

ταλιθά (*talitha*) = טְלִיתָא or טַלְתָא (*talyeta* or *telita*, "pequeno cordeiro/garota") - Marcos 5:41

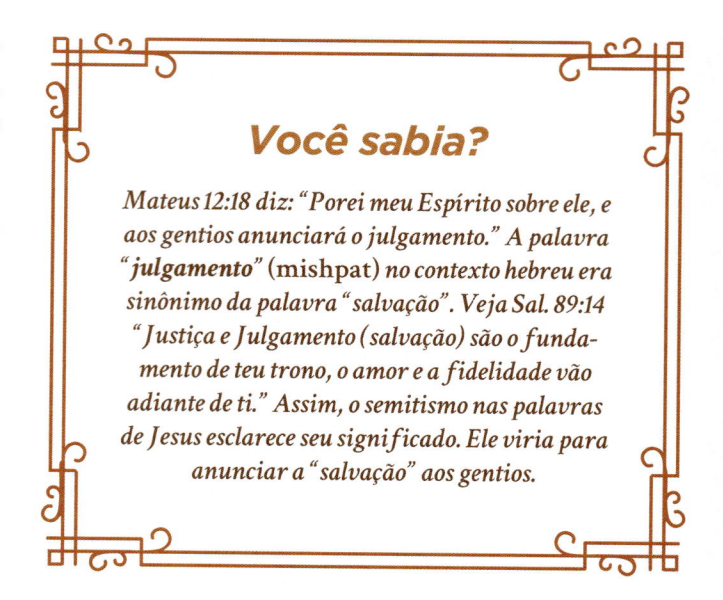

> **Você sabia?**
>
> *Mateus 12:18 diz: "Porei meu Espírito sobre ele, e aos gentios anunciará o julgamento." A palavra "julgamento" (mishpat) no contexto hebreu era sinônimo da palavra "salvação". Veja Sal. 89:14 "Justiça e Julgamento (salvação) são o fundamento de teu trono, o amor e a fidelidade vão adiante de ti." Assim, o semitismo nas palavras de Jesus esclarece seu significado. Ele viria para anunciar a "salvação" aos gentios.*

A narrativa evangélica: Mito ou história real?

Considerando que os evangelistas não intentaram escrever uma "biografia" de Jesus – no sentido moderno da palavra –, alguns têm concluído que essa narrativa sobre Ele não pode ser considerada histórica. Estaria isso certo? Tudo vai depender de como é compreendido esse "não comprometimento" do evangelista com as normas historiográficas usadas atualmente para se reproduzir um acontecimento.

De fato, não era o principal interesse dos autores bíblicos escrever os anais da vida de Cristo para deixar à história um legado de sua existência. Não obstante, alguns fatores históricos e literários demonstram que nem Marcos, nem Lucas, Mateus ou João ficaram à mercê de suas próprias imaginações e devaneios buscando criar mitologias ou lendas à semelhança de La Fontaine escrevendo suas fábulas.

É preciso lembrar que "evangelho" é um gênero bíblico-literário que demanda um texto, uma teologia e uma história real. É uma narração "querigmática", isto é, de proclamação de certos feitos e ensinos de Jesus escolhidos segundo o propósito de cada autor (Cf. Luc. 1:1 – 4 e Jo. 21:24 e 25).

Relatos lendários?

O apóstolo Paulo, que era sem dúvida um dos mais eruditos autores do Novo Testamento, admitiu francamente o problema evangélico de seu tempo. Ele disse que pregava a um Cristo que era "escândalo para os judeus e loucura para os gregos" (I Cor. 1:23). Dentre os primeiros destinatários de Paulo, havia pessoas altamente intelectuais, instruídas na filosofia grega, que era o suprassumo cultural daqueles dias.

Sua admissão, no entanto, pode ser um grande argumento a favor da historicidade dos evangelhos. Otto Borchert, falecido teólogo alemão, usou esse princípio da loucura e contradição para argumentar porque os evangelhos são documentos confiáveis.

Tudo se resume numa questão única e *factual*: Quais são as características de uma obra lendária? Ora, levando-se em conta que o questionamento de hoje não é historicidade de Jesus, mas, sim, se ele fora de fato aquilo que a Bíblia diz que ele era, é importante entender por "lendária" uma referência àquelas biografias mitológicas que transformam o sujeito de mero mortal a semideus com poderes sobre-humanos.

Em outras palavras, Jesus era realmente aquele sujeito formidável que os evangelhos apresentam? Ou esses textos seriam apenas o *Photoshop* de um rosto comum sem nenhum atrativo em especial?

Ninguém questiona que a prática de "maquiagem biográfica" era algo bastante comum na literatura antiga. O ponto é saber se os evangelhos também seguiram por esse caminho. Uma mera leitura das biografias "encomendadas" por antigos líderes revela a prática de uma série de elogios sutis, mesclados a certas descrições nada modestas acerca de determinado "herói". É o caso da famosa *Vida de Constantino,* escrita por Eusébio no século IV, ou a *Vida de Cláudio,* escrita por Díon Cássio, no século III.

São todas verdadeiros panegíricos de louvor aos feitos do biografado, escondendo ao máximo seus vexames e suas fraquezas. Embora sejam histórias de personagens reais, devem ser avaliadas com certo ceticismo devido ao seu próprio conteúdo político que lhe nega uma imparcialidade no relato.

O escândalo dos evangelhos

E por que os evangelhos não podem ser incluídos nessas biografias tendenciosas? Por causa do escândalo constante causado pelo Jesus dos evangelhos. Desde a ótica moderna será talvez difícil perceber todos os "atos escandalosos" de Jesus. Mas, numa comparação com o contexto da época, torna-se claro que nenhum autor do passado, intencionado em produzir um mito, preservaria as ocorrências que os evangelhos apresentam. Veja alguns exemplos:

Os discípulos (que seriam líderes da Igreja Cristã primitiva) são apresentados como indivíduos com muitas falhas de caráter, inconstantes, precisando sempre ser repreendidos. Por que permitir que tais elementos venham ao conhecimento do público? Se os apóstolos queriam apenas sustentar sua capacidade de liderança do grupo, não haveria porque permitir que seus defeitos fossem assim apresentados sem a menor cerimônia. Pedro negando Cristo, Tomé duvidando de sua ressurreição, Tiago e João pedindo autorização para destruir uma cidade. E praticamente todos abandonando-o no momento da cruz.

Pior que isso era a apresentação em detalhes da crucifixão de seu Mestre. A cruz hoje pode até ser um objeto sagrado para grande parte do cristianismo. Porém, nos tempos do império romano, era a forma mais vexatória de alguém ser morto. A palavra *crux* (cruz em latim) foi usada por algum tempo como um xingamento pelos romanos e até os judeus consideravam maldito aquele que morria no madeiro (Deut. 21:23 e Gál. 3:13).

Se a intenção fosse atrair os que gostam de escândalos ou fossem politicamente incorretos, os evangelistas deveriam modificar o relato da morte de Cristo ou, pelo menos, ocultar o modo como ela ocorreu. Um revolucionário mártir que tirasse a tranquilidade de César seria respeitado se morresse decapitado, esfaqueado, envenenado, picado por uma serpente ou, principalmente, numa batalha, como alguns entendem poderia ter sido o caso de Bar Kochba, um pretenso Messias, que se rebelou contra o imperador Adriano. A cruz era reservada para escravos, pobres ou ladrões de pequena importância. Em outras palavras, a morte de Jesus nem poderia ser classificada na conta de um mártir respeitado. (Mat. 26:37; Luc. 12:50).

Cícero (106-43 a.C.), advogado, político, escritor, orador e filósofo da República Romana.

Cicero, numa defesa que fez no ano 63 a.C., um senador romano chamado Rabirius, disse:

"Oh! Quão grave seria ser desgraçado publicamente por uma corte, quão grave seria sofrer um castigo, quão grave seria ser banido. Mesmo assim, ainda em meio a um desastre, gozaríamos certo grau de liberdade. Mesmo se formos condenados à morte podemos morrer como homens livres. Mas [...] a simples menção da palavra 'cruz' deveria ser removida não apenas da pessoa de um cidadão romano, mas até mesmo de seus pensamentos, olhos e ouvidos. [...] A simples menção dela é um desrespeito a qualquer cidadão romano ou homem livre." (Rab. Perd. 16).

O dramaturgo Sêneca (4 a.C.–65 d.C.) escrevendo a seu amigo Lucilius argumentava que preferia o suicídio à morte de cruz. (Epístola 101). Assim, a ênfase que os evangelhos dão à cruz de Cristo – João diz que ali ele foi glorificado – não faz nenhum sentido, a menos que fosse história real. Pois uma propaganda biográfica traria coisas acerca de Cristo que agradariam às multidões. E não era esse o perfil do Cristo que os judeus esperavam ou que os não judeus aceitariam de bom grado.

Sêneca, (4 a.C. – 65) foi um dos mais célebres advogados, escritores e intelectuais do império romano

Jesus humano

Como se não bastasse a vergonha de morrer crucificado, os momentos finais de Jesus envolvem dois elementos desconcertantes na biografia de um herói: a relutância e o medo que ele demonstrou.

Jesus, embora submisso, não parece aceitar naturalmente o destino que lhe estava reservado. Tal comportamento contrasta com o famoso martírio de Sócrates. O filósofo grego, na hora de morrer, brinca com a própria sorte, até parece ansiar por aquele momento! Jesus, por sua vez, encontra-se apavorado e não esconde sua angústia ao dizer: "Pai, se possível afasta de mim esse cálice".

Note que os evangelhos não omitem o medo e a relutância humana de Cristo. Eles descrevem a angústia de seu Messias em cores vivas, mesmo que isso soasse uma covardia para quem lesse ou ouvisse o episódio. Odisseu dizia dos grandes heróis que, ainda que fossem perseguidos pelos deuses, não temeriam nada, nem vacilariam diante da morte. Sófocles dizia que os nobres morrem gloriosamente.

Enfim, um Jesus Cristo judeu que, em pleno Oriente Médio do século I, conversa com mulheres de vida duvidosa, toma criancinhas no colo, manda tolerar os romanos e morre vergonhosamente numa cruz era um grande escândalo. Esses e outros detalhes de sua vida formariam uma propaganda mais repulsiva que atrativa, do ponto de vista político-ideológico.

Logo, não é possível concluir que os autores do Novo Testamento, em especial os evangelistas, estivessem intencionados em "fabricar" uma imagem atrativa de Jesus apenas para angariar a simpatia do grupo. E veja que não se tratava de criar uma imagem politicamente incorreta com o fim de atrair pelo escândalo, pois o Cristo dos evangelhos também não possuía nenhuma característica revolucionária que se identificasse com grupos radicais ou pessoas de mente rebelde.

Era, enfim, uma imagem autêntica e não um personagem criado para alimentar determinado setor social.

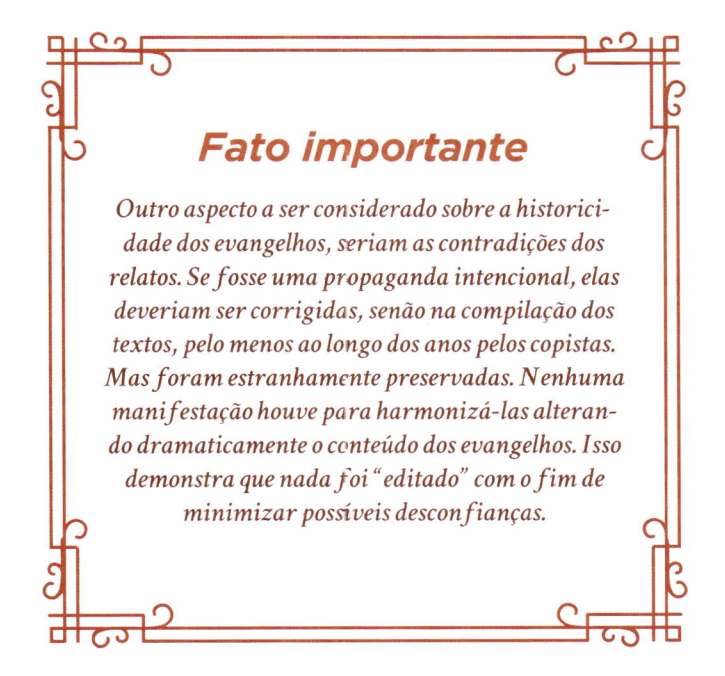

Fato importante

Outro aspecto a ser considerado sobre a historicidade dos evangelhos, seriam as contradições dos relatos. Se fosse uma propaganda intencional, elas deveriam ser corrigidas, senão na compilação dos textos, pelo menos ao longo dos anos pelos copistas. Mas foram estranhamente preservadas. Nenhuma manifestação houve para harmonizá-las alterando dramaticamente o conteúdo dos evangelhos. Isso demonstra que nada foi "editado" com o fim de minimizar possíveis desconfianças.

Super Jesus?

Uma comparação com as tendências da época, conforme a compilação de Otto Borchert[36], mostra como deveria ser um "herói" fabricado para agradar o gosto das multidões e seu contraste com o Cristo descrito nos evangelhos.

SEGUNDO OS PADRÕES DA ÉPOCA, O QUE UM HOMEM DEVERIA FAZER (OU EVITAR) PARA SER CONSIDERADO O HERÓI DE UM MOVIMENTO	O QUE O JESUS DOS EVANGELHOS FEZ:
Homero dizia que um homem magnânimo deve ser sempre o primeiro e estar antes dos demais.	Jesus ensinou que quem quisesse ser o primeiro, que se tornasse o último (Mat. 9:35).
Aristóteles disse que um homem de mentalidade elevada, não se acanha de receber grandes coisas, principalmente se a honra vier de homens de prestígio, pois ele sabe que é merecedor delas.	Jesus ensinou que o maior deve ser aquele que serve aos demais: Luc. 22:27 e Jo. 13: 4ss. Em outra ocasião referiu-se a si mesmo como jamais recebendo a honra que vem dos homens: Jo. 5:41.
Ainda em Aristóteles, neste ponto seguido de uma canção de Horácio, temos a prescrição de que um homem de mentalidade elevada, não se permite receber homenagens da população mais simples, pois isso não é bom para sua reputação de sábio. Já dizia Horácio *odi profanum vulgus et arceo* ("odeio a populança e a conservo longe de mim").	Jesus várias vezes aceitou homenagens de pessoas simples e de perfil moral duvidoso. Exemplos: Zaquel, o ladrão; Maria, a mulher adúltera em casa de Simão; os pobres de Jerusalém, durante sua entrada triunfal na cidade. Veja Lucas 15:1–3.
Um filósofo sábio, segundo a cartilha aristotélica, deve falar a verdade com clareza para os doutos e com ironia para a população inculta.	Jesus contava parábolas que o povo entendia e os mestres religiosos não. Veja: Mat. 9:29; 11:5, 25; Jo. 7:49.
Teognis sugere que se um médico recebesse dos deuses o poder de operar curas, deveria tirar proveito disso e, para a preservação de sua imagem, nunca tentar a recuperação de um homem imoral ("não se pode reformar um vilão").	Que diríamos do episódio em casa de Zaqueu, o publicano? O próprio Mateus também era um cobrador de impostos detestado por todos.
Voltando a outra máxima de Aristóteles, este ainda diz que só um homem estúpido aceitaria os insultos e ensinaria seus discípulos a fazer o mesmo.	Jesus ensinou os discípulos a não revidarem o mal que lhes era feito pelos romanos e, ao ser ele mesmo vítima deste mal, agiu de igual maneira. Aceitou até mesmo o beijo de Judas que era o pior insulto que se podia suportar. Jo. 8:1 e 23; Mat. 5:43–48.
Por fim, Aristóteles dizia que o sigilo é conhecido apenas dos medrosos.	Jesus várias vezes pediu sigilo daqueles a quem curou. Por isso Marcos é considerado o evangelho do Messias sigiloso. Veja ainda Jo. 8:59; 12:36.

Mesmo em face a esses e outros escândalos, os evangelistas não cederam nem à omissão desses detalhes, nem à distorção de como tudo aconteceu. Algo realmente estranho para uma obra, caso esta não tivesse uma fidelidade histórica para com aquilo que estava narrando.

O rosto de Jesus

Mesmo para aqueles que não se reconhecem como cristãos, a figura de Jesus de Nazaré ainda é, sem dúvida, uma das maiores personalidades da história. Seus extraordinários feitos, hoje, levam pelo menos dois bilhões de pessoas a se dizerem – ainda que nominalmente – seguidoras de sua doutrina.

Recentemente uma pergunta de cunho confessional tem se tornado objeto de estudo de alguns cientistas ao redor do mundo: Qual teria sido a fisionomia de Jesus Cristo? Como ou com quem ele se pareceria? Seria alguém belo pelos padrões de nossa época?

Em 27 de março de 2001, foi divulgada pela BBC de Londres a notícia sobre uma pesquisa feita com ajuda de sofisticados computadores e a impecável coordenação de Richard Neave, um dos maiores especialistas em reconstituição facial do mundo.

Seu maior fascínio, como ele mesmo admitiu, é reconstituir rostos de pessoas que viveram na Antiguidade. Um de seus mais curiosos trabalhos foi a reconstrução do rosto de Luzia, uma mulher convencionalmente considerada pré-histórica que, segundo a opinião de alguns, teria vivido no Brasil acerca de 11.500 anos.

No entanto, Neave tinha um novo desafio: descobrir como seria o rosto de Jesus de Nazaré. Para estudos dessa natureza, Neave evidentemente se basearia no crânio do indivíduo. Mas como não temos os ossos de Jesus, afinal ele ressuscitou dentre os mortos, alguns arqueólogos israelenses tiveram a ideia de enviar para o especialista um crânio do século I retirado de um antigo cemitério perto de Jerusalém.

A partir daí, a técnica empregada foi a mesma utilizada em 1999 para reconstituir o rosto de Luzia. O crânio em questão foi submetido a uma tomografia que proporcionou imagens tridimensionais que, por sua vez, serviram de base para fazer um novo crânio com material sintético. Com esse molde, a face do contemporâneo de Cristo começou a ser delineada. Os olhos, os lábios, o queixo. Então, finalmente, camadas de argila foram usadas para formar os traços do rosto, como nariz, queixo e bochechas.

O resultado foi um rosto nada similar às figuras e ícones tradicionais do cristianismo. Um Jesus, como disse o teólogo Joseph James, bem difícil de ser aceito. Mas a despeito da seriedade do estudo e do sensacionalismo da mídia, é importante mencionar, conforme admissão do próprio professor Neave, que essa tentativa forense também possui suas limitações. Questões como cor da pele e dos olhos, forma e tamanho do cabelo e certas cartilagens exteriores são fruto exclusivo da imaginação do especialista, o que torna o resultado parcialmente artístico e não 100% científico como se supõe.

Ademais, ele usou um crânio qualquer de um judeu que se supõe ter vivido nos tempos de Cristo, mas ainda que assim o seja, o crânio usado como modelo pode muito bem ter sido o crânio de alguém como Barrabás, Judas, Simão Pedro, José de Arimateia, enfim, qualquer um dos contemporâneos de Cristo, e isso, por si só, desfaz a conclusão de que temos em mãos a reconstrução exata do rosto do filho de Deus, a não ser que aceitemos a tese, nada coerente, de que todos os judeus do tempo de Jesus eram extremamente parecidos entre si, quase como irmãos gêmeos uns dos outros. Algo, é claro, completamente sem sentido.

Visão europeia de Cristo

De qualquer modo, os traços característicos da época também tornam quase nula a possibilidade de Jesus ser fisionomicamente como a tradição o compôs, em outras palavras, seu rosto teria pouco ou quase nada a ver com o que a cultura e a arte eclesiástica impuseram ao longo dos anos. Jesus definitivamente não seria um homem esguio, caucasiano, de cabelos loiros, muito menos de olhos azuis.

O que pouca gente sabe é que grande parte dos quadros clássicos de Jesus eram feitos com base num programa de imitação dos perfis greco-romanos, que foram por muito tempo reconhecidos como o padrão mundial da beleza em detrimento a todas as demais culturas do planeta.

Contudo, até mesmo esse padrão era "adaptado" para se tornar o mais próximo possível das feições fisionômicas da família real francesa, especialmente a partir de Luís XIV. Afinal, até que eclodisse a Revolução em 1789, aquela era a monarquia que mais trouxe transtornos ao catolicismo europeu. A tendência forçada de retratar Cristo como um membro da corte francesa era uma forma de dizer que "a Igreja ainda pertencia ao Rei de França".

Um pouco antes da Segunda Guerra Mundial, outro movimento se difundiu na Alemanha que começava a abraçar os ideais nazistas de governo. O teólogo e político nacionalista Paul Anton de Lagarde passou a divulgar na Alemanha a tese de que Jesus tinha sido um judeu ariano da Galileia, perseguido e sacrificado por judeus semitas da Judeia.

Ele procurava com isso convencer seus compatriotas de que Jesus não podia descender de um povo semita do deserto, culturalmente pobre, de pele morena, olhos escuros e nariz achatado. Antes, ele deveria provir de uma raça superior como dos nórdicos, cujas características faciais exibem traços nobres e bem delineados, pele clara, olhos e cabelos castanhos.

Esse movimento nacionalista, envolvendo um valor religioso de profundo significado para a fé popular foi um dos precursores do nazismo de Hitler, que propagou uma das mais vergonhosas e sangrentas exterminações raciais de toda a história.

Seja como for, nestes e em outros exemplos que poderiam ser dados, o Ocidente terminou idealizando um Cristo que se parecia com tudo, menos com um judeu do século I. Um homem de rosto meigo, quase feminino, cabelos lisos, pele clara, olhos azuis e lábios finos. Um rosto, enfim, sublime, de todos o mais sublime: o mais belo retrato masculino na visão ocidental.

As Igrejas, é claro, sempre se valeram dessa arte para aproximarem-se dos fiéis. E para isso, tiveram sempre os mais renomados artistas de todas as escolas e de todas as épocas trabalhando em templos, catedrais ou em quadros clássicos que tivessem alguma ligação pedagogia ou litúrgica com a fé.

Reconhecidamente, muitas dessas gravuras populares evocam uma resposta emocional da maioria das pessoas, pois elas veem ali uma figura suave, amorosa e compassiva, o que, é claro, são realmente atributos do Salvador. Mas do ponto de vista histórico, ainda estariam muito distantes do biotipo judaico dos tempos de Jesus.

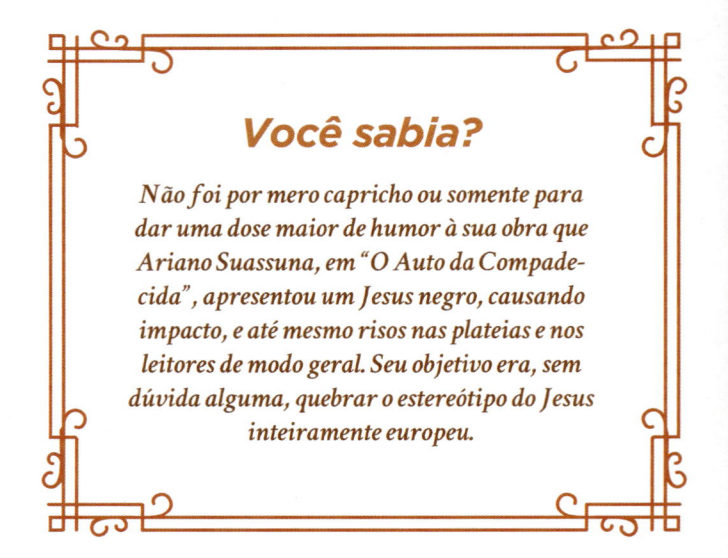

Você sabia?

Não foi por mero capricho ou somente para dar uma dose maior de humor à sua obra que Ariano Suassuna, em "O Auto da Compadecida", apresentou um Jesus negro, causando impacto, e até mesmo risos nas plateias e nos leitores de modo geral. Seu objetivo era, sem dúvida alguma, quebrar o estereótipo do Jesus inteiramente europeu.

Fato importante

O mais famoso quadro de Cristo foi pintado por Warner Sallman em 1941. Esta obra já vendeu mais de 500 milhões de cópias em todo o mundo. Aqui vê-se retratada a percepção mais amplamente aceita de um homem belo conforme os padrões ocidentais.

A Segunda Guerra Mundial e a conseguinte Guerra Fria também contribuíram para a difusão da obra intitulada "A Cabeça de Cristo". Algumas organizações religiosas distribuíam aos soldados que partiam dos EUA para a Europa e a Ásia versões de bolso da imagem. Assim, milhões de cópias foram levadas para as mais diferentes partes do mundo.

Sallman alcançou tanta popularidade que mesmo alguns protestantes, que historicamente têm resistência ao uso de imagens, contavam com um exemplar de seu quadro em suas casas ou nas salas de evangelização das crianças. Dizem que ele criou um verdadeiro "imaginário coletivo".

A cabeça de Cristo pintada por Warner Sallman.

Uma falsa descrição de Cristo

Circula pela internet o conteúdo dessa antiga carta latina escrita por um certo Públius Lêntulus, que descreve a fisionomia de Jesus. Esse suposto autor seria um "oficial de Roma na província da Judeia no tempo de Tiberius Cæsar". O núcleo essencial do documento é este:

"Apareceu na Judeia um homem de virtude singular, cujo nome é Jesus Cristo, a quem os bárbaros estimam como profeta, mas que seus discípulos amam e adoram como se fosse a geração do Deus imortal. Ele chama os mortos para que saiam das sepulturas e cura toda sorte de doenças com uma única palavra ou toque. (...), é um homem alto, bem modelado (...) seu cabelo é da cor do vinho, desce ondulado sobre os ombros; dividido ao meio, ao estilo nazareno. (...) Barba abundante, da mesma cor do cabelo; [...] as mãos, finas e compridas; olhos claros, [plácidos e brilhantes]. (...) Afirma publicamente que os reis e escravos são iguais perante Deus".

A verdade dos fatos, no entanto, é que não existe na história nenhum governador de Jerusalém ou procurador da Judeia chamado Públius Lêntulus. O único Públius Lêntulus registrado em documentos romanos viveu no primeiro século a.C.

Além disso, um procurador romano não escreveria cartas para o senado como parece vir na introdução, mas diretamente para o imperador. Fora o fato de que algumas expressões usadas no texto como "profeta da verdade", "filhos de homens" e "Jesus Cristo" não seriam jamais típicas de um escritor romano. São idiomatismos do hebraico tomados diretamente do Novo Testamento.

O excelente trabalho do teólogo alemão Ernst Von Dobschutz publicado em 1899, mostra que havia algumas cópias circulando já na Idade Média, e ela certamente seria uma clara falsificação medieval.

Como seria Jesus?

A Bíblia não traz em nenhuma parte algo que poderia ser um "retrato falado de Cristo". Porém, se aliarmos sua leitura às informações arqueológicas disponíveis acerca do povo judeu, é possível encontrar poucas, porém razoáveis possibilidades.

Em primeiro lugar temos a informação de que ele, embora tivesse nascido em Belém da Judeia, foi criado na Galileia. Em outras palavras, era inquestionavelmente semita.

Ora, esses povos, que naquele tempo habitavam o sul do Mediterrâneo, eram predominantemente distintos dos gregos e romanos pela cor azeitonada de suas peles; pelos olhos de azeviche, isto é, tremendamente negros; pelo cabelo escuro; pelo nariz arqueado e pela estatura mediana.

É preciso também levar em conta que Jesus de Nazaré foi um carpinteiro – um ofício que Ele aprendeu trabalhando ao lado de José. O trabalho manual duro envolvia não a fabricação de móveis, como muitos supõem, mas o corte de pedras e de madeiras para a construção de casas. Por isso, as mãos de Jesus deveriam ser bem calejadas e seu físico típico de um trabalhador braçal. Só o fato dele conseguir ainda carregar a cruz por um tempo, depois de uma noite inteira de torturas e sofrimentos, demonstra uma considerável força física.

Embora Jesus possivelmente gozasse de boa saúde, a expectativa de vida entre os homens pobres da classe trabalhadora estava na faixa dos 35-40 anos. Isso por causa dos rigores do trabalho pesado e do calor causticante do sol. Por causa desses fatores, a aparência de Jesus provavelmente seria a de um homem mais velho do que pensaríamos em relação a um indivíduo de hoje com 20 ou 30 anos.

Alguns – de posse da profecia de Isaias 53 – pensam que Jesus não seria belo. Ali é dito a seu respeito: "Porque foi subindo como renovo perante ele, e como raiz de uma terra seca; não tinha beleza nem formosura e, olhando nós para ele, não havia boa aparência nele, para que o desejássemos." Contudo, é mais provável que esse texto se refira não ao seu aspecto normal, mas ao estado em que ele estaria no momento da cruz, completamente desfigurado, causando repúdio a todos que o contemplassem.

Sendo já um homem feito, sua barba e bigode provavelmente seriam muito mais cheios e menos aparados. Bem diferente dos quadros em geral. De acordo com a lei judaica, os homens eram proibidos de apararem pelos da face. Isto está em Levítico 19:27 que diz: "Não cortareis o cabelo, arredondando os cantos da vossa cabeça, nem danificareis as extremidades da tua barba." O motivo de tal proibição talvez esteja no fato de que alguns povos pagãos costumavam cortar a barba e oferecer aos deuses – algo que Deus proibiu Israel de praticar.

Ademais, os egípcios costumavam cortar ou tosquiar suas costeletas, como pode ser visto nos sarcófagos das múmias e nas representações das divindades nos monumentos. Mas os hebreus, para se separarem das nações vizinhas, ou talvez para colocar um fim a alguma superstição existente, eram proibidos de imitar essa prática.

Até hoje é possível ver esse costume em meio a judeus ortodoxos, que não cortam a barba e, especialmente, os cabelos que cobrem as têmporas.

Em termos de temperamento, Jesus deveria ser uma pessoa muito carismática, pois até as crianças – que não tinham na época as mesmas liberdades de hoje – se sentiam à vontade para correr até ele. O mesmo se pode dizer de mulheres que não ousariam se dirigir a um homem comum em público, principalmente não sendo parentes próximas dele.

Algumas de suas parábolas têm um estilo bastante próximo ao humor sapiencial da época, o que significa que alguns de seus exemplos eram irônicos e puxavam risos do auditório. A menção da imagem de um camelo passando no fundo de uma agulha realmente fez o auditório sorrir, embora tal humor, é claro, não deva jamais ser confundido com anedotas sem sentido, mas como elemento didático para deixar uma lição de moral ao grupo.

Porém, se o momento exigisse, Jesus poderia imediatamente se tornar enérgico como quando munido de um chicote expulsou os vendilhões do Templo. Em outras situações, ele se tornava melancólico e chorava, como no caso da morte de seu amigo Lázaro.

Mas talvez o mais interessante de sua personalidade é que ele não temia demonstrar emoções, ria quando necessário, chorava se preciso fosse e admitia o medo que estava sentindo no Getsêmani. Ele não era falso em seus sentimentos, ele os vivia no mais exato grau de sua realidade humana.

O testemunho das catacumbas

A história revela que os primeiros cristãos perseguidos por Roma, logo depois do período apostólicos, costumavam desenhar nas paredes das catacumbas gravuras que ilustrassem sua fé. Suas pinturas são chamadas de arte paleocristãs.

As imagens de Jesus são raras, talvez para evitarem qualquer tipo de aparência de idolatria. Ademais, a pobreza da maior parte dos membros, naqueles idos de perseguição, e a situação de marginalidade da Igreja diante de Roma, fez com que as manifestações artísticas do novo movimento fossem bastante tímidas, embora bonitas por sua simplicidade.

Assim, imagens de âncoras e peixes mescladas com cenas bíblicas como Daniel na cova dos leões ou o sacrifício de Isaque começaram a lotar as paredes das primeiras catacumbas cristãs de Roma. Uma das mais famosas retrata os três hebreus na fornalha ardente. Esta é uma boa ilustração da simplicidade dos primeiros traços artísticos do cristianismo.

A figura de Cristo demorou um pouco para aparecer. Ela veio a princípio como tentativa não de descrever o seu rosto, mas de demonstrar o que ele dizia ser. É o caso da figura do Bom pastor, extraída do discurso de Cristo quando disse: "Eu sou o bom pastor, que dá a vida por suas ovelhas" (Jo. 10:11).

Depois vieram outras cenas como a ressurreição de Lázaro e a última ceia de Jesus. Curiosamente, até o início do século V, praticamente não ocorreram representações artísticas da cruz ou da crucificação. Os primeiros cristãos pareciam pouco inclinados a destacar visualmente a morte humilhante do Filho de Deus, preferindo retratá-lo em vida como amigo, senhor e protetor.

Foi somente a partir dos tempos bizantinos que começou-se a explorar mais as feições faciais de Cristo, como se vê num desenho do século IV, pintado na catacumba de Commodilla em Roma. Ali Jesus já aparece com barbas e cabelos longos.

Retrato de Cristo pintado no século IV na catacumba de Comodila em Roma.

Porém, é importante ressaltar o testemunho de Ireneu de Lion, um escritor da igreja que viveu no século II d.C. e que estaria muito mais próximo das fontes apostólicas. Ele relata em seu livro *Adversus Haereses* que já em seu tempo havia tentativas de retratar corporeamente Jesus, mas que todas as imagens eram falsas.

Confirmando essa declaração, temos a opinião categórica de Agostinho de Hipona que no começo do século V escreveu: "ignoramos completamente" o aspecto físico de Jesus. Isso está em seu tratado sobre a doutrina da Trindade.

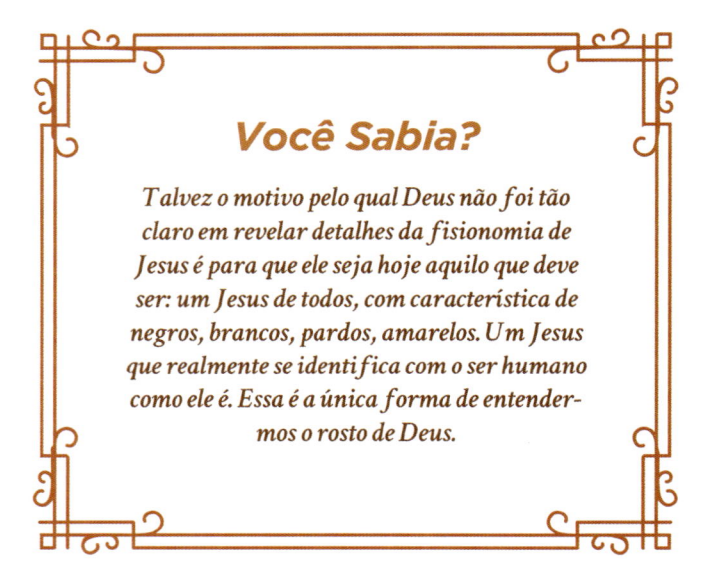

> ### Você Sabia?
>
> *Talvez o motivo pelo qual Deus não foi tão claro em revelar detalhes da fisionomia de Jesus é para que ele seja hoje aquilo que deve ser: um Jesus de todos, com característica de negros, brancos, pardos, amarelos. Um Jesus que realmente se identifica com o ser humano como ele é. Essa é a única forma de entendermos o rosto de Deus.*

O Messias do Mar Morto

O achado dos famosos manuscritos do Mar Morto foi a maior descoberta arqueológica relacionada ao contexto da Bíblia Sagrada. Tudo aconteceu por volta de 1947, quando, segundo uma das muitas versões, um garotinho beduíno chamado Muhammed Ahmed el-Hamed (conhecido como "edh-Dhib," o lobo) saiu à procura de algumas cabras perdidas e se deparou com uma gruta na região de Qumran que fica próxima ao Mar Morto, no sul da antiga Judeia. Curioso, ele jogou umas pedras dentro da fenda (talvez para verificar se os animais estivessem lá dentro) e o que ouviu foi o barulho de jarros se quebrando.

Correndo para o acampamento de sua tribo (os *ta'amireh*), ele chamou um adulto e o levou até o local do achado, na esperança de que se tratasse de um grande tesouro. Juntos eles escalaram a parede (pois a fenda ficava num escorregadio terreno na ponta do platô) e se surpreenderam ao encontrar dentro da gruta grandes jarros de barro com tampa, o que aumentou a ideia de ouro ou pedras preciosas.

Para sua frustração, no entanto, o que encontraram nos potes eram imensos rolos de manuscritos envoltos em tecido. Alguns dizem que eles venderam os vasos (sete ao todo) para um comerciante em Belém, que chegou a enfeitar sua loja com os antigos pergaminhos. Outros já afirmam que foi para um sapateiro cristão sírio que os comprou com o fim de usar o couro no remendo de sapatos. Seja como for, ao que parece, alguns membros do grupo perceberam que os manuscritos poderiam ser valiosos para colecionadores e investigaram por conta própria outras cavernas em busca de novos pergaminhos. Até que finalmente foram presos pelo Departamento de Antiguidades da Jordânia que proibia escavações clandestinas. O Estado de Israel (reconhecido formalmente apenas em 14 de maio de 1948) só ocuparia a Cisjordânia após a guerra dos Seis Dias em 1967, por isso a região ainda estava sob domínio da Jordânia.

Com as pistas dadas pelos beduínos e a ajuda dos arqueólogos da École Biblique de Jerusalém, da American School of Oriental Research (hoje Albright Institute of Archaeological Research) e do Archaeological Museum of Palestine (hoje Rockefeller Museum), 11 grutas foram descobertas, pesquisadas e catalogadas como contendo manuscritos antigos. Entre os rolos havia muitas cópias de textos do Antigo Testamento, datadas de aproximadamente 300 anos antes de Cristo.[37] Além disso, cópias de vários tratados judaicos que circulavam nos dias de Jesus foram também encontradas nas diversas grutas que há na região.

Embora nenhum dos textos até agora encontrados mencione qualquer coisa sobre Jesus, essa coleção de manuscritos lançou muita luz sobre o judaísmo antigo. Graças a eles, é possível saber o que muitos judeus do século I pensavam acerca do fim do mundo e da chegada do Messias.

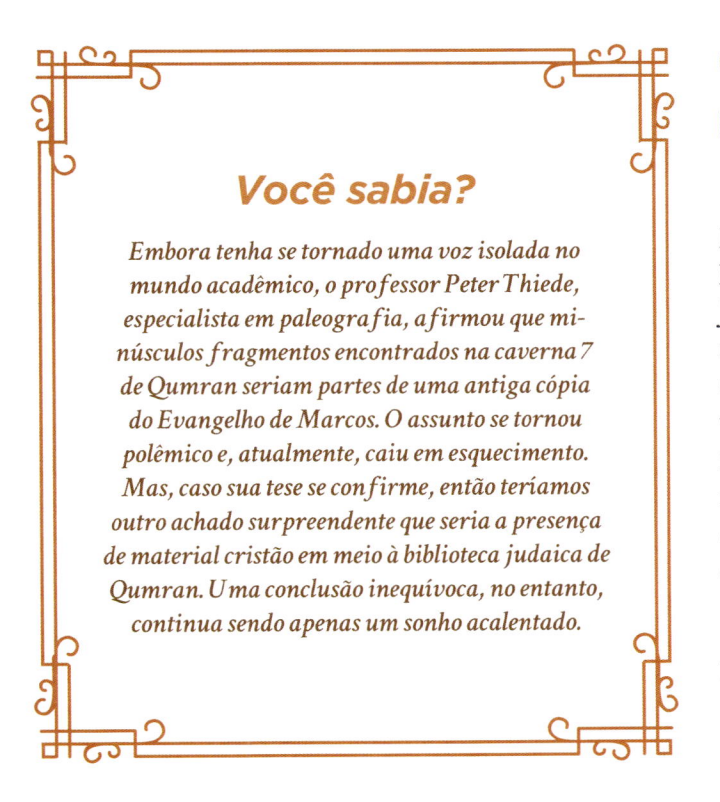

Que dizem os manuscritos?

Os mais recentes estudos sobre os manuscritos do Mar Morto minaram a convicção anterior de que não havia expectativa messiânica em Israel nos tempos de Jesus. Por outro lado, a descoberta desses manuscritos revelava uma pluralidade de interpretações messiânicas no judaísmo antigo que até então não se imaginava que houvesse. Alguns textos fazem supor a espera não de um, mas de dois (ou talvez três) Messias, ao mesmo tempo. Um no ofício de rei ou príncipe, outro de sacerdote e provavelmente um terceiro no ofício de profeta ou militar [38].

Há textos, no entanto, que parecem aludir à expectativa de apenas um Messias vindouro. Entre seus títulos temos: Príncipe da Congregação, O Eleito, a Raiz de Davi, o Cetro.

Você sabia?

Embora tenha se tornado uma voz isolada no mundo acadêmico, o professor Peter Thiede, especialista em paleografia, afirmou que minúsculos fragmentos encontrados na caverna 7 de Qumran seriam partes de uma antiga cópia do Evangelho de Marcos. O assunto se tornou polêmico e, atualmente, caiu em esquecimento. Mas, caso sua tese se confirme, então teríamos outro achado surpreendente que seria a presença de material cristão em meio à biblioteca judaica de Qumran. Uma conclusão inequívoca, no entanto, continua sendo apenas um sonho acalentado.

Grutas de Qumran, nas proximidades do Mar Morto, onde foram descobertos os famosos manuscritos judaicos.

Apesar disso, a maioria dos autores fala não de um, mas de dois Messias em Qumran. Os que entendem três se baseiam numa interpretação alternativa do "Manual de Disciplina" ou "Regra da Comunidade" (1Qs), que fala do preparativo dos fiéis que deveriam viver sob disciplina "até que venha o profeta e os Messias de Arão e Israel" (Col. 9, linha 11)[39]. Neste caso, o profeta também é entendido como um Messias ao lado dos demais, uma vez que os três eram normalmente ungidos para o cumprimento de seu ofício (Êx. 29:29; I Sam. 16:13; I Re. 19:16; Sal. 105:15).

Estas três figuras deveriam aparecer no tempo determinado pela profecia e a comunidade preparava-se para recebê-las. Isso é o que se deduz, por exemplo, de um documento encontrado na gruta 4 conhecido como *Testimonia*, que seria uma coleção de textos bíblicos, elencados para provar uma tese ou ensinamento[40]. Nele, cinco passagens bíblicas são organizadas em quatro seções, para evidenciar as atividades divinas no tempo do fim. Apenas a última seção traz a citação de um apócrifo conhecido como Salmo de Josué (também encontrado em 4Q379), que é acompanhado de um brevíssimo comentário interpretativo.

Antigo manuscrito de Qumran

Textos messiânicos de Qumran

Estes são os textos Qumrânicos que trazem passagens inequivocamente messiânicas:

Hinos de Ação de Graças (1Qh)

Regra da Comunidade (1Qs)

Regra Messiânica (1QSa ou 1Q28a)

Apocalipse [ou Daniel] Aramaico (4Q246)

Apocalipse Messiânico (4Q521)

4Q Livro da Guerra (4Q285)

Oração de Enos (4Q369)

Regra das Bênçãos (1QSb ou 1QS28b)

Pesher de Isaías (4Q161)

Florilegium Messiânico (4Q174)

Antologia Messiânica (4Q175)

Pesher de Gênesis (4Q252)

Eleito de Deus (4Q534 ou 4QMess ar)

Texto de Arão (ou Testamento de Levi (4Q541)

11QMelquisedeque (11Q13)

Documento de Damasco (CD 4Q265-D73; 5Q12; 6Q15)

Algumas passagens Messiânicas[43]:

1) Hinos de ação de graças - 1QH 11:7-10

Ela dá a luz em meio a dores, aquela que carrega um homem [no seu ventre]
Pois em meio à agonia da morte
Ela dará a luz um menino
E em meio às dores do inferno
Haverá uma fonte a jorrar de seu filho que será
Um maravilhoso, Poderoso Conselheiro [Isaías 9:5-6]
E um homem libertará os demais de [suas] agonias

2) Regra da Comunidade - 1QS 9:11

Eles ... serão governados por antigos preceitos

Testimonia 4Q175 (ou 4QTest)

As quatro primeiras passagens desse manuscrito são bíblicas e referem-se à expectativa messiânica da comunidade. A primeira e a segunda são respectivas citações de Deuteronômio 5:28 a 29 e 18:18-19[41], em que Deus promete a Moisés levantar um profeta como ele. Ambas constituem a primeira seção. A seguir, temos Números 24:15-17, que prevê a vinda de um rei conquistador, que se ergue de Israel para dominar os quatro cantos de Moabe. Esta é a segunda seção. Finalmente, a quarta passagem, disposta na terceira seção, menciona a bênção pronunciada por Moisés sobre a tribo de Levi e registrada em Deuteronômio 33:8-11. Juntas, essas citações parecem sugerir a espera de um grande profeta, um príncipe conquistador e um sacerdote[42].

nos quais os homens da Comunidade foram primeiramente instruídos, até que venha o Profeta e os messias de Arão e de Israel.

3) A Regra Messiânica (da Congregação) - 1QSa (or 1Q28a) 2:11-12, 17, 21-22

... quando Deus gerar o Messias ... e [quando] eles juntos partilharem a mesa da comunhão, para comer e beber o vinho não fermentado ...depois disso, o Messias de Israel estenderá sua mão sobre o pão e [sobre] toda a congregação da Comunidade [pronunciará uma] bênção...

4) Regra das Bênçãos - 1QSb (or 1Q28b) 4:24-26; 5:20-29 [V5/376, GM/433, WAC/149-50]

Vocês serão como o Anjo da Presença no santo lugar para a Glória do Deus das hostes .... Compartilhando a sorte dos anjos da presença e o concílio da comunidade.

* * * * *

O Mestre abençoará o Príncipe da Congregação ... e renovará com ele a aliança da comunidade, [pela qual] ele estabelece o reino de seu povo para sempre ... Que o Senhor possa erguê-los às maiores alturas e [colocá-los] sobre uma torre fortificada por uma alta muralha.

[Que você possa esmagar os povos] com o poder de sua mão e vindicar a terra com seu cetro; que você possa trazer morte ao ímpio pelo sopro de seus lábios.

[Que possa ele fazer resplandecer sobre você o Espírito de Conselho] e o poder eterno, e o Espírito de conhecimento e temor do Senhor; possa a justiça cingir [os seus lombos] e que seu reino seja cingido com [fidelidade] pois é Deus quem estabelece o seu cetro. Os governantes ... [e todos os reis das] nações o servirão. Ele o fortalecerá com seu santo nome e você será como um le[ão]

5) Pesher de Isaías - 4Q161 Frag 8, Col 3, 18-21 [V5/467, GM-186, WAC-211]

Interpretação da palavra [em Isaías 11:1-5] concernente à raiz de Davi que brotará nos últimos dias, uma vez que o sopro de seus lábios executará seus inimigos, e Deus o sustentará com o espírito de coragem ... ele governará sobre todos os povos e [sobre] Magog.

6) Florilegium Messiânico - 4Q174, 11-13 [V5/494, GM/136, WAC/227Ð28]

Ele é a raiz de Davi que se levantará para interpretar a lei [ao governo] em Sião [ao final] dos tempos. Como está escrito: eu erguerei a tenda de Davi que está caída [Amós 9:11]. Ou seja, a tenda caída de Davi é ele quem erguerá para salvar Israel.

7) Antologia Messiânica - 4Q175 [V5/495-96, GM/137-38, WAC/230] [este texto interpreta Deut 18:18-19, Num 24:15-17, e Deut 33:8-11 como significando a vinda de três líderes messiânicos ou três papeis de um mesmo messias: como rei, profeta e sacerdote]

[Deut 18:18] – "Eu erguerei para eles um profeta como você [Moisés], ele saíra do meio do seu povo. Eu colocarei minhas palavras em sua boca e ele dirá tudo o que eu o tenho ordenado".

[Num 24:17] – "Uma estrela procederá de Jacó e o cetro não se arredará de Judá."

8) Apocalipse Aramaico ou Apocalipse de Daniel - 4Q246 [V5/577, GM/138, WAC/269]

. . . ele sera um grande [rei] sobre [toda] a terra ... e [toda a humanidade] o servirá.

[O Santo do Deus altíssimo] será como ele será chamado.... o Filho de Deus ele será chamado e filho do Altíssimo será seu sobrenome.

9) Pesher de Gênesis - 4Q252 5:1-4 [V5/462Ð63, GM/215, WAC/277] [On Genesis 49:10]

A soberania não será removida da tribo de Judá. Enquanto Israel tiver o domínio não faltará quem se assente sobre o trono de Davi, pois o estafe é a aliança da realeza, os milhares de Israel serão seus pés ...

Até que o Messias de Justiça venha, a raiz de Davi,

Pois para ele e seus descendentes foi dada a aliança da realeza sobre seus filhos e por todas as gerações para sempre...

10) 4QRolo da Guerra- 4Q285 Frag 5, 3-4 [V5/189, GM/124, WAC/293]

Então haverá um broto do tronco de Jessé [...] o ramo de Davi e eles entrarão em juízo com [...] o Príncipe da Congregação, a o [ramo de Davi] o matará ...

11) Oração de Enos - 4Q369 5 [V5/511, WAC-329]

Você fará claro para ele seus bons julgamentos ... em eterna luz.

E você fará dele um Primogênito para si ...

Como ele para um Príncipe e Governador na sua porção terrestre.

... a coroa dos céus e a glória das nuvens [você] colocará sobre ele.

12) Apocalipse Messiânico (Texto da Ressurreição) - 4Q521 [V5/391-92, GM/394, WAC/421]

Os céus e a terra obedecerão seu Messias ...

O Senhor cumprirá gloriosas coisas como nunca jamais houve...

Pois ele [Deus ou o Messias] curará os enfermos,

Ressuscitará os mortos e trará as boas novas aos pobres (Isa. 61:1).

13) O Eleito de Deus - 4Q534 ou 4QMess ar) [V5/522, GM/263, WAC/428]

Ele é o escolhido de Deus. Seus nascimento e o sopro de seu fôlego [vêm de Deus] ... seus planos durarão para sempre.

14) Texto Aarônico (Testamento de Levi) - 4Q541 Frag 9, Col 1, 1-3 [V5/527, GM/270, WAC/259]

Ele fará expiação por todos os filhos desta geração
E será enviado a todos os filhos de seu povo.
Suas palavras são como a palavra dos céus,
E seus ensinos de acordo com a vontade de Deus.
Seu sol brilhará eternamente
E seu fogo queimará até os confins da terra;
Então as trevas se desvanecerão de sobre a terra e a catástrofe de sobre o globo.

15) 11QMelquisedeque - 11Q13 2:16-18 [V5/501, GM/140, WAC/457]

Este é o dia da [paz/salvação]
Segundo a qual Deus havia falado por intermédio do profeta Isaías, que disso,
Quão belos são sobre os montes
Os pés dos mensageiros que proclamam a paz,
Que trazem boas novas, que proclamam a salvação,
Que dizem a Sião: seu Elohim reina [Isa. 52:7].
Eis a interpretação: os montes são os profetas ... e os mensageiros o Messias do Espírito,

Aquele do qual Daniel disse [até que venha o ungido [Messias], um príncipe (Dan. 9:25) ...

16) Documento de Damasco (CD, Cairo Damascus; 4Q265-73; 5Q12; 6Q15)

B 19:10-11 –

Estes escaparão no dia da Visitação, mas aqueles que ficarem serão entregues à espada quando vier o Messias de Arão e Israel. [GM/45]

B 20:1 - *... Desde os dias quando o Único Mestre foi tirado, até à vinda do Messias brotará de Arão e Israel.* [GM/46]

2:1 - *... Desde o dia da reunião no Mestre da comunidade até à vinda do Messias de Arão e Israel.* [V5/134]

2:12 - *E ele fará conhecido a todos o seu Santo Espírito pelas mãos de seus Messias e ele mostrará a verdade.* [V5/128; contrast GM/34: "Ele lhes falará pela mão de seu ungido através de seu Santo Espírito e através dos videntes da verdade."]

7:16-21 – *Os livros da lei são o tabernáculo do rei, como Deus tem dito, Eu erguerei o tabernáculo de Davi que estava caído [Amós 9:11]*

O rei está na congregação e as bases de [seus] estatutos são os livros dos profetas cujos escritos Israel rejeitou. A estrela é a intérprete da lei que virá a Damasco; como está escrito, uma estrela procederá de Jacó e o cetro não será arrebatado de Israel [Núm. 24:17]. O cetro é o Príncipe de toda a congregação e quando ele vier, esmagará a descendência de Sete [Núm 24:17]

14:18-19 - *... até que se levantem os messias de Arão e Israel ... ele fará a expiação pelos pecados deles ...* [V5/143, GM/44]

Nota

1   Esta lista foi retirada de Paul Sumner, "Messianic" Texts at Qumran in www.hebrew-streams.org. As referências foram propositadamente deixadas conforme a versão em inglês. As fontes entre colchetes seguem a seguinte legenda: V5 - G. Vermes, The Complete Dead Sea Scrolls in English (New York/Londres:Penguin Books, 1997; rev. ed. 2004); GM - F. Garcia-Martinez, The Dead Sea Scrolls in Translation (2d ed., GrandRapids, Mich.: Eerdmans, 1996); WAC - M. Wise, M. Abegg, E. Cook, The Dead Sea Scrolls: A New Translation (New York: HarperCollins, 1996; rev. ed. 2005).

Um Messias que redime

A promessa da vinda de um Messias que sofre para redimir já estava presente na história bíblica, desde os primórdios da humanidade (Gên. 3:15). Tanto o primeiro como o segundo advento de Cristo foram extensamente anunciados pelos profetas do Antigo Testamento. Contudo, a ênfase específica de cada período e o colorido cultural da geração que a recebia deram aos oráculos um tom de esperança adequado a cada situação.

Em alguns momentos esse tom foi dissonante, provocando erros de interpretação como aquele que misturou os dois adventos, fazendo supor que o Cristo viria uma única vez em glória para estabelecer o reino e entregá-lo definitivamente aos judeus. O aspecto salvífico e expiatório da primeira vinda, distinto da segunda vinda gloriosa, tornou-se diluído nesta mescla, de modo que muitos rabinos (mas não todos) já não podiam mais aceitar a figura de um Messias imolado como o cordeiro do sistema sacrifical. Conforme escreveu Alfred Edersheim: "O conceito geral que elaboraram acerca do Messias diferia totalmente daquele que foi apresentado pelo profeta de Nazaré"[45].

Essa nova concepção messiânica que rivalizava com a mais antiga era de certa forma moldada pelo contexto de opressão enfrentado pelo povo judeu. Logo em seguida à destruição de Jerusalém e a deportação dos exilados para a Babilônia em 586 a.C., o território da Judeia converteu-se numa terra dominada por estrangeiros. Um território de todos e ao mesmo tempo de ninguém. Cada império que se seguiu colocou a região sob seu controle político, muitas vezes exercido com pesada mão de ferro!

Mesmo com o patrocínio persa para que voltassem à sua terra e reconstruíssem o seu Templo, os judeus ainda tinham muitos desafios a enfrentar. Uma grande parte das famílias recusou-se a deixar o exílio. A antiga Jerusalém já não era um lugar aprazível, mas um território depredado com aparência de "abandonado por Deus". Não era fácil convencer prósperos judeus comerciantes, espalhados pela diáspora, a deixarem o conforto de sua morada no exterior para voltar à terra de seus pais. Muitos deles, lembremos, já nasceram no exílio e, portanto, não se sentiam tão estrangeiros como os primeiros deportados. O retorno para a Judeia não oferecia perspectiva alguma senão a fé abraâmica de iniciar uma metrópole onde simplesmente não havia nada.

Para piorar a situação, povos vizinhos rechaçavam o retorno dos exilados, dificultando ao máximo a reconstrução do Templo e a consolidação de sua cultura original. Cerca de dois séculos após a libertação inaugurada por Ciro em 538 a.C., o Ocidente também começou a se projetar graças às conquistas de Alexandre, o Grande. A expansão do novo império grecomacedônico iniciou uma nova política econômica marcada pelo imperialismo e dominação cultural helenista que representou outra barreira adicional aos judeus. Veio, então, a ditadura de Antíoco IV Epifânio e toda a experiência traumática que se seguiu até os dias do domínio romano que, novamente, não fugiria muito à regra dos conquistadores mais antigos. Tudo isso apenas reforçava os múltiplos impedimentos que já se arrastavam desde a chegada de Nabucodonosor para destruir Jerusalém e o Templo do Senhor.

Uma antiga aliança, no entanto, fazia os judeus terem esperança na restauração do reino. Em 2 Samuel 7 (esp. Vv 28 e 29); 22:50-51; I Cron. 17:1-15 e Salmo 18:50, Deus prometera a Davi que sua dinastia permaneceria para sempre. Ademais, o conceito universal deste novo monarca também aparece nas ocasiões em que se fala da casa de Davi governando sobre os povos gentílicos (2 Sam. 22:44-51; Sal. 2:7-9; 18:44-50).

A dinastia davídica, portanto, seria eterna e universal. Logo, a interrupção da linhagem trazida pelos babilônios deveria ser temporária e Javé, proveria um rei "Messias", um novo ungido para restaurar o reino de Davi e cumprir as promessas feitas desde o tempo dos patriarcas. Como declarou Jacó em sua bênção profética: "O cetro não se arredará de Judá, nem o bastão de entre seus pés até que venha *o dono do cetro*[46] e a ele obedeçam os povos" (Gên. 49:10). Os judeus conheciam bem essas promessas. O Messias, portanto, ainda era sua única e mais sublime esperança. Mas estavam eles desejosos por sua vinda?

Vejamos quão curioso é o caso de Isaías: É interessante que num contexto essencialmente monoteísta este futuro indivíduo receba adjetivos divinos próprios apenas de Yahweh e que não aparecem em nenhum outro lugar do AT nem são aplicados a qualquer outra pessoa (Isa. 9:6-7). Isso faz desta personagem um sujeito, no mínimo, acima de todos os mortais. Ele é um salvador régio que traz grande luz a Israel, sempre ameaçado pelo poder de outras nações (Isa. 9:1). Uma ampliação de sua obra é dada pelo mesmo profeta. Ele é descrito como restaurador futuro não apenas de Israel, mas de toda a ordem criada (Isa. 11:1-2). O título "príncipe da paz" evocado junto aos já mencionados adjetivos divinos elencados em Isa. 9:6 é explicado no verso 7 como sendo a realização de uma paz perenal que estabelece de maneira definitiva, o direito e a justiça entre os homens. Paz (*Shalôm*), só para lembrar, abarca muito mais em hebraico que simplesmente "ausência de guerra". Se valor etimológico abarca a ideia de plenitude e bem-estar total, tanto interior como exterior, é a posse e a definição última da salvação provida por Deus. Por isso, curiosamente o verso 7 termina dizendo: "O Zelo do Senhor dos Exércitos, fará isso".

Em Isaías 11:1-5 esse descendente de Davi (descrito como "rebento de Jessé") recebe uma prerrogativa única: a plenitude do Espírito de Yahweh e é enviado como juiz não de condenação, mas de defesa dos fracos e desampadados. Note que aqui a tarefa messiânica de salvar e redimir emerge com grande força textual.

Também é possível encontrar descrições deste futuro "filho de Davi" mesclando as figuras ora de rei e sacerdote (Sal. 110; Zac. 6:9-13), ora de sacerdote e servo, que purifica a nação por meio de uma propiciação sacerdotal (Isa. 52:13-15; cf. Lev. 4:6; Ez. 43:19-20).

Isaías 53

Quem creu em nossa mensagem e a quem foi revelado o braço do Senhor?

Ele cresceu diante dele como um broto tenro e como uma raiz saída de uma terra seca. Ele não tinha qualquer beleza ou majestade que nos atraísse, nada em sua aparência para que o desejássemos.

Foi desprezado e rejeitado pelos homens, um homem de tristeza e familiarizado com o sofrimento. Como alguém de quem os homens escondem o rosto foi desprezado, e nós não o tínhamos em estima.

Certamente ele tomou sobre si as nossas enfermidades e sobre si levou as nossas doenças, contudo nós o consideramos castigado por Deus, por ele atingido e afligido.

Mas ele foi transpassado por causa das nossas transgressões, foi esmagado por causa de nossas iniqüidades; o castigo que nos trouxe paz estava sobre ele, e pelas suas feridas fomos curados.

Todos nós, tal qual ovelhas, nos desviamos, cada um de nós se voltou para o seu próprio caminho; e o Senhor fez cair sobre ele a iniquidade de todos nós.

Ele foi oprimido e afligido, contudo não abriu a sua boca; como um cordeiro foi levado para o matadouro, e como uma ovelha que diante de seus tosquiadores fica calada, ele não abriu a boca.

Com julgamento opressivo, ele foi levado. E quem pode falar dos seus descendentes? Pois ele foi eliminado da terra dos viventes; por causa da transgressão do meu povo ele foi golpeado.

Foi-lhe dado um túmulo com os ímpios e com os ricos em sua morte, embora não tivesse cometido qualquer violência nem houvesse qualquer mentira em sua boca.

Contudo foi da vontade do Senhor esmagá-lo e fazê-lo sofrer, e, embora o Senhor faça da vida dele uma oferta pela culpa, ele verá sua prole e prolongará seus dias, e a vontade do Senhor prosperará em sua mão.

Depois do sofrimento de sua alma, ele verá a luz e ficará satisfeito; pelo seu conhecimento, meu servo justo justificará a muitos, e levará a iniquidade deles.

Por isso eu lhe darei uma porção entre os grandes, e ele dividirá os despojos com os fortes, porquanto ele derramou sua vida até à morte, e foi contado entre os transgressores. Pois ele carregou o pecado de muitos e intercedeu pelos transgressores.

O servo sofredor

O poema do "Servo sofredor" escrito por Isaías, é uma das mais belas e profundas, composições do Antigo Testamento. Muitos o interpretam como sendo uma alusão profética ao trabalho do Messias que sofre para redimir a humanidade. Outros, porém, negam essa ideia, afirmando que o conceito de um Messias sofredor, divino e redentor é invenção do cristianismo, pois jamais um judeu da Antiguidade interpretara assim esse trecho de Isaías.

Recentemente, porém, um estudo publicado por Israel Knohl, do Departamento Bíblico da Universidade Hebraica de Jerusalém, veio desmentir essa assertiva. Ele indica que essa visão messiânica do servo sofredor era corrente no período de Qumran e pode ser encontrada em alguns manuscritos do Mar Morto[47]. De fato, aquela visão limitadora do Messias apenas como rei era, como acentuou Scardelai, um fenômeno *posterior* ao período dos macabeus[48] e não está de modo algum refletindo o único modo de entender o Messias nos tempos do Segundo Templo. Contrariando, portanto, a tese liberal de que Jesus não poderia ter previsto sua morte e ressurreição porque tais eventos simplesmente não existiam no messianismo da época; o trabalho de Knohl mostra que nos tempos de Jesus o conceito de sofrimento, humilhação, assassinato e ressurreição do Messias eram parte integrante da cultura judaica.

No chamado *Rolo de Ação de Graças*, em dois hinos aí inseridos posteriormente e em outros manuscritos encontrados na gruta 4, tem-se o material a partir do qual Knohl desenvolve sua tese.

O *Rolo de Ação de Graças,* também conhecido como *Hodayot*, pertence à primeira série de documentos descobertos em Qumran e foi publicado pela primeira vez em 1954. Considera os manuscritos que montam esse texto como "a joia mais brilhante dentre todas as descobertas de Qumran"[49]. Ele não foi encontrado diretamente pelos arqueólogos, mas fez parte dos primeiros rolos que estavam em posse dos beduínos que acharam os pergaminhos em 1947. Quem comprou alguns desses manuscritos foi o professor Eleazer L. Sukenik, da Universidade Hebraica de Jerusalém. Foi ele também quem deu a um desses pergaminhos o nome de "*Rolo de Ação de Graças*" ou "Hino de Ação de Graças", pois era composto de Salmos, a maioria iniciando com as palavras "Eu darei graças so Senhor...". Originalmente o nome técnico do documento foi 1QH (1Q Hodayot) depois 1QHa.

Esse primeiro manuscrito estava terrivelmente danificado e a opinião de alguns especialistas é a de que esse tipo de dano não foi acidental ou fruto de uma manipulação indevida dos beduínos. Deduzem que o manuscrito foi propositadamente mutilado na Antiguidade, em razão, possivelmente, de seu caráter heterodoxo[50]. A conclusão é altamente hipotética; Knohl a justifica: os outros pergaminhos comprados por Sukenik estavam enrolados de maneira normal (os beduínos aparentemente não mexeram no conteúdo do jarros). Já o pergaminho do *Rolo de Ação de Graças* estava rasgado de um modo aparentemente proposital. Ele estava guardado em duas partes separadas. A primeira a ser aberta continha três folhas do manuscrito (uma enrolada dentro da outra, mas cada uma dobrada individualmente). Ao que tudo indica, elas foram guardadas daquela maneira na Antiguidade. A segunda parte do manuscrito estava comprimida e amarrotada, formada por setenta fragmentos grandes e pequenos de pergaminho.

A conclusão de Knohl é que um membro da seita havia separado as folhas do pergaminho, dobrado três e picado as demais em inúmeros fragmentos comprimindo-os numa única bola de papel.

Embora seja difícil advogar essa hipótese da destruição propositial na Antiguidade, é notório que o hino contém algo realmente diferente das demais descrições judaicas. Várias perguntas se levantam imediatamente ao se ler o conteúdo que evidentemente só ficou mais conhecido a partir da descoberta de outras cópias melhor preservadas na gruta 4.

A primeira e mais natural indagação é quanto a quem teria escrito o texto e com que propósito? Muitos estudiosos respondem a esta pergunta, apontando para o Mestre de Justiça ou o fundador da seita como sendo o que compôs esses salmos de ação de graças. Uma possível objeção seria o fato de que, em muitas poesias judaicas de Qumran, o Mestre de Justiça é representado pela comunidade. Mas essa simbiose entre o Deus e seu povo não é algo estranho ao gênio da literatura judaica como veremos mais à frente. Ademais, os problemas descritos no *Rolo de Ação de Graças* são específicos e detalhados demais para serem puramente fictícios; parecem história real prenunciando história futura (como no caso de Isaías que faz um prognóstico futuro possivelmente a partir de um evento real que seria o nascimento de uma criança no palácio de Acaz, Isa. 7). O texto assemelha-se em gênero a uma autobiografia espiritual (e ao mesmo tempo messiânica), como é o caso do Salmo 22.

O primeiro hino que parece aludir ao Messias é conhecido como *Hino da Autoglorificação*, quem lhe deu esse título foi a pesquisadora Esther Eshel[51]. Ele está escrito em primeira pessoa e foi reconstruído com base em vários manuscritos. Um de seus trechos, citado por Knohl, diz assim (4QHe, frg. 1-2):

"*Quem tem sido desprezado como eu?*
E quem tem sido rejeitado pelos homens como eu?
E quem se compara a mim em tolerar (suportar) o mal?

....

Quem é como eu dentre os anjos?
[Eu] sou o amado do rei, a companhia dos san[tos]".

Numa segunda versão desse mesmo hino, é dito que o autor teve a experiência de assentar-se num trono no céu, ser contado entre os anjos, ter um desejo que não vem da carne e finalmente ser o mais desprezado e o mais glorificado:

"[Q]uem foi considerado desprezível como eu e, no entanto, quem é igual a mim em minha glória?"

E num outro hino da mesma coleção é dito (4Q491, fr.11, col.1):

"Alegrem-se vocês, justos dentre os anjos, [...] na santa morada, entoai[-lhe] hinos

[...anun]ciai o som de um alarido [...] em eterno júbilo, sem [...]

[...] para estabelecer a trombeta do [seu] Mess[ias]

[...] para tornar conhecida sua força em poder [...]"

Rolo original do hino messiânico danificado

A reconstrução, composição e tradução do hino publicada por Eshel em 1996 a partir de outros fragmentos é ainda mais interessante (4Q431 e 4Q427, frag. 7):

1.   *[Eu sou] contado entre os anjos, minha habitação está no santo*

2.   *[concílio] Quem pode ser comparado a mim? E quem foi desprezado como eu?*

3.   *Quem tem sido mais desprezado pelos homens do que eu? E quem seria semelhante a mim em não suportar o mal? Nenhum ensinamento*

4.   *se compara com meu ensino. Pois estou sentado nos céus.*

5.   *Quem é semelhante a mim dentre os anjos? Quem poderia deter-se quando abro minha boca? E quem*

6.   *poderia medir a fluência de meus lábios? Quem poderia associar comigo em minhas palavras ou comparar comigo em meu julgamento? Pois eu sou*

7.   *o amado do rei, a companhia dos santos, e não há quem possa me acompanhar.*

8.   *Minha glória é sem comparação, pois tenho meu posto com os anjos e minha glória com os filhos do rei.*

9.   *Nem com ouro poderia eu ser coroado, nem com o mais fino ouro*

10.   *[ ] canto, [o amado*

É notória não só a semelhança com Isa. 53 como também a dicotomia entre um Messias que sofre para depois ser glorificado. E mais, o texto fala de alguém sem igual que dentre os homens. A combinação especial de *status* divino e sofrimento humano numa só pessoa é algo inédito na literatura judaica mais antiga. Note a comparação entre a retórica "quem é como eu dentre os anjos [lit. *elim*]?" e o texto de Êxodo 15:11: "Quem é igual a ti, oh Senhor, dentre os deuses [*elim*]?"

Aliás, baseado nesta clara situação de divindade, Maurice Baillet, chegou a sugerir que o autor não poderia ser humano. Para ele o autor seria o arcanjo Miguel.[53] Morton Smith, por sua vez, rebateu o colega, argumentando que a figura no texto é claramente um ser humano ao qual se atribui *status* angelical (ou divino)[54]. Alguém, conclui o autor noutra pesquisa, equiparado especialmente a Jesus[55]. De fato, aqui temos a expressão original de uma personagem histórica e divino-humana que morre (por Israel?) e é glorificado por Deus. *Nisto Knohl fez uma grande contribuição para os estudos do Novo Testamento.*

Os evangelhos e a literatura rabínica

A partir da segunda metade dos anos 1950, houve no campo das Ciências Bíblicas um novo modo de investigar o Novo Testamento utilizando como ferramenta os resultados de pesquisas previamente feitas na literatura rabínica. A lógica do processo pode ser entendida quase imediatamente: se Jesus e os evangelistas (com possível exceção a Lucas) eram judeus e viveram como tais nos primórdios da Igreja, por que estudá-los à luz do pensamento greco-romano?

Muitos pensavam que, pelo fato de o Novo Testamento ter sido escrito em grego, o pano de fundo para entendê-lo deveria ser a literatura dos poetas, escritores e filósofos gregos. Comentários bíblicos mais antigos, especialmente produzidos na Europa, assemelhavam Jesus Cristo mais a um filósofo nascido em Atenas que um judeu nascido em Belém da Judeia.

A tese de J. W. Doeve, publicada em 1954, parece ter sido a pioneira na feliz mudança de ares que se teve ao abordar os evangelhos de um prisma mais judaico. Segundo seu parecer, a forma de raciocínio literário dos escritores rabínicos deveria ser em grande parte semelhante à que se vê nos evangelhos. A chave hermenêutica que desvenda a literatura rabínica seria, pois, a mesma para a compreensão de importantes detalhes no estudo dos evangelhos.

O Midrash

Um dos principais elementos reflexivos do judaísmo que mais chama a atenção na compreensão dos evangelhos é o chamado Midrash. Mais que um estilo literário, ele é, acima de tudo, o modo básico como os judeus do tempo de Jesus interpretavam as Escrituras, a saber, o Antigo Testamento.

Mas o que seria um Midrash? É um tipo de literatura, tradicionalmente oral ou escrita, que tem uma direta relação com o cânon escriturístico. Considera-o a autêntica revelação de Deus e procura extrair dele um significado espiritual que esboce acontecimentos mais recentes. Tal exercício é feito por meio de uma interpretação exegética muito comum nos dias em que o Novo Testamento estava sendo escrito.

Dizendo de modo mais simples, o Midrash é uma visão espiritual da história como palco das realizações divinas que acontecem em meio aos erros e acertos da vontade própria dada aos homens. Toda a história do mundo seria uma única corrente profética que se centraliza no Messias e aponta para o reino escatológico de Deus na Terra. Disso conclui-se que cada acontecimento se torna símbolo de ocorrências profético-espirituais. Os atos humanos (bons ou maus) são reflexos de um grande conflito cósmico envolvendo o Bem e o Mal. Por essa razão é que, pela perspectiva bíblica, a história é um fato que sempre se atualiza, que repete. Na essência, os principais acontecimentos do mundo relacionados com o Messias e seu reinado. Assim, os escribas *midrásticos* estão sempre recontando a história de Israel numa nova roupagem a partir de outros acontecimentos.

Tomando os livros da Bíblia conforme eram denominados no ambiente judaico, percebemos que originalmente era o costume dos religiosos nomear os livros sagrados a partir das primeiras palavras de seu texto. Assim, o Gênesis se chamaria "No Princípio", o Êxodo "os nomes" e assim por diante. Agora, comparando essa tradição ao prólogo dos quatro evangelhos, percebemos que todos eles usam em seu começo a palavra "princípio" (o nome hebreu para o Gênesis). Seria essa uma designação de que seu propósito era reler as Escrituras a partir da vida do Messias? Possivelmente. Tanto o é que Marcos, possivelmente o mais antigo evangelho, traz isso de modo ainda mais claro; ele diz: "[Este é] O Princípio (o Gênesis) do Evangelho alusivo a Jesus Cristo" (Mar. 1:1; Cf. Jo. 1:1; Luc. 1:2 e Mat. 1:1).

Mateus, querendo acentuar o Messias como o novo Moisés, selecionou propositalmente alguns elementos da vida de Jesus que coincidiam, pelo menos em parte, com a vida do líder hebreu e usou-os como arcabouço ambiental da história que iria contar.

> Em síntese, assim traz o início do Evangelho de Mateus: Moisés nasce e é salvo da perseguição de um rei que acaba matando muitas crianças. Jesus também nasce e é salvo da perseguição de Herodes donde são mortas muitas crianças. Depois, Moisés acaba indo para o Egito, o mesmo lugar para onde vão Maria e José. De lá, eles voltam para Nazaré, e Jesus, com idade adulta, atravessa o Jordão (batismo) e vai para o deserto por um período de 40 dias. Moisés também atravessa o Mar Vermelho e vai para o deserto com o povo por 40 anos. No deserto, Moisés sobe ao Monte Sinai e traz consigo as Tábuas da Lei. O Jesus de Mateus também sobe num monte e dá aos discípulos a Nova Lei de seu reino.

Jesus: um plágio?

A famosa Guerra Fria entre Estados Unidos e União Soviética hoje é coisa do passado, o muro de Berlim foi derrubado e as ameaças são outras. Porém, uma abordagem nascida naquele tempo continua em voga atualmente: as famosas teorias da conspiração.

Todos os grandes vultos da história já tiveram alguma dessas teorias associadas ao seu nome e não poderia ser diferente com Jesus Cristo. Uma que sempre volta à baila em documentários e redes sociais seria a de que os evangelhos e toda a história de Jesus não passam de um plágio de antigos mitos pagãos, sobretudo, da Índia, Grécia, Roma e Egito. Será isso verdade?

Os boatos

Não são novos os boatos sobre o que muitos supõem ser a verdadeira história de Jesus. *O Código da Vinci*, de Dan Brown, pretendeu que Jesus teria uma filha com Maria Madalena e que Maria seria o cálice sagrado cujo segredo foi guardado por uma ordem secreta europeia ligada ao Vaticano. Ele propositalmente deixa para o leitor a dúvida se seu romance seria apenas uma ficção ou uma forma disfarçada de revelar uma verdade bombástica para a humanidade.

Mais diretos, James Cameron e Simcha Jacobovici pretenderam haver encontrado a verdadeira tumba de Jesus e com seus ossos lá dentro! O enredo não é muito diferente do livro *A Conspiração de Jesus*, de autoria de Holder Kersten e Elmar Gruber, cujos autores afirmam que o Vaticano interveio para fazer parecer que o Santo Sudário não seria autêntico, porque aquele pano provaria que Jesus não ressuscitou dentre os mortos. O próprio Kersten já havia divulgado nos anos 1980 uma ideia de que Jesus viveu boa parte de sua vida na Índia e morreu ali como um verdadeiro hindu.

São muitas as sugestões de qual seria, afinal, a verdadeira identidade de Jesus. Mas a que popularizou a teoria do plágio foi o documentário "Zeitgeist", lançado em 2007 e produzido por Peter Joseph.

O filme reúne fontes de informação variadas, pretendendo provar que é possível as pessoas serem manipuladas por grandes instituições, governos e poderes econômicos. Ele, então, divide sua apresentação em três grandes blocos que falam de religião, da queda das torres gêmeas em Nova York e do Banco de Reserva Federal, sua formação e habilidade ilegal de controlar a economia. A parte de Jesus, é claro, está no primeiro bloco.

Segundo os produtores do filme, os quatro evangelistas, Mateus, Marcos, Lucas e João, plagiaram mitos pagãos para compor a história de Jesus. Existe até mesmo uma suposição de que toda a Bíblia seria baseada em princípios astrológicos pertencentes a antigas civilizações como os egípcios e babilônios. Assim, os doze signos do zodíaco seriam a inspiração para as doze tribos de Israel, os doze filhos de Jacó e os doze apóstolos de Jesus.

Especificamente sobre Jesus são estes os mitos dos quais, segundo o filme, os evangelhos teriam copiado a sua história:

Horus egípcio, 3000 a.C.

- Nasceu em 25 de dezembro de uma virgem - Isis Maria;
- Uma estrela no Oriente proclamou a sua chegada;
- Três reis foram adorar o "salvador" recém-nascido;
- Aos 12 anos de idade, quando ainda um menino, ele tornou-se um professor prodígio
- Aos 30, anos ele foi "batizado" e começou um "ministério";
- Era chamado de KRST, o ungido;
- Hórus tinha doze "discípulos";
- Hórus foi traído;
- Ele foi crucificado;
- Ele foi sepultado por três dias;
- Ele foi ressuscitado depois de três dias.

Mitra (persa – romano) 1200 a.C

- Nasceu dia 25 de dezembro;

- Nasceu de uma virgem;
- Teve 12 discípulos;
- Praticou milagres;
- Morreu crucificado;
- Ressuscitou no 3º dia;
- Era chamado de "A Verdade", "A Luz";
- Veio para lavar os pecados da humanidade;
- Foi batizado;
- Como deus, tinha um "filho", chamado Zoroastro.

Attis (Frígia – Roma) 1200 a.C.

- Nasceu dia 25 de dezembro;
- Nasceu de uma virgem;
- Foi crucificado, morreu e foi enterrado;
- Ressuscitou no 3º dia.

Krishna (hindu – Índia) 900 a.C

- Nasceu dia 25 de dezembro;
- Nasceu de uma virgem;
- Uma estrela avisou a sua chegada;
- Fez milagres;
- Após morrer, ressuscitou.

Dioníso (grego) 500 a.C

- Nasceu de uma virgem;
- Foi peregrino (viajante);
- Transformou água em vinho;
- Chamado de Rei dos reis, Alpha e Ômega;
- Após a morte, ressuscitou;
- Era chamado de "Filho pródigo de Deus".

Fato ou boato?

Antes de apresentar qualquer parecer sobre as alegações de plágio é importante dizer que até mesmo estudiosos seculares sem qualquer filiação religiosa ou comprometimento bíblico/cristão discordam das alegações do filme.

O primeiro ponto que chama a atenção nos paralelismos é a completa falta de evidências dos elementos citados quando o antigo mito é lido em suas fontes primárias. Não há, por exemplo, nada nos mitos listados que indique que seu personagem principal tenha nascido no dia 25 de dezembro. Muito menos Jesus. Nenhuma passagem da Bíblia fornece essa data.

Sobre o nascimento virginal, Ísis, a mãe de Horus, era esposa de Osíris e nenhum trecho do mito egípcio a descreve como uma virgem pronta para dar à luz. O que o mito diz é que, após a morte de seu companheiro, ela se autofecundou usando o esperma do marido morto e então ficou gravida de seu filho Horus.

Nana, a mãe de Attis, de fato, engravidou após ter colocado uma romãzeira sobre o peito. Mas, embora não se trate de um nascimento ocorrido a partir de uma relação sexual, nada no mito indica que ela era uma virgem que deu a luz ao filho de Deus.

Krishna, o deus hindu, também não nasceu de uma virgem. Segundo o mito, ele seria o oitavo filho do casal Devaki e Vasudeva. A diferença é que seu nascimento se deu por meio de uma transmissão mental de Vasudeva no ventre de Devaki. Novamente um nascimento sem relações sexuais, mas que deixa claro que o deus hindu era filho legítimo de Devaki e Vasudeva.

Outra comparação quanto ao nascimento virginal seria relacionada ao deus Mitra. Contudo, a dita divindade não nasceu de uma mulher. Sua concepção se deu através de uma rocha, debaixo de uma árvore, próximo a uma fonte sagrada, conforme pode ser visto em algumas imagens e escassos textos antigos do antigo culto mitraísta.

Os paralelos, portanto, seguem bastante artificiais. E assim também acontece com os outros temas apresentados. KRST, que segundo o filme, era um título de Horus e significava "o ungido" – assim como "*Christós* para Jesus –, também não procede, porque esse título nunca foi aplicado a Horus. Além disso, KRST em egípcio significaria "sepultamento" e não "o ungido".

Magos, morte e ressurreição

Outro suposto paralelo seria a presença de três reis magos visitando o menino Jesus, logo após seu nascimento. Ainda que tal detalhe estivesse realmente presente nos mitos – o que não é verdade –, deve-se levar em consideração que essa é uma imagem tirada dos presépios e não da narrativa evangélica. Não há no texto de Mateus (o único a mencionar os magos) qualquer indicativo de que eram reis, nem quanto ao seu número. Ademais o texto não indica que chegaram ao local imediatamente após o nascimento de Jesus. Conforme a ordem de Herodes para matar as crianças de dois anos para baixo, limite que ele coloca com base na informação dos magos, é possível que Jesus não fosse mais um bebê recém-nascido.

Finalmente sobre a ressurreição, pode-se dizer que, à semelhança dos demais casos, novamente se tem aqui uma comparação artificial. Osiris, por exemplo, foi morto e esquartejado por seu irmão Seth, mas nada ali insinua uma ressurreição. O que se tem no mito egípcio é a imagem de Ísis tomando o corpo esquartejado do marido e o costurando para que ele pudesse viver mumificado "no mundo dos mortos". Ele não ressuscita para o mundo dos vivos. Ademais, nem mesmo a palavra "ressurreição" faz parte do vocabulário da trama.

Igualmente Atis, outro deus supostamente ressuscitado, nunca foi crucificado nem ressuscitou ao terceiro dia. O mito romano original fala de um jovem infeliz no amor que, depois de castrar a si mesmo, ficou louco e fugiu para viver nas florestas. Nesta versão, Atis era filho da grande deusa-mãe Cibele e alguns supõem que mais tarde o mito evoluiu, falando algo acerca de uma possível ressurreição do filho de Cibele, que era celebrada no festival das Hilárias, comemorado todo 25 de março.

A respeito desse dado, a primeira questão diz respeito à divergência entre os especialistas sobre se o festival realmente celebraria ou não a ressurreição do deus.

Ademais, esse mito só foi criado depois do ano 150 d.C., ou seja, mais de cem anos após a origem do cristianismo. Logo, se houve mesmo tal celebração e uma conseguinte influência de um relato sobre o outro, certamente o relato cristão, que é mais antigo, serviria de inspiração para o segundo e não o contrário.

Todas as comparações, portanto, demonstram-se forçadas e destituídas de evidências originais. Mas ainda que um ou outro ponto pudesse ter alguma semelhança, isso não significaria necessariamente um plágio. Júlio Verne, por exemplo, escreveu um romance no século XIX sobre a ida do homem à lua e nem por isso se pode dizer que o programa espacial americano (surgido posteriormente) seria inspirado em Júlio Verne.

Evangelhos apócrifos

Mateus, Marcos, Lucas e João são os únicos evangelhos canônicos, isto é, oficialmente reconhecidos pelas igrejas cristãs como inspirados por Deus. Há, contudo, outros "evangelhos não autorizados" que têm despertado o interesse de muitos estudiosos atualmente. Estes evangelhos são chamados de "apócrifos".

A palavra *apócrifo* vem do grego e significa "oculto", "secreto", algo "difícil de entender". Posteriormente, tomou o sentido de "exotérico", algo que só os iniciados numa seita compreendem. Na época de Jerônimo (*ca* 347-420 d.C.), o termo passou a ser aplicado aos livros não canônicos do Antigo Testamento e, por extensão, também do Novo. Os teólogos medievais, portanto, chamavam de *apócrifo* aquele material "não autêntico", que pretendia ser "bíblico".

Contudo, uma visão eminentemente pejorativa pode levar ao erro. Muitos desses livros já foram considerados úteis pela igreja, mesmo não sendo divinamente inspirados. Eles podem conter elementos de uma tradição paralela à dos evangelhos canônicos que lança grande luz sobre a história do cristianismo. Além disso, não é impossível encontrar ali fatos que possam ser historicamente verídicos, mesmo que não estejam nos livros canonizados.

Existem dezenas de "evangelhos" conhecidos. Alguns são apenas mencionados na literatura dos chamados Pais da Igreja – antigos autores cristãos. Destes não há nenhuma amostra de seu conteúdo. Outros existem apenas em fragmentos ou reproduzidos parcialmente, conforme a citação em outras fontes. Alguns, porém, sobreviveram em cópias completas ou quase completas. Os mais importantes superam a casa dos vinte.

Em suma, o que se pode dizer é que os evangelhos apócrifos pretendiam preencher a vida de Jesus com narrativas fantásticas e irreais acrescentando fatos extraordinários à sequência já presente nos evangelhos canônicos.

Divisão dos apócrifos:

De modo geral, esta coleção de textos pode ser dividida da seguinte maneira – mencionando, é claro, apenas os textos mais importantes:

Evangelhos da infância – textos focados em preencher a principal lacuna dos evangelhos canônicos: a infância de Jesus! Muitos deles foram escritos já pelo século II, oferecendo verdadeiras trivialidades da infância de Jesus, porém, recheadas de eventos miraculosos. Pela quantidade de manuscritos encontrados, deduz-se que foram bastante populares naquele tempo.

• Protoevangelho de Tiago (também chamado Evangelho da Infância de Tiago);

• Pseudoevangelho de Mateus (também chamado Evangelho da Infância de Mateus);

• Evangelho siríaco da infância;

• História de José, o carpinteiro;

• A vida de João Batista.

Evangelhos judaico-cristãos – evangelhos contendo características mais judaico-cristãs e que foram citados por autores antigos como Clemente de Alexandria, Orígenes, Eusébio e Jerônimo. Alguns especialistas acreditam que havia uma ou mais versões desse tipo de evangelho escritas em aramaico, hebraico e grego.

Nenhum desses evangelhos sobreviveu até os dias de hoje, mas uma tentativa de reconstrução é feita a partir das citações encontradas nos Pais da Igreja. Três deles, pelo menos, são mais citados e comentados pelos teólogos em geral:

• Evangelho dos Ebionitas;

• Evangelho dos Hebreus;

• Evangelho dos Nazarenos.

Manuscrito do antigo evangelho apócrifo de Tomé, encontrado no Egito em 1945.

Evangelhos da paixão – evangelhos que focam mais na chamada paixão de Cristo, isto é, prisão, julgamento, morte e ressurreição).

• Evangelho de Pedro;

• Evangelho de Nicodemos (ou Atos de Pilatos);

• Pseudo-Cirilo de Jerusalém, sobre a vida e paixão de Cristo;

• Evangelho de Bartolomeu ou Perguntas de Bartolomeu sobre a ressurreição.

Evangelhos gnósticos – atualmente, muitos textos descobertos, especialmente no Egito, têm exposto uma forma esotérica de cristianismo chamada de gnosticismo. Os seguidores dessa antiga linha também produziram "evangelhos" focados especialmente em ensinamentos secretos supostamente deixados por Cristo e que só os iniciados da seita poderiam compreender cabalmente. A maior parte dos evangelhos não canônicos existentes vem do segmento gnóstico.

• Evangelho de Tomé;

• Evangelho de Judas;

• Evangelho de Filipe;

• Diálogos do Salvador Ressuscitado;

• Evangelho grego dos egípcios;

• Evangelho copta dos egípcios;

• Evangelho de Maria;

• Evangelho secreto de João.

Apócrifos: proibidos ou proveitosos?

Desde cedo a Igreja cristã rejeitou esses evangelhos, devido ao fato de não preencherem os critérios básicos de canonicidade. Eles não foram escritos pelos apóstolos, nem por ninguém ligado diretamente a eles. Contudo, atribuíam falsamente seu conteúdo à autoria de figuras-chave como Felipe, Pedro, Bartolomeu e outros. Mas são produções tardias, posteriores ao período apostólico.

Muitos acadêmicos tentaram acusar os evangelhos canônicos do mesmo procedimento, afirmando que sua autoria também não pertence a Mateus, Marcos, Lucas nem João, mas a uma comunidade que utilizou-se do nome de ilustres pioneiros do evangelho. Isso, porém, não procede. Extensos trabalhos já foram publicados, mostrando a nítida distinção entre os evangelhos canônicos e os apócrifos.

Exames criteriosos de linguística, estatística dos termos, argumentação e estrutura confirmam que a produção dos evangelhos canônicos está ambientada no século I. Suas fontes são testemunhos de primeira mão de pessoas que conviveram com o Cristo. O mesmo exercício não logrou êxito com os evangelhos apócrifos, que são historicamente estranhos ao contexto dos dias de Jesus.

Os exemplos e recomendações morais encontrados nos apócrifos são pouco ou nada recomendáveis. Além do mais, suas narrativas acerca do Cristo revelam um caráter supersticioso, especulativo, em nada associado à descrição encontrada em Mateus, Marcos, Lucas e João.

Basta citar dois exemplos, extraídos do Evangelho de Pedro:

XLVII. UMA MORTE REPENTINA

Certa noite, o Senhor Jesus voltava para casa com José, quando uma criança passou correndo na sua frente e deu-lhe um golpe tão violento que o Senhor Jesus quase caiu. Ele disse a essa criança: — Assim como tu me empurraste, cai e não levantes mais. No mesmo instante, a criança caiu no chão e morreu.

XLIX. O PROFESSOR CASTIGADO

Conduziram-no, em seguida, a um professor mais sábio e assim que o viu ordenou: "Dize Aleph!"

Quando o Senhor Jesus disse "Aleph", o professor pediu-lhe que pronunciasse Beth. O Senhor Jesus respondeu-lhe: "Dize-me o que significa a letra Aleph e então eu pronunciarei Beth". O mestre, irritado, levantou a mão para bater nele, mas sua mão secou instantaneamente e ele morreu. Então José disse a Maria: "Daqui por diante, não devemos mais deixar o menino sair de casa, pois qualquer um que se oponha a ele é fulminado pela morte".

Admite-se que no período pós-apostólico alguns desses evangelhos chegaram a ser recebidos por um tempo como leitura proveitosa. O Evangelho de Pedro, por exemplo, foi recomendado ou pelo menos permitido por Serapião, bispo de Antioquia em 191 d.C. Mas ele mesmo, pouco tempo depois, retirou qualquer incentivo à leitura do livro. Ademais, mesmo em períodos de recomendação, nenhum desses livros foi considerado apostólico ou genuíno. Não se admira, pois, que nenhum deles jamais apareça como canônico em nenhuma lista primitiva ao lado de Mateus, Marcos, Lucas ou João.

Eles são, de fato, desde as origens do cristianismo, textos questionadores, cuja função era protestar contra a visão oficial de Jesus ou amoldar a imagem do Cristo a uma aceitação maior do mundo grego. Por isso preencheram as "lacunas" de sua vida com episódios fantásticos, a fim de aproximar a imagem do Cristo àquela dos semideuses ou heróis da literatura grega – uma visão mais herculana ou messiânica do Filho de Deus.

A despeito, porém, das histórias aberrantes que os apócrifos apresentam, há de se admitir que eles podem conter traços leves de historicidade, por exemplo, em algumas falas de Jesus. Afinal muitos desses textos são releituras feitas pelas comunidades de então. A pretensão de seus autores era "moldar" o Cristo existente e não criar um inteiramente novo. Logo, algo do original sempre permanece nas cópias feitas dele. Ademais, a "história" sobre Jesus encontrada nos evangelhos canônicos não é toda a história. Há muita coisa que não foi registrada. O próprio apóstolo João admite isso (Jo. 21:25).

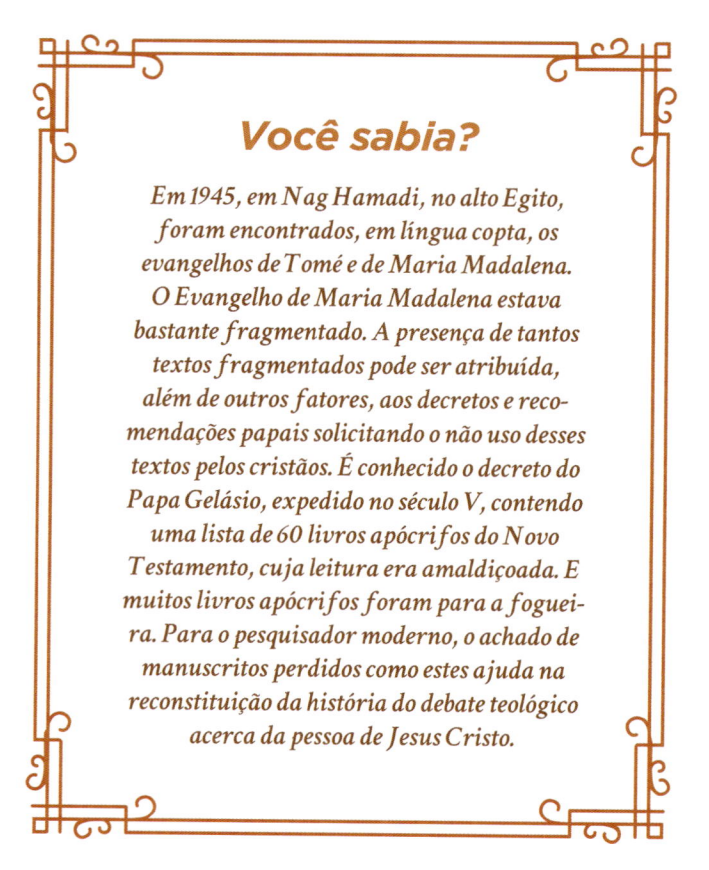

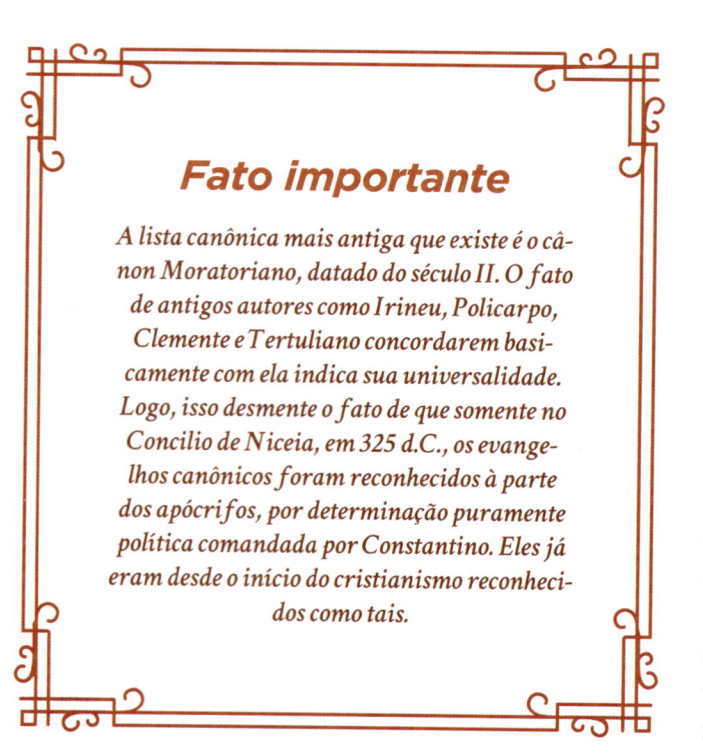

Você sabia?

Em 1945, em Nag Hamadi, no alto Egito, foram encontrados, em língua copta, os evangelhos de Tomé e de Maria Madalena. O Evangelho de Maria Madalena estava bastante fragmentado. A presença de tantos textos fragmentados pode ser atribuída, além de outros fatores, aos decretos e recomendações papais solicitando o não uso desses textos pelos cristãos. É conhecido o decreto do Papa Gelásio, expedido no século V, contendo uma lista de 60 livros apócrifos do Novo Testamento, cuja leitura era amaldiçoada. E muitos livros apócrifos foram para a fogueira. Para o pesquisador moderno, o achado de manuscritos perdidos como estes ajuda na reconstituição da história do debate teológico acerca da pessoa de Jesus Cristo.

Fato importante

A lista canônica mais antiga que existe é o cânon Moratoriano, datado do século II. O fato de antigos autores como Irineu, Policarpo, Clemente e Tertuliano concordarem basicamente com ela indica sua universalidade. Logo, isso desmente o fato de que somente no Concílio de Nicéia, em 325 d.C., os evangelhos canônicos foram reconhecidos à parte dos apócrifos, por determinação puramente política comandada por Constantino. Eles já eram desde o início do cristianismo reconhecidos como tais.

Preparação para o Messias

A Bíblia está repleta de profecias que anunciam a vinda de um poderoso homem, que sairia do meio de Israel e dominaria o mundo inteiro. Só no Antigo Testamento são mais de trezentas passagens que aludem à chegada desse misterioso rei. Entre os judeus, ele é reconhecido pelo título de Messias, que quer dizer "o ungido".

Evidências históricas, no entanto, ainda que fragmentadas, dão a entender que mesmo povos fora do círculo judaico tinham a noção da vida de um salvador, que seria o filho de Deus entre os homens.

Expectativa ou apatia?

Uma das mais recentes problemáticas em relação ao Judaísmo do final do primeiro século a.C. é a definição quanto à sua expectativa ou descaso no que se refere à vinda de um Messias. Havia realmente uma promessa messiânica? Como ela era interpretada? O povo esperava o Salvador?

Sobre o termo "Messias" (*māšiah* em hebraico; *Christós*, em grego), chama-nos a atenção a relativa raridade com que o mesmo aparece no texto do Antigo Testamento (apenas 39 vezes)[56]. Ademais, é notório o seu uso mais amplo para abarcar outras personagens e funções além do esperado Messias. Vanderkam lista algumas delas: 1) referências aos reis de Israel (I Sam. 12:3, 5; 16:6; 24:7, 11); 2) ao sumo sacerdote (Lev. 4:3, 5 16; 6:15; Sal. 84:10); 3) de maneira especial a Ciro, rei da Pérsia, por cumprir o desígnio do Senhor (Isa. 45:1); 4) aos patriarcas (Salmo 105:15; I Cro. 16:22)[57]. O autor cita ainda um quinto uso da palavra que, a nosso ver, deveria ser identificado com o prometido Messias. Trata-se de textos como o Salmo 2:2, que anuncia a vinda de um futuro rei, distinto de Davi ou Saul e identificado divinamente com o "Filho de Deus" (cf. ainda II Sam. 22:51; Sal. 18:51; 89:39, 52; 132:10 e 17). Outro texto significativo seria Daniel 9: 25 e 26, que alude ao futuro príncipe ungido, cuja manifestação é agendada na profecia das 70 semanas.

Provavelmente essa "não exclusividade" do termo (que aparentemente deveria ser aplicado apenas ao Salvador) se deva a três situações: primeiro o próprio significado de "ungido", que obrigatoriamente qualificaria todos os que, por sua função, recebessem sobre a cabeça a unção com óleo (reis, sacerdotes, um convidado especial [cf. Salmo 23:5; 45:7 e 8; 92:10; Lucas 7:37-38]). Segundo que possivelmente a palavra ungido teria originalmente, apenas o sentido ritualístico normal, e, por semântica profética ou ritualismo tipológico, passou a designar o Salvador prometido. Afinal, não é anormal vermos na cultura bíblica alguns qualitativos humanos usados para Deus (*comandante, pastor, rei, Senhor*). Por fim, em terceiro lugar, não seria um erro interpretar certas personagens e suas funções ou experiências como sendo "tipos" do Messias que haveria de vir: Davi é um exemplo clássico (Cf. Salmo 22).

Alguns autores, no entanto, procuram negar que a esperança messiânica fizesse mesmo parte da formação cultural do povo judeu na antiguidade. S. Mowinckel, [58] e H. Ringgren[59] insistem que o messianismo é um fenômeno que só se desenvolveu no período posterior ao cativeiro babilônico.

Outros, no passado, chegaram até mesmo a negar que a esperança messiânica tenha feito parte das convicções religiosas dos antigos escribas e da população judaica em geral, mesmo nos dias de Jesus. Eles nunca estiveram, em síntese, aguardando um Messias pessoal. Em 1886 David Baron, um conhecido acadêmico da linha judeico-messiânica, escreveu:

"Em tempos recentes muitos inteligentes judeus, influenciados por racionalistas assim chamados cristãos, ... negam que haja algo como uma fé messiânica nas Escrituras do Antigo Testamento e declaram que as profecias sobre as quais os cristãos sustentam sua crença contêm apenas 'vagas antecipações e esperanças gerais, mas nenhuma predição específica sobre um Messias pessoal'. Deste modo, a alegada concordância entre a história dos Evangelhos e as profecias é puramente fictícia."[60]

James H. Charlesworth, um dos maiores especialistas em pseudoepigrafia judaica e cristã, também nega a existência de uma esperança judaica nos dias de Jesus de Nazaré. Ao pesquisar a literatura apócrifa da época, ele entendeu que apenas quatro passagens aludiam diretamente ao Messias. Dessas, apenas uma datava de antes de Cristo. Portanto, sua conclusão foi a de que o messianismo não seria assim tão importante no judaísmo antigo como pensava a teologia tradicional[6].

A conclusão de Charlesworth seguiu um caminho parecido com o de M. de Jonge, que publicou, em 1966, um estudo sobre o uso da palavra "ungido" nos dias de Jesus. Ele também negou a existência de uma esperança messiânica fixa entre os judeus do século I a.C. Partindo do uso de *māšīah* como título, ele entendeu que havia "uma relativa falta de importância do termo no contexto das expectativas judaicas concernentes ao futuro, pelo menos nas fontes judaicas desse período, que estão ao nosso alcance"[62]. A lógica de ambas as assertivas de Jonge e Charlesworth baseia-se na raridade de ocorrências do termo ou da doutrina messiânica na literatura judaica pré-cristã.

Ora, a raridade de um termo técnico não deve ser razão suficiente para se negar a existência de um conceito. Aliás, termos técnicos tendem a se firmar ao longo da história de um pensamento quando determinado conceito se solidificou o bastante para tornar-se uma doutrina sistematizada. Ademais, não se deve esquecer que muito material literário do período do Antigo Testamento certamente se perdeu, de modo que não é estranho que encontremos apenas acenos textuais de uma doutrina que certamente seria mais difundida na oralidade popular.

Se procurarmos um traçado vétero-testamentário do messianismo que não se prenda apenas ao termo *māšīah,* como fizeram Charlesworth e Jonge, certamente encontraremos uma clara promessa da vinda de um "filho de Davi", em especial, que redimiria e restauraria espiritualmente Israel.

Não se pode negar, porém, que a diversidade de interpretações messiânicas, bem como a pluralidade dos Messias esperados, pode ser fruto da própria falta de discernimento espiritual dos líderes da ocasião. Por isso o povo ficava profeticamente sem rumo, migrando como um pêndulo entre a esperança e, ao mesmo tempo, a falta de qualquer perspectiva messiânica.

Tal reconstrução contextual se encaixa bem com o quadro descrito nos evangelhos que, por um lado, mostra que havia sinceros do povo, como Simeão, que "aguardava a consolação de Israel" (Luc. 2:25) e Ana que testemunhou de Jesus a "todos os que esperavam, a redenção de Jerusalém" (Luc. 2:38). Por outro, não esconde o desapontamento quanto à falta de receptividade no momento em que nasce o verdadeiro Messias. Estrangeiros vieram de longe para prestar-lhe homenagens e, decepcionados, encontraram um rei com seus escribas sentado em Jerusalém completamente desapercebido do que estaria profeticamente ocorrendo na Judeia.

Fato importante

Existem dois episódios nos evangelhos que ilustram a realidade de um pluralismo messiânico em Israel. O primeiro é a pergunta de João Batista quando encarcerado e o segundo, a pergunta de Jesus quando chamou os discípulos à parte. Na primeira situação, o Batista manda inquirir do Mestre: "És tu aquele que já de vir, ou devemos esperar outro?" (Luc. 7:19). Tal indagação demonstra uma predisposição de se aceitar desde "candidatos" até pluralidades messiânicas, em que um Messias complementa o trabalho do outro. Na segunda situação é o próprio Jesus quem indaga aos seus discípulos: "Quem dizem as multidões que sou eu?" (Luc. 9:18, cf. Mar. 8:27) ou na versão de Mateus: "Quem diz o povo ser o Filho do Homem?" (Mt. 16:13). As diferentes respostas (João Batista, Elias, um profeta ressuscitado) denunciam as diferentes expectativas messiânicas da ocasião.

Promessas messiânicas

O título "Messias" era uma referência clara à realeza da criança prometida nas profecias. Ao contrário dos países ocidentais que costumam "coroar" os monarcas, o povo judeu tinha por princípio ungir com óleo santo a cabeça daquele que iria ser rei.

A expectativa messiânica é fundamental para o judaísmo. Durante a Idade Média, o rabino Moisés Maimonides preparou um tratado da crença israelita, que assim prescreve em sua 12ª regra de fé: "Deus enviará o Messias anunciado pelos profetas."

Mas como seria esse "Messias"? O que há de tão especial em torno de sua pessoa? Para fazer uma avaliação histórica da esperança messiânica, é preciso voltar ao episódio descrito em Gênesis 3: o pecado e a consequente queda do gênero humano. Ali o texto traz uma sentença contra a serpente – símbolo do mal – e uma promessa a Eva, a mãe da humanidade:

"Porei inimizade entre você [serpente] e a mulher, entre a sua descendência e o descendente dela; este lhe ferirá a cabeça, e você lhe ferirá o calcanhar" (Gen. 3:15).

Uma das provas de que os judeus antigos interpretavam esse texto como uma promessa messiânica pode ser vista na forma como eles parafrasearam esse texto para o aramaico no ano 50 a.C.:

"Mas eles [os seres humanos] serão curados nos passos [calcanhares] dos dias do Rei Messias" (Targum Jonathan).

Muitos eruditos judeus da Antiguidade também entendiam que Eva esperava o Messias já em seu tempo. Tanto que acreditou ser seu primeiro filho, Caim, o prometido Salvador.

A mesma paráfrase do Targum de Jonathan prossegue sua versão de Gênesis 4:1 e 25 dizendo: "E Adão coabitou com sua esposa ... e ela concebeu e trouxe à luz Caim, e ela disse: "Eu tenho obtido o homem, o Anjo do Senhor".

Moisés reforçou essa promessa ao povo hebreu ao declarar: "O Senhor teu Deus te suscitará um profeta do meio de ti, de teus irmãos, semelhante a mim, a ele ouvirás." (Deut. 18:15).

No período monárquico, mais propriamente no final do reinado de Davi, Deus lhe faz um reforço dessa promessa messiânica.

"E há de ser que, quando forem cumpridos os teus dias, para ires a teus pais, suscitarei a tua descendência depois de ti, um dos teus filhos, e estabelecerei o seu reino.

Este me edificará casa; e eu confirmarei o seu trono para sempre.

Eu lhe serei por pai, e ele me será por filho; e a minha benignidade não retirarei dele, como a tirei daquele, que foi antes de ti.

Mas o confirmarei na minha casa e no meu reino para sempre, e o seu trono será firme para sempre." (1 Cron. 17:11-14).

À primeira vista, o texto parece tratar de Salomão, o herdeiro de Davi, que construiu o Templo. Contudo, muitos comentaristas veem aqui uma profecia de duplo cumprimento. Salomão, de fato, construiu o Templo, mas veio a falecer depois de algum tempo. A promessa, contudo, fala de um "filho de Davi" que haveria de vir e cujo reino não teria fim. Deus em pessoa, seria seu Pai e ele seria seu filho. Desse modo, o Filho de Davi seria também o Filho de Deus!

Os autores dos evangelhos foram cuidadosos em apresentar Jesus como descendente de Davi, tanto por parte de José quanto por parte de Maria. Muitas profecias apontavam para aquele que viria da raiz de Davi e Jessé, o pai de Davi. Isto é, aquele que seria seu descendente (Jer. 23:5 e Isa. 11:1). Usando a imagem de uma árvore como sendo a genealogia de Davi, o Messias deveria ser um broto dessa árvore.

Outras profecias messiânicas

PASSAGEM PROFÉTICA	TEOR DA PROFECIA	Cumprimento
Gên. 3:15	Seria o descendente da mulher.	Luc. 2:7; Gál. 4:4; Apoc. 12:5
Gên. 12:3, 18:18	Seria o descendente de Abraão.	Mat. 1:1; Luc. 3:34; Atos 3:25
Gên. 17:19	Seria o descendente de Isaque.	Mat. 1:2; Luc. 3:34
Gên. 28:14; Núm. 25:17	Seria o descendente de Jacó.	Mat. 1:2 e 3; Luc. 3:33
Gên. 49:10	Seria da tribo de Judá.	Mat. 1:2, 3; Luc. 3:33
Miq. 5:2	Nasceria em Belém.	Mat. 2:1; Luc. 2:4-7
Isa. 7:4	Nasceria de uma virgem.	Mat. 1:18; Luc. 1:26-35
Jer. 31:15	Haveria um massacre de crianças.	Mat. 2:16-18
Ose. 11:1	Passaria pelo Egito.	Mat. 2:14 e 15
Isa. 9:1 e 2	Teria um ministério na Galileia.	Mat. 4:12-16
Deut. 18:15	Seria um profeta de Deus.	Jo. 6:14
Sal. 2:2; Isa. 53:1	Seria rejeitado pelos judeus.	Luc. 4:29; 23:18; Jo. 1:11
Sal. 41:9	Seria traído por um amigo.	Mat. 26:14-16
Zac. 11:12 e 13	Seria vendido por trinta moedas.	Mat. 26:15
Zac. 11:13	Tal dinheiro seria devolvido.	Mat. 27:3-10
Sal. 27:12; 35:11	Falsas testemunhas O acusariam.	Mat. 26:60 e 61
Sal. 38:13 e 14; Isa. 53:7	Calar-se-ia ao ser acusado.	Mat. 26:62 e 63; 27:12-14
Isa. 50:6	Seria ferido e cuspido.	Mar. 14:65, 15:17; Jo. 18:22
Sal. 69:4; 109:3-5	Seria odiado sem causa.	Jo. 15:23-25
Isa. 53: 4-12	Sofreria em lugar do pecador.	Mat. 8:16 e 17; Rom. 4:25
Isa. 53:12	Seria morto com criminosos	Mat. 27:38; Mar. 15:27 e 28
Sal. 22:16; Zac. 12:10	Teria as mãos e os pés traspassados.	Jo. 19:37; 20:25-27
Sal. 22:6-8	Seria zombado e insultado.	Mat. 27:39-44
Sal. 69:21	Dar-lhe-iam fel e vinagre.	Mat. 27:34, 48; Jo. 19:29
Sal. 22:8	Usariam a profecia para zombar dEle.	Mat. 27:43
Zac. 12:10	Teria o lado traspassado.	Jo. 19:34
Sal. 22:18	Lançariam sorte sobre Sua roupa.	Mar. 15:24; Jo. 19:24
Êxo. 12:46; Sal. 34:20	Não teria nenhum osso quebrado.	Jo. 19:23
Isa. 53:9	Seria sepultado no lugar dos ricos.	Mat. 27:57-60
Sal. 16:10	Ressuscitaria dentre os mortos.	Mat. 28:9

Os tempos messiânicos

Embora alguns autores modernos tendam a negar que a expectativa messiânica sempre fez parte da esperança de Israel, há elementos claros nas Escrituras e na tradição judaica para afirmar que a espera por um Salvador não era algo inédito em Israel, mas fazia parte da essência deste povo.

Contudo, algo curioso ocorreu um pouco antes do primeiro século da chamada Era Comum, exatamente no tempo em que nasceu Jesus. Quem fez essa descoberta foi o rabino Abba Hillel Silver, figura chave na criação do Estado de Israel, que escreveu uma tese doutoral sobre o assunto e a publicou em 1927.

De acordo com seus estudos, ele percebeu que a expectativa messiânica ficara de certa forma adormecida na trajetória do povo judeu. Mesmo em épocas de grandes expectativas, como a conquista da Pérsia por Alexandre, o Grande, o reinado dos Ptolomeus e Selêucidas, a perseguição iniciada por Antíoco ou a guerra dos Macabeus, o interesse pelo Messias não era algo tão destacado na cultura do povo.

Talvez por isso, alguns autores concluíram que a expectativa messiânica não fazia parte da mais antiga herança cultural desse povo. Porém, exatamente no tempo em que Jesus de Nazaré apresentou-se como o verdadeiro Messias de Israel, houve em Judá uma tremenda explosão de esperanças messiânicas. O povo daquele tempo parecia saber que aquela e não outra era a época do cumprimento da profecia.

Uma confirmação adicional desse fato é o impressionante aparecimento de pretensos messias, que começaram a surgir em todos os cantos do país, arregimentando simpatizantes e doutrinando discípulos. Flávio Josefo descreve essa efervescência de candidatos a messias, levados pela convicção de que o tempo da profecia havia chegado.

Falando das guerras que culminaram na destruição do Templo, ele diz:

"Mas o que mais incitou os judeus à guerra foi uma ambígua profecia também encontrada nas Sagradas Escrituras, segundo a qual, naquele tempo 'um' proveniente de seu país tornar-se-ia o dominador do mundo." [63]

Fato importante

A oliveira é uma árvore muito importante na cultura do antigo Oriente Médio. De seu fruto extraiam-se o combustível para as lamparinas, a liga das massas de pão, o unguento para perfume ou remédio, o sabão e, principalmente, o azeite de oliva que era o elemento básico da unção. Reis e sacerdotes deveriam ser especialmente ungidos e esta unção – ou um pouco de azeite sobre a cabeça – representava o Espírito Santo de Deus.

Assim houve vários "ungidos" na história de Israel. Eles, contudo, esperavam um Ungido maior que receberia o Espírito de Deus de um modo pleno como jamais ninguém recebeu (Isa. 11:1 e 2). Todos os outros "ungidos" eram apenas uma figura simbólica deste Messias porvir.

Você sabia?

"A palavra ungido" em hebraico é *Mashiach*, ou seja, "aquele que recebeu óleo sobre sua cabeça". Acontece que o mundo de fala grega chamava essa unção de *Chrisma* e aquele que a recebia de *Christós*.

Assim, como o grego se espalhou pelo mundo inteiro, o prometido messias dos judeus ficou conhecido pelo titulo de *Christós*. Em português, usa-se tanto os vocábulos Cristo quanto Messias para se referir a esse personagem, e ambos são apenas o aportuguesamento dos termos grego e hebraico, respectivamente, ambos com o mesmo sentido de "ungido".

Fatos messiânicos

Um estudo da literatura judaica mais antiga permite encontrar algumas pistas que justifiquem por que muitos judeus do primeiro século esperavam o Messias para o seu tempo. Muita coisa se perdeu, mas os manuscritos sobreviventes revelam três coisas:

• O Messias deveria vir num tempo apontado pela profecia;

• O Segundo Templo de Jerusalém estaria em pleno funcionamento quando ele viesse;

• Ele seria reconhecido como "Filho de Deus" e uma estrela marcaria seu nascimento.

Fato # 1

Sobre o tempo apontado de seu aparecimento, o profeta Daniel, que viveu nos dias do exílio babilônico escreveu uma visão, segundo a qual o Messias viria 483 anos depois que houvesse a ordem para restaurar e edificar Jerusalém, bem como o Templo, que em seu tempo estavam destruídos (Dan. 9:25).

Ora, a saída da ordem dada pelos persas ocorreu no ano 457 a.C. Somados, pois, 483 anos chega-se ao ano 27 da era cristã, quando Jesus, de fato, iniciou seu ministério a partir de seu batismo no rio Jordão. Isaac Newton, o descobridor da Lei da Gravidade, também estudou as profecias de Daniel, concluindo que o Messias deveria surgir coincidentemente na época em que Jesus esteve neste mundo.

Ademais, como aquele ano marcaria o início do ministério de um Messias que também seria sacerdote de Deus, havia uma possibilidade de se concluir aproximadamente quando ele nasceria. De acordo com Números 4:3, 47, 30 anos era a idade mínima para um homem iniciar-se no ofício de sacerdote. Logo, em 27 d.C. o Messias deveria ter em torno de 30 anos. Essa era, de fato, a idade aproximada de Jesus, conforme o testemunho de Lucas 3:23.

Estudos feitos nos famosos Manuscritos do Mar Morto também mostram que os habitantes da comunidade de Qumran contavam os tempos proféticos de Daniel e dos jubileus judaicos, concluindo que o "Mestre de Justiça" – sua provável figura do Messias – chegaria ao mundo por volta do ano 3920 Anno Mundi, que equivaleria aos anos 3/2 a.C época próxima ao nascimento de Jesus de Nazaré.

Graças ainda à coleção de manuscritos do Mar Morto descoberta em 1947, é possível dizer que para um considerável número de judeus que viveram no século I d.C., aquele tempo marcava a chegada de uma era de salvação previamente determinada pela providência divina. Nas palavras do Pesher (ou interpretação) de Habacuque escrito no século I a.C.: "(...) todo o tempo de Deus virá na cronologia fixada, como ele mesmo determinou nos mistérios de sua providência" (IQpHab vii, 13-14a).

Fato # 2

Quando Daniel escreveu sua profecia, o Primeiro Templo erguido por Salomão estava destruído pelos babilônios. Ele então anunciou a reconstrução de um Segundo Templo e a conseguinte vinda do Messias. Mas depois disso, esse Segundo Templo também seria destruído (Dan. 9:26). Ora, é sabido pela história que os romanos queimaram o Templo judeu, justamente aquele previsto por Daniel. Considerando, pois, que o Messias deveria vir antes disso, é possível deduzir que, pela profecia hebraica, o Salvador deveria surgir antes do final de agosto do ano 70 d.C., data que marca a destruição de Jerusalém e seu santuário.

Até mesmo o Talmude, o mais importante tratado rabínico de história e interpretação do judaísmo, admite que o povo da época acreditava que o Messias havia chegado. Sua presença, contudo, fora ocultada dos judeus por não estarem dignos de recebê-lo. Esse era o pensamento da época.

Outras passagens adicionais também suportam a conclusão de que o Messias viria numa época em que esse Segundo Templo estivesse funcionando.

O Salmo 118, por exemplo, fora escrito provavelmente em 444 a.C. para marcar as reconstruções do Segundo Templo e das muralhas de Jerusalém. O próprios rabinos diziam ser esta a música que os judeus cantariam quando o Messias houvesse chegado para visitar o Templo: "Rogamos a ti, ó SENHOR, salva-nos e faze-nos prosperar. Bendito seja o que vem em Nome do SENHOR. *Da Casa do Senhor, nós te bendizemos!*" (Sal. 118:24 e 25). A conclusão é mais

Enciclopédia Histórica da Vida de Jesus

que notória, se judeus dariam as boas-vindas ao Messias de dentro do Segundo Templo, este deveria vir num tempo em que esse santuário estivesse em pleno funcionamento.

O profeta Ageu, que estava pessoalmente em Jerusalém enquanto o Segundo Templo era erguido, fez uma previsão messiânica ao dizer que "a glória deste último Templo será maior que a primeira" (Ag. 2:9). E Malaquias confirma: "e de repente virá ao seu Templo o Senhor, a quem vós buscais; e o mensageiro da aliança, a quem vós desejais, eis que ele vem, diz o SENHOR dos Exércitos." (Mal. 3:1). O rabino Davi Kimchi, que viveu no século XII, afirmou que, na compreensão judaica de seu tempo, o Senhor, o mensageiro da aliança, e o Messias!

Assim, de acordo com essas revelações escriturísticas, o Segundo Templo judeu não apenas estaria em pleno funcionamento quando o Messias viesse, mas seria destruído pouco tempo depois de sua passagem pelo mundo. Assim, aquele templo inicialmente reconstruído por Esdras e Zorobabel, e depois ampliado por Herodes, foi o mesmo santuário no qual Jesus esteve ensinando sua doutrina e afirmando que, após sua partida, ali não ficaria pedra sobre pedra que não fosse derribada (Mat. 24:2). Cerca de quarenta anos depois, o Templo foi destruído e nunca mais reerguido. O que existe hoje em seu lugar é uma mesquita e um monumental edifício mulçumano chamado "Domo da Rocha".

Uma das possíveis razões para o importante vínculo entre o Messias e o Templo é que, segundo a opinião de vários especialistas, ali estariam guardados os documentos genealógicos mais importantes de Judá. Dentre eles, estariam aqueles que comprovariam a ascendência de qualquer indivíduo que se declarasse o Messias, filho de Davi. Caso esse acervo tenha mesmo existido, talvez foi ali que Mateus e Lucas pesquisaram a genealogia de Jesus e a apresentaram em seus respectivos evangelhos.

Fator # 3

Nenhum título trouxe mais polêmica sobre a figura de Jesus que sua autodefinição como "Filho de Deus". Em tese, a maioria absoluta dos judeus de hoje entendem o Messias como uma "nova era", "um emblema simbólico", um "ser humano" ou até um "mito", mas nunca como o Filho de Deus.

Note que "Filho de Deus", neste contexto, não equivale ao título espiritual de "filhos e filhas de Deus", que pode ser aplicado aos seres humanos em geral. A filiação divina de Jesus implica divindade, pelo que, parece invenção do cristianismo. Muitos autores modernos entendem que o judaísmo de hoje jamais aceitaria um Messias "Filho de Deus".

Mas nem sempre foi assim. Em 1992 um estudo publicado sobre os manuscritos do Mar Morto mostrou que, no século I d.C., determinado segmento do judaísmo entendia que o Messias era, entre outras coisas, o verdadeiro Filho de Deus. Até mesmo alguns membros do Sinédrio pareciam ter essa compreensão.

Quando, durante um interrogatório ilegal, os dirigentes judeus perguntaram a Jesus se ele era o Filho de Deus, ele admitiu que sim. Eles, então, imediatamente o levaram a Pilatos e no momento de protocolar a acusação disseram: "Ele afirma ser o Cristo" (Luc. 22:70-23:3). Isso permite supor que as expressões "Filho de Deus" e "Messias" estavam em paralelo no entendimento deles.

O livro dos Salmos também traz uma declaração provocativa. Ali Deus fala a seu servo, o Messias, e o chama de "meu filho" (Sal. 2:1-7). Muitos hoje entendem que o texto se refere a um ungido qualquer. Contudo, a tradição talmúdica e a tradição midráxica da Idade Média – ambas escritas por eruditos judeus – sempre entenderam que a passagem em questão se referia ao prometido Messias de Israel.

Outro fator preponderante é o anúncio de seu nascimento vinculado ao surgimento de uma estrela especial. Uma antiga profecia já apontava nessa direção: "Eu o vejo, mas não agora; eu o avisto, mas não de perto. Uma estrela surgirá de Jacó; um cetro se levantará de Israel" (Núm. 24:17).

De alguma forma, os judeus do primeiro século esperavam por aqueles dias o aparecimento de tal corpo celeste, anunciador da vinda do prometido Messias. Até mesmo Herodes valeu-se do símbolo de um capacete e uma estrela para fazer em suas moedas a propaganda messiânica.

Moeda de Herodes

Fato importante

Todo estudioso da história das religiões sabe que o chamado staurograma é um dos mais antigos símbolos do cristianismo. Ele combina duas letras gregas num único símbolo: a letra Tau que se assemelha a um T e a letra Rho que se parece com um P. Colocadas em conjunto elas lembrariam o Cristo crucificado. Recentemente, porém, o professor Larry Hurtado[64] escreveu um artigo mostrando que esse símbolo já aparecia em moedas cunhadas por Herodes 60 anos antes da crucifixão de Jesus. A partir desse estudo, alguns autores têm concluído que esse símbolo, originalmente reconhecido como cristão, era na verdade um símbolo judaico de messianismo e que, ao usá-lo, Herodes queria dizer que ele mesmo era o Messias esperado pelo povo.

O Messias romano

Fragmentos de evidência histórica levam à conclusão de que a esperança judaica da vinda de um Messias também atingira pessoas fora de Israel. No mundo greco-romano, muitos que não tinham nenhuma relação com o judaísmo viviam a expectativa de que, naqueles tempos, a humanidade receberia uma criança especial, que salvaria muitos povos.

A razão específica dessa certeza não sobreviveu na história. Mas antigos testemunhos da época dão a entender que havia profecias, hoje desaparecidas, que apontavam para a vinda de um indivíduo que seria o Salvador e o Filho de Deus entre os homens.

Virgílio, por exemplo, um dos mais famosos poetas latinos que viveu no século I a.C. previu num de seus poemas a chegada de uma idade de ouro, que seguiria às dilacerantes guerras da humanidade. Uma época em que a terra ofereceria aos homens colheitas douradas sem a necessidade prévia de plantio. As uvas dariam vinho sem ser preciso podá-las. O rebanho de

A dita profecia do aparecimento de uma estrela especial foi também utilizada durante os tempos de tumulto que culminaram nas guerras judaicas de 66-70 d.C. Igualmente os responsáveis pelos manuscritos do Mar Morto, os rebeldes amotinados em Masada e até os seguidores do líder rebelde Bar Kochba ("Estrela da Manhã") valeram-se dela para legitimar sua resistência a Roma. Isso sem contar os primeiros cristãos.

ovelhas não temeria mais diante do leão. As serpentes seriam mortas e o mel escorreria como orvalho no tronco das árvores⁶⁵.

Tal idade de paz seria anunciada pelo nascimento de uma criança especial, que reinaria como um deus num mundo de fartura. Uma verdadeira criança messiânica. Mas quem seria ela? Quando seria sua chegada?

Otávio Augusto Cristo?

Quando Otávio Augusto, herdeiro de Júlio César, foi proclamado o primeiro imperador de Roma, muitos acreditaram ser ele a criança especial prometida nos antigos oráculos. Tanto que Suetônio testemunhou: "Os preságios que ocorreram antes que ele nascesse, no próprio dia de seu nascimento, e depois, tornaram possível antecipar e perceber sua grandeza futura e fortuna ininterrupta e seu trabalho"

Um calendário encontrado em Priene, atual Turquia, apontava para o seu nascimento como sendo o cumprimento das boas-novas da humanidade. Curioso que a palavra grega ali utilizada para "boas-novas" era *euangelia*, o plural da palavra Evangelho - um jargão técnico para falar daquele que, na compreensão deles, seria o Filho de Deus, prometido pelos oráculos divinos.[66]

Uma inscrição da mesma época foi encontrada no Egito com os seguintes dizeres: "[Augusto] o governador dos oceanos e continentes, o divino pai entre os homens, aquele que sustenta o mesmo nome de seu pai celestial – Libertador, a maravilhosa estrela do mundo grego, brilhando com o brilho de um salvador celestial."[67]

Uma estrela ou cometa também fizeram parte dos prognósticos de sua vinda, bem como da morte e deificação de seu pai adotivo, Júlio César. Isso fora o fato de Augusto ser chamado não apenas de Deus, mas de "filho de Deus" ou "deus filho" em vários monumentos públicos que traziam o seu nome.

Tácito:

"Muitos estavam persuadidos de que constava das antigas profecias dos sacerdotes, que por este tempo o poder do oriente subiria; e da Judeia viriam os dominadores do mundo".[68]

Fato importante

Com a morte de Augusto, os romanos precisavam de novos Messias. Além disso, sua vinda não cumpriu uma importe parte do antigo oráculo: o rei dos reis deveria vir da Judeia! Então, a alternativa encontrada foi aplicar o prognóstico não mais a Augusto, mas a Tito e Vespasiano, após sua conquista de Jerusalém, quando regressaram triunfalmente da Judeia para Roma. Isso também é testemunhado por autores da época.

Anúncio em Nazaré

A história de Jesus começa numa pequena vila chamada Nazaré. Um anjo especial de Deus é enviado a uma jovem em idade de casamento chamada Maria. De acordo com Mateus 1:18, ela estava *desposada*, isto é, comprometida em casamento com um homem chamado José.

Nazaré não era em nada parecida com algo que se possa ser chamado de "cidade". Era um povoado com não mais que 300 ou 400 habitantes. Muitos deveriam ser parentes uns dos outros ou, pelo menos, conhecidos.

As escavações iniciadas ali em 1955, pelo arqueólogo italiano Belamino Bagatti, localizaram 23 sepulturas ao norte, oeste e sul que ajudam a decifrar o contorno e o tamanho ínfimo da vila. Os cemitérios ficavam fora das cidades, logo, ali estaria seu limite. Um declive na parte leste demonstrou que Nazaré teria algo em torno de 700 a 900 metros de extensão.

O considerável número de prensas para azeitonas e uvas, além de depósitos de água, vinho e pão demonstram que a ocupação de José não era o principal ofício do lugar. Além disso, tudo indica que seus populares, no todo ou em sua maioria, eram pobres e talvez incultos, e dedicados à produção de vinho e azeite de oliva.

Suetônio:

"Aumentava em todo o Oriente a antiga e constante opinião que estava escrito no destino do mundo que da Judeia viriam naquele tempo os dominadores do mundo... Esta previsão, como mais tarde se provou, dizia respeito aos dois imperadores romanos, Vespasiano e Tito, mas os rebeldes judeus, que a leram como se referindo a eles próprios". [69]

Fato importante

Confirmando a insignificância do vilarejo onde viveu Jesus, é notório que nem o Antigo Testamento, nem Josefo ou sequer o Talmude, mencionam seu nome em qualquer canto de seus textos. Isso esclarece o comentário de Natanael que disse: "Pode vir alguma coisa boa de Nazaré?" (Jo. 1:46).

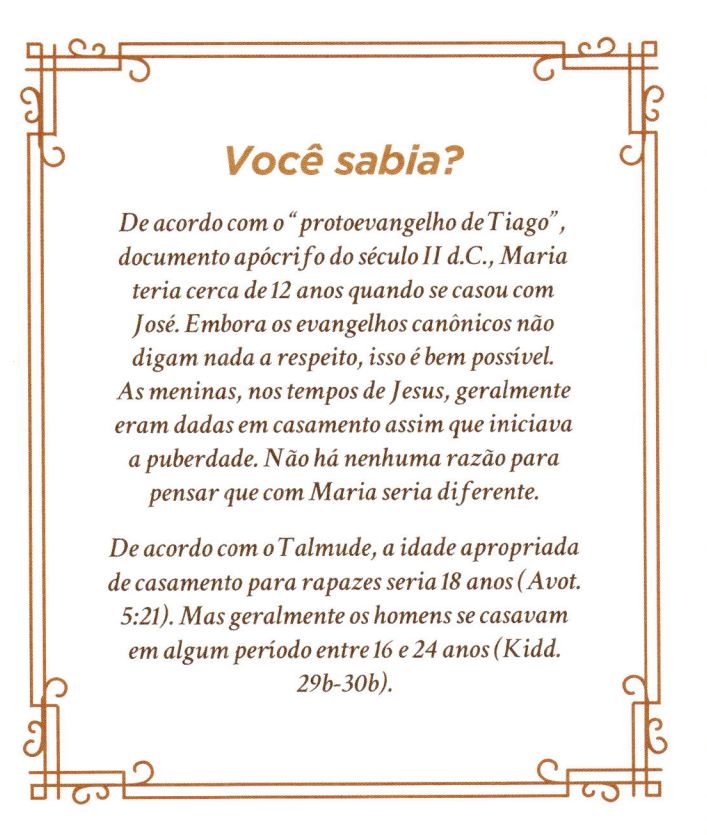

> ### *Você sabia?*
>
> *De acordo com o "protoevangelho de Tiago", documento apócrifo do século II d.C., Maria teria cerca de 12 anos quando se casou com José. Embora os evangelhos canônicos não digam nada a respeito, isso é bem possível. As meninas, nos tempos de Jesus, geralmente eram dadas em casamento assim que iniciava a puberdade. Não há nenhuma razão para pensar que com Maria seria diferente.*
>
> *De acordo com o Talmude, a idade apropriada de casamento para rapazes seria 18 anos (Avot. 5:21). Mas geralmente os homens se casavam em algum período entre 16 e 24 anos (Kidd. 29b-30b).*

Desposada mas solteira?

Muitos leitores se espantam com a declaração de Mateus 1:18 de que Maria era "casada" com José (algumas versões dizem "desposada"), mas que eles ainda não haviam tido relações sexuais, nem moravam juntos. Lucas 1:26-38 conta essa história de maneira mais detalhada. Como compreender isso?

Uma análise dos costumes da época esclarece a questão. O casamento nos tempos bíblicos era, antes de tudo, um contrato entre famílias. A menina era prometida ao menino – o que não significa que era obrigada a casar com ele (veja o caso de Rebeca em Gên. 24).

De acordo com as disposições encontradas na Lei de Moisés, aproximadamente um ano antes do casamento de fato, havia os desposórios, isto é, as cerimônias contratuais de promessa de casamento (Deut 20:7).

Tratava-se de um compromisso de casamento (*Kiddushim*), isto é, de um noivado. Mas era um compromisso tão real que o noivo já se dizia "marido" de sua prometida e não podia desfazer o acordo, senão por meio de um documento de repúdio.

Por isso, alguns tradutores mais recentes têm sugerido que o verbo grego *mnesteuo*, que aparece tanto em Mateus como em Lucas, deveria ser traduzido por "prometida em casamento" e não "casada". O termo "desposada" suaviza a situação, mas não a resolve por ser dúbio, podendo significar tanto "casada" como "prometida em casamento".

O dote

O dote era uma parte importantíssima de um contrato nupcial. Ele era provido neste ínterim entre o casamento de acordo e o casamento de fato. Ali as famílias que iriam se unir pelo casamento de seus filhos levantavam tipos especiais de dote que faziam parte do contrato familiar. Um deles, o Mohar era um preço pago ao pai da noiva como indenização pela retira-

Jovem da Tunísia em traje de noiva semelhante ao dos tempos de Cristo

da de sua filha ou compensação pelos anos que cuidou dela. Era também uma forma de mostrar que o contrato era sério, pois o noivo se esforçava para levantar o montante exigido pelo futuro sogro (Gên. 34:12).

A Lei de Moisés prescrevia um mínimo de 50 shekels de dote (Êx. 22:15-16; Deut. 22:29). Esse valor poderia ser pago de várias formas, incluindo trabalhos (Gên. 29:20). Esse foi o caso de Jacó trabalhando sete anos para Labão, seu sogro, a fim de poder casar com sua filha Raquel.

No primeiro século, contudo, a tradição judaica parece indicar que esse período de noivado não deveria ser maior que 12 meses para uma virgem ou 30 dias para uma viúva[70].

Além do levantamento do dote, o período de noivado era ainda um tempo apropriado para que se fizessem arranjos quanto à festa, à construção da casa dos noivos e à preparação do quarto de núpcias – em algumas ocasiões, uma tenda (*huppá*). Esse, às vezes, era preparado na casa do pai do noivo, caso este não estivesse ainda com sua casa pronta. O quarto de núpcias ou quarto da noiva deveria ser decorado apropriadamente para receber a recém-casada.

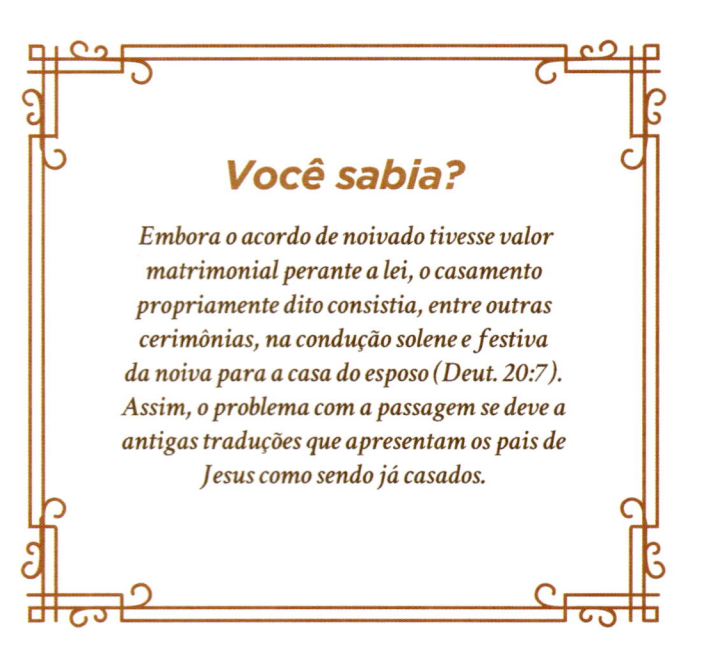

Fato importante

É importante, porém, salientar que no período de levantamento do dote, os noivos não poderiam ter relações sexuais de nenhuma espécie. Qualquer gravidez nesse período seria uma grave desonra para a jovem e toda sua família. Logo, a informação de que estava grávida gerava mais problemas que facilidades para a virgem Maria. Se não fosse a intervenção do anjo, o próprio José a teria abandonado (Mat. 1:20-25).

Assim, não é difícil imaginar o escândalo que aquela notícia traria. José teria o direito legal de acusar Maria, afirmando que o filho que ela trazia no ventre não era seu (Núm. 5:11-31). Ela corria ainda o risco de ser apedrejada, mesmo que os judeus não tivessem, nesse tempo, o direito de exercer justiça com as próprias mãos (Deut. 22:20s). Seu amor à sua noiva, somados à sua obediência à voz do anjo, fizeram com que José finalmente voltasse atrás de sua ideia de repúdio ou abandono da noiva e se casasse com Maria. Ele talvez a levou para sua casa antes do prazo previamente estabelecido para o noivado (Mat. 1:24 e 25).

Você sabia?

Embora o acordo de noivado tivesse valor matrimonial perante a lei, o casamento propriamente dito consistia, entre outras cerimônias, na condução solene e festiva da noiva para a casa do esposo (Deut. 20:7). Assim, o problema com a passagem se deve a antigas traduções que apresentam os pais de Jesus como sendo já casados.

Encontro com Isabel

O anúncio do anjo à virgem Maria aconteceu no vilarejo de Nazaré. Ela, porém, não parece ter ficado ali muito tempo após o encontro com o anjo. Talvez antes que José resolvesse assumi-la por esposa definitiva, Maria foi visitar Isabel, sua parenta, que estava grávida do profeta João Batista.

O local do encontro não é mencionado na Bíblia. Apenas é dito que Maria foi para a região montanhosa, a uma cidade de Judá. Desde o século VI, a tradição aponta o lugar de visitação e nascimento de João Batista em Ain Karin, 7 km a oeste de Jerusalém.

Maria encontra-se com Isabel.

Mesmo que não seja esse o lugar original, a distância média de Nazaré a qualquer cidade da região montanhosa de Judá é de 120 km, aproximadamente. Isso daria no mínimo três dias de viagem.

Ela certamente se ajuntou a uma das caravanas locais para cumprir esse trajeto, como aliás era o costume da época. Um possível trajeto seria descer até a planície do Esdrelão, tomando a estrada que sobe as colinas da Samaria e, de lá, subindo pela região ainda mais montanhosa que é Judá.

O Evangelho de Lucas não esclarece as razões da visita, mas, considerando as circunstâncias da gravidez de Maria e o fato de que ela foi para lá "apressadamente", é possível concluir que a casa de Isabel tornara-se um refúgio para a jovem grávida. Os habitantes de Nazaré sempre se mostraram pouco receptivos em relação a Jesus e não há motivos para pensar que fosse diferente na época de sua gestação.

Maria corria o risco de ser banida ou apedrejada pelos mais conservadores do povo.

Foram três meses na casa de Isabel até que nascesse João Batista (Luc. 1:56). Depois disso, ao que tudo indica, José aceitou Maria como esposa e ela passou a morar com ele (Mat. 1:24). Pouco tempo depois saiu o decreto de recenseamento e eles seguiram mais uma vez para a Judeia.

O casamento de Maria

O casamento nos tempos bíblicos não era realizado no Templo nem na sinagoga, mas nas casas dos noivos. Não havia, até onde as fontes indicam, nenhuma cerimônia envolvendo um sacerdote ou rabi. A própria Bíblia é silente quanto a isso. O único texto que descreve uma cerimônia matrimonial é Tobias 7:12-14, mas que não consta na lista de livros inspirados nas edições protestantes.

Lá é dito que um pai colocou uma das mãos sobre a noiva e a outra sobre o noivo, talvez pronunciou uma bênção e, a seguir, firmaram um contrato. Depois disso, poderiam ter sua primeira noite juntos. Não há razões para pensar que seria diferente com José e Maria.

Fora da Bíblia, há uma fonte do Talmude, segundo a qual a prática atual dos judeus de casarem-se sob uma tenda já era praticada no século II d.C. Essa prática consiste na preparação de uma cobertura aberta dos lados e que os judeus chamam de Chupá. Ele representaria a casa dos noivos, sob a qual o patriarca da família pronuncia uma bênção aos dois. Difícil é precisar se já havia esse costume nos tempos do Novo Testamento.

Você sabia?

Uma antiga forma usada por autores romanos para contar os acontecimentos era utilizar as letras A.U.C., uma abreviatura para ab urbe condita. *Essa expressão latina significa "desde a fundação da cidade". Para os latinos, a fundação da cidade de Roma era o marco para a contagem de sua cronologia. Assim, quando diziam que algo aconteceu no ano 723 A.U.C. queriam dizer que aquilo ocorreu 723 anos após a fundação da cidade de Roma.*

A equiparação dessa forma de datação com o atual calendário gregoriano ajuda a determinar (ainda que aproximadamente) a cronologia dos eventos da vida de Jesus.

Anno Domini

A história mundial é comumente dividida em antes e depois de Cristo. Convencionalmente, os livros trazem as datas mais antigas acompanhadas de siglas que você já deve estar familiarizado:

a.C. – vem do latim *ante Christo* e quer dizer "antes de Cristo". Aplica-se a datas anteriores à era cristã.

A.D. – também bastante comum, abrevia a referência *annus Domini* e quer dizer "ano do Senhor [Jesus Cristo]".

d.C. – seria um sinônimo "traduzido" do anterior e significa "depois de Cristo". Tem, portanto, a mesma função de A.D.

Escritores que talvez prefiram não usar Cristo como referência histórica costumam alterar essas siglas para E.C. e A.E.C., que em alguns livros abreviam respectivamente, Era Comum e Antes da Era Comum. Mas, seja como for, o nascimento de Jesus ainda continua sendo o centro de nossa cronologia básica. Isso ninguém pode negar.

Jesus antes de Cristo

O atual sistema cronológico dividido em antes e depois de Cristo surgiu no século VI, quando o monge Dionísio, o Exíguo resolveu datar as coisas a partir do nascimento de Jesus Cristo. Assim, atribuiu o 1º de janeiro do ano 1 d.C., ao 46º ano do calendário reformado de Júlio César. Isso equivaleria ao ano 753 A.U.C, ou seja, 753 anos após a fundação de Roma.

Ocorre, no entanto, que Dionísio cometeu um erro de quase meia década que perpetuou nos calendários seguintes. Somente no século XVI, Varro, outro monge cronologista, percebeu o deslize. Na ver-

A.C.
anos contados de forma decrescente

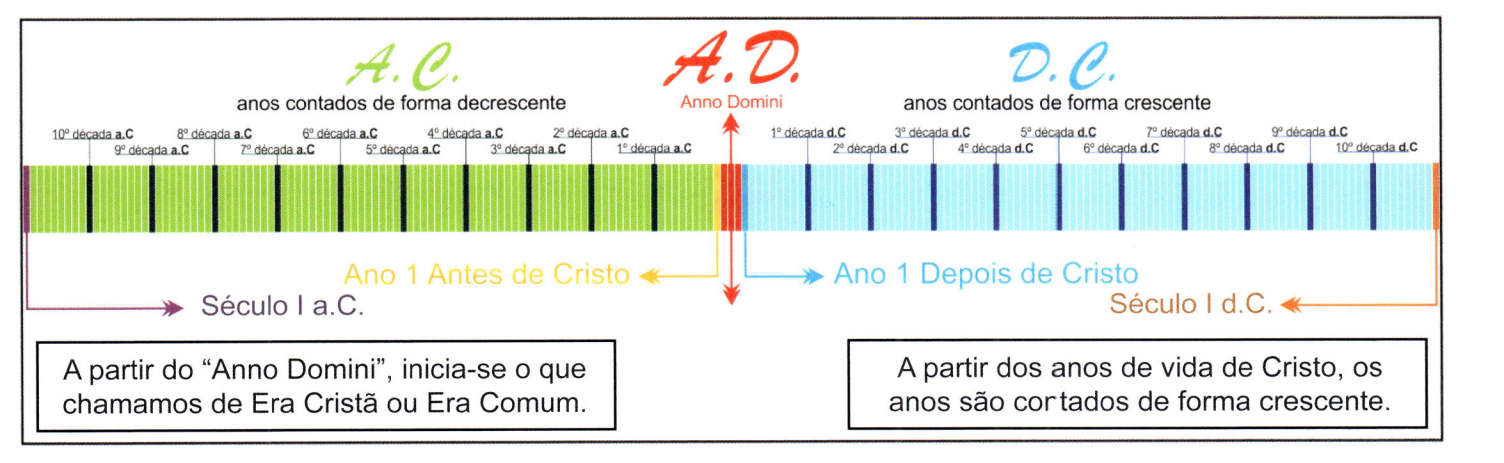

A.D.
Anno Domini

D.C.
anos contados de forma crescente

Ano 1 Antes de Cristo ← → Ano 1 Depois de Cristo

Século I a.C. — Século I d.C.

A partir do "Anno Domini", inicia-se o que chamamos de Era Cristã ou Era Comum.

A partir dos anos de vida de Cristo, os anos são contados de forma crescente.

---

dade, a era Cristã deveria ter começado, realmente, entre os anos 747 e 749 A.U.C. Desse modo, todas as datas atuais deveriam ser avançadas em pelo menos quatro ou cinco anos. Por que então isso não é feito?

Devido à confusão que daria para corrigir o equívoco de Dionísio. Imagine mudar todos os livros e datas convencionais da história humana. O Brasil, por exemplo, teria sido descoberto em 1505 e não em 1500, e a independência proclamada em 1827, não em 1822. Isso sem contar que é difícil saber o retrocesso deveria ser de 4 ou 5 anos. Como se pode ver, o transtorno que isso causaria acabou deixando que o erro se firmasse ao longo dos anos.

Portanto, por mais irônico que pareça, devido a esse erro de Dionísio, Jesus acabou nascendo *antes de Cristo*, pois no ano 1 d.C., ele já tinha entre 4 e 6 anos. Mas, como chegou-se à conclusão de que o ano 1 não correspondia ao nascimento do nosso Senhor?

O elemento mais simples que demonstra o erro do cronologista medieval é a morte de Herodes, o Grande. Você sabe, esse foi o cruel monarca que tentou matar Jesus e, para isso, ordenou a execução de várias criancinhas em Belém. Ora, Herodes morreu entre 4 e 3 a.C. Logo, Jesus só poderia ter nascido em algum período antes disso.

Morte de Herodes

A maior parte dos autores acredita que Herodes morreu entre 29 de março e 11 de abril do ano 4 a.C. Isso é sabido, por causa de uma citação de Flávio Josefo que diz que sua morte se deu próxima a uma festa de Páscoa antecedida pela ocorrência de um eclipse[71]. Segundo a astronomia, de fato, houve um eclipse lunar, visível na Judeia entre 12/13 de março do ano 4º a.C. Esse deve ser o evento astronômico mencionado por Josefo, pois está muito próximo a uma festa de Páscoa que, naquele ano, cairia em 11 de abril. Logo, esses seriam os limites da morte de Herodes e Jesus não poderia nascer depois disso.

Há, contudo, outra teoria cronológica para a morte de Herodes que também merece ser considerada, embora a maior parte dos acadêmicos inclina-se em favor do ano 4 a.C.

É que o próprio Josefo diz o seguinte sobre a morte desse rei:

"[Herodes morreu] depois de reinar 34 anos, contando da época em que ele mandou matar Antígono e, assim obter seu reino, ou 37 anos, contando da época em que ele foi feito rei pelos romanos".[72]

Ora, considerando que Herodes recebeu o título de rei em 37 a.C., se você contar 34 anos de governo chegará ao ano 3 a.C. O problema é que não houve nenhum eclipse lunar visível em Jerusalém no ano 3 a.C., mas apenas no ano 4 a.C.

Contudo, cálculos astronômicos mostram que também houve no ano 3 a.C. um eclipse, só que não estava visível aos moradores de Jerusalém. Daí alguns consideram a possibilidade de que esse fenômeno celestial pode ter sido calculado e catalogado por astrônomos caldeus e Josefo possa estar se referindo a essa ocorrência astronômica e não àquela ocorrida anteriormente[73].

Sobre a Páscoa mencionada por Josefo como ocorrendo pouco depois da morte de Herodes, embora alguns achem que o hiato entre ambos os eventos não pode ser muito maior que um mês, outros pensam que pode ter havido um intervalo de 13 meses entre o falecimento do rei e o eclipse, o que favorece o ano 3 a.C[74].

É difícil ser dogmático em relação a esse assunto, embora, como foi dito, por diversas outras razões, grande parte dos acadêmicos prefere trabalhar com o intervalo de 12 de março (data do eclipse lunar) a 11 de abril (Páscoa) de 4 a.C. para a morte do rei. O nascimento de Jesus teria de ocorrer antes disso.

Contradição cronológica?

O Evangelho de Lucas diz que Jesus nasceu na época do censo decretado por César Augusto e do governo de Quirino (ou Cirênio), na Síria. Além disso, Mateus menciona a presença de Herodes como governador da Judeia (Mat. 2:1 e Luc. 2:1 e 2).

Tais informações, no entanto, enfrentam um problema cronológico ainda sem solução definitiva. É que a única informação extrabíblica sobre esse censo, ocorrido sob governo de Quirino, o menciona numa data incompatível com os eventos mencionados em Mateus e Lucas.

Quem fornece a informação é Flávio Josefo,[75] que coloca o censo e o governo de Quirino no ano 6 d.C. Ora, isso seria muito depois da morte de Herodes, o Grande, de modo que é praticamente impossível encontrar uma harmonia entre as fontes. Para maior clareza, o problema é que Herodes reinou na Judeia de 37 a 4 a.C, ao passo que Quirino foi Prefeito da Síria entre 6 e 12 d.C.

Lucas, historiador ou mentiroso?

Para muitos, a solução óbvia é dizer que Lucas errou e que os episódios que ele menciona não ocorreram de verdade na história. Mas não é sensato ir tão rápido assim. Até autores céticos que examinaram o conteúdo de Lucas admitem que ele é preciso e meticuloso nas informações que oferece, tanto de cunho histórico quanto geográfico, contextual e jurídico. Se ele merece descrédito por essa aparente incongruência, o que se fará com o resto de sua obra que parece impecável?

Dizer, por outro lado, que ele acertou em tudo, mas errou nesse quesito também não resolve a questão, pois o que se tem no caso do censo e do governo de Quirino é uma tremenda pobreza de informações e não uma gama de fatos que provem, para longe de qualquer questionamento, que Lucas não estava dizendo a verdade.

William M. Ramsay era um dos maiores especialistas em história da Ásia Menor que, com a intenção inicial de desacreditar os evangelhos sinópticos, especialmente Lucas, viajou por todo o Mediterrâneo coletando dados para montar uma tese contra a historicidade bíblica.

Ao final de sua pesquisa, porém, ele se impressionou ao descobrir que seus achados, ao contrário de desmentir o relato bíblico, confirmavam a exatidão dos costumes, locais, personagens e títulos governamentais ali mencionados. Ele analisou as referências que Lucas faz a 32 países, 54 cidades e 9 ilhas e não achou um erro sequer. Por fim, Ramsay concluiu: "Os *grandes historiadores são os mais raros dos escritores...[Eu reconheço Lucas] entre os historiadores de primeira classe.*"[76]

Ramsay e outros especialistas descobriram em Lucas um historiador impecável. Logo, isso é mais que suficiente para dar-lhe, no mínimo, o beneplácito da dúvida. Eis algumas sugestões hipotéticas ou provisórias apresentadas por especialistas para o problema encontrado nesta parte de Lucas:

1 – Pensa-se muito no possível erro de Lucas, mas Josefo já se mostrou impreciso em muitos dados que fornece. Não é impossível supor que Lucas esteja certo e Josefo errado ou pelo menos incom-

pleto em seus dados. Ou seja, o censo que ele menciona, bem como a atuação de Quirino na Síria em 6 d.C. não foram únicos. O recenseamento mencionado no Evangelho pode ter sido outro.

2 – Lucas 2:2 diz: "Este, o primeiro recenseamento, foi feito quando Quirino era governador da Síria." Alguns gramáticos da língua grega entendem que a palavra "primeiro" (*prótos*) poderia ser lida no sentido de "anterior", de modo que se leria: *"Este recenseamento ocorreu **antes daquele** que foi feito sob Quirino, Prefeito da Síria".*

3 – Ainda sobre o uso da palavra "primeiro" (*prótós*) em Lucas 2:2, mesmo que se negue a ideia de traduzi-la por "anterior", é fato que ela indica a existência de outro(s) censo(s) praticado(s) por Quirino na Síria. Caso contrário não teria sentido chamá-lo de "primeiro". Que Lucas não ignorava o censo ocorrido no ano 6 d.C. está claro pela menção que faz a ele no livro em Atos 6:37.

4 – Que houve um censo na Judeia anterior àquele do ano 6 d.C. está evidenciado pelo testemunho de Tertuliano, que por volta de 220 d.C. escreveu: "Consta terem sido efetuados recenseamentos, na Judeia sob Augusto, por obra de Sêncio Saturnino, Prefeito da Síria entre 9 e 6 a.C." (*Adversus Marcionem* 4,19; 4,7). O testemunho de Tertuliano é de particular valor porque não depende de Lucas, mas, ao contrário, parece contradizê-lo, pois um fala de Quirino e o outro de Sêncio Saturnino. A fonte em que Tertuliano colheu a notícia são os *Archiva Romana* (Arquivos Romanos).

5 – A expressão grega *hegemoneuo* ou "governador", usada em Lucas 2:2, pode ser traduzida por "encarregado" ou "a cargo de" sobre a província da Síria, que compreendia a Judeia como subdivisão política. Isso, portanto, seria antes de Quirino ser governador oficial ali no ano 6 d.C. O texto evangélico, portanto, poderia estar se referindo ao período em que ele liderou uma campanha militar na região entre 12 e 2 a.C. e atuou ali como uma espécie de administrador adjunto ou interino.

6 – A favor da hipótese de que Quirino possa ter exercido uma administração conjunta está o fato de que a Síria parecia contar com mais de um administrador ao mesmo tempo. Saturnino governou a Síria de 9 a 6 a.C. e Quintílio Varo, de 7 a.C. a 4 d.C. – observe uma sobreposição de um ano entre os dois períodos. Ademais, segundo Tertuliano, o Prefeito Sêncio Saturnino teria prescrito um recenseamento, e nada impede de Quirino ter sido aquele que o organizou. Mesmo porque tanto Saturnino quanto Varo não possuem uma carreira que os defina como homens total de confiança, a ponto de executarem sozinhos um recenseamento a mando de César. Assim, em outras palavras, Quirino teria sido encarregado da política romana na região, desde o ano 12 a.C, e, como tal, sob o mandato de Saturnino, da Síria, teria efetuado um recenseamento a mando do imperador.

7 – Existe uma possibilidade de Quirino ter sido duas vezes governador da Síria. Essa hipótese é um desdobramento ou uma variante da anterior. Ela se baseia no testemunho de Tácito (55-120) e Strabo (60 a.C - 20 d.C), que dizem que entre 12 a.C. e 1 d.C. Quirino esteve na Cilícia (atual Turquia), que, na época, era parte da província da Síria, e promoveu a guerra naquela região. Ora, somente o Prefeito ou Governador tinha autoridade para fazer guerra mobilizando seus súditos. Além disso, encontrou-se em Roma, no ano de 1764, uma inscrição conhecida como *Lapis Tiburtinus,* que, embora não forneça o nome, contém informações que a maioria dos peritos reconhece que poderiam aplicar-se somente a Quirino[77]. Ela fala de um indivíduo que, ao ir para a Síria, tornou-se governador (ou legado) pela "segunda vez".

8 – Devido às constantes guerras na região, o censo pode ter se atrasado bastante, tanto para começar quanto para ser concluído. É possível que tenha começado nos dias de Saturnino e terminado nos dias de Quirino. Assim, o responsável acaba sendo, para efeito histórico, aquele que concluiu o processo. Por isso Lucas menciona Quirino e não outro em seu relato.

Onde os anjos cantaram

Fato importante

Hoje o museu Britânico possui um papiro datado por Milligan e Deissmann como pertencente ao ano 104 a.C. que traz a seguinte ordem:

"Gaio Víbio Máximo, Prefeito do Egito [declara]: É chegado o tempo para que o censo seja feito de casa em casa. É necessário compelir a todos que por alguma razão estejam residindo fora de suas províncias a que retornem para seu próprio domicílio de origem, para que possam tanto levar a efeito a ordem regular do censo como também atender diligentemente ao cultivo de sua seção".

Há ainda o papiro Oxyrynchus 225, que diz:

"Eu o acima mencionado Termutario seguido por meu guardião chamado Apolônio juro pelo Imperador Tibério Cláudio César Augusto Germânico que seguramente o precedente documento faz eco ao verdadeiro retorno de todos os que vivem comigo, e que não há mais ninguém comigo, nem estrangeiro, nem um cidadão alexandrino, nem um [homem] livre, nem um cidadão romano, nem um egípcio a mais daquilo que relatei. Se eu estiver dizendo a verdade, que possas tu ser bondoso para comigo, mas se por falso, o contrário. No nono ano do Imperador Tibério Cláudio César Augusto Germânico."

Os textos possuem muitos paralelos importantes com o relato de Lucas. A ordem para a contagem do povo, o comando para retornarem às suas próprias províncias, possivelmente acompanhados por toda a família, são elementos que devem ser anotados.

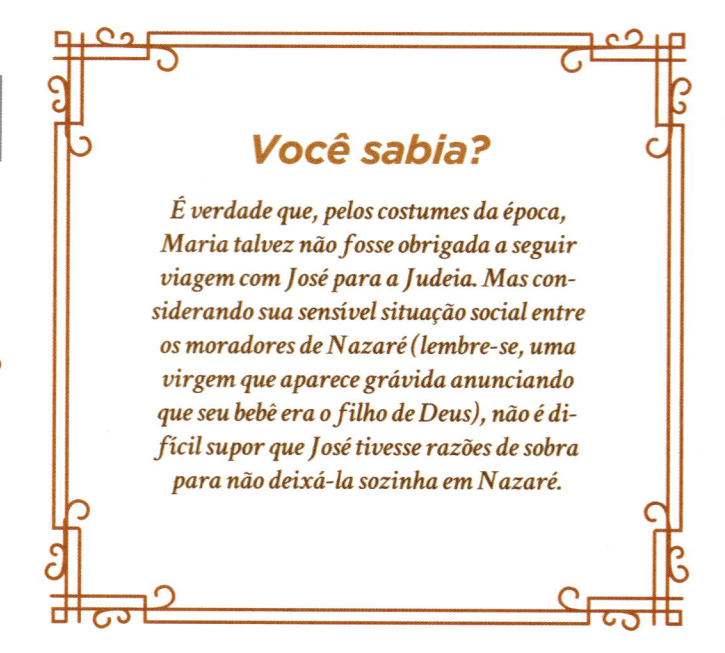

Você sabia?

É verdade que, pelos costumes da época, Maria talvez não fosse obrigada a seguir viagem com José para a Judeia. Mas considerando sua sensível situação social entre os moradores de Nazaré (lembre-se, uma virgem que aparece grávida anunciando que seu bebê era o filho de Deus), não é difícil supor que José tivesse razões de sobra para não deixá-la sozinha em Nazaré.

Quando nasceu Jesus?

O evangelho confirma que o nascimento de Jesus teria ocorrido durante o governo de Herodes, o Grande. Ora, levando-se em conta que esse terrível rei morreu no ano 4 ou 3 a.C., conclui-se que Jesus não poderia ter nascido depois desse tempo. Logo, deve-se apontar o nascimento de Cristo em algum período antes de 3 ou 4 a.C. e não no ano 1 como convencionalmente alguns o fazem.

Considerando ainda que existe um possível ciclo de 14 em 14 anos, verificado nos censos romanos remanescentes, e que o segundo censo de Quirino teria ocorrido no ano 6 d.C., o primeiro censo pode ter sido por volta do ano 8 a.C. Assim, Jesus teria nascido em qualquer período entre 8 e 3-4 a.C. É muito improvável que seu nascimento tenha se dado fora desse intervalo.

E o 25 de dezembro?

É quase nula a chance de Jesus ter nascido no Natal, comemorado pelos cristãos ocidentais no dia 25 de dezembro.

No Hemisfério Norte, o inverno ocorre nos meses de dezembro, janeiro e fevereiro de cada ano. Portanto, se Jesus tivesse nascido em algum desses meses, seria uma época de muito frio e não faria nenhum sentido o fato de existirem pastores e rebanhos acampados à noite sobre as colinas da Judeia (veja Luc. 2:8). Essa é uma cena típica de estações quentes.

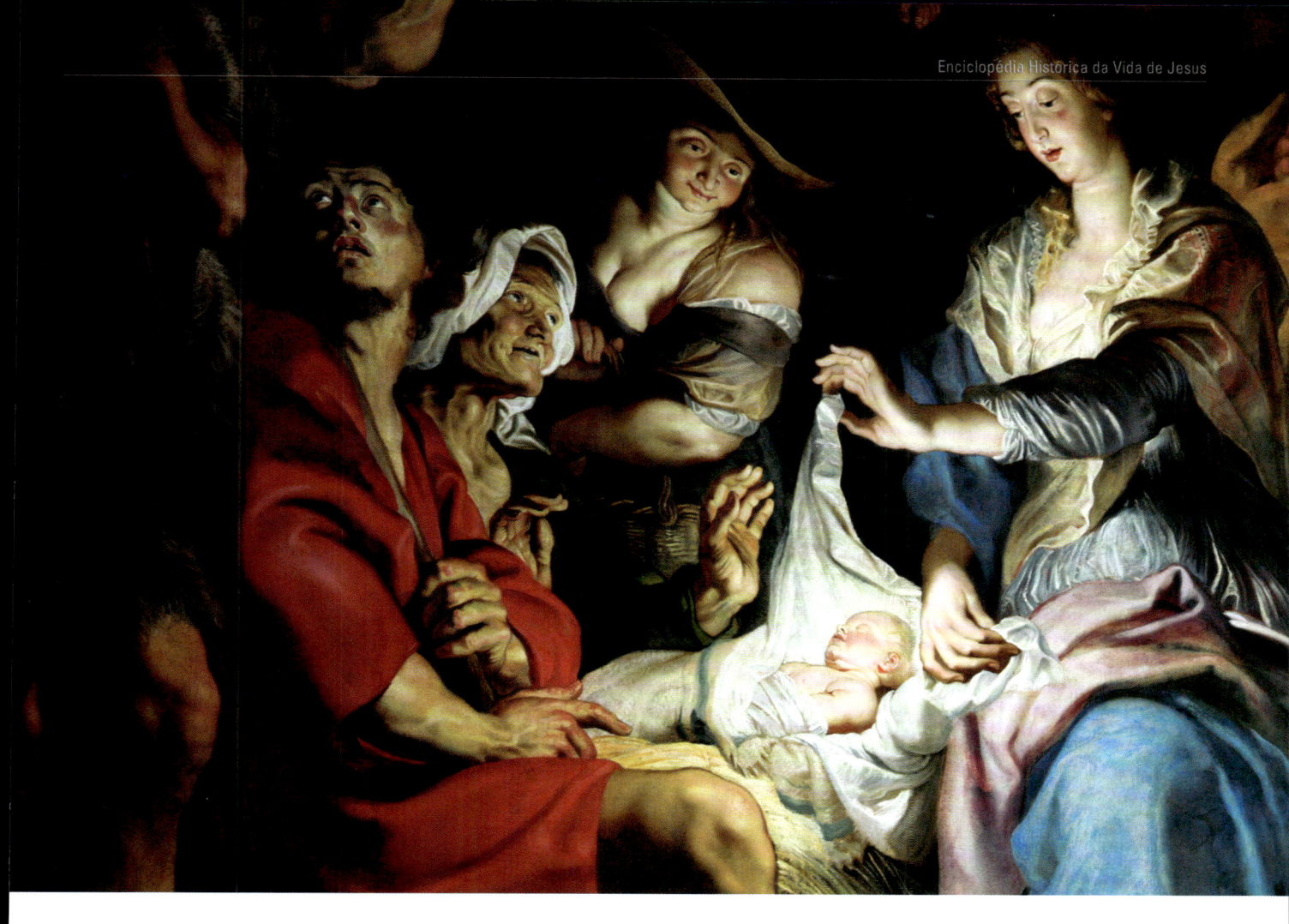

Embora não haja nada que impeça a comemoração simbólica no dia 25 de dezembro, essa definitivamente não é a data historicamente apropriada de seu nascimento.

A Bíblia diz que quando Jesus nasceu, havia pastores com seus rebanhos ao ar livre no alto das colinas (Luc. 2:8-20). Manter os animais no campo mesmo à noite era uma prática comum daqueles dias, mas ela era propícia para os meses da primavera ao outono. Dezembro, que corresponde ao mês de Quislev, é o período de inverno e fortes chuvas (cf. Jer. 36:22; Esd. 10:9; Zac. 7:1). Ninguém deixaria o rebanho ao relento nessa época do ano.

Igualmente a viagem de Maria e José não seria apropriada numa época de inverno. Pelas limitações da época, qualquer trajeto de mais de 100 km exigia grande esforço. Assim, os tempos próprios para viagens longas seriam: Páscoa, ou *Pessá* (abril), no começo do plantio; Pentecostes ou *Shavuot* (junho), sete semanas depois, quando os primeiros frutos estavam maduros, e Tabernáculos ou *Sukkot* (outubro), quando os últimos frutos eram colhidos.

O aniversário de Jesus

Qual seria, portanto, a data certa para o nascimento de Cristo?

O dia é difícil dizer, mas existe uma possibilidade quanto ao mês. Para descobrir qual seria, basta fazer uma análise de três fontes: o Evangelho de Lucas, o calendário judeu e o livro de I Crônicas 24:10.

Começando por Lucas, esse evangelista dá a informação de que antes do nascimento de Jesus houve o nascimento de João Batista. Lucas 1:5, 23-28 diz que Isabel ficou grávida de João quando seu marido, Zacarias, ministrava no Templo como sacerdote. Ora, Zacarias trabalhava no chamado turno de Abias. O que seria isso?

I Crônicas 24 conta como Davi dividiu os sacerdotes em 24 turnos de 15 dias cada um. Assim, os turnos cobririam o ano inteiro. O verso 10 diz que Abias ficou com o oitavo turno. Contando que eram dois turnos por mês e que o calendário judeu começava no mês de *nisã* que equivale a março/abril, entende-se que a segunda quinzena de *tamuz* (julho) seria o tempo do anúncio do nascimento de João Batista e o início da gestação de Isabel.

Com nove meses de gestação, Isabel deve ter dado a luz no mês de *nisã*, que seria março/abril. E quanto a Jesus? Lucas 1:26-36 diz que Maria ficou grávida quando Isabel, sua parenta, estava no sexto mês de gestação, que seria o mês de *tibete* (dezembro/janeiro). Logo, Jesus nasceria 9 meses depois disso, no mês de *etanim* que seria setembro/outubro. Essa, portanto, seria uma hipótese bastante razoável para a época do nascimento de Jesus.

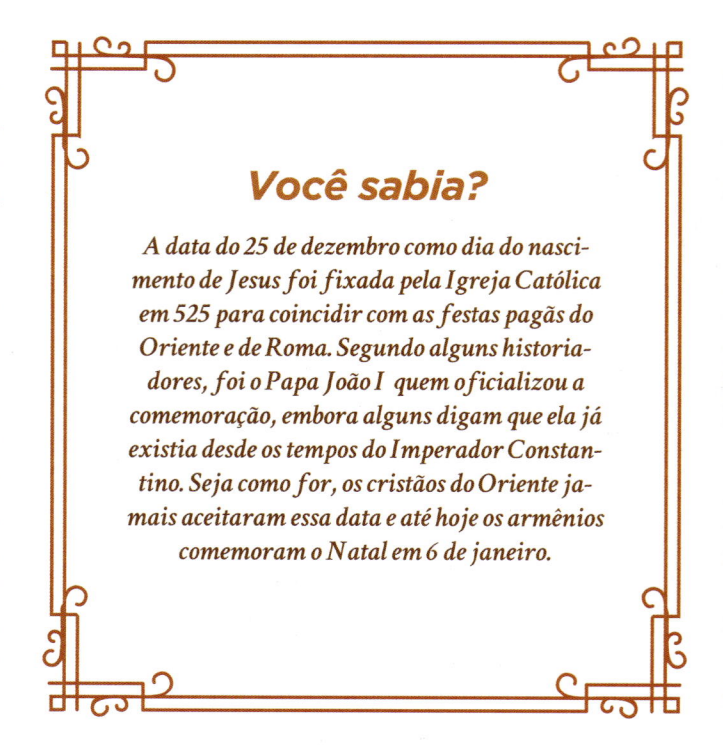

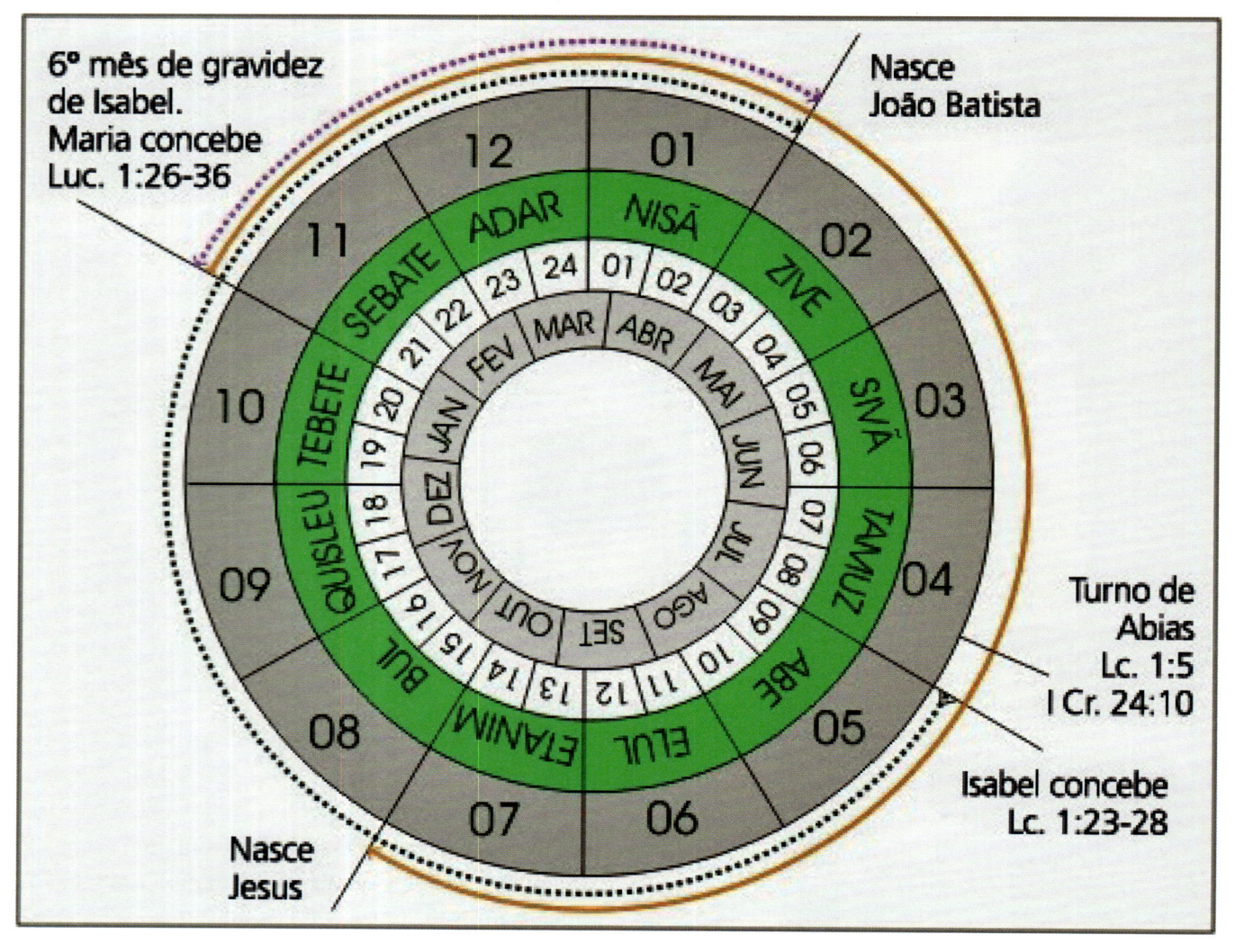

Você sabia?

A data do 25 de dezembro como dia do nascimento de Jesus foi fixada pela Igreja Católica em 525 para coincidir com as festas pagãs do Oriente e de Roma. Segundo alguns historiadores, foi o Papa João I quem oficializou a comemoração, embora alguns digam que ela já existia desde os tempos do Imperador Constantino. Seja como for, os cristãos do Oriente jamais aceitaram essa data e até hoje os armênios comemoram o Natal em 6 de janeiro.

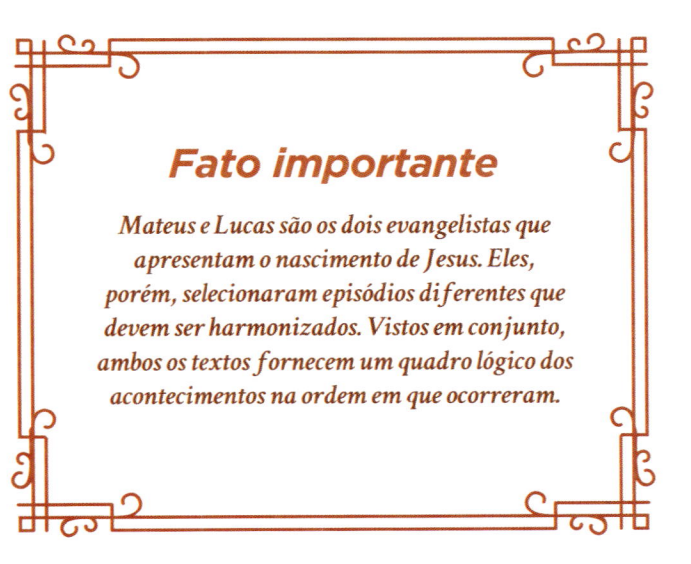

Circuncisão

Mateus e Lucas fazem questão de frisar a etnia judaica de Jesus. Aos oito dias de nascido, ele foi circuncidado como qualquer criança judia (Luc. 2:21). Esse era o principal rito externo de identificação de um sujeito com o judaísmo. Era tão importante que até no sábado deveria ser praticada.

O nome da cerimônia em hebraico é *Brit Milá*, que literalmente significa "aliança da circuncisão". Interessante que essa palavra traduzida por aliança (*brit*) pode significar tanto *acordo* como *corte*.

Fato importante

Mateus e Lucas são os dois evangelistas que apresentam o nascimento de Jesus. Eles, porém, selecionaram episódios diferentes que devem ser harmonizados. Vistos em conjunto, ambos os textos fornecem um quadro lógico dos acontecimentos na ordem em que ocorreram.

A circuncisão era exatamente um corte preciso feito sobre o prepúcio, isto é, a pele que cobre a cabeça do órgão genital masculino. Seu significado, contudo, era bem mais profundo do que simplesmente um corte visível na carne. A circuncisão mostrava que aquela criança fazia parte da aliança de Deus feita com o povo de Israel. "Minha aliança estará marcada na carne de vocês como aliança eterna" (Gên. 17:13).

Assim, a cerimônia à qual Jesus foi submetido fora ordenada por Deus primeiramente a Abraão e seus descendentes e depois ratificada a Moisés, como sinal da aliança estabelecida entre o Senhor e o povo escolhido. O rito, portanto, fazia parte da herança comum dos hebreus; era uma condição necessária na nacionalidade judaica.

Toda criança de sexo masculino devia ser circuncidada no oitavo dia de seu nascimento. "O que tem oito dias será circuncidado entre vós, todo macho nas vossas gerações" (Gen. 17.12).

A cerimônia era simples e geralmente reservada a membros da família. No início, o mohel – rabino encarregado do ritual - recitava uma bênção própria para o momento. A criança era então retirada dos braços da mãe e entregue para ser levada até uma cadeira que a tradição posterior chamou de "cadeira do profeta Elias". Ali o mohel executava o ritual. O nome da criança era, depois disso, anunciado a todos – o mesmo se passou com Jesus (Luc. 2:21). Então segue-se uma refeição festiva.

Templo - Escadaria

Apresentação no Templo

Quando o bebê Jesus completou 40 dias de nascimento, sua família foi ao Templo realizar mais dois rituais litúrgicos: a *Tevilá* (purificação) e o *Pidion haben* (o resgate do Filho, ou consagração do primogênito): o primeiro era em função de Maria, que deveria purificar-se após o parto para poder participar da vida religiosa judaica (Lev. 12:2-4).

As mulheres que haviam acabado de dar à luz deviam se purificar após terem seus bebês. Se fosse menino, a mulher deveria, segundo a lei mosaica, ficar impura 7 dias e, se fosse menina, 14. Depois disto, por um período de mais 33 ou 66 dias (dependendo do sexo do bebê), ela não podia sair de casa, nem tocar em objetos sagrados – o que incluía o solo do Templo. Terminado o resguardo, ela peregrinava até Jerusalém (não era necessário que o marido fosse). Diante da porta de Nicanor ela entregava a oferta prescrita ao sacerdote de plantão. Depois disso mergulhava-se em um dos tanques especialmente construídos para esse fim e podia voltar às atividades normais da vida diária.

O *Shulkhan Arukh*, um catálogo de leis judaicas composto no século 16, comenta o código que prescreve em resumo o ensino da Torá: "Ela [a mulher de resguardo] deverá imergir por completo e de uma só vez o seu corpo, inclusive seus cabelos. Por isso, ela deve ficar muito atenta durante a imersão para que não haja nada nela que venha estar separado da água, pois se isto acontecer, a *tevilá* será inválida."

O segundo rito efetivado por José e Maria era em função de Jesus por ser o primogênito do casal (Êx. 13:11-16 e Núm. 18:16). Ele é chamado de *Pidion haben*, que quer dizer o "resgate da criança".

A origem desse rito, segundo o judaísmo, na intenção divina de que cada primogênito judeu pudesse ser um sacerdote do Senhor. Foi essa a razão do anjo da morte ter poupado os primogênitos dos hebreus por ocasião da última praga sobre o Egito. No entanto, o povo pouco tempo depois, se rebelou contra Deus, adorando um bezerro de ouro. Em virtude disso, Deus teve de escolher uma única tribo (os levitas) para ministrar no santuário (e depois no Templo).

Pidion haben

Assim, Deus requereu que todos os primogênitos (que não fossem levitas) deveriam ser resgatados do serviço comum para Deus, por meio de uma oferta ou pagamento específico (ver Núm. 18:15).

O normal, no caso do *Pidion haben* era o pagamento de 5 ciclos de prata mais a oferta de um cordeiro para o sacrifício que geralmente era vendido no próprio Templo. Os mais pobres, no entanto, (incluam-se aqui os pais de Jesus) ofertavam duas rolinhas ou duas pombas no lugar do cordeiro.

Ainda hoje esse rito é feito em hebraico dentre as famílias mais religiosas de Israel. O pai apresenta o menino numa bandeja e o sacerdote (Cohen) pergunta-lhe se quer deixar o menino ou se pretende resgatá-lo. O pai responde simbolicamente e o sacerdote então repete três vezes: "Teu filho está resgatado!" Com isso, a criança passa a ser legitimamente judia e o atual Estado de Israel propõe-se a resgatá-la em qualquer que seja a situação. Segundo o costume do *pidiin shevouyim* (o resgate dos cativos), recuperar de volta um judeu que está em cativeiro estrangeiro é dever sagrado para os judeus.

Os magos do Oriente

Os magos que visitaram Jesus eram homens sábios vindos do Oriente (Mat. 2:1), o que pode ser uma referência à Pérsia, Arábia ou Caldeia. Seu título grego (*magoi*) referia-se na Antiguidade a eruditos que se distinguiam no campo da matemática, astronomia e religião. Estranhamente, porém, era um título também aplicado a mestres versados na arte da alquimia e da astrologia (ciências totalmente proscritas na *Torá* dos judeus).

Não se pode afirmar que eram reis, muito menos em número de três. Esse número – bem como os nomes Belchior, Gaspar e Baltasar – constituem tradições lendárias posteriores, sem nenhuma base histórica que as valide. Ademais, os cristãos orientais têm consigo uma tradição que aponta para doze, o número dos sábios, enquanto alguns mosaicos do século IV mostram apenas dois.

Quanto ao seu conhecimento sobre a vinda do Messias, deve-se lembrar que as tradições judaicas não ficaram isoladas do restante do mundo. A diáspora já providenciara um considerável número de sinagogas em vários países fora dos limites de Israel. Além disso, a versão grega da LXX possibilitou que eruditos de outras culturas tivessem contato sólido com o livro sagrado dos judeus.

É possível ainda que a tradição oral tenha mantido alguns oráculos (hoje não totalmente conhecidos) que remontam aos mais antigos profetas hebreus e, até mesmo, a alguns videntes não judeus. Balaão, por exemplo, não era judeu e, embora mágico professo, fazia as vezes de profeta do Senhor. É justamente dele a profecia que dizia: Vê-lo-ei, mas não agora, contemplá-lo-ei, mas não de perto; uma estrela procederá de Jacó e um cetro subirá de Israel, que ferirá os termos dos moabitas e destruirá todos os filhos de Sete. (Núm. 24:17).

Fato importante

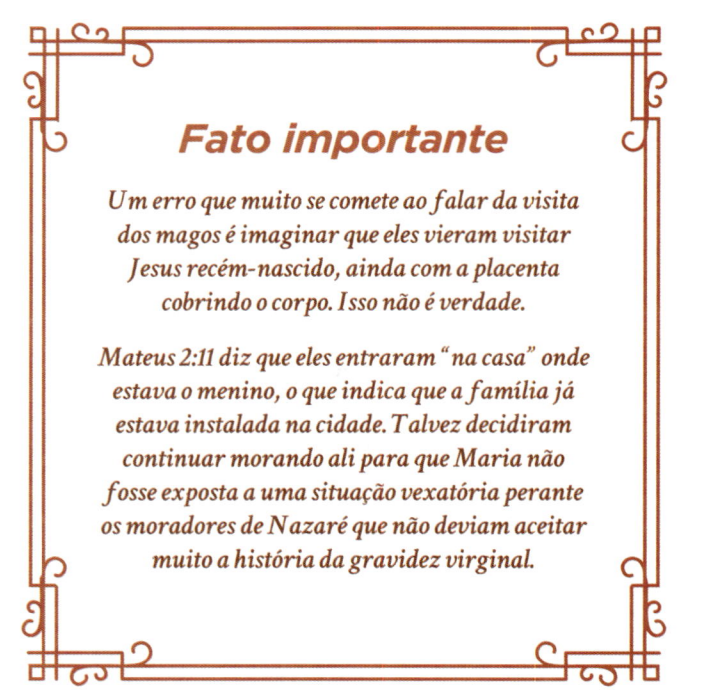

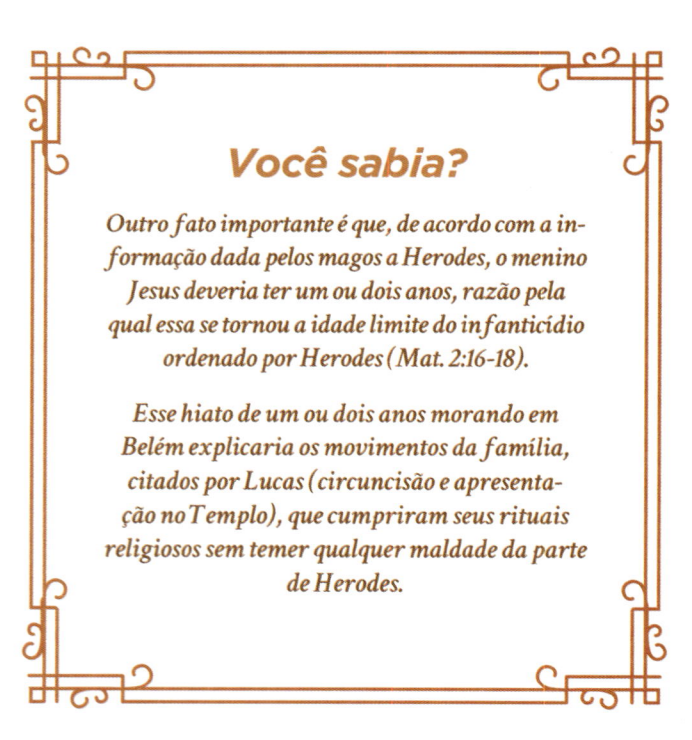

Um erro que muito se comete ao falar da visita dos magos é imaginar que eles vieram visitar Jesus recém-nascido, ainda com a placenta cobrindo o corpo. Isso não é verdade.

Mateus 2:11 diz que eles entraram "na casa" onde estava o menino, o que indica que a família já estava instalada na cidade. Talvez decidiram continuar morando ali para que Maria não fosse exposta a uma situação vexatória perante os moradores de Nazaré que não deviam aceitar muito a história da gravidez virginal.

Você sabia?

Outro fato importante é que, de acordo com a informação dada pelos magos a Herodes, o menino Jesus deveria ter um ou dois anos, razão pela qual essa se tornou a idade limite do infanticídio ordenado por Herodes (Mat. 2:16-18).

Esse hiato de um ou dois anos morando em Belém explicaria os movimentos da família, citados por Lucas (circuncisão e apresentação no Templo), que cumpriram seus rituais religiosos sem temer qualquer maldade da parte de Herodes.

A estrela do Natal

"Vimos a sua estrela no Oriente e viemos para adorá-lo" (Mat. 2:2). Essa declaração dos magos encheu de curiosidade os pensamentos de Herodes e também do leitor moderno. O que seria afinal a estrela vista pelos magos?

Várias teorias são propostas. A primeira diz que foi um meteoro incomum avistado no horizonte. Contudo, um objeto como esse passa pelo céu em uma questão de segundos – muito pouco para guiar os magos até os arredores de Belém.

Também é improvável que se tratasse do cometa Halley, que passou pela região em 12 a.C. Os astrônomos mais antigos não costumavam vincular passagens de cometas ao nascimento de reis importantes. Cometas eram vistos como presságios ruins, indicando fome e enchentes, assim como a morte – não o nascimento – dos reis e monarcas. Só para constar, o famoso "cometa" de César visível no ano 44 marcou para os romanos sua deificação e não seu nascimento.

Pelo contrário, cometas eram sinal de mau agouro: um cometa que passou por Roma no ano 44 foi interpretado como o anúncio da morte de Júlio César e outro, visível em 11 a.C., o marco da morte do General Agrippa. Com esses episódios em mente, dificilmente alguém veria a passagem de um cometa como a chegada de um grande rei.

Além disso, a data da passagem do Halley não condiz em nada com os fatos políticos biblicamente relacionados ao nascimento de Cristo.

Cogitou-se ainda que a estrela de Belém seria uma nova ou surpernova. As novas são estrelas que aumentam muito seu brilho por um período curto de tempo e acontecem mais frequentemente. Já as supernovas, mais raras, são as famosas explosões estelares.

Isso, de fato, daria um brilho visível até durante o dia. Contudo, há aqui um grande problema: não há nenhum registro de uma nova brilhante durante o período apontado para a viagem dos magos. Apenas um registro aparece para uma nova, no ano 5 a.C. Mas os chineses que a notaram não afirmam ter sido um grande evento, com muito brilho.

Todas as tentativas que surgem para datar ou identificar a estrela de Belém com corpos celestes são de pouco valor. O próprio texto não permite supor que se tratava de uma estrela real. Nenhum corpo celeste natural teria podido conduzir os viajantes do Oriente até Belém e estacionado sobre uma simples casa. Além disto, Herodes e os que com ele estavam no palácio pareciam desconhecer totalmente a existência de tal "estrela" no céu. É óbvio que se tratava de algo miraculoso e não astronômico. O que os magos haviam visto era um "brilho" celestial que chamaram de "estrela" (nome, aliás, dado a toda e qualquer luminosidade celeste).

> **Fato importante**
>
> *Uma ideia bem consistente com a narrativa evangélica sugere que a estrela de Belém seria um brilho sobrenatural produzido por anjos de Deus. Essa interpretação foi sustentada com muita ênfase, no século III, pelo escritor Orígenes na sua apologia contra Celso. Segundo seu parecer, a multidão de anjos mencionada por Lucas (2:8-20) somada à glória da própria divindade foram as responsáveis pelo clarão observado do Oriente (Contra Celso, LX).*

O infanticídio de Belém

Muitos se assombram com o relato do massacre infantil ordenado pelo rei para matar as criancinhas de Belém e arredores. Pensam ser isso um exagero do evangelista (Mat. 2:16). Contudo, uma análise do caráter de Herodes, o Grande, revela um homicida inconsequente, bem de acordo com a autoria de tal barbárie.

Herodes era dominado por uma total ausência de escrúpulos e piedade. Um homem grandioso na arte de construir monumentos e fazer o mal. O motivo dos muitos assassinatos que encomendava era sempre o mesmo: receio de que alguém tomasse a sua coroa.

Foi assim que solicitou a Marco Antônio a morte de Antígono (seu rival político) e mais 45 membros do partido opositor. Depois matou João Hircano II, o chefe dos sacerdotes de Jerusalém, a quem ele mesmo chamava de pai. E como se não bastasse, empreendeu uma série de assassinatos dos membros de sua própria família. Mandou matar Mariamne, a esposa que mais amava; três de seus filhos; um irmão e diversos dos que haviam sido seus melhores amigos.

Macróbio, um autor não cristão do século IV, provavelmente citando o massacre de Belém ou um similar, atribuiu ao imperador Augusto o seguinte comentário acerca do gênio assassino de Herodes:

"Quando ele [imperador Augusto] ouviu que entre os meninos da Síria com menos de dois anos de idade que Herodes, o rei dos judeus, tinha mandado matar, também estava seu filho que, igualmente, havia sido morto, ele disse: 'é melhor ser o porco de Herodes do que filho de Herodes.'"[78]

Massacre anônimo

O massacre ordenado por Herodes em Belém não consta em nenhum outro relato, senão o de Mateus. Filóstrato (biógrafo de Herodes) nada escreveu a esse respeito, nem Filo de Alexandria, nem Josefo ou qualquer escritor romano.

Tal silêncio faz com que alguns autores reputem o episódio como fantasioso[79]. Uma criação imaginária do autor bíblico, para igualar o nascimento de Jesus ao de Moisés, que também escapou de um infanticídio ordenado por Faraó no Egito. Como poderia um crime tão hediondo ficar no anonimato?

O primeiro elemento que deve ser anotado é que, tendo Belém no máximo 1.000 habitantes, o número de bebês com menos de dois anos não deveria ser grande o bastante para causar tanta comoção. Talvez umas 20 criancinhas[80]. Mas mesmo que causasse, isso não significa que os historiadores se preocupariam em reportá-las em seus anais. Veja a admissão de Tácito:

"Não levo o intento de relatar todas as propostas feitas ao Senado, mas apenas as que se tornaram notáveis por decorosos ou vis[81]".

Ademais, não se pode esquecer que a atitude protagonizada por Herodes no Evangelho de Mateus é perfeitamente compatível com seu *modus operandi* governamental, afeito às ordens de assassinato. Isso está claro em vários registros fora da Bíblia.

Logo, não há porque duvidar do relato que o descreve como ordenando o massacre de meninos para poder assassinar Jesus. José e sua família só escaparam porque foram imediatamente para o Egito, conforme a orientação do anjo. Ali devem ter permanecido por aproximadamente um ano.

Você sabia?

A semelhança do nascimento de Jesus e de Moisés pode realmente ter sido um elemento propositalmente escolhido por Mateus. Isso não implica, contudo, que seja lendário. A história está repleta de coincidências do tipo.

Hitler, por exemplo, tinha muitas semelhanças com Napoleão, ambos queriam dominar a Europa, tiveram como principal inimigo a Inglaterra e sofreram com o frio da Sibéria.

Lincoln e Kennedy foram mortos depois de uma conspiração que envolvia os negros e seus direitos civis. Lincoln foi morto na sala Ford e Kennedy foi morto num Lincoln Continental, que era um modelo à parte (e exclusivo) da marca Ford.

As coincidências entre Jesus e Moisés, portanto, podem perfeitamente ter ocorrido na história. Não houve fabricação, mas apenas justaposição de fatos coincidentes.

Fato importante

O local de destino da família de Jesus no Egito não foi revelado. Uma antiga tradição assinala sua estadia num lugar, dentro do Cairo Velho, onde hoje existe a igreja copta de Abu Sarga. O lugar está próximo de uma antiga sinagoga. Outra tradição, atestada apenas após o século XIII, assinala em Matariye, 8 km ao norte do Cairo, o esconderijo da família de Jesus.

Contudo, hoje é sabido que havia naquele país várias comunidades judaicas bem estabelecidas em diversas cidades, como Leontópolis, Elefantina, Crocodilópolis, Alexandria e outras. Qualquer uma dessas pode ter sido o local de abrigo da família em fuga. José pode ter se agregado a algum concidadão judeu do lugar para obter trabalho e usado os presentes dos magos (ouro, incenso e mirra) para financiar a viagem.

Após Herodes

Após a partida dos magos e a conseguinte fuga para o Egito, Herodes morreu em Jericó e a família de Jesus voltou para a Judeia. Temendo, porém, a crueldade de Arquelau, o novo rei, desistiram de continuar residindo em Belém, preferindo regressar a Nazaré, onde o Cristo passaria toda a sua juventude até à fase adulta.

Falando mais especificamente sobre Arquelau, as informações históricas indicam que ele não era o sucessor único de seu pai. Com a morte de Herodes, o Grande, o subjugado reino de Israel fora imediatamente dividido entre três de seus filhos que ainda viviam, conforme a prescrição de seu testamento, que seria depois alterado por Augusto.

O título de rei, por direito de herança, deveria passar para Arquelau, seu filho com Maltace Samaritana. Com ele ficaria ainda o governo da Judeia (incluindo Idumeia) e Samaria. Arquelau era o mais querido filho de Herodes, porém, enquanto governante, se revelou o pior desastre administrativo de toda a dinastia herodiana.

Falhando tremendamente em responder aos reclames populares, Arquelau acabou aumentando o poder dos zelotas, que inspiravam no povo a sede de independência. Isso acabou incitando a impaciência do imperador, que fazia de tudo para evitar rebeliões localizadas. Como primeira advertência, Augusto revogou sua titulação real, concedendo-lhe somente o título de etnarca (soberano por questões de família). Mas os tumultos não terminaram, e a violência nas ruas de Jerusalém se intensificou sobejamente. Arquelau foi obrigado a ficar "ilhado" em seu palácio, e Roma não teve outra saída senão retirá-lo do país para não ser linchado pela população.

Em seu lugar, Augusto enviou Sabino, que tentou novamente controlar o país. Invadiu o Templo, queimou armazéns públicos e confiscou os tesouros do Templo. Suas atitudes, no entanto, só aumentaram ainda mais a fúria popular, que ameaçou invadir o palácio e atear-lhe fogo.

A situação só foi definitivamente controlada quando Varo, então procurador romano da Síria, ocupou a cidade com um forte exército e matou muitos de seus habitantes. Como resultado, Roma decidiu tirar da Judeia o direito de possuir um "rei local", tornando-a mera província controlada desde então por um representante romano. Com esta perda de *status*, Jerusalém deixou de ser a capital oficial do país e uma permanente guarnição romana passou a tomar conta da cidade e do Templo com uma fortificada base localizada na Torre Antônia, no canto norte do Templo judeu.

Assim, até a revolta judaica de 66 A.D., pela Judeia passaram 14 procuradores e prefeitos romanos, um dos quais seria Pôncio Pilatos (26-36 A.D.), que sentenciou a execução de Jesus Cristo.

Infância e juventude de Jesus

Não foram somente os evangelhos apócrifos que tentaram preencher a lacuna da infância, adolescência e juventude de Jesus antes de seu ministério público. Outros também ficaram descontentes com esse hiato e procuraram repará-lo com a criação de mitos variados.

Uma antiga versão dizia que ele fora criado no Egito, onde aprendeu magia com os ilusionistas de Alexandria[82]. Nas Crônicas Arturianas do final da Idade Média, o jovem Jesus foi residente na Britânia e em outra versão mais recente, ele visitou a Cachemira, na Índia, onde se tornou um mestre Iogue.[83]

A tendência maior hoje, tanto de acadêmicos liberais quanto conservadores, é rejeitar essas versões como sendo lendas criadas sem nenhum respaldo histórico. Os chamados "anos perdidos de Jesus" continuam sendo um mistério, exceto por um único episódio: Sua visita ao Templo quando tinha 12 anos de idade.

Aos 12 anos

De acordo com Lucas 2:41-52, a família de Jesus subiu a Jerusalém para a festa da Páscoa. Essa era a celebração mais importante da fé judaica e que marcava o início do calendário hebreu, que é o dia 15 de Nisã, entre os atuais meses de março e abril. Peregrinações como essa eram um evento costumeiro que reunia muitos religiosos judeus na cidade por causa do Templo que lá havia. Eram várias caravanas.

Por alguma razão, Maria se perdeu de seu filho depois da festa, e ambos, ela e José, voltaram a Jerusalém. Talvez pensassem que Jesus estava junto com outros parentes. Foram três dias de busca até poder encontrá-lo no Templo, discutindo as Escrituras com os doutores do judaísmo. Uma anotação textual chama a atenção: os que o ouviam se admiravam de sua inteligência e suas respostas.

Isso aconteceu quando Jesus tinha 12 anos – uma idade muito importante na tradição judaica. Nessa ocasião, o jovem tem sua maioridade reconhecida para assuntos religiosos. Estava maduro o bastante para cumprir os mandamentos de Deus. Teoricamente, é como se ele fosse plenamente reconhecido como membro da comunidade e, portanto, era necessário celebrar com um rito de passagem.

Você sabia?

No Talmude, a maioridade religiosa de um judeu é fixada aos 13 anos: "Cinco anos é a idade para [começar] o estudo das Escrituras, dez para estudar a Mishnáe, treze para se tornar sujeito aos mandamentos" (Pikey Avot).

Como proposta para resolver a contradição entre os 12 anos de Cristo e os 13 estipulado pelo Talmude, os autores apresentam explicações diversas:

- a cerimônia de Jesus aos 12 anos era uma preparação para o Bar Mitzvá;
- como as viagens eram difíceis de se realizar, uma oportunidade faria com que os envolvidos aproveitassem o momento para antecipar ritos religiosos;
- a contagem inclusiva usada pelos judeus fazia com que uma criança de 12 anos e 1 mês já fosse considerada uma criança de 13 anos. Esse talvez fosse o caso de Jesus;
- não existe nenhuma relação entre o episódio do Templo e o Bar Mitzvá – não havia esse rito nos tempos de Cristo.

Todas as explicações têm seu valor, mas nenhuma define precisamente o motivo dos 12 anos de Cristo e se esse, de fato, tem alguma relação com o Bar Mitzvá do judaísmo.

Fato importante

No judaísmo atual ele é chamado de Bar Mitzvá, isto é, "filho do preceito", justamente por ter plenas condições de cumprir a lei. Mas é importante que se diga que esse não era um costume dos tempos de Cristo. A menção mais antiga dele data do século XIII.

Alguns acreditam, no entanto, que as raízes do Bar Mitzvá retrocedem aos dias de Cristo e que esse episódio de Lucas indica algum rito de passagem existente já naquele tempo. É possível, mas especulativo.

família à vila de Nazaré, mesmo sabendo dos preconceitos que Jesus e Maria enfrentariam. Os aldeães por certo descreram do nascimento virginal de Jesus, o que deve ter trazido um constante clima de suspeita e preconceito.

Foi a falecida arqueóloga Shirley Jacson que sugeriu, em 1926, que Jesus possivelmente estivera entre os trabalhadores braçais que edificaram Séforis. Habitada predominantemente por judeus, essa grande cidade fora a residência oficial de Agripa e a capital da Galileia, até ser trocada pela Tiberíades dos romanos por uma decisão do rei para lisonjear o imperador.

A família de Jesus

O registro bíblico não menciona nada sobre um possível casamento de Jesus. Fora algumas dúbias passagens dos evangelhos apócrifos e as famosas teorias da conspiração, não há nenhuma razão plausível para supor que Jesus fosse casado e os evangelistas houvessem omitido isso.

Pelo contrário, os rabinos sempre consideravam o casamento um sinal de santidade (*kiddshin*)[84] e o recomendavam mais que o celibato. Logo, se fosse para omitir algo, o celibato de Cristo, mais que um possível casamento dele, seria o elemento de escândalo a ser omitido pelos evangelistas[85].

Ao que tudo indica, Cristo veio à Terra para fins específicos que não prescreviam o casamento. Mas, relembrando, se fosse casado, isso não seria um problema para o judaísmo da época.

Os irmãos de Jesus

Além de José e Maria, os evangelhos também falam dos irmãos e irmãs de Jesus (Mar. 3:32; 6:1-3; Mat. 12:46; 13:55-56 etc.). Considerando que quatro deles são homens citados pelo nome (Tiago, José, Simão e Judas) e que, adicionalmente, fala-se de "irmãs", no plural, pode-se concluir que Jesus tinha no mínimo seis irmãos. Quatro homens e, pelo menos, duas mulheres. Mas quem seriam eles? Três hipóteses são comumente levantadas:

Fato importante

Que Jesus e seu pai trabalhavam no ofício de carpinteiros não constitui novidade para ninguém. A própria Bíblia revela que esta era sua profissão (Mat. 13:55 e Mar. 6:3). Mas o termo grego tekton, *usado para referir-se à ocupação de Jesus, é mais amplo do que simplesmente indicar a tradição de um fabricante de móveis. Aliás, isso seria mais o ofício de um marceneiro que de um carpinteiro.* tekton *indica um trabalhador mais voltado para a arte da construção, de modo que Jesus, seu padrasto e possivelmente seus irmãos seriam construtores de casas.*

Você sabia?

Quando Jesus era menino e adolescente, Herodes Agripa, que se tornara tetrarca da Galileia, resolveu reedificar ao norte da região (a 6 km de Nazaré) a nova capital da Galileia que se chamaria Séforis, a atual Moshav Zippori.

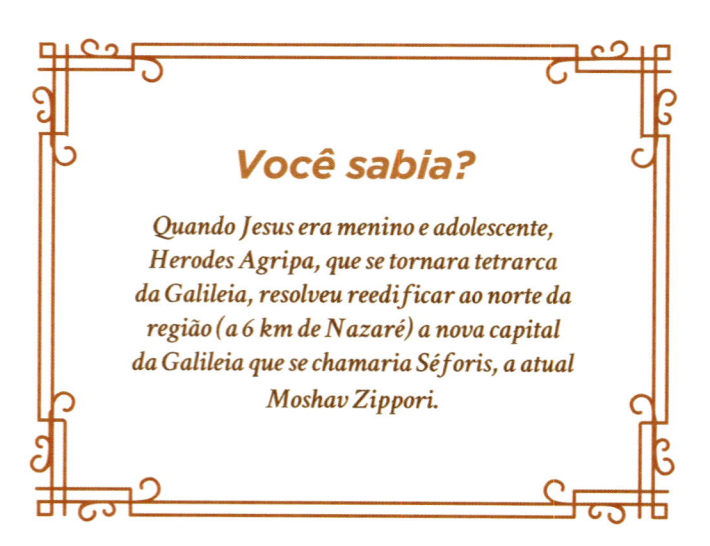

A edificação da metrópole consumiu grande mão de obra e levou cerca de 24 anos para ficar pronta. O recrutamento de carpinteiros e artesãos era grande por volta do ano 4 a.C. e gerara muitos empregos. Isso talvez corroborou para o retorno de José e sua

HIPÓTESE	OBSERVAÇÕES
São Jerônimo: os irmãos de Jesus seriam, na verdade, seus primos, pois a palavra grega adelfos pode significar um parente (Gên. 29:12); um próximo (Mat. 5:22-24), um meio irmão (Mar. 6:17,18).	O grego tem uma palavra própria para primo, que é anépsios. E os evangelistas não a usam para falar desses parentes. Embora haja casos em que "irmão" significa metaforicamente uma relação não sanguínea (Mat. 5:22-24; Rom. 9:3), o contexto de Mateus 13:53-58 condiz mais com a ideia de parente sanguíneo que "irmão" metafórico.
Autores protestantes: os irmãos de Jesus seriam outros filhos legítimos que Maria teve com José. Jesus seria o mais velho de uma leva de, pelo menos, sete filhos.	Não há nenhuma evidência, mesmo na tradição mais antiga, que valide esta pressuposição de outros filhos de Maria. No ato da cruz, Jesus deixou sua mãe aos cuidados do apóstolo João (Cf. Jo. 19:25). Ora, se Maria já tivesse outros filhos, não haveria necessidade de Cristo entregá-la aos cuidados do discípulo amado que, segundo a tradição, a teria levado para Éfeso, cuidando dela até seu falecimento.
O *Protoevangelium Jacobi,* escrito no século II, preserva uma tradição oral, segundo a qual os irmãos e irmãs de Jesus eram mais velhos que ele e frutos de um casamento prévio de José, que era viúvo quando casou-se com Maria.	Considerando que Jesus era o primeiro filho de Maria e que era constantemente repreendido por seus irmãos, conclui-se, realmente, que seus irmãos eram mais velhos que ele. Afinal de contas, eles jamais o tratariam assim se ele fosse o primogênito dentre eles. Logo, Jesus deveria ser irmão deles apenas por parte de pai. Como a poligamia entre judeus não parece estar mais em uso no século I, essa situação permite supor que José seria mesmo um viúvo com filhos, quando se casou com Maria.

Os irmãos de Jesus não o aceitaram, de imediato, como o Messias enviado de Deus (Jo. 7:5). Pelo contrário, todos os relatos envolvendo encontros do Senhor com seus familiares aparecem recheados de rejeição e incredulidade. Numa ocasião, seus irmãos chegaram a sugerir-lhe que fosse à Judeia, mesmo cônscios de que isso poderia significar sua morte (Jo. 7:1-9). Doutra feita, quiseram prendê-lo, reputando-o por louco diante da multidão (Mar. 3:21). E, por fim, Jesus já não se demonstrava ansioso para vê-los, preferindo antes a companhia dos seus próprios discípulos (Mat. 12:46-50).

Contudo, o livro de Atos 1:12-14 menciona a mãe e os irmãos do Senhor entre os discípulos que ficaram firmes em Jerusalém aguardando a vinda do Espírito Santo. Tiago, um dos irmãos citado pelo nome, tornou-se firme colaborador e líder da Igreja que estava em Jerusalém (Gál. 1:19; 2:9 e At. 12:17). Segundo a tradição, foi ele quem presidiu o Grande Concílio de 49 A.D. e

Piso de mosaico com a inscrição "doado por Cônon, diácono em Jerusalém". Alguns pensam que poderia se tratar de um dos parentes de Cristo.

ajudou a formular decretos de liberdade promulgados em favor das igrejas da Síria, Cilícia e Antioquia.

O martírio de Tiago

De acordo com Flávio Josefo[86], Tiago, irmão de Jesus, foi morto por uma manobra política feita por Ananus ben Ananus, sumo sacerdote de Jerusalém. Sua morte ocorreu entre o falecimento do procurador Pórcio Festo e a chegada de Lucceius Albinus para substituí-lo. Isso estabelece seu martírio em algum momento entre os anos 61 e 62 d.C.

Aproveitando-se de uma momentânea falta de controle romano sobre Jerusalém, Ananus reuniu o Sinédrio e condenou Tiago, "sob acusação de ter violado a Lei". Logo, em seguida, eles o apedrejaram. Josefo diz ainda que o ato de Ananus tornou-se conhecido no império como um exemplo de assassinato judicial que trouxe escândalo para as pessoas mais retas e justas da cidade. Alguns tentaram se encontrar com o procurador Albinus para pedir-lhe que interferisse no assunto.

Você sabia?

Ao que parece, com o passar do tempo, Nazaré se tornou um polo missionário liderado por parentes de Jesus. Júlio Africano (160-240 A.D.), um historiador e viajante cristão do final do século II, afirmava ser Nazaré um centro da atividade missionária judaico-cristã[87].

Também existe a menção de um certo Cônon, martirizado durante o reinado de Décio, que teria confessado perante a corte romana: "Eu sou de Nazaré [situada] na Galileia, sou da família de Cristo, ao qual eu ofereço um culto desde a época de meus ancestrais." [88]

Um ponto vulnerável desses testemunhos é o completo silêncio do Livro de Atos a respeito de um centro missionário com sede em Nazaré. Todavia, também é digno de nota que o autor canônico não pretendia escrever uma minuciosa história do cristianismo primitivo. Há outras importantes tradições como a crucifixão de Pedro e a decapitação de Paulo que também encontram-se ausentes no texto produzido por Lucas.

O idioma de Jesus

Os evangelhos dão a entender que nas suas conversas diárias Jesus utilizava-se, na maior parte do tempo, do aramaico (Mar. 5:14, 34, 41; 7:34; 15:34 etc.). Essa era uma língua semítica muito parecida com o hebraico e que fora usada como idioma formal do antigo império babilônico.

Quando os judeus regressaram de seu longo cativeiro na Babilônia, muitos deles já não dominavam a língua hebraica de seus pais. A partir daí, o aramaico tomou o seu lugar em Israel e assim ficou até os dias de Cristo. Principalmente as camadas mais simples e os povoados da Galileia preferiam se comunicar nesse idioma.

O hebraico ficou restrito ao discurso, à leitura da Torá e ao ambiente religioso. Por sua familiaridade com as Escrituras e sua atuação como rabi nas sinagogas por onde pregava, Jesus certamente teve fluência em hebraico. Foi possivelmente nessa língua que ele travou debates e diálogos com diversos escribas e fariseus.

No caso da sinagoga, o costume era ler a Torá em hebraico e depois fazer uma paráfrase (*Targum*) em aramaico. Afinal, não era pequeno o número dos que não tinham familiaridade com o idioma hebreu.

Quanto ao latim e ao grego, há evidências de que Jesus tenha alguma vez recorrido a esses idiomas, ou mesmo que pudesse compreendê-los. Houve um episódio, registrado em João 12:20-36, onde Jesus empreendeu diálogo com um grupo de helenistas. Contudo, é difícil saber se a conversa foi direta ou intermediada pela tradução de um discípulo, no caso Felipe, que provavelmente era fluente em grego.

O fato da arqueologia de Israel ter descoberto inscrições latinas em placas e monumentos do século I apenas evidencia a presença e o domínio romano na região; nunca um idioma conhecido da maioria.

Inscrição hebraica e aramaica encontrada numa sinagoga do En Gedi, Israel. 6o. século d.C.

Você sabia?

Os romanos não tinham o menor interesse em que os povos subjugados falassem correntemente o latim. Ao contrário, este parecia ser para os dominadores uma língua técnica e oficial dos cidadãos romanos – uma espécie de patente elitista. Assim dois patrícios poderiam conversar perante um escravo ou cidadão de uma província conquistada, sem o receio de que sua conversa estivesse sendo entendida.

Além disso, os intelectuais latinos em geral se davam muito bem com o grego. Roma não parecia se importar com o fato de ser ela a dominadora política do mundo e a Grécia a dominadora cultural. Prova disso é que os intelectuais gregos de então não se davam ao trabalho de aprender latim e os romanos eram cordatos em escrever algumas obras em grego para atender o público de cultura helenista.

Fato importante

Embora algumas passagens bíblicas sugiram Jesus como homem letrado (ex. Luc. 4:16, Jo. 8:6), não há indícios de que ele tenha tido uma educação formal rabínica, seja no Templo ou em alguma casa de estudos. A opinião de muitos estudiosos seria a de que a educação de Cristo fundamentou-se mais no ensino doméstico provido por seus pais e, talvez, no conteúdo vindo da sinagoga local (algo que todas as crianças participavam). O mistério, portanto, seria de onde Jesus obteve cultura suficiente para saber ler, escrever e discursar como um grande rabino?

Este é um tema de grande debate que tem dividido a opinião dos especialistas. Alguns duvidam das passagens que o mencionam lendo ou escrevendo, enquanto outros pensam que ele tinha apenas uma boa quantidade de informação memorizada.

Um dos principais temas do Evangelho da Infância de Tomé (cerca de 185) era que Jesus permaneceu iletrado – no que diz respeito a ter frequentado qualquer escola rabínica – mas que se tornou superior em conhecimento, obtendo uma cultura e conhecimento que nenhum professor poderia lhe conferir.

Ministério de Jesus

As evidências bíblicas e históricas parecem indicar que, antes de se manifestar para o mundo, Jesus optou por uma vida anônima e campesina em Nazaré. De acordo com os evangelhos, seu ministério público começou com seu batismo no rio Jordão e terminou em Jerusalém, com sua condenação nas mãos de Pôncio Pilatos.

Lucas 2:23 declara que Jesus tinha cerca de 30 anos quando começou seu movimento de pregação. Levando em conta as Páscoas mencionadas por João e uma possível cronologia para os eventos mencionados, estima-se que o ministério de Jesus teria durado em torno de 3 anos e meio.

Início do ministério de Cristo

O início do ministério de Cristo é apresentado em concordância com os dias finais do ministério de outro famoso pregador, João Batista. Novamente, a tarefa de muitos comentaristas é sugerir em que ano Jesus teria começado a pregar publicamente para os judeus.

Há três formas de se buscar uma data sugestiva: uma que parta da morte de Cristo e conte 3 anos e meio para trás (supondo que esse foi o tempo de duração de seu ministério) e outra que parta da informação fornecida por Lucas 3:1, de que o ministério de João batista teve início no 15º ano do reinado de Tibério, que foi o sucessor de César Augusto[89].

A terceira forma seria avaliar a informação dada em João 2:20 concernente à época de construção do Segundo Templo em Jerusalém.

Festa da Páscoa

Considerando que Jesus foi crucificado durante o governo de Pilatos e que esse durou 10 ou 11 anos, de 26 a 36/37 d.C., o ano da morte do Senhor tem de ter ocorrido em algum período dentro desse decênio.

Atrelada à crucifixão de Cristo, existe a menção de uma Páscoa. Alguns pensam que sua morte aconteceu no mesmo dia do sacrifício pascal (14º dia do mês de nisã) outros, que seria um dia depois (no 15º dia de nisã). Sendo assim, cálculos astronômicos apresentam apenas 3 anos que possibilitariam uma quinta ou sexta-feira caindo dentro das datas propostas. Seriam os anos 30, 31 e 33 d.C.

Para os que consideram que Jesus morreu exatamente no dia do sacrifício pascal (14 de nisã), a morte de Jesus teria se dado em 7 de abril de 30 d.C. ou 3 de abril de 33 d.C. Essas são as únicas datas que permitem uma Páscoa caindo na sexta-feira. Assim, o ministério de Jesus teria começado no ano 26 d.C. ou no ano 29 d.C. – considerando que durou 3 anos e meio.

Já os que entendem que a morte de Jesus foi um dia depois do sacrifício pascal (você verá esse assunto na temática da crucifixão), a única data admissível seria 27 de abril de 31, pois nesse dia o 15 de nisã caiu, de fato, numa sexta-feira. Nesse caso o ministério de Jesus começaria no ano 27 d.C.

Governo de Tibério

Lucas 3:1 diz que o ministério de João Batista teve início no 15º ano do reinado de Tibério César. A dificuldade aqui é saber se esse 15º ano deveria ser contado a partir da sua corregência, quando ele governou ao lado de Augusto em 12/13 d.C., ou apenas depois da morte de Augusto em 14/15 d.C., quando ele, então, começou a reinar sozinho.

Adicionando, pois, 15 anos para o início do ministério de João, pode-se chegar a duas datas: 27/28 d.C. ou 29/30 d.C. É importante, porém, lembrar que Lucas 3:1 oferece a data do início do ministério de João. Logo, deve-se considerar algum hiato de tempo entre essa data e o início do ministério de Jesus, pois o mesmo começou quando o trabalho de João já era amplamente conhecido na região. Ele, inclusive, já tinha discípulos seguindo seus ensinos (Mat. 9:14; 11:2; Luc. 7:18-35; Jo. 4:2; At. 18:24; 19:6).

Esse hiato poderia ser de alguns meses, talvez. Entre as possibilidades levantadas para o 15º ano de Tibério, alguns pensam que Lucas talvez fizesse um arranjo do calendário judeu ao calendário siríaco/macedônio (como o fez Flávio Josefo)[90]. Se assim for, o 15º ano seria, na verdade, o período entre outubro de 26 e setembro de 27 d.C. Esse quadro resolveria melhor o espaço de tempo necessário entre o início do ministério de João e o de Jesus Cristo. Contudo, em que pese a possibilidade, o assunto ainda permanece em aberto.

Templo - Muro das Lamentações

Construção do Templo

João 2:20 diz que pouco tempo depois do início de seu ministério, Jesus e seus discípulos foram para Jerusalém. Era festa da Páscoa e essa é a primeira menção dessa festividade relacionada ao cronograma do ministério de Cristo. Portanto, a primeira Páscoa que ele participou depois de ter se revelado como rabi e Messias.

Ali, num diálogo nada amistoso com os comerciantes do Templo, Jesus disse que eles poderiam derrubar o Templo (Ele se referia a seu corpo) que ele o reergueria em 3 dias. Eles então afirmaram ser impossível, porque o Templo – julgaram que Jesus se referia ao edifício sagrado – demorara 46 anos para ser erguido. Logo era impossível reerguê-lo em 72 horas.

Essa edificação do santuário a que eles fizeram referência certamente era aquela superestrutura iniciada por ordem de Herodes, o Grande, em 1º de nisã de 19 a.C. Se você somar 46 anos após isso, chegará ao ano 27 d.C. Contudo, é importante lembrar que, como não existe "ano zero", a transição das datas a.C. e d.C. deve ter o acréscimo de um ano, pois termina no ano 1 a.C. e começa o ano 1 d.C.

Assim, o episódio de João 2:20 ocorreu no ano 28 d.C. Considerando que Jesus foi batizado antes disso, isto é, no ano anterior seu ministério começaria no ano 27 d.C.

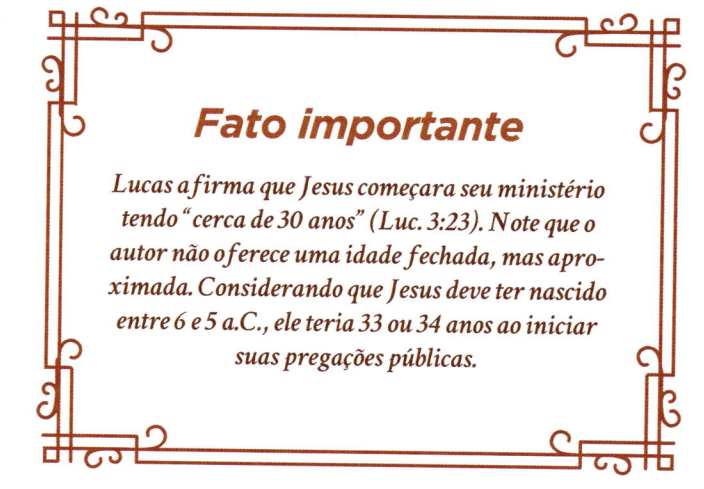

Fato importante

Lucas afirma que Jesus começara seu ministério tendo "cerca de 30 anos" (Luc. 3:23). Note que o autor não oferece uma idade fechada, mas aproximada. Considerando que Jesus deve ter nascido entre 6 e 5 a.C., ele teria 33 ou 34 anos ao iniciar suas pregações públicas.

Duração do ministério de Cristo

A maior parte dos teólogos acredita que o ministério público de Jesus durou em torno de 3 anos e meio. Mas como chegaram a essa conclusão?

Em primeiro lugar, é importante dizer que existe uma aparente discrepância, nesse sentido, entre os evangelhos sinóticos e o de João.

EVANGELHOS SINÓTICOS	EVANGELHO DE JOÃO
Trazem poucas informações sobre o tempo em que durou o ministério de Jesus. Eles mencionam a participação de Jesus em apenas uma Páscoa – exatamente aquela na qual Jesus fora morto. Antes disso, mencionam um episódio em que os discípulos passam pelas cearas maduras e colhem algumas espigas de trigo para comer. Ora, no Antigo Oriente Médio, a maturação do grão para a colheita ocorre justamente na primavera, que seria no final de maio. Considerando que a Páscoa ocorre em abril, o hiato entre os dois eventos (colheita e próxima Páscoa) seria de aproximadamente 10 meses – o tempo de duração do ministério de Cristo.	João estende o ministério de Cristo para bem mais de 10 meses. O difícil é precisar sua cronologia e acertar qual calendário ele estaria utilizando. Em João 2:13, 23, o autor menciona uma Páscoa (abril) que ocorreu não muito depois do início do ministério de Jesus. Em João 4:35, Jesus afirma que ainda faltavam quatro meses para a colheita. Como a colheita principal ocorria mais próxima do fim de maio, a dita afirmação de Cristo teria ocorrido em meados de janeiro, no máximo no início de fevereiro. Assim, entre a menção da primeira Páscoa (abril) e a declaração de Cristo, havia se passado pouco menos de um ano. Em João 5:1 outra festa é mencionada por Cristo, mas o texto não diz qual seria. Muitos comentaristas pensam que seria outra Páscoa e, se assim for, o início do ministério de Cristo já estaria completando pouco mais de 1 ano. João 6:4 traz a menção de outra Páscoa, a terceira até agora. E, logo depois, fala de duas outras festas, a dos Tabernáculos (7:20) e da Dedicação (10:22). Finalmente, a quarta e última Páscoa é citada em 11:55. Justamente aquela na qual Jesus foi morto. Juntando esses feriados religiosos numa linha do tempo, chega-se facilmente ao tempo proposto de duração aproximada do ministério de Cristo. Ele inicia suas atividades públicas pouco antes da primeira Páscoa e continua por mais três outras, totalizando aproximadamente 3 anos e meio.

Uma forma de conciliar ambas as fontes (João e os Sinóticos), nesse aspecto da duração do ministério de Jesus, seria entender que Mateus, Marcos e Lucas não negam os 3 anos e meio do 4º evangelho; apenas não fazem menção deles.

Nenhum deles é enfático em dizer que o ministério de Jesus durou apenas 10 meses ou 1 ano. Nenhum evangelista diz isso explicitamente. Ademais, embora os evangelhos tragam um relato acurado dos fatos relativos a Cristo, eles não intentam ser sequencialmente exatos. Ou seja, a ordem de alguns eventos que aparecem entre o início do ministério de Jesus e sua morte e ressurreição estão arranjados mais por tópicos do que por sequência cronológica.

Um exemplo disso pode ser visto na cura da filha de Jairo, intercalada pela cura da mulher com fluxo de sangue. Note que Mateus e Lucas narram com detalhes esse episódio, mas o colocam em momentos bem distintos (Mat. 9:18 ss e Luc. 8:40 ss). Mateus o apresenta depois da conversa entre Jesus e os discípulos de João acerca do jejum e Lucas depois do exorcismo em Gadara. Esse é um típico caso em que os autores não demonstram interesse na ordem dos acontecimentos, mas na temática que eles envolvem.

Ademais, os eventos relacionados a Cristo são colocados por amostragem de seus atos. Não são um relatório exaustivo de tudo que ele fez. Assim, muita coisa foi omitida. Note que o retorno de Cristo para a Galileia (Jo. 4:45), após sua primeira Páscoa como Messias revelado, parece ser o mesmo mencionado por Marcos 1:14 e Lucas 4:14.

A terceira Páscoa mencionada por João 6:4 tem paralelos muito próximos a Marcos 6:39ss e Lucas 9:12ss. Mas a coleta de trigo pelos discípulos em Marcos 2:23 e Lucas 6:1, indica outra festividade pascal diferente da última em que Jesus foi morto e daquelas mencionadas em João 2:13 e 6:1. Isso, por si só, demonstra que o ministério de Jesus envolveu, no mínimo, três Páscoas.

Fato importante

Ireneu de Lion, que viveu no século II d.C., afirmou que o ministério de Jesus durou aproximadamente 15 anos[91]. Já Clemente de Alexandria, Júlio Africano e Filastrio Hilario admitiam apenas 1 ano para a duração do ministério de Jesus.

Festas judaicas

O calendário judaico dos dias de Cristo contava com seis festas ou feriados religiosos:

Páscoa – 14 de nisã (abril/maio), Êxodo 12:6.

Festa das semanas ou Pentecostes – 50 dias depois, Levítico 23:16; Deuteronômio. 16:10.

Dia da expiação – 10 de *etanin* (setembro/outubro), Levítico 23:27.

Festa dos tabernáculos (ou das cabanas) – poucos dias após o dia da expiação, Levítico 23:34.

Festa da dedicação – mês de *kislev* (novembro/dezembro), I Macabeus 4:47-59.

Festa do Purim – mês de *adar* (fevereiro/março), relembrando a história de Ester.

A pregação de João Batista

Nenhum personagem se destaca mais na primeira parte dos evangelhos que João Batista, o distante parente de Jesus. Solitário pregador, vivendo mais em lugares desertos, João acreditava ser ele mesmo aquele apontado por Isaías como o "preparador dos caminhos do Senhor" – uma referência análoga aos arautos que visitavam oficialmente as cidades, anunciando a chegada de um rei e preparando o lugar para recebê-lo com dignidade real.

Suas vestes e comida (gafanhoto e mel silvestre) também são uma maneira de pregar para o povo. Seu jeito de vestir é absolutamente igual ao do profeta Elias, embora houvesse outros profetas que também tenham se vestido de pele de animal (Zac. 13:4; I Rs. 1:7).

O Talmude, num tom pessimista, diz que Deus deserdara Israel, pois não havia mais profetas em sua terra. De fato, nos dias de Cristo havia uma sede por revelações que viessem de Deus. Ora, Malaquias – um dos últimos profetas – profetizou a vinda daquele que chegaria com poder no espírito de Elias. As vestes de João anunciavam o cumprimento dessa promessa. Tanto que sua identificação de "preparador dos caminhos" não se encontra apenas em Isaías, mas também nos escritos do profeta Malaquias (3:1).

O alimentar-se de gafanhotos e mel silvestre pode ser uma referência ao alimento celestial (o mel) e a escassez de alimentos na terra (o gafanhoto). No caso específico desse animal, é certo que as leis levíticas permitiam o consumo de alguns tipos de gafanhoto (Lev. 11:22). Não obstante, existe a possibilidade de que o alimento a que a dieta de João se refere fosse um fruto da alfarroba. Essa possibilidade é baseada numa suposta grafia de akródua (vagem) para akrídes (gafanhotos, como está em todos os manuscritos). Mas não se achou até agora nenhum manuscrito com a palavra akródua. Essas vagens são doces e altamente nutritivas, além de ser o alimento consumido em épocas de escassez de comida. Veja o caso do filho pródigo (Luc. 15:16).

Finalmente, para compor o cenário de suas vestiduras e alimentação, o deserto é o local mais representativo do juízo e da preparação das pessoas para cumprir uma missão especial de Deus. João não poderia ter escolhido local mais apropriado para proclamar sua mensagem.

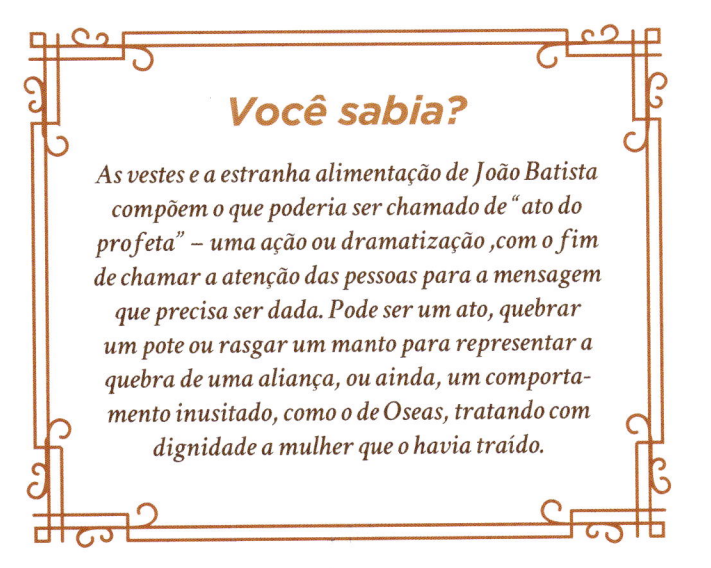

> *Você sabia?*
>
> *As vestes e a estranha alimentação de João Batista compõem o que poderia ser chamado de "ato do profeta" – uma ação ou dramatização, com o fim de chamar a atenção das pessoas para a mensagem que precisa ser dada. Pode ser um ato, quebrar um pote ou rasgar um manto para representar a quebra de uma aliança, ou ainda, um comportamento inusitado, como o de Oseas, tratando com dignidade a mulher que o havia traído.*

Rito batismal

É com o ministério de João que surge na narrativa do Novo Testamento *o embrião judaico do batismo cristão*. Seu rito de mergulhar as pessoas na água marcaria profundamente a forma de iniciação adotada posteriormente pelas igrejas cristãs. Daí seu nome ficar conhecido pelo apelido de Batista, isto é, aquele que batiza as pessoas.

Mas o que significava originalmente esse rito? Para responder a isso é preciso conhecer o rito judaico da imersão em água, pois foi dali que João tirou sua prática, embora com um sentido distinto do original. Que o ato não constituía novidade fica claro no fato de que em momento algum os fariseus e demais interlocutores mostraram-se surpresos com o que João Batista estava fazendo, nem mesmo perguntaram o que aquilo significava. Eles conheciam bem aquele ritual. Apenas não entendiam com que autoridade João fazia aquilo. Mesmo porque, de forma geral, na cultura do judaísmo antigo, a pessoa mergulhava a si mesma sem necessidade de ajuda externa para efetuar a purificação na água (Jo. 1:25).

O batismo judaico era chamado *evilá* e era realizado geralmente num *mikveh*, isto é, uma piscina especial de água corrente. Os mais abastados tinham um *mikveh* particular em casa, enquanto o povo comum realizava o ritual em rios ou em tanques públicos especialmente preparados para esse fim.

Havia vários desses tanques nas circunvizinhanças do Templo, onde as pessoas se mergulhavam antes de entrar no lugar sagrado. Era um banho de purificação, como aliás os próprios discípulos de João vão identificar o rito que ele fazia (Jo. 3:25). Foi possivelmente nesses tanques do Templo que Pedro e os demais discípulos batizaram os milhares de peregrinos em Jerusalém, por ocasião da festa do Pentecostes (At. 2:37-41).

João, porém, batizava no rio Jordão, próximo a Jericó – lugar do palácio de Herodes Antipas. E todo o povo afluía para ouvir o seu sermão apocalíptico, suas denúncias dos pecados do rei Herodes, na verdade, um "tetrarca" – título inferior ao de rei, significando "aquele que governa uma quarta parte do reino". Foram essas denúncias que resultaram em sua morte por decapitação no próprio palácio em Jericó (Mat. 14:1-12; Marc. 6:14-19; Luc. 9:7-9).

Batismo judaico

Na compreensão do judaísmo antigo, o corpo era continuamente contaminado, não necessariamente

Rio Jordão

por pecados cometidos, pois para estes havia o sacrifício que expiava a culpa, mas, acima de tudo, por coisas normais do dia a dia – o contato com um cadáver, por exemplo. Uma vez maculado o corpo, bastava a água para torná-lo apto ao exercício religioso, não necessitando, por isso, de um arrependimento prévio, mas somente da "lavagem" da impureza. No dia seguinte, porém, o corpo estaria novamente impuro pela convivência diária com coisas da terra e outra purificação se fazia necessária.

Não havia limites para o número de abluções. O devoto podia mergulhar-se quantas vezes quisesse e quantos dias fosse preciso. Um complexo como os tanques de Betesda e Siloé, ambos em Jerusalém, possivelmente seriam tanques públicos que passaram a servir para a realização desse cerimonial. João utilizou-se livremente desse rito, e Jesus também.

Mas Jesus mesmo não batizava e sim seus discípulos (Jo. 4:2). Ao que tudo indica, como consequência da entrada de muitos seguidores de João para o movimento de Cristo, o próprio Senhor resolvera adotar este gesto simbólico como rito de iniciação, embora continuasse a deixar com seus discípulos a tarefa de exercê-lo.

Fato importante

Flávio Josefo testemunha a existência histórica de João Batista e sua pregação nas seguintes palavras:

"Conforme a interpretação de alguns judeus, a destruição do exército de Herodes [o Tetrarca] veio como desígnio de Deus e foi muito apropriada como resultado do que ele havia feito com João, apelidado de Batista. Pois Herodes o decapitou, mesmo sendo ele um bom homem que ensinava aos judeus o exercício da virtude, bem como os atos de justiça em relação uns aos outros, e ainda a piedade em relação a Deus. Então ordenava-lhes o batismo, pelo que a lavagem [na água] só seria aceitável para ele, se eles [os batizandos] fizessem bom uso daquilo e não o exercessem apenas por formalidade exterior, ou para a remissão de alguns pecados, mas antes para a purificação do corpo inteiro, supondo que a alma já estivesse de antemão purificada por completo pela justiça." (Antiguidades, XVIII, 5, 2).

Rio Jordão

Jesus e João Batista

João e Jesus eram parentes distantes, que cresceram separados em sua juventude. Os pais de João Batista eram idosos, quando ele nasceu, pelo que não é difícil imaginá-lo órfão ainda na meninice. Por alguma razão, ele optou em viver no deserto e não morar com seus parentes em Nazaré, Jerusalém ou outra localidade.

Alguns pensam que João teria ficado por algum tempo em companhia dos essênios no deserto da Judeia. O fato é que, certa feita, ele mesmo admitiu que não conhecia a Jesus (Jo. 1:33). Foi preciso uma intervenção direta de Deus (o Espírito em forma de pomba) para que o Batista reconhecesse em Jesus, aquele que haveria de vir (Mat. 3:11-17).

A partir disso, se não travaram uma íntima amizade, pelo menos se admiraram em mútuo respeito. João chegou a mandar que seus discípulos seguissem a Jesus, ao invés dele mesmo (Jo. 1:35-41). Numa determinada ocasião, referiu-se àquele que haveria de vir como alguém de quem ele não seria digno nem do trabalho de desatar as sandálias (Jo. 1:27). Eis uma frase de extrema submissão, levando-se em conta que desatar as sandálias de um mestre era algo tão humilhante, que nem o menor dos discípulos estava obrigado a fazê-lo[92]. E, para terminar, censurou indiretamente seus discípulos que nutriam ciúmes do movimento de Cristo (Jo. 3:25-30).

Mas a recíproca de Jesus foi à altura. Devolvendo ao primo a hipérbole de um elogio, o Mestre chegou a pronunciar certa vez que dos nascidos de mulher (o que quase o incluía) ninguém era maior que João Batista (Luc. 7: 24-35). Jesus chegou a citar em seus discursos frases que originalmente foram ditas por João, tal era o respeito que ele tinha por seu ministério profético (comp. Mat. 3:2 com 4:17 e Luc. 3:10 e 11 com Mat. 5:39-42).

Local do batismo de João

Dois lugares disputam o local original onde João Batista realizava seus batismos públicos: o primeiro e mais conhecido é um pequeno afluente do rio Jordão, alimentado por cerca de cinco nascentes. O local se chama Wadi Kharrar e fica na zona de fronteira entre Israel e Jordânia. O lugar não é muito distante de Jericó e a tradição diz que, na confluência dessas cinco fontes, João batizava.

Wadi Kharrar, muitos creem que neste local Jesus foi batizado.

João Batista e Qumran

A relação entre o movimento de João Batista e o movimento de Jesus é explícita nos evangelhos, logo, também o será em relação a Qumran e aos nazarenos. No que diz respeito à referência de João Batista como tendo um "movimento" em torno de si, é notório que ele tinha discípulos e ministrava sermões de arrependimento (Jo. 1:35).

Lucas 1:80 menciona que ele foi criado nos desertos. Ora, Josefo afirma que os essênios criavam filhos de outras pessoas (Antiguidades 2,8,3). Talvez João tenha sido criado na comunidade de Qumran. As razões hipotéticas para que seus pais o tenham lavado até ali podem ser as seguintes: depois da matança das crianças em Belém, Isabel o levou para lá, porque como eram parentes de Jesus, filho de José e Maria, João poderia correr perigo em Jerusalém com a dinastia dos Herodes no poder (note que ele depois se volta contra um dos Herodes que era adúltero).

Essa razão é apresentada no evangelho apócrifo *protoeuangelion* de Tiago. A outra razão seria que Zacarias, sendo um sacerdote se juntou aos essênios que eram da tribo de Levi e não mais aceitavam o movimento sacerdotal de Jerusalém. Eles diziam seguir o sacerdócio de Zadoque (II Sam. 8:17; I Cr. 24:3 etc.). Isso explicaria o vegetarianismo de João, uma vez que dentre os essênios muitos eram vegetarianos, rejeitando comer até mesmo o cordeiro pascal[68].

João, portanto, vivia no deserto (em uma comunidade? Sozinho?) [Luc. 1:80; Jo. 1:28]. Sua morada era num local que distava apenas 8 milhas de Qumran – na verdade, as grutas onde os manuscritos foram localizados estava a 5 milhas de onde João Batista batizava.

Agora vejamos as similaridades entre o ensino de João Batista e o de Qumran:

Ambos (João e a comunidade de Qumran) citavam Isaías 40:3 como uma profecia que antecipava sua pregação (Mat. 3:3; Mar. 1:3; Luc. 3:4; Jo. 1:23 e Documento de Damasco 7,12-14; 9,20). Seria por isso que o cristianismo foi conhecido como "o caminho"?

João e Qumran praticavam a imersão/batismo (Tevillah) como sinal de arrependimento. Os judeus também o praticavam, mas em João e Qumran o batismo parece ter um colorido mais escatológico de arrependimento que a prática judaica mais comum de purificação (Man. Disc. 3, 4f; v, 13; Doc. Dam. 10, 10-13). Além é claro da menção inédita do Espírito Santo (Man. Disc. 4, 12-13).

Mas há também diferenças importantes entre o movimento batista e aquele de Qumran:

Os essênios usavam branco (Antiguidades 2, 8, 3). João usava vestes de pelo de camelo (Mat. 3:4).

A comunidade não era evangelística, era fechada em si mesma e quase eremita (Man. Disc. IX, 21-26). João pregava na ribeira do Jordão e perto da cidade, pois as pessoas vinham ouvi-lo. Ele, inclusive, viu Jesus passando por uma via pública quando disse "eis o cordeiro de Deus".

Soldados e publicanos não eram aceitos entre os essênios, João lhes aconselha apenas que sejam honestos e não que abandonassem a profissão (Luc. 3:10-14).

A impressão que temos é que João foi por algum tempo do movimento essênio, mas o abandonou em certo período. Possivelmente o movimento dos nazarenos também.

As propostas, as perspectivas, os cenários são muitos como se pode ver. Contudo, compensa tremendamente estudar a vida e os ensinos de Cristo. O acercamento destes temas traz, com certeza, muitos benefícios a quem deles lança mão, quer como acadêmico ou simplesmente como sujeito de fé, refletindo sobre sua própria identidade confessional.

Aqueles que apoiam essa tradição fundamentam-se nos seguintes pressupostos: (1) o local faz parte do deserto da Judeia; (2) A expressão "Betânia além do Jordão" (Jo. 1:28) como a referência ao local dos batismos não era necessariamente um local no próprio rio, mas um pouco afastado dele; (3) este lugar está intimamente ligado com o rio; (4) os batismos não poderiam ser exatamente no rio por causa da sua forte correnteza, mas num lugar associado às águas do Jordão; (5) a presença de um grande número de capelas erguidas ali nos séculos VII e VIII mostra que o lugar detinha alguma tradição que o apontava como local do batismo de João Batista[93].

O segundo lugar provável do batismo foi apontado pelo arqueólogo Shimon Gibson[94]. Ele comandou uma escavação num sítio arqueológico perto de Ein Karim – lugar onde tradicionalmente acredita-se que nasceu João Batista. Ali descobriram uma caverna com sinais de acúmulo de lama e estruturas de pedra que serviam para formar "piscinas", canalizando e acumulando a água da chuva dentro da rocha.

Além disso, há indícios de uso esporádico do lugar durante todo o século I d.C. Ali encontram-se muitas cerâmicas, mas sem sinal de que a ocupação tivesse sido doméstica. Era um local público. As paredes são adornadas com desenhos bizantinos e trazem cruzes, símbolos cristãos e o desenho de um homem com roupa de peles, um cajado e um aparente cordeiro do seu lado. Para Gibson, uma representação de João Batista ao lado do "Cordeiro de Deus", ou seja, Jesus.

Por que Jesus foi batizado?

Uma coisa que intriga muitos leitores do Novo Testamento é o fato de Jesus ser declarado sem pecado e necessitar ser batizado. O próprio João Batista se surpreendeu com o fato dizendo: "Eu é que preciso ser batizado por ti e tu vens a mim?" (Mat. 3:14). A resposta de Jesus é mais intrigante ainda: "Deixa por enquanto, por que assim nos convém cumprir toda a justiça" (Mat. 3:15).

Várias motivações são apresentadas para esse episódio. Talvez a mais compatível com a resposta de Jesus a João seria aquela que aponta para o modo impecável e exemplar com que Jesus deveria exercer seu ministério. "Impecável" no sentido de que ele não poderia ter nenhuma mácula e "exemplar" porque deveria ser um modelo para a humanidade.

O Messias deveria ser rei e sacerdote. Rei, segundo sua ascendência de Davi e sacerdote, segundo a ordem de Melquisedeque, pois obviamente ele não teria como ser da tribo de Judá e Levi ao mesmo tempo (Sal. 110:4; Heb. 5:8-10, 6:20).

Ambas as funções, de rei e sacerdote, exigiam a unção com óleo consagrado – símbolo do Espírito Santo de Deus. O mergulho de purificação na água era requisito básico para alguém que iria atuar como sacerdote (Êx. 29:1 e 4). No caso do rei, embora a lavagem com água não constitua uma exigência divina, percebe-se a presença de uma fonte no momento em que Salomão é consagrado rei de Israel (I Rs. 1:45).

A unção de Cristo é superior a todas as demais. O Espírito de Deus desce como pomba e vem sobre ele. Depois a voz do Pai é ouvida do céu aclamando o seu Filho. Um evento público, testemunhado por todos e reconhecido por João (Jo. 1:32 a 34).

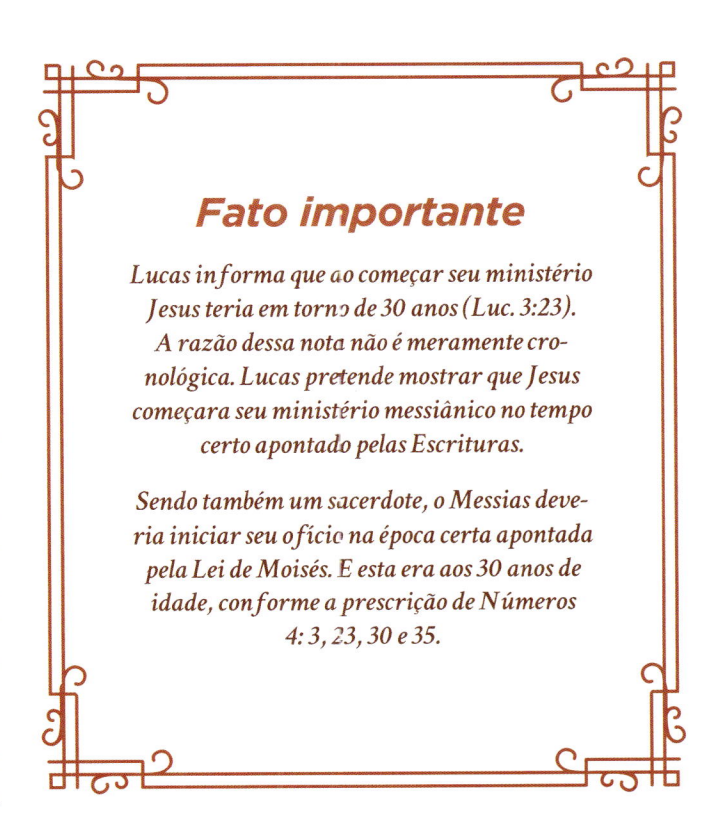

Fato importante

Lucas informa que ao começar seu ministério Jesus teria em torno de 30 anos (Luc. 3:23). A razão dessa nota não é meramente cronológica. Lucas pretende mostrar que Jesus começara seu ministério messiânico no tempo certo apontado pelas Escrituras.

Sendo também um sacerdote, o Messias deveria iniciar seu ofício na época certa apontada pela Lei de Moisés. E esta era aos 30 anos de idade, conforme a prescrição de Números 4: 3, 23, 30 e 35.

Templo - Vista Geral Esquina, Pináculo

Confronto com o mal

A ida de Jesus para o deserto, onde foi tentado pelo diabo, tem um profundo significado dentro da religiosidade da época. Antes de conhecê-lo é importante saber por que Deus expôs seu Filho à mercê do príncipe das trevas.

Após o batismo, Jesus foi "levado pelo Espírito ao deserto, onde, durante quarenta dias, foi tentado pelo diabo" (Luc. 4:1-2). O objetivo do inimigo era fazer com que o Messias falhasse em sua missão. Ao concluir a narrativa do embate, em Lucas 4:13 é dito que Satanás "o deixou até ocasião oportuna", o que indica ter sido Jesus tentado em outras ocasiões, ainda que novos incidentes de confronto direto não tenham sido registrados.

Contudo, em pelo menos uma ocasião, é possível ver o diabo, desta vez através de Pedro, tentando dissuadir Cristo de sua missão (Mat. 16:21-23). O ponto importante é que, apesar de múltiplas tentações, o testemunho bíblico é de que Cristo nunca pecou. Mas qual o propósito em deixar que Cristo fosse tentado?

O texto bíblico é claro: Cristo "foi levado pelo Espírito ao deserto". Tal expressão indica um propósito divino naquela condução do Messias pelas terras mais áridas da Judeia. O motivo claro para isso é assegurar que a humanidade tivesse um sumo sacerdote capaz de se relacionar com as fraquezas e debilidades próprias da raça humana (Heb. 4:15).

Fato importante

Cristo não sofreu, é claro, das mesmas coisas que cada indivíduo do mundo inteiro padeceu. Ele não teve a dor de sofrer um estupro na infância, ou o trauma de ver esposa e filhos mortos por bandidos na sua frente. Contudo, ele foi tentado nos pontos básicos que todos os seres humanos também são. Ou seja, ele não precisava passar pelas mesmas dores que cada um enfrenta, mas ter a experiência exata do que é sentir dor, sede, sensação de abandono. Isso o torna hábil a compreender as debilidades humanas assim como um paciente com câncer pode entender a dor do outro com esclerose múltipla, embora se tratem de doenças diferentes.

Templo - Beiral do Pináculo

Tentações no deserto

Na versão de Mateus 4:1-11, as três tentações sofridas por Cristo resumem a tríade de todo fracasso espiritual. Primeiro, a tentação da cobiça também conhecida como concupiscência da carne: "Manda que essas pedras se transformem em pães". Ou seja fazer coisas escusas para alimentar os desejos do corpo e o prazer, custe o que custar.

A seguir, a tentação da arrogância espiritual: "Atira-te abaixo ... porque aos seus anjos ordenará a teu respeito para que te guardem". Ou seja fazer coisas erradas em nome da fé e de um suposto cumprimento da vontade de Deus, bem como a tentativa humana de trocar de lugar com o Altíssimo, recriando Deus à imagem e semelhança dos caprichos e posições pessoais, de modo que a vontade do homem passa a ser a vontade divina e, por isso, deve ser obedecida.

Por fim, a tentação da idolatria ou negociação da alma com o diabo: "Tudo isso te darei, se prostrado me adorares". Pessoas que põem à venda sua salvação em troca de migalhas materiais e sensações agradáveis.

Cristo, portanto, enfrentou a tentação na sua base. E como pano de fundo de cada um desses assédios satânicos estava o maior de todos os perigos: a independência de Deus.

Assim, a natureza humana do Filho de Deus lhe permitiu não apenas compreender a dor humana, mas simpatizar-se com ela. "Porque, tendo em vista o que ele mesmo sofreu quando tentado, ele é capaz de socorrer aqueles que também estão sendo tentados" (Heb. 2:18). A palavra grega traduzida "tentado" aqui significa "ser colocado à prova".

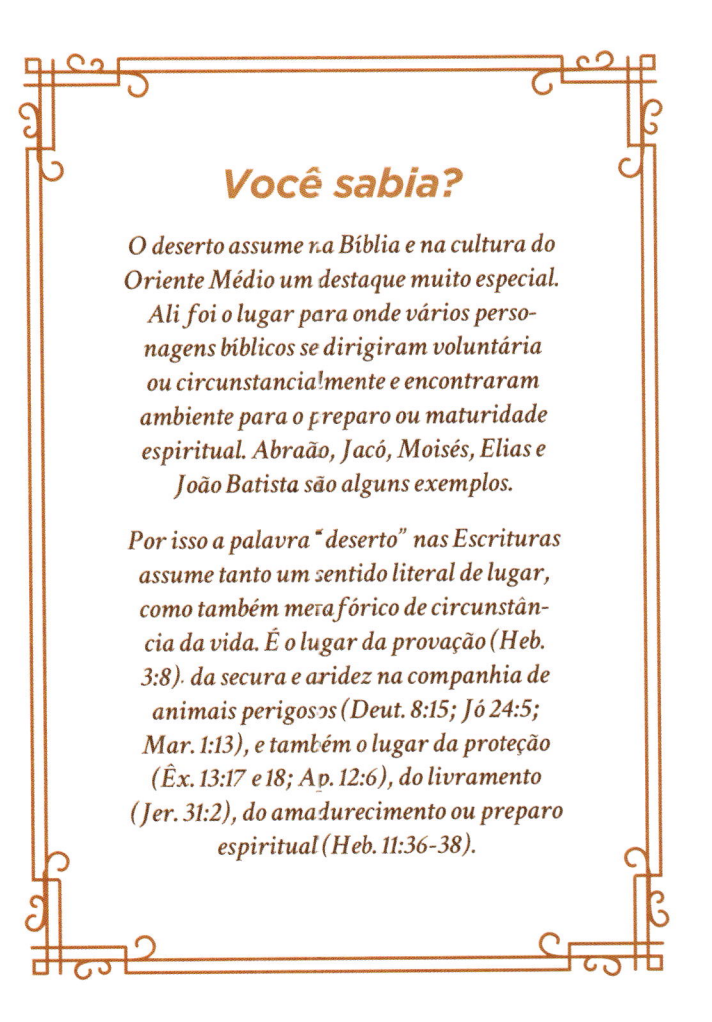

Você sabia?

O deserto assume na Bíblia e na cultura do Oriente Médio um destaque muito especial. Ali foi o lugar para onde vários personagens bíblicos se dirigiram voluntária ou circunstancialmente e encontraram ambiente para o preparo ou maturidade espiritual. Abraão, Jacó, Moisés, Elias e João Batista são alguns exemplos.

Por isso a palavra "deserto" nas Escrituras assume tanto um sentido literal de lugar, como também metafórico de circunstância da vida. É o lugar da provação (Heb. 3:8), da secura e aridez na companhia de animais perigosos (Deut. 8:15; Jó 24:5; Mar. 1:13), e também o lugar da proteção (Êx. 13:17 e 18; Ap. 12:6), do livramento (Jer. 31:2), do amadurecimento ou preparo espiritual (Heb. 11:36-38).

Fato importante

O jejum, bem como demonstram os textos bíblicos e a tradição judaico-cristã, não era uma prática isolada, nem técnica destinada a provocar êxtase ou conseguir o favor de Deus. Trata-se antes de uma atitude descrita em hebraico como "afligir a própria alma", isto é, demonstrar sensibilidade física e emocional em relação ao conflito cósmico que envolve a humanidade e posicionar-se diante dele.

Noutras palavras, mostrar, pelas atitudes e comportamento, que houve uma real opção pelo lado de Deus na guerra do bem contra o mal.

Endereços do Mestre

O relato dos evangelhos permitem apontar pelo menos cinco lugares onde Jesus morou. O primeiro, Belém, por aproximadamente dois anos após seu nascimento. O segundo, alguma comunidade judaica do Egito, talvez por cerca de um ano, enquanto Ele e seus pais fugiam da ira de Herodes. O terceiro, Nazaré, onde fora criado e permanecera talvez até próximo aos 30 anos. O quarto, algum lugar próximo ao sítio onde João Batista realizava seus batismos. O quinto, Cafarnaum, a cidade onde residiu por 3 anos e meio até seguir para Jerusalém e ser crucificado diante de todos.

Deixando Nazaré

O início do ministério público de Jesus aparece marcado por, pelo menos, duas mudanças de endereço. Mesmo criado em Nazaré, ele já não residia ali no momento em que se manifestou como Messias. A Bíblia o mostra visitando uma ou duas vezes o lugarejo, mas sempre em clima de rechaço e desconfiança por parte de seus moradores (Mat. 13:53-58; Mar. 6:1-6; Luc. 4:16-30).

Pelo que se lê em João 1:25-42, Jesus já havia fixado residência em algum lugar da Judeia, provavelmente nas cercanias de Betânia ou Jericó, próximo ao local onde João Batista pregava e fazia batismos. Foi nessa circunstância que ele um dia solicitou ser batizado por João Batista. Entretanto, quando ouviu dizer que João havia sido preso, Jesus voltou para Nazaré, na Galileia (Mat. 4:12).

Mas Jesus não continuou morando ali por muito tempo. Diz o Evangelho de Mateus: "... e [Jesus] deixando Nazaré, foi morar em Cafarnaum, situada à beira-mar"(Mat. 4:13). O "mar" é claro, seria "Mar da Galileia", o grande lago de água doce que dá nome à região.

Os motivos que fizeram Cristo sair pela segunda vez de Nazaré, novamente, não são esclarecidos pelo evangelista. Contudo, a possível morte de José e a crescente rejeição de seus concidadãos seriam bons argumentos para sua mudança.

Ademais, o verbo grego usado por Mateus para referir-se à saída de Jesus de Nazaré é *kataleipô*, que carrega um sentido adicional de "deixar para trás", "abandonar", "esquecer". Foi com esse tom pejorativo, que Mateus usou esse verbo todas as vezes que se referiu a uma retirada de Jesus de alguma localidade (cf. Mat.16:4; 21:17). Não foi, enfim, uma saída pacífica regada com lágrimas e festas de despedida.

Nova residência

Uma vez na Galileia, Jesus escolheu Cafarnaum como seu centro referencial. Aquela cidade é sempre referida como sendo o lugar de onde ele sempre par-

Visão panorâmica da moderna cidade de Nazaré.

tia em suas viagens evangelísticas e para onde voltava. A nova cidade chega a identificar-se tanto com o Mestre que Mateus e Marcos referem-se a ela como sendo "a sua própria cidade [i.e. de Cristo]" (Mat. 9:1 e Mar.. 2:1).

Mas por que Cafarnaum e não Corazim, Betsaida ou outro centro urbano local? A resposta talvez esteja na amizade firmada com Pedro, o pescador e sua família, o que fez com que Jesus se sentisse bem acolhido naquele lugar. Outra possibilidade, não excludente da primeira, seria o fato de Jesus ter outros parentes vivendo ali, mas que não o rejeitaram como os de Nazaré. E, ainda, Cafarnaum, nos dias de Cristo, era um importante centro comercial da Galileia, e, assim, Jesus teria contato com muitas pessoas nessa cidade.

Quem seriam esses parentes? Qual o indício bíblico dessa possibilidade?

Parentes de Jesus

No Evangelho de Mateus, João e Tiago, que se tornaram apóstolos de Cristo, são chamados de "filhos de Zebedeu" (Mat. 4:21). Eles também moravam em Cafarnaum e eram pescadores, juntamente com seu pai. Mateus ainda descreve sua mãe, a mulher de Zebedeu, entre as seguidoras de Cristo que ficaram ao pé da cruz (Mat. 27:56).

Marcos dá a entender que essa mesma mulher chamava-se Salomé, e João complementa que ela seria a irmã de Maria, mãe de Jesus (Marc. 15:40; Jo. 19:25). Uma visão conjunta dos três relatos evangélicos esclarece melhor o argumento.

MULHERES AO PÉ DA CRUZ DE CRISTO				
Lucas 23:49	Maria, mãe de Jesus	Maria, mãe de Tiago e José	Maria Madalena	
Mateus 27:55, 56	Maria, mãe de Jesus	"Maria, mãe de Tiago e José"	Maria Madalena	A mulher de Zebedeu
Marcos 15:40	Maria, mãe de Jesus	"Maria, mãe de Tiago, o menor, e José	Maria Madalena	Salomé
João 19:25	Maria, mãe de Jesus	"Maria, mulher de Clopas"	Maria Madalena	"A irmã dela [de Maria mãe de Jesus]"

Note-se que ambos, Mateus e Marcos mencionam três mulheres que seguiram Jesus desde a Galileia e permaneceram com ele em Jerusalém durante o tumulto de seu julgamento. Uma seria Maria, mulher de Clopas, mãe de Tiago, o menor, e José. A outra seria Maria Madalena. E a terceira é apresentada como Salomé, talvez mulher de Zebedeu (obviamente a mãe de Tiago e João).

O elemento final fica por conta de João, que menciona nominalmente apenas as duas primeiras mulheres, mas acrescenta Maria, a mãe de Jesus e, "a irmã dela". Como não há menção extra de Salomé ou de uma quinta mulher, o texto estaria falando da mesma pessoa.

Você sabia?

Esta provável relação parental lança luz no episódio descrito em Mateus 20:21, onde "a mãe dos filhos de Zebedeu" pede a Cristo que no seu reino um de seus filhos fique à sua direita e o outro à sua esquerda. Era um pedido bastante audacioso para uma mulher da época. Ele só se justificaria se ela tivesse alguma ascendência familiar sobre Jesus. Se realmente se tratar de sua tia, a requisição faz todo sentido, considerando que Tiago e João seriam seus dois primos legítimos.

De fato, Tiago e João estão no círculo dos mais íntimos de Cristo ao lado de Pedro e André. João chega a ser chamado de "o discípulo amado", "aquele que reclinava a cabeça no peito de Jesus" – uma expressão típica para demonstrar intimidade familiar.

A vida em Cafarnaum

Embora o Antigo Testamento não faça menção alguma a essa cidade, existe uma tradição judaica que a identifica, talvez por causa de seu nome, como a vila onde morou o profeta Naum. Daí o nome hebraico *Kefar* (ou *Kaper*) + *Naum* – vila de Naum.

O sítio arqueológico de Cafarnaum (hoje conhecida como Talhum pelos árabes) está situado perto das cidades de Tabgha (3 km) e Tiberíades (16 km). A apenas 5 km dali pode-se alcançar o curso do rio Jordão.

Dos edifícios ali escavados, chamam-nos a atenção os restos de uma sinagoga e os alicerces de uma casa, com forte probabilidade de ter sido a residência do apóstolo Pedro, mencionada nos sinóticos como sendo o lugar onde Jesus tomava suas refeições e algumas vezes dormia. Também foi ali que o Mestre curou a sogra do apóstolo, episódio referido em Mateus 8:14-15.

Achado arqueológico recente

A sinagoga local

A sinagoga foi a primeira das ruínas ali reconhecidas pelo relato do explorador americano E. Robinson, em 1838. Seu edifício ergue-se no centro físico da pequena cidade e as suas dimensões são notáveis: a sala de oração, de planta retangular, mede 23 metros de comprimento por 17 de largura e possui à volta outras salas e pátios.

Ao contrário das casas particulares, com as suas paredes negras de pedra basáltica, a sinagoga foi construída com blocos quadrados de pedra calcária branca, trazida de pedreiras localizadas a muitos quilômetros de distância; alguns blocos pesam quatro toneladas.

Porém, aquela não é a sinagoga que Jesus conheceu. Estudos mais recentes revelaram ser aquela uma construção dos séculos III ou IV d.C. No local, foram encontradas cerca de 30.000 moedas do período romano tardio, além de várias cerâmicas e pedaços de uma arquitetura bizantina – elementos que confirmam uma datação tardia para o edifício.

Contudo, sob as ruínas dessa sinagoga, mais especificamente sob a nave central, há um pavimento de pedras de basalto diferente do encontrado em outras áreas do local; junto dele há cerâmicas, certamente pertencentes a um período bem anterior ao Bizantino. Segundo a opinião de alguns sérios estudiosos esse pavimento seria do século I e pode muito bem pertencer à mesma sinagoga dos dias de Jesus, referida em Mateus 8:5-13 e Lucas 7:1-10.

O costume oriental de construir novos edifícios de culto sempre sobre os escombros de um outro edifício de culto explica o porquê de estarem as duas sinagogas, a mais antiga e a tardia, edificadas no mesmo local. Naquele lugar, portanto, o Mestre esteve em vários sábados, leu a Torá e pregou a vinda do reino dos céus.

Conforme as informações dadas por Lucas, a sinagoga de Cafarnaum havia sido edificada por um centurião romano de quem Jesus curara um fiel empregado (Luc. 7: 1-10). Ali também havia um líder local chamado Jairo, que teve sua filha de 12 anos ressuscitada por mais um milagre de Jesus Cristo.

A casa que Jesus frequentou

Hoje, quem visita Cafarnaum verá, elevada por sobre as ruínas de uma das casas locais, uma igreja moderna inaugurada em 1990. Mas o que interessa, em termos arqueológicos, está embaixo dessa igreja: uma sobreposição de três edificações, localizadas a 30 metros da sinagoga, cujo primeiro nível seria

Ruínas da sinagoga de Cafarnaum

uma casa feita de pedras basálticas e datada do século I d.C.

Acima dela estariam os alicerces de duas igrejas cristãs, uma do IV outra do século V d.C. A mais recente tem um formato octogonal, cujo significado, embora ainda desconhecido, está intimamente ligado a uma pia batismal típica daqueles tempos e um mosaico que confirmou se tratar de um sítio sagrado do cristianismo.

Foi somente a partir das escavações locais reiniciadas em 1968 que emergiu perante os arqueólogos a história daquela construção. Os dois alicerces abaixo da igreja octogonal seriam estratos mais antigos que não tinham sido devidamente identificados. Um era o alicerce de outra igreja cem anos mais velha que a octogonal e o outro, abaixo desta, o alicerce de uma casa particular de meados do século I.

Cafarnaum - Casa de Pedro

Seria a casa de Pedro?

No solo mais profundo (pertencente à casa) foram encontrados dois anzóis de pesca enterrados junto a potes domésticos e lâmpadas de óleo que ajudaram na datação do estrato e na identificação com a propriedade de um pescador simples da Galileia. Mas até aí, o que se podia afirmar com base na evidência arqueológica era que ali estavam os restos de uma casa particular do século I que pertencera a certo pescador da localidade. Identificá-la com a casa de Pedro era outro desafio.

A peça-chave para completar este quebra cabeça veio de uma menção do século IV feita por Egéria, peregrina cristã oriunda da Espanha, que assim escreveu:

"A casa do príncipe dos apóstolos foi transformada numa Igreja; contudo as paredes [da casa] ainda estão de pé como eram originalmente. Ali o Senhor curou o paralítico. Também existe lá a sinagoga onde o Senhor curou o endemoninhado, a que se chega a subir muitos degraus; esta sinagoga está construída com muitas pedras quadradas".

Este testemunho deve completar-se com outro escrito um século mais tarde por um certo Antonino Placentini, também peregrino na região: "Chegamos a Cafarnaum, a casa do bem aventurado Pedro, que [hoje] é uma basílica"

Ora, esta era a chamada *domus ecclesia* (igreja do lar), muito comum entre os cristãos dos primeiros séculos que se reuniam em casas particulares com o fim de celebrar a ceia do Senhor, ao invés de irem para a sinagoga dos judeus. Com o passar do tempo, essas igrejas domiciliares receberam modificações arquitetônicas e se transformaram em capelas e depois basílicas.

Às vezes acontecia de um dos membros possuir uma casa maior, com melhor localização, que poderia servir de local de reuniões. Quando isso ocorria, eles separavam aquele cômodo como centro fixo de reuniões e davam-lhe o nome de *minim,* que no latim bárbaro parecia significar "diminuta", ou "pequenina".

Com a conversão de Constantino e conseguinte peregrinação de Helena pelas terras bíblicas, muitas dessas igrejas domésticas foram transformadas em capelas menores ou basílicas suntuosas, dependendo do maior ou menor domínio romano sobre a região. Desse modo, preservou-se de certa forma, sob o piso de algumas igrejas latinas, senão a forma, pelo menos o local de importantes acontecimentos antigos. É evidente também que lendas surgiram na demarcação de lugares santos e cada caso tem de ser visto com muito cuidado e rigor investigativo.

Resumindo, pois, a casa de Pedro teria sido usada como local de reuniões cristãs a partir de algum tempo dentro ainda do século I. Por iniciativa de cristãos não judeus, amparados pela proteção de Helena, a mãe do imperador, construiu-se uma igreja por cima da residência. Um século depois, no entanto, ela foi derrubada e deu lugar a outra igreja bizantina, que pode ser identificada a partir da última parte da década de 1960.

Você sabia?

Sendo Cafarnaum o trajeto obrigatório de muitos viajantes que saíam do norte em direção ao sul, Herodes resolvera estabelecer no local uma espécie de aduaneira para cobrar impostos e uma guarnição para controlar eventuais insurreições.

Não eram apenas impostos para Roma que eram recolhidos. Também havia imposto do Templo em Jerusalém. Coletores especiais eram designados para esse ofício. Sua tarefa era coletar meio shekel por cidadão adulto do sexo masculino e enviar a Jerusalém para a manutenção do santuário judeu. Esse imposto foi cobrado de Jesus numa das ocasiões em que ele e seus discípulos entraram na cidade (Mat. 17:24-27).

De fato, o evangelho relata que um dos discípulos de Jesus chamado Levi ben Alfeu (vulgo Mateus) trabalhava nessa coletoria de Cafarnaum, quando deixou tudo para seguir o Mestre. Doutra feita, também menciona um centurião, construtor da sinagoga local, que era homem justo e solicitou a Cristo que curasse seu empregado.

Ruínas da provável casa de Pedro

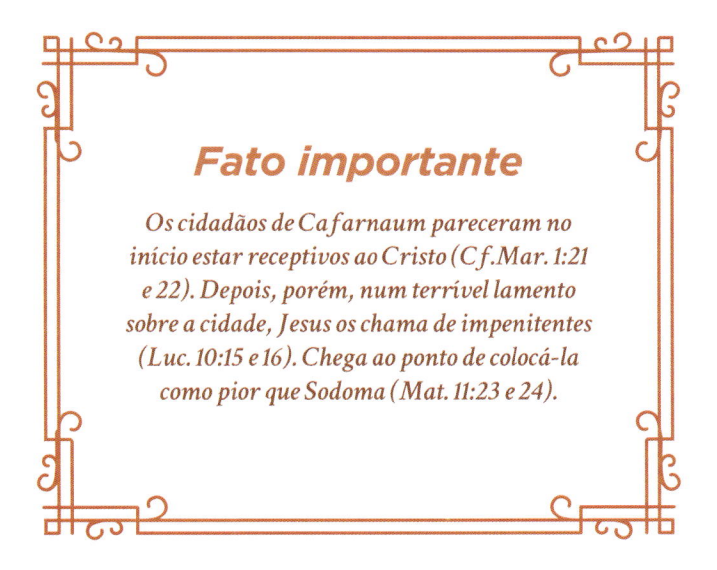

> **Fato importante**
>
> *Os cidadãos de Cafarnaum pareceram no início estar receptivos ao Cristo (Cf. Mar. 1:21 e 22). Depois, porém, num terrível lamento sobre a cidade, Jesus os chama de impenitentes (Luc. 10:15 e 16). Chega ao ponto de colocá-la como pior que Sodoma (Mat. 11:23 e 24).*

O movimento de Jesus

Como todo rabino de seu tempo, Jesus também tinha seguidores e discípulos. Alguns eram mais próximos, outros mais distantes. Porém, uma multidão começou a segui-lo assim que sua fama se espalhou por toda a região.

A maior parte de seus correligionários se mostrou um desastre em vários aspectos do discipulado. Porém, a firmeza e o compromisso de Jesus em transformá-los fez toda a diferença. Foram graças a esses seguidores errantes que a doutrina de Cristo foi preservada e seu ensinamento reconhecido no mundo todo.

O rabino

Embora não apareça mencionado no Antigo Testamento, o ofício de Rabi estava muito em voga nos tempos de Cristo. Rabi ou rabino é uma palavra de origem hebraica (alguns dizem "aramaica"), que deriva da palavra *rabh*, que significa "grande", "distinto" (em conhecimento). Rabi(no), por extensão, passou a significar professor, e rabbi, "meu professor". No judaísmo, o rabino representa aquele que tem a autoridade para ensinar e interpretar a Torá.

Até que ponto o acesso a um mestre era franqueado a todos, é difícil saber. O próprio grau de instrução formal de Jesus permanece um mistério, embora, como já foi dito, a possibilidade maior é de que ele não tenha frequentado a escola rabínica de seu tempo. Contudo, muitos o chamavam de rabi: seus discípulos (Luc. 7:40), doutores da lei (Mat. 22:25-36), pessoas leigas (Luc. 12:13), os ricos (Mat. 19:16), os fariseus (Luc. 19:39), os saduceus (Luc. 20:27-28). Eram muitas as classes de simpatizantes e não simpatizantes que reconheciam seu rabinato.

Deve ser esclarecido, no entanto, que nos dias de Cristo, o cargo de rabino não era algo tão formal como se pensa hoje, em termos de um professor universitário que necessita reconhecimento oficial do governo para poder atuar.

Naqueles dias, o termo "rabino" ainda não tinha nem mesmo o significado exato que se encontra no judaísmo de hoje. Hoje em dia, "rabino" é um termo usado automaticamente para quem se forma em uma Ieshiva, isto é, uma escola de instituição rabínica. Para os contemporâneos de Jesus, "rabino" era um termo respeitoso para um grande professor. É nesse contexto que se deve entender o título aplicado à sua pessoa.

E mesmo que ninguém pudesse ser um rabino, sem antes ter sido orientado por um outro rabino, havia espaço para exceções. Considere que Jesus mesmo foi um Mestre, apesar de não ter sido discípulo de rabino algum.

Ao que tudo indica, conquanto houvesse demasiadas exigências para um futuro mestre da lei, o reconhecimento popular demandava a legitimação do título, mesmo por indivíduos que discordavam daquele novo professor. Esse parece ter sido o caso de Jesus de Nazaré.

É que nos dias de Jesus, o movimento rabínico ainda estava em sua fase de pioneirismo. Logo, embora exigente em termos de estudos e demonstração de conhecimento, não possuía todas as demandas formais que surgiram posteriormente, como, por exemplo, a ordenação formal (*semikhá*) para o exercício do cargo.

O discipulado

Entrar para o círculo de discípulos de um rabino não era tarefa fácil. O indivíduo poderia até se candidatar ou ser convidado espontaneamente, mas a palavra final sempre era do mestre, nunca do candidato. Os alunos de um rabi eram chamados de *talmidim* e ser reconhecido como discípulo de um mestre do judaísmo era uma grande honra.

Até mesmo o casamento, embora fosse fortemente incentivado, ficava em segundo plano se competisse com a indicação para fazer parte de um grupo de *talmidim*. Muitos jovens retardavam ao máximo o envolvimento com uma noiva, a fim de ter mais tempo para estudar a Torá sob a tutela de um grande rabi. Às vezes o próprio rabino retardava seu casamento para se dedicar mais ao estudo e ao ensino da Torá. Gamaliel II, o neto do professor de Paulo, já tinha discípulos adultos quando resolveu finalmente se casar.

Normalmente um rabino estudava bastante o comportamento, os dons e as potencialidades de um novato antes de oficializá-lo como seu discípulo. Somente os melhores eram eleitos.

Neste ponto, Jesus assumiu uma postura diferente dos demais rabinos de sua época. Com exceção de um caso mencionado em Lucas 9:57, não há registro de discípulos que tiveram coragem de se candidatar para segui-lo. Eles não se sentiam elegíveis. Assim quando Jesus disse "siga-me" – um imperativo técnico para a aceitação oficial no grupo – provavelmente os discípulos nem acreditaram no que estavam ouvindo. Eles eram camponeses rudes, pescadores simples e alguns até marginalizados. Nenhum deles jamais esperaria ser convidado para se tornar um *talmid* (forma singular de *talmidim*).

As escolas geralmente eram associadas à sinagoga local. Mas o rabino não tinha nenhuma autoridade formal sobre a cidade onde ele vivia. Seu poder de atuação se restringia aos limites da própria sinagoga. Contudo, cada comunidade de judeus aparentemente tinha um professor que era contratado para ensinar seus filhos nas lições básicas do judaísmo.

Manutenção do grupo

Um rabino nos dias de Cristo normalmente era proibido de cobrar para ensinar a Torá. Não havia nenhum tipo de "salário" vindo da sinagoga local. Em vez disso, os rabinos do século I tipicamente praticavam alguma atividade profissional para sustentar seu ministério de ensino que poderia ser completada por doações da comunidade e das famílias de seus alunos. O rabino Gamaliel aconselhava os seus discípulos a combinar a prática da instrução da Torá com uma atividade comercial não religiosa[95].

Por isso não era incomum um rabino gastar parte de seu tempo ensinando e parte trabalhando para seu próprio sustento. Seus discípulos fariam o mesmo. Alguns rabinos procedentes de famílias de sacerdotes poderiam até receber um estipêndio do Templo, mas a maioria era composta de artesãos, mercadores ou trabalhadores braçais.

Muitos ensinavam apenas no dia de sábado e nos feriados religiosos, de modo que seus discípulos e eles mesmos poderiam trabalhar e estudar ao mesmo tempo. Outros optavam por uma carreira parcialmente itinerante, onde iam, de cidade em cidade, acompanhados por seus discípulos.

Nessas viagens, os rabinos visitavam as sinagogas locais e ajudavam na discussão de algum ponto escriturístico que normalmente acontecia naquelas comunidades (Mat.4:23). Eles também se valiam da hospitalidade local e, nalgumas vezes, promoviam seus ensinos numa casa de família (Luc. 8:1-3; 10:38-42).

Um período próprio para essas viagens era entre a colheita e o próximo plantio, quando os discípulos e seu mestre interrompiam temporariamente seu trabalho comum, a fim de seguir viagem. Nem o aluno nem seu mestre abandonavam em definitivo sua profissão original. Os próprios Hillel e Shammai, dois famosos rabinos do tempo de Cristo, eram, respectivamente, marceneiro e construtor.

Muitos pensam erroneamente que Jesus e seus discípulos não faziam outra coisa senão pregar e viajar. Mas, se o costume da época valer também para Cristo, eles intercalavam o estudo e a pregação com o trabalho normal de todo cidadão comum.

A manutenção do grupo e de suas famílias neste período de traslados vinha de recursos guardados ou ofertas geradas por simpatizantes do movimento. E muitas mulheres, inclusive viúvas, eram as principais contribuintes. Com Jesus não era diferente. O grupo recebia doações que vinham de mulheres como Maria Madalena, Joana, mulher do procurador de Herodes,

Salomé, mãe de Tiago e João, e uma certa Suzana (Mar. 15:40, 41; Luc. 8:1-3). E essas também seguiam Jesus.

Jesus, aliás, parece ter sido muito aberto à entrada de mulheres para seu discipulado – uma atitude, senão inédita, pelo menos rara naquele tempo. Uma das mais famosas passagens que confirma tal disposição é a que descreve Maria, irmã de Marta, "assentada aos pés de Jesus", conforme Lucas 10:38-42. Essa era uma típica postura/expressão de aprendizado diante de um rabino. Tanto que Paulo usa uma expressão análoga, "instruído aos pés", para falar de seu aprendizado junto ao grande rabino Gamaliel (At. 22:3).

Isso coincide com um dito atribuído ao rabino Yoser ben Yoser, que disse: "Deixe sua casa se transformar num lugar de encontro para rabinos. Então cubra-se a si mesmo com a poeira dos pés deles e beba de suas palavras como alguém sedento".

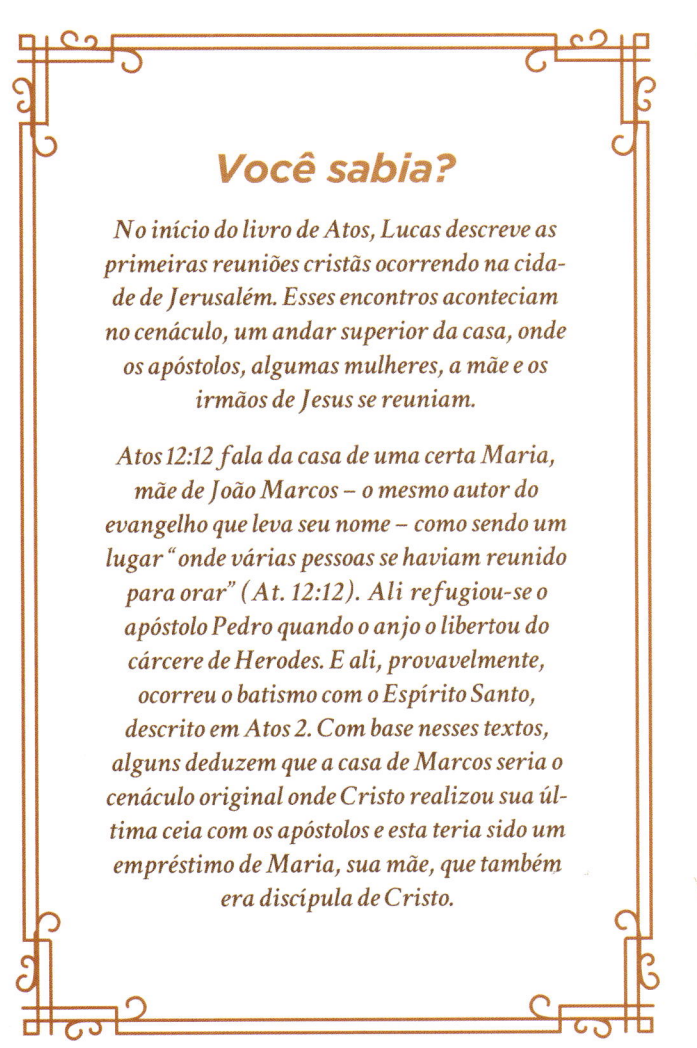

Você sabia?

No início do livro de Atos, Lucas descreve as primeiras reuniões cristãs ocorrendo na cidade de Jerusalém. Esses encontros aconteciam no cenáculo, um andar superior da casa, onde os apóstolos, algumas mulheres, a mãe e os irmãos de Jesus se reuniam.

Atos 12:12 fala da casa de uma certa Maria, mãe de João Marcos – o mesmo autor do evangelho que leva seu nome – como sendo um lugar "onde várias pessoas se haviam reunido para orar" (At. 12:12). Ali refugiou-se o apóstolo Pedro quando o anjo o libertou do cárcere de Herodes. E ali, provavelmente, ocorreu o batismo com o Espírito Santo, descrito em Atos 2. Com base nesses textos, alguns deduzem que a casa de Marcos seria o cenáculo original onde Cristo realizou sua última ceia com os apóstolos e esta teria sido um empréstimo de Maria, sua mãe, que também era discípula de Cristo.

A escolha dos doze

Um dos pontos de destaque do início do ministério de Cristo foi a escolha de 12 homens para que o acompanhassem e dessem continuidade à sua obra após sua partida. Tal era sua importância na organização do grupo que Lucas revela que Cristo passou uma noite inteira em oração antes de definir seus nomes (Luc. 6:12-13). Eles eram seus 12 apóstolos.

O número 12 já revela um paralelo simbólico com o povo de Deus, uma vez que esse valor lembrava os doze filhos de Jacó, as 12 tribos de Israel, os 12 pães da presença e as 12 pedras no peitoral do sumo sacerdote.

Para entender o papel desses homens dentre o grupo maior de seguidores de Cristo é importante estabelecer a diferença entre apóstolo e discípulo.

O discípulo

Nas origens do movimento de Jesus, a palavra "discípulo", em grego *mathetês*, era análoga aos termos "aluno", "estudante". Seria o correspondente do *talmid*, o aluno de uma escola rabínica. Os discípulos, portanto, seriam os alunos do rabino Jesus.

Eles devem ser distintos da grande multidão de seguidores ou admiradores que se aglomerava ocasionalmente para ouvir Cristo e ver seus milagres, mas não o seguia como um aluno acompanha o professor. O número, no entanto, de discípulos/alunos de Jesus não era pequeno. Lucas 10 fala de *outros* 70 designados (haveria, portanto, mais gente que isso), e Atos refere-se a um montante que iria de 70 a 120, tornando-se milhares em pouco tempo. Muitos desses, é claro, filiaram-se apenas após a morte e ressurreição de Jesus, tornando-se, na verdade, discípulos de seus discípulos – o que era perfeitamente aceitável. Nem todos os alunos da escola de Hillel ou Shamnai tiveram aulas diretamente com eles.

Não existem registros de quantos alunos em média tinha cada rabino, nem como era a distribuição dos conteúdos transmitidos por ele ou seus imediatos. Mas há uma referência ao rabino Akiba como tendo 24 mil estudantes[96].

O apóstolo

A palavra "apóstolo" é mais restrita em seu significado que a palavra "discípulo". É difícil precisar que termo aramaico/hebraico estaria por detrás desse vocábulo oriundo do mundo grego. O que se pode dizer é que "apóstolo" vem da junção de duas palavras *apó* (para longe) + *stellô* (aprontar), literalmente "aprontar-se para partir para longe", em síntese: um emissário.

Contudo, o uso dessa palavra no mundo grego tem caráter distinto daquele encontrado no Novo Testamento. *Apóstolos,* para os gregos, eram navios de carga, frota enviada, documento expedido e, mais tarde, comandante de uma expedição naval.

Qual a origem, portanto, do termo *apóstolo*, conforme usado no Novo Testamento? É difícil dizer. Na tradução grega da (Septuaginta), ele aparece apenas uma vez (I Rs. 14:6) e, em Flávio Josefo, duas vezes. Mas, considerando que, em pelo menos duas dessas três referências, o sentido parece ser de alguém enviado como emissário, o conceito não estaria muito distante daquele encontrado no ministério de Cristo.

Embora o discípulo também pudesse ser um enviado, a exemplo dos 70 mencionados em Lucas 10, o apóstolo parece ter uma missão mais efetiva, de modo que todo apóstolo era um discípulo, mas nem todo discípulo era um apóstolo.

Marcos 3:14-19 lista os 12 apóstolos da seguinte maneira: Simão, a quem acrescentou o nome de Pedro; Tiago, filho de Zebedeu; João, irmão de Tiago; André; Felipe; Bartolomeu; Mateus; Tomé; Tiago, filho de Alfeu; Tadeu; Simão, o Zelota e Judas Iscariotes, quem o traiu. Mateus 10:2-4 e Lucas 6:12-16 contêm uma relação similar de nomes.

Você sabia?

Todos os apóstolos que andavam com Jesus morreram como mártires, com exceção de dois: Judas Iscariotes, que o traiu e acabou se enforcando, e João, que, após ser exilado na ilha de Patmos, obteve a liberdade e morreu de causa natural possivelmente na cidade de Éfeso.

PAULO, que não era oficialmente parte dos 12, foi considerado "apóstolo dos gentios", por causa da sua grande obra missionária no mundo greco-romano. Foi decapitado em Roma por ordem de Nero.

O destino dos apóstolos

Embora não se possa confirmar a "historicidade" de cada uma das tradições alusivas aos apóstolos, são estas as informações preservadas a seu respeito:

MATIAS, que ficou no lugar de Judas Iscariotes, foi martirizado na Etiópia.

SIMÃO, o zelote, foi crucificado.

JUDAS TADEU morreu como mártir pregando o evangelho na Síria e na Pérsia.

TIAGO (o mais jovem) pregou na Palestina e no Egito, sendo ali crucificado.

MATEUS morreu como mártir na Etiópia.

TOMÉ pregou na Pérsia e na Índia, sendo martirizado perto de Madras, no monte de São Tomé.

BARTOLOMEU serviu como missionário na Armênia, sendo golpeado até a morte.

FILIPE pregou na Frígia e morreu como mártir em Hierápolis.

ANDRÉ pregou na Grécia e Ásia Menor. Foi crucificado.

TIAGO (o mais velho) pregou em Jerusalém e na Judeia. Foi decapitado por Herodes.

SIMÃO PEDRO pregou entre os judeus, chegando até a Babilônia, esteve em Roma, onde foi crucificado de cabeça para baixo

JUDAS ISCARIOTES – enforcou-se, por remorso, depois de trair Cristo.

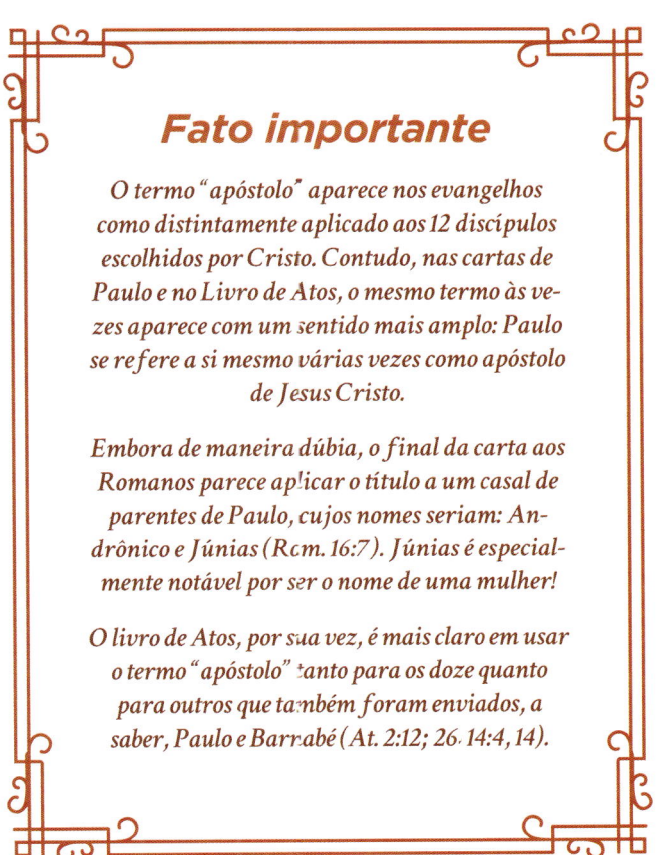

Fato importante

O termo "apóstolo" aparece nos evangelhos como distintamente aplicado aos 12 discípulos escolhidos por Cristo. Contudo, nas cartas de Paulo e no Livro de Atos, o mesmo termo às vezes aparece com um sentido mais amplo: Paulo se refere a si mesmo várias vezes como apóstolo de Jesus Cristo.

Embora de maneira dúbia, o final da carta aos Romanos parece aplicar o título a um casal de parentes de Paulo, cujos nomes seriam: Andrônico e Júnias (Rom. 16:7). Júnias é especialmente notável por ser o nome de uma mulher!

O livro de Atos, por sua vez, é mais claro em usar o termo "apóstolo" tanto para os doze quanto para outros que também foram enviados, a saber, Paulo e Barnabé (At. 2:12; 26. 14:4, 14).

Maria Madalena

Maria Madalena é, sem dúvida, uma das personagens mais conhecidas do Novo Testamento. Citada umas 12 vezes nos evangelhos canônicos, ela, mais do que qualquer outro discípulo é, definitivamente, a que tem maior destaque. Mas o que a fez realmente famosa foi a crença difundida de que ela foi uma ex-prostituta, que posteriormente teve alguma relação afetiva com Jesus.

Será isso verdade? Procede a dedução de que Cristo fora casado? A versão popular sobre Maria corresponde à realidade dos fatos? E a famosa expressão "Maria Madalena arrependida"? Seria esse um exemplo legítimo de arrependimento e transformação?

Jesus casado?

Em setembro de 2011, a Dra. Karen King, da Universidade de Harvard, apresentou num congresso em Roma um fragmento de papiro inédito, escrito em copta e que trazia o trecho incompleto de um diálogo entre Jesus e seus discípulos. O fragmento não era grande. Media 4 x 8 cm – pouco maior que um cartão de visitas.

O texto também não era muito impressionante, oito linhas de um lado e seis do outro, algumas até ilegíveis, mas o que chamou a atenção foi a linha 4 do anverso que dizia : " ..." **Jesus declarou-lhes: "Minha esposa... [**

O restante da frase está perdido, mas a expressão "minha esposa", que teria sido pronunciada pelos lábios de Jesus, foi o suficiente para levedar a discussão. Ali estaria a prova de que Jesus fora casado, senão, pelo menos uma evidência de que havia cristãos na igreja primitiva que afirmavam isso.

A própria Dra. King foi muito precavida ao anunciar a descoberta. Primeiro porque o fragmento fora adquirido por um proprietário anônimo, num mercado de antiguidades – o que ampliava a possibilidade de não ser verdadeiro. Aliás, poucos dias depois do anúncio vários especialistas se levantaram pondo em dúvida a autenticidade do documento, o que levou a Universidade a suspender temporariamente a publicação do artigo da Dra. King.

Em segundo lugar, esse documento não seria nenhuma prova forense sobre o estado civil de Cristo, uma vez que, caso seja verdadeiro, ele dataria de 3 séculos e meio depois da morte e ressurreição de Jesus. Em suma, uma fonte histórica pouco confiável.

Maria – a esposa de Cristo?

A Dra. King também destacou que o fragmento seria meramente um olhar sobre uma discussão que ocorreu entre os primeiros cristãos acerca do fato de Jesus ser ou não casado. Mas a despeito das devidas precauções acadêmicas, a descoberta caiu como uma luva na mídia sensacionalista que não esperou muito para afirmar: "Sim! Jesus fora casado" e sua esposa não poderia ser outra senão Maria Madalena, a verdadeira Sra. Jesus Cristo.

Antes disso, o famoso livro, e depois filme, *O Código Da Vinci*, já havia polemizado o assunto, quando o autor, baseado no evangelho apócrifo de Filipe, afirmava como verdade histórica que Jesus se casou com Madalena e teve filhos com ela. Mas isso não saiu do campo da ficção, pois nem teólogos nem historiadores liberais apostaram suas fichas nessa afirmativa.

É claro que se fosse provado que Cristo fora casado, isso decepcionaria muitos cristãos ao redor do mundo. Não há nada na Bíblia que condene um casamento, desde que seja legítimo aos olhos de Deus. Na verdade, não se justifica colocar o estado civil de Jesus no mesmo nível ou na mesma categoria de sua legitimidade messiânica. Jesus ser casado não é sinônimo de Jesus ter pecado! Ou seja, ele não se casou porque isso não fazia parte de sua missão e não porque o casamento fosse algo indigno que maculasse sua pessoa.

Jesus solteiro

Pelo visto anteriormente, pode-se dizer que não é o argumento teológico que afirma ser Jesus solteiro. São outras as razões:

1 – Argumento do Silêncio. Não há nenhum indício nos evangelhos mais antigos ou mesmo na literatura patrística de que Jesus tenha sido casado. Maria é, na maioria das vezes, mostrada na Bíblia em conjunto com um certo número de mulheres que apoiavam o ministério de Jesus. Em nenhum texto ela aparece numa condição social que insinue um casamento com Jesus.

2 – Mesmo fora da Bíblia, apenas três evangelhos apócrifos falam ou insinuam que Maria pudesse ser casada com Jesus. Mesmo assim, como já foi dito, são fontes muito tardias e um tanto ambíguas: A primeira delas é o evangelho apócrifo de Felipe, datado do século III d.C.: "E a companheira de […] Maria Madalena […] ela mais que aos discípulos, beijá-la na sua […]".

Note que o texto de Felipe não diz que Jesus a beijava na boca, como insinuam alguns. O texto é fragmentário e dúbio, pois o ósculo santo – o beijo entre irmãos espirituais – também era aceito na igreja cristã primitiva (Rom. 16:16, I Tes. 5:26)

A segunda fonte, o *Evangelho de Maria Madalena*, descreve Maria como aquela "que o Salvador amava mais que todas as mulheres". Mas não como companheira (*koinosos*), pelo menos nos fragmentos restantes deste texto, que está muito mutilado.

Por fim, o Evangelho de Tomé, "Simão Pedro disse: 'Que Maria vá embora, porque as mulheres não merecem a vida!' Jesus respondeu: "Eis, que eu farei de tal modo que ela se torne homem. Assim, ela também se tornará espírito vivente, semelhante a vós homens. Toda mulher que se faz homem, entrará no reino dos céus". Novamente, nada há no texto que explicitamente diga ser Jesus casado com Maria.

3 - A Bíblia não teria motivo para esconder o casamento de Cristo. Um suposto casamento do Mestre não seria algo, de modo algum, censurável. Pelo contrário, vários rabinos eram casados e nada na teologia judaica indicaria que o Messias devesse ser necessariamente solteiro, pelo que, se Jesus fosse casado, os discípulos não teriam a menor razão para ocultar isso.

4 - Paulo, na defesa do seu direito como apóstolo, não cita Jesus entre os casados, nem faz alusão a um pretenso casamento de Mestre (I Cor. 9:5). Ele menciona Cefas (que é Pedro), os irmãos do Senhor, mas não cita o nome de Jesus, nem por inferência. Ora, se Jesus fosse realmente casado com Maria Madalena, Paulo jamais deixaria de citar o seu nome, pois o exemplo de Jesus seria, sem dúvida, seu mais forte argumento.

5 - Maria provavelmente não tinha marido. Uma prática natural daquele tempo era associar as mulheres a seus maridos e filhos. O nome desses funcionava como um sobrenome para ela. Este é o caso de Joana, mulher de Cusa; Maria mãe de Tiago e José etc. Mas ela é chamada tão somente, pela sua cidade: Maria de Magdala.

6 - Não há evidências de que Jesus, por ser um rabino, devesse ser casado. Havia rabinos solteiros ou que demoraram muito a casar, para ter mais tempo para o estudo da Torá. Além disso, Filo[97] e Josefo[98] falam de pessoas que elogiavam o celibato dentro do judaísmo e eles mesmos elogiam a conduta[99].

Maria Madalena prostituta?

A mais antiga citação de Maria Madalena como prostituta vem de um sermão do papa Gregório, o Grande, pregado em 591 d.C. Ele fez uma ligação entre Lucas 7 e 8, supondo que Maria Madalena era a mulher que ungiu os pés de Jesus. Mas a bem da verdade, comentaristas bíblicos questionam, se a unção de Jesus, mencionada em Lucas 7:36-50 seria a mesma registrada em João 12:1-8, essa sim realizada por Maria Madalena.

Mas ainda que se trate da mesma mulher, Maria, não se pode saber com certeza qual era esse "pecado" mencionado no texto. Nada ali diz que ela se tornou prostituta. A expressão 'uma mulher pecadora", embora pudesse sim se referir a pecados sexuais, não se limitava a isso. Uma mulher sem filhos, doente, ou abandonada seria considerada pecadora ou impura diante das leis de purificação do judaísmo antigo.

Considerando que Lucas 8:2 trate de Maria Madalena, a anotação de que Jesus expulsou dela "sete demônios', pode ser uma pista de que sua condição de "pecadora" estava mais associada a uma questão espiritual que a qualquer outra coisa.

Mas o modo como o drama é mencionado em Lucas 7:40-43 leva a pensar que o próprio Simão a induziu a algum tipo de pecado, provavelmente de ordem sexual. Mas, neste caso, uma simples relação com ele (consensual ou por estupro) já faria dela uma pecadora aos olhos do conservadorismo da época, mesmo que não houvesse se tornado uma prostituta.

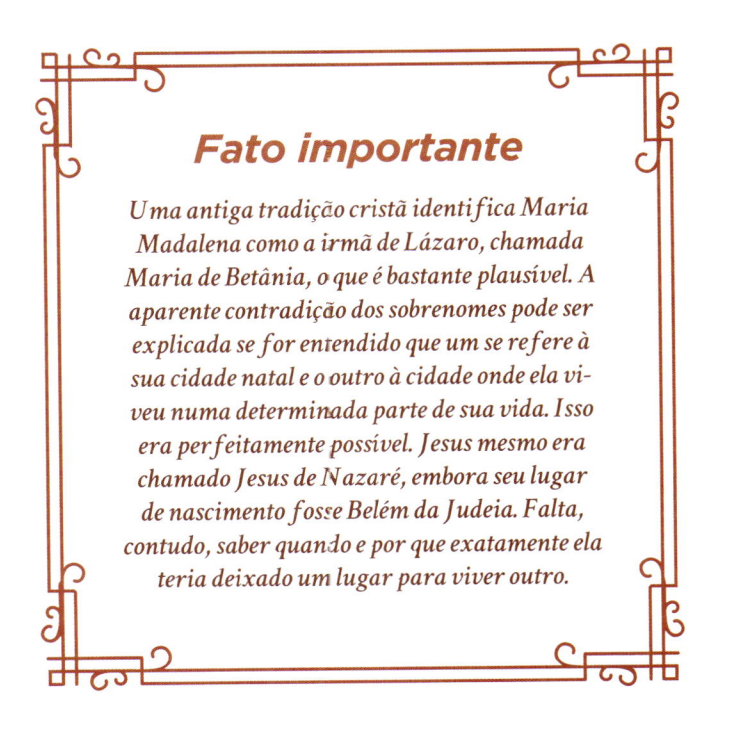

Fato importante

Uma antiga tradição cristã identifica Maria Madalena como a irmã de Lázaro, chamada Maria de Betânia, o que é bastante plausível. A aparente contradição dos sobrenomes pode ser explicada se for entendido que um se refere à sua cidade natal e o outro à cidade onde ela viveu numa determinada parte de sua vida. Isso era perfeitamente possível. Jesus mesmo era chamado Jesus de Nazaré, embora seu lugar de nascimento fosse Belém da Judeia. Falta, contudo, saber quando e por que exatamente ela teria deixado um lugar para viver outro.

Mosaico da antiga sinagoga de Magdala

Você sabia?

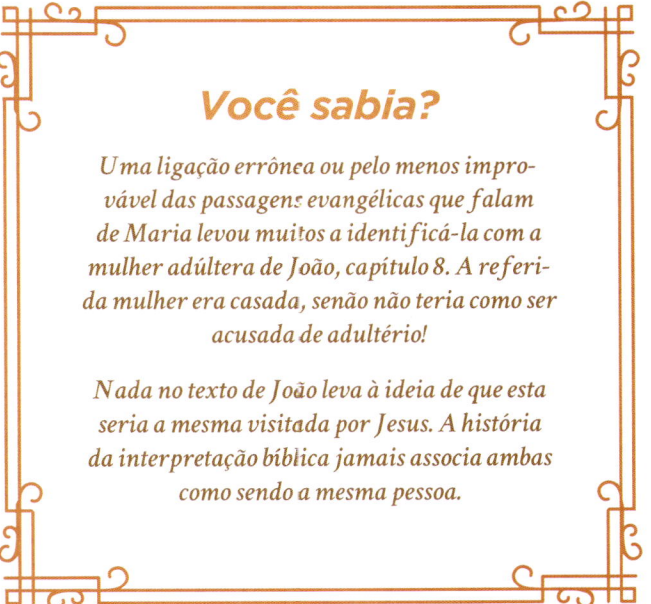

Uma ligação errônea ou pelo menos improvável das passagens evangélicas que falam de Maria levou muitos a identificá-la com a mulher adúltera de João, capítulo 8. A referida mulher era casada, senão não teria como ser acusada de adultério!

Nada no texto de João leva à ideia de que esta seria a mesma visitada por Jesus. A história da interpretação bíblica jamais associa ambas como sendo a mesma pessoa.

Magdala – Sinagoga

Magdala

A cidade de Magdala foi um importante núcleo de pescadores da Galileia e que se tornou famosa aos leitores do Novo Testamento por sua possível relação com Maria Madalena, visto que esta parece ter sido sua residência por algum tempo.

O Talmude menciona dois lugares com o nome de Magdala. Um situava-se no leste, no Yarmuk, perto de Gadara, e seria conhecido como Magdala Gadar. O outro, mais provavelmente o lar de Maria, ficava perto de Tiberíades, e era conhecido como Magdala Nunayya ("Magdala dos Peixes"), o que reforça sua localização na costa do lago.

Flávio Josefo menciona uma cidade galileia destruída pelos romanos na Guerra Judaica com o nome grego de *Taricheæ*, que significaria algo como "lugar de salgar peixes". Embora ele não diga qual seria seu nome hebraico ou aramaico, muitos pensam que estaria se referindo a Magdala.

De igual modo, Mateus afirma que, após Jesus fazer o milagre da multiplicação de pães e peixes, ele entrou num barco e foi para o território de Magadã, que muitos entendem como sendo outra referência a Magdala (Mat. 15:39).

O nome Magdala pode ter duas origens: pode vir do aramaico *Magdalah*, que quer dizer elegante, grandioso ou torre – literalmente "grande lugar"; ou pode vir do hebraico *Migdal*, significando torre ou farol. Nenhum farol foi encontrado até agora no sítio arqueológico, mas, considerando sua vizinhança com o mar da Galileia, o apelido seria bem apropriado.

Há quem sugira, porém, que o nome viria do aramaico *Migdala Nunia* e que significaria algo como "torre dos peixes" – o sentido então não seria, neste caso, de uma torre para iluminar o caminho dos barcos, mas um lugar para salgar peixes.

Nas escavações de Magdala, os arqueólogos encontraram várias casas, tanques de purificação religiosa, lugares para o preparo de peixes e o mais importante achado da região: uma sinagoga original do século I. Considerando que Jesus pregava em várias cidades da Galileia, Magdala certamente esteve em seu percurso. Assim são muito fortes as chances deste ter sido um lugar onde Jesus pregou alguns dos sermões mencionados no Novo Testamento.

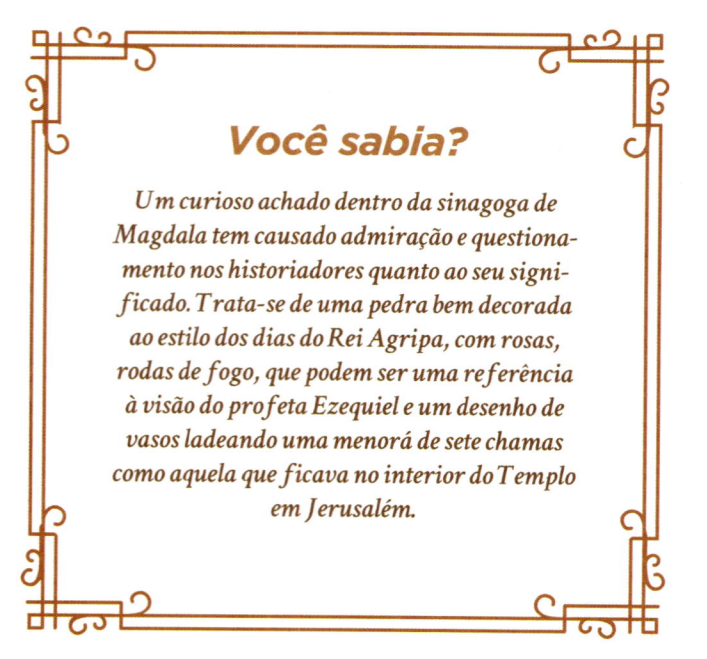

> ### Você sabia?
>
> *Um curioso achado dentro da sinagoga de Magdala tem causado admiração e questionamento nos historiadores quanto ao seu significado. Trata-se de uma pedra bem decorada ao estilo dos dias do Rei Agripa, com rosas, rodas de fogo, que podem ser uma referência à visão do profeta Ezequiel e um desenho de vasos ladeando uma menorá de sete chamas como aquela que ficava no interior do Templo em Jerusalém.*

Dentre as opiniões prevalecentes, muitos pensam que se tratava de um altar, uma mesa de orações ou um púlpito onde o rolo da Torá era aberto e lido todos os sábados. Se assim for, considerando a hipótese de Jesus ter pregado nesse lugar, ali estaria um artefato com o qual ele teve contato direto e quem o esculpiu, provavelmente visitou o Templo de Jerusalém e obteve informação privilegiada (pessoalmente ou por outrem) de como seria o interior do santuário judeu.

Quem era Jesus?

As buscas pelo Jesus histórico foram sempre recheadas de tentativas de definição coletiva de sua pessoa. Ou seja, com que grupo ele se associava? Como classificar Jesus de Nazaré? Um filósofo cínico? Um pregador apocalíptico? Um taumaturgo? Um líder revolucionário?

Versões modernas, e menos acadêmicas, também surgem aqui e ali propondo Jesus como negro, iogue, homossexual e até comunista. Parece que cada grupo necessita que Jesus seja membro de sua agremiação, talvez para legitimar mais a sua causa, uma vez que se trata de uma figura ilustre da humanidade. Seria realmente possível enquadrar Jesus numa só ramificação?

O método de Jesus

Talvez uma forma coerente de responder a essa questão da identidade de Cristo seria avaliar seu método de trabalho conforme exposto no Novo Testamento. O método, como se sabe, é o *modus operandi*, ou seja, o procedimento, a forma de se fazer uma coisa conforme um plano ou objetivo. Tal reconhecimento lança luz sobre a identidade daquele que opta por aquele caminho e não outro.

Mas é importante evitar os anacronismos. Quando se fala do método de Jesus, não se pode confundir esta busca com aquele comportamento rigoroso próprio da metodologia científica ou das técnicas de oratória, venda ou marketing que se tem nos dias atuais. Embora organizado, reconhecível e, em certos momentos, previsível, o método de Jesus era mais um estilo de vida que um manual de procedimentos.

Há ainda o risco de uma busca unilateral ou extremista das características de Jesus. Uma seria vê-lo apenas como reflexo de sua própria cultura. Jesus foi um personagem sem igual. Outra seria extraí-lo demasiadamente de seu tempo e contexto social a ponto de torná-lo um espectro historial. Um personagem que se encaixa em todos os períodos e ao mesmo tempo não se identifica com nenhum deles.

Esse foi o erro de muitos autores medievais e também modernos que ora transformam Jesus num europeu renascentista, ora o convertem num reacionário esquerdista. Uma descrição para cada gosto.

Jesus adaptado

Um exemplo clássico da tentativa de "adequação" de Cristo aos interesses particulares de um movimento pode ser visto na famosa Bíblia de Jefferson, a primeira tentativa, segundo alguns, de apresentar um Cristo mais "americano".

Autor da declaração de Independência dos EUA e terceiro presidente daquele país, Thomas Jefferson foi um dos pais da nação norte-americana. Jesus para ele foi um sábio e beneficente mestre da Moral. Contudo, alguns de seus ditos e comportamentos não condiziam com as ideias expostas pelos pais fundadores da América.

Então o que ele fez? Tomou uma tesoura e cola, recortou vários trechos da Bíblia que considerava úteis – os demais ele chamou de estrume – e os colou numa nova ordem, num caderno comum de notas. Mais tarde ele intitulou esse material com o nome de "A vida e a moral de Jesus de Nazaré".

Nessa versão, Jefferson deixou de fora os milagres, como Jesus andando sobre as águas, ressuscitando Lázaro e multiplicando pães e peixes. Ele também não considerou as alusões ao nascimento virginal e à sugestão de que Jesus é Deus. Por fim, sua colagem termina com o sepultamento de Jesus na sexta-feira, não com a ressurreição, no domingo de Páscoa.

Publicado posteriormente com o nome de *A Bíblia de Jefferson*, esse livro se tornou um dos títulos mais famosos da história americana. Mas o que os evangelhos de fato dizem sobre os modos e estilos da ação de Jesus? A relação a seguir não é exaustiva, mas sugestiva a partir da descrição encontrada nos evangelhos canônicos.

Templo - Umbral Santuário e sal

Jesus como professor

Jesus foi um professor por excelência, preocupado, sobretudo, com a didática e a forma mais fácil de fazer sua mensagem atingir os corações necessitados. Eis algumas de suas técnicas de ensino:

Parábolas – muitos leitores modernos associam as parábolas exclusivamente a Jesus, como se ele fosse o único mestre a se expressar por meio de ilustrações desse tipo. Isso, contudo, não é verdade. Os judeus sempre foram proverbiais por contar histórias e um exame da literatura rabínica desde os dias de Cristo até a Idade Média revela um montante de mais de 3.500 parábolas preservadas.

Uma comparação dessas parábolas com aquelas contadas por Cristo revelou muitas semelhanças: o uso do senso comum, de imagens do dia a dia, de humor e ironia ao final do relato. As parábolas eram um bem estabelecido sistema de ensino nos dias de Cristo.

Foram muitas as parábolas contadas por Cristo (Mar. 4:34). Elas tinham a vantagem de ajudar a memorizar os conteúdos a partir de lições do dia a dia. Algumas eram fictícias, outras baseadas em fatos – episódios comuns realmente ocorridos. Contudo, não devem nunca ser confundidas com as estórias da mitologia. São categorias bem distintas uma da outra.

As mitologias transportam a mente para o imaginário surreal, ao passo que as parábolas conduzem para o realidade concreta da vida testemunhada em redor. São exemplos do dia a dia usados para ensinar verdades espirituais.

Humor – é difícil para alguns imaginar Jesus contando uma anedota. Tal quadro não parece se encaixar com figura fria, sem esboço de riso, que comumente enfeita os ícones das catedrais mais famosas do mundo. Um Jesus sério, sem tempo para piadas, é mais condizente com os manuais de teologia sistemática e dogmática.

Contudo, assim como as parábolas, o bom humor também fazia parte do antigo estilo judaico de ensino. A sabedoria era encarada naquele tempo como símile do bom humor. Ambos se resumiam numa resposta óbvia, mas que ninguém estaria esperando. Por isso arrancavam do auditório tanto o riso quanto a reflexão.

Uma distinção, porém, deve ser feita. Na cultura do antigo judaísmo, o humor não tinha a conotação do teatro greco-romano que inspirava o riso por amor do próprio riso. Não era, como na interpretação dos atores, uma diversão da mente ou fuga da realidade, mas, ao contrário, uma forma descontraída de revelar verdades que normalmente não seriam percebidas.

Ironia – a ironia era uma marca registrada da antiga sabedoria oriental e Jesus refletiu muito esse estilo de argumentação. Mas esse recurso não deve ser confundido com sarcasmo. Não se tratava de invalidar o pensamento do outro, mas estimular-lhe o raciocínio pela demonstração de elementos que revelam uma inversão de valores ou o contrário do senso comum.

Isso foi muito comum em vários discursos de Cristo. Quando ele apresenta um samaritano demonstrando mais misericórdia que um sacerdote e um levita ou responde uma pergunta do interlocutor com outra pergunta.

É correto pagar tributo a César? – desafia o inquiridor. Jesus toma na mão uma moeda de denário e pergunta: "de quem é esta efígie e inscrição?". Veja que ele claramente se vale de uma ironia retórica. Todos sabiam que era de César, mas ninguém imaginava a conclusão final do Mestre: "Então dai a César o que é de César. E a Deus o que é de Deus" (Mat. 22:15-22). Uma resposta óbvia, porém inesperada.

Hipérbole – a hipérbole era outra forma bem humorada de falar das peculiaridades do dia a dia, num viés humorístico bem diferente do estilo ocidental. Por isso Jesus pergunta: "Qual dentre vós é o homem que se o filho lhe pedir pão lhe dará pedra?" (Mat.

7:9) A resposta óbvia mas engraçada: ninguém! Noutra feita ele adverte: "Quando deres esmola não toques trombeta diante de ti como fazem os hipócritas" (Mat. 6:2). É claro que os hipócritas não faziam isso literalmente, mas o exagero retórico tinha um objetivo pedagógico bem definido.

Charadas – um exemplo de charada está em João 16:16-19, onde Jesus lança uma afirmação que faz os discípulos quebrarem a cabeça: "Mais algum tempo e já não me vereis mais; momentos depois, e me vereis de novo." Então, alguns dos discípulos comentaram entre si: "O que Ele quer dizer com isto: 'mais algum tempo e já não me vereis mais' e 'momentos depois, e me vereis de novo' e 'porque vou para o Pai'?" E se questionavam: "Que significa 'algum tempo'? Não compreendemos o que Ele quer dizer."

Mas Jesus sabia o que desejavam perguntar e lhes disse: "Vós vos questionais sobre o que Eu quis dizer quando declarei: 'mais algum tempo e já não me vereis mais; momentos depois, e me vereis de novo'? Em verdade, em verdade Eu vos afirmo que chorarão e se lamentarão, enquanto o mundo se alegrará. Vós vos entristecereis, porém a vossa tristeza se transformará em grande alegria.".

Midrash – esta é uma palavra hebraica pouco conhecida atualmente. Ela vem do verbo *derash*, "interpretar" e indica a busca por um sentido mais profundo do texto. É muito tênue a diferença entre *midrash* e leitura alegórica do texto, mas ambos não devem ser confundidos. A diferença básica é que a alegoria busca uma aplicação superficial do texto tomando seus elementos e aplicando a qualquer situação não correspondente. Já o *midrash* busca o sentido mais profundo que não foi artificialmente colocado nele, mas que já estava ali.

Por isso Jesus amplia certos conceitos antigos ao dizer: "Eu sei o que foi dito aos antigos: 'Não matarás', e: Quem matar estará sujeito a julgamento. Eu, porém, vos digo que todo aquele que se irar contra seu irmão estará sujeito a julgamento, e quem proferir um insulto a seu irmão estará sujeito a julgamento do tribunal" (Mat. 5:21 e 22).

A técnica pode soar estranha, por parecer por demais subjetiva, mas os rabinos do passado tinham regras básicas para aplicá-la e Jesus também parece ter feito uso dela.

Poesia – na cultura contemporânea ocidental, a poesia é um gênero literário caracterizado pela composição em versos estruturados de forma harmoniosa. É uma manifestação de beleza e estética retratada pelo poeta em forma de palavras. Ou seja, a poesia é antes de tudo uma manifestação romântica e artística.

Embora parte disso valha para a poesia bíblica, seu conteúdo, estilo e objetivo eram sensivelmente distintos. A começar pelo fato de que a poesia do Antigo Oriente Médio era majoritariamente marcada pelo paralelismo e não pela rima. Se havia ou não métrica é ainda um assunto em aberto para os especialistas. Por isso, quando Jesus faz uso de repetições e paralelismos (não de rimas), está falando em poesia. Exemplos:

"O homem bom tira do tesouro bom coisas boas; mas o homem mau do mau tesouro tira coisas más" (Mat. 12:35).

"Vós sois cá de baixo, e sou lá de cima. Vós sois desse mundo, eu desse mundo não sou" (João 8:23).

Fato importante

Embora a prosa também tenha sua beleza e emoção, a poesia para os ouvintes judeus de Jesus tinha um peso maior no momento de expressar uma emoção. Por isso ela pode ser dita no meio de um discurso, inventada na hora. Basta repetir o tópico ou colocar duas ideias em paralelo: "vós julgais segundo a carne/ eu a ninguém julgo" (Jo. 8:15). Não precisava ser longa nem ter muitos versos. Podia ser uma frase em meio ao discurso, um desabafo emocionado em meio à dor. Sua mente já estava acostumada a se expressar assim.

Essa força emotiva da poesia somada ao fato de que ela é mais fácil de ser decorada pelo povo fazia com que as coisas mais sérias fossem ditas em forma de poesia. Era como se houvesse uma nota dizendo: muita atenção neste ponto!

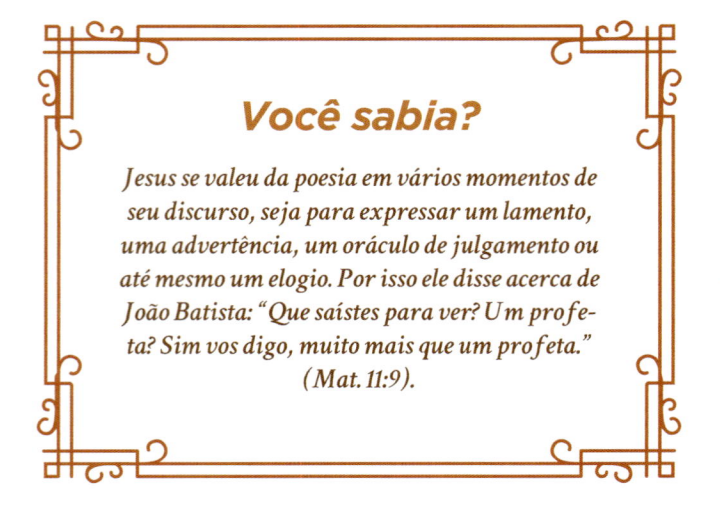

> **Você sabia?**
>
> *Jesus se valeu da poesia em vários momentos de seu discurso, seja para expressar um lamento, uma advertência, um oráculo de julgamento ou até mesmo um elogio. Por isso ele disse acerca de João Batista: "Que saístes para ver? Um profeta? Sim vos digo, muito mais que um profeta." (Mat. 11:9).*

Diálogos – apesar de ser um mestre bastante ocupado, Jesus não se furtou a travar diálogos particulares com determinadas pessoas ao longo de seu ministério. É notório que nesses casos ele evitava falar sozinho. Estimulava o outro através de perguntas reflexivas e comentava suas respostas. O encontro com Nicodemos e a Mulher Samaritana são bons exemplos disso (Jo. 3-4).

Ele também conseguia muitas vezes discernir além da pergunta que lhe era feita o real motivo por trás da indagação. Muitas vezes o questionamento ético ou religioso ocultava uma questão emocional mal resolvida. Poucos têm a capacidade perceptiva de visualizar as motivações reais por trás de uma queixa, desabafo ou desafio.

Comparações – Jesus não economizava traçar paralelos entre o que dizia e elementos da vida diária, especialmente aqueles encontrados na natureza. Compara Deus a um Pai amoroso (Luc. 15:11), usa os pássaros e lírios para tratar com o problema da ansiedade (Mat. 6:25-34), compara seus compatriotas judeus a crianças mimadas, que nunca estão satisfeitas com nada (Mat. 11:16 e 17).

Citações escriturísticas – embora Jesus diversificasse suas abordagens, nada era tão claro em seu discurso quanto o apelo que fazia às Escrituras Sagradas. Ele sempre as citava como legítima Palavra de Deus e lhes dava autoridade acima de qualquer outra fonte humana.

Ele também se valeu muito das histórias do Antigo Testamento, às quais o povo já estava acostumado: falou do sinal do profeta Jonas (Mat. 12:38 a 40), das cidades de Sodoma, Tiro e Sidom, que receberam a ira de Deus (Mat. 11:20-24) e da arca de Nóe (Mat. 24:37-39). Tudo para ilustrar e tornar mais claro o seu ensino.

Jesus e as autoridades

Jesus viveu numa época de profunda corrupção política e governamental. Viver sob os auspícios do império romano e de líderes locais vendidos a Roma não era nada agradável. Contudo, para desapontamento daqueles mais engajados politicamente, o Jesus apresentado nos evangelhos não se envolveu com as questões políticas de seu tempo.

É verdade que ele entrou em Jerusalém aclamado como rei (Luc. 19:28-40) e expulsou os mercadores do Templo (Luc. 19:45 e 46). Contudo, essas eram manifestações religiosas e proféticas que nada tinham que ver com questões governamentais. Sobre os problemas políticos, Jesus se manteve à parte deles, embora não se mostrasse alienado às necessidades do seu povo.

Havia uma razão especial para que ele se mantivesse fora dos assuntos políticos de sua época. Jesus, de fato, pregava a vinda do Reino do Céu. Contudo, seu referencial de transformação era a ação última de Deus e não os resultados do esforço humano. O plano final de Deus e seu Messias é substituir os governos desse mundo e não reformá-los ou melhorá-los. Não se trata de um golpe de Estado, nem de uma indolência dos crentes, mas da espera laboriosa pela intervenção última de Deus. Ou seja, trabalhar fielmente pelo reino enquanto se aguarda sua chegada.

Um Messias nada político

Certa feita, uma multidão de pessoas beneficiadas ou sabedoras do milagre feito por Cristo em multiplicar pães e peixes para o povo veio até ele tentando forçá-lo a ser o seu rei. Jesus se evadiu deles e foi sozinho para uma montanha. Nem seus discípulos ele levou consigo (Jo. 6:5-15).

Evidentemente que ele teria muitos seguidores se intentasse rebelar contra os poderes políticos existentes. Talvez conseguisse mais seguidores do que teve ao pregar o amor e curar os enfermos. Mas ele definitivamente não desejou se envolver com as políticas da sociedade de seu tempo.

Suas mensagens de não resistência ao perverso, de oferecer a outra face e andar a segunda milha com um inimigo (Mat. 5:38-42), eram tremendamente contrárias ao ideal de um Messias político. Quando Pilatos lhe perguntou se ele era o rei dos judeus, Jesus respondeu: "Meu reino não é deste mundo!" (Jo. 18:33-36).

O interessante é que, mesmo não se envolvendo em assuntos políticos de seu tempo, Jesus ensinou os discípulos a respeitarem as autoridades constituídas em todos os aspectos, exceto naqueles que implicassem prática pecaminosa (Mat. 15:3; 19:3-12; Jo. 19:11). Os impostos deveriam ser pagos honestamente (Mat. 17:24-27; 22:21) e os preceitos cumpridos, conforme a orientação dos sacerdotes (Mat. 8:4).

Jesus e as Escrituras

Não é de se espantar que o judaísmo dos tempos de Cristo seja um mosaico de opiniões religiosas, éticas e civis. As posições e sugestões éticas eram, realmente, muito variadas no mundo greco-romano e os judeus não estavam imunes a essa pluralidade. Aliás, o pluralismo nem sempre é negativo. Há vantagens na variedade. Porém, em se tratando de valores éticos, a opinião individual ou de grupos pode ser perigosa.

Sendo assim, é curioso notar que as posições de Jesus não se baseavam no partido A, B ou C, mas nas Escrituras, conforme ele entendia serem inspiradas por Deus.

Certa feita, numa disputa com os saduceus sobre a realidade da ressurreição, ele ficou ao lado dos fariseus, não porque fosse mais simpático a esse grupo, mas porque a posição deles era a posição escriturística (Mat 22:23; Mar 12:18-27; Atos 23:8).

Em outra ocasião, o assunto era sobre o divórcio e novamente os judeus estavam divididos entre uma visão mais ampla e outra mais restrita do assunto, representadas pelas escolas de Shammai e Hillel. A resposta de Jesus estava em concordância com a escola de Shammai, mesmo que em outros momentos ele pareça ecoar o pensamento de Hillel. Novamente a motivação bíblica, mais que partidária, era o argumento-chave para seu posicionamento acerca de qualquer tema conflituoso.

Sete tipos de fariseus

Segundo o Talmude Babilônico[100] havia sete tipos de fariseus:

1- Os "de costa larga" – escreviam suas boas ações nas costas para serem vistos pelos demais.

2- Os "vagarosos", que deixavam de lado todos os comprimossos sociais (inclusive o pagamento de empregados) só para cumprirem uma formalidade da religião.

3 - Os "calculadores", que contabilizavam as boas obras até atingirem uma espécie de superávit espiritual que lhes permitia certo grau de pecado sem o risco de caírem em descrédito religioso.

4 - Os "ecônomos", que buscavam pequenas atitudes que pudessem aumentar seu mérito perante Deus.

5 - Os "escrupulosos", que se policiavam constantemente acerca de pequenos pecados ocultos que deveriam ser sanados com alguma obra de caridade bem realizada.

6 - Os "temerosos", que evitavam pecados mínimos para não sofrerem a desventura de Jó.

7 - Os "amáveis", que agiam como Abraão e, por isso, eram os verdadeiros filhos de Deus.

Milagres de Jesus

A despeito das traduções modernas, não existe nos evangelhos nenhum termo que seja exatamente traduzível por "milagre". A palavra "milagre", em português, vem do latim *miraculum,* que simplesmente evoca a ideia de algo "espetacular".

Os gregos chamavam essas ocorrências extraordinárias de *thauma,* que quer dizer "espanto", "admira-

Cura no Tanque de Betesda

ção". A força desse vocábulo está no sentimento emocional que toma conta da pessoa que testemunha um evento como esse.

Já os evangelhos sinóticos chamam os milagres de Jesus de *teras*, "maravilhas", e *dynamis*, "poder". Nunca *thauma*. Por quê? Porque a ênfase bíblica não é no sentimento ou reação emocional produzida pelo fenômeno, mas na transformação permanente que deixa sobre o indivíduo. Ou seja, a emoção do momento, assim como o espanto diante dele, passa, mas o poder que ele imprime permanece. E os milagres de Jesus visavam transformar pessoas e não apenas deixá-las admiradas com seu poder.

Jesus queria que todos se unissem a ele por conversão e não por mera adesão. Era uma questão de ser salvo, transformado, e não de entrar para um clube comandado por um líder carismático.

Fato importante

Em todas as situações extraordinárias, quando o autor da fala nos evangelhos é o próprio Jesus, os milagres são chamados de erga, *"obras/ações". Qual a razão disso? Mostrar que Jesus não intentava fazer milagres apenas para atrair pessoas como faz um mágico num espetáculo ou um curandeiro a troco de dinheiro.*

Exatamente por isso, o apóstolo João preferiu referir-se aos feitos de Cristo usando a palavra semeia, *que quer dizer "sinais". Mais do que uma propaganda de um novo movimento, os milagres de Cristo eram um sinal de quem ele era e da chegada do Reino de Deus.*

A singularidade de Jesus

O antigo mundo greco-romano era fervilhado de crenças em curas miraculosas, aparições extraordinárias e experiências místicas. Relatos de viagem ao mundo dos mortos, encontro com deuses e até ressurreição de mortos não eram incomuns nas conversações do dia a dia. Isso vale tanto para o período imediatamente anterior ao nascimento de Cristo como também para os anos que se seguiram à sua morte e ressurreição.

Até mesmo imperadores eram relacionados nos casos miraculosos. Augusto, que governava Roma quando Jesus nasceu, era citado por calar uma grande quantidade de sapos que o atrapalhavam durante um discurso público. Vespasiano e Marco Aurélio, que viveram depois de Cristo, também podem ser mencionados. Do primeiro é dito ter curado um aleijado e um cego e, do segundo, ter trazido chuva numa época de grande estiagem.

A Bíblia, em última instância, nunca questionou o fato de que curas, exorcismos e feitos miraculosos pudessem ser realizados de diversas formas, por um variado grupo de pessoas. Nem mesmo assume que isso seria um feito exclusivo de Cristo e seus discípulos.

Assim, a singularidade de Jesus não pode ser vista no fato de operar milagres ou fazer coisas extraordinárias, pois isso muitos faziam. As curas maravilhosas não eram o "diferencial" do cristianismo. O império já estava por demais repleto de taumaturgos e mágicos de todas as partes que corriam o território de cidade em cidade operando maravilhas. E a terra dos judeus não estava isenta disso. Tanto que Simão, o Mago, fascinava os samaritanos com seus prodígios (At. 8:9-11).

Essa generalização e ambiguidade dos milagres (os que eram verdadeiros e os que eram falsos) agravava-se com o apelo do sincretismo tão em voga naqueles dias. Fora o fato de que esse sincretismo poderia ser assemelhado à magia. Assim, a necessidade dos evangelistas não era apenas mostrar que Jesus operava milagres, mas apresentar qual seria realmente o seu diferencial.

O que era radicalmente único em Jesus não seria tanto a quantidade e qualidade de milagres que ele operou, mas "por que ele os operou?" Para Jesus esses atos confirmavam a chegada do Reino de Deus (Luc. 11:20).

Jesus *versus* curandeirismo

Bem diferente das práticas miraculosas comuns do mundo greco-romano, os feitos de Jesus se distinguiam pelas seguintes características:

1 – Nunca estavam associadas a encantamentos, feitiços, amuletos, palavras mágicas ou poções. O poder estava em Jesus e na autoridade que ele mesmo conferia a seus seguidores.

2 – Nenhum ato miraculoso visava punir alguém. Todos eram feitos para livrar o indivíduo de um desconforto físico ou espiritual.

3 – Os milagres não visavam uma propaganda sociológica de agremiação a um determinado movimento, mas eram o anúncio da chegada do reino dos céus.

4 – Jesus nunca recomendou o uso de amuletos, poções mágicas ou talismãs como símbolo da proteção de Deus. Era o verdadeiro arrependimento e a vida vivida pela fé no Filho de Deus que garantiriam a força contra o mal.

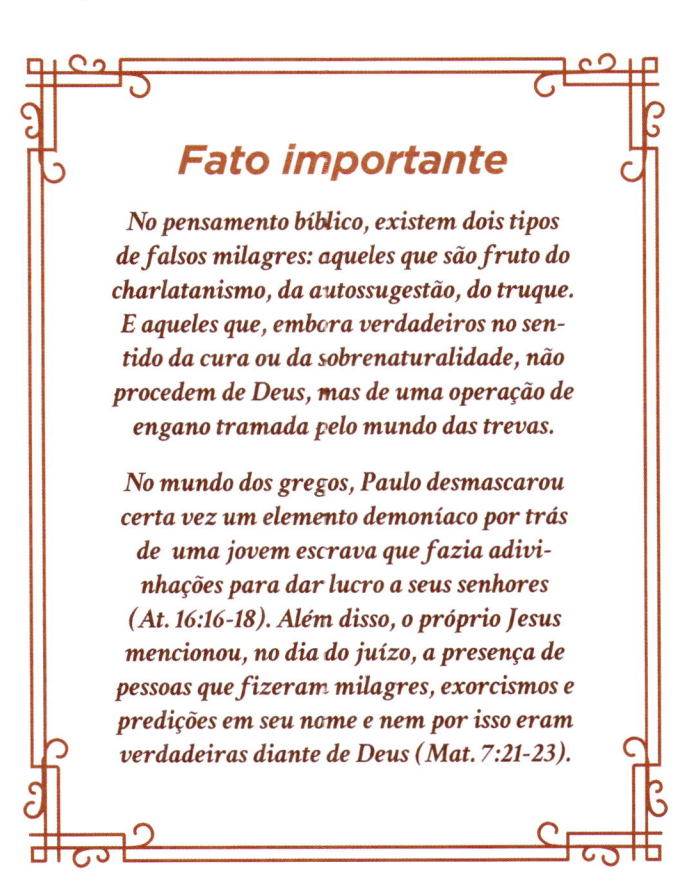

Fato importante

No pensamento bíblico, existem dois tipos de falsos milagres: aqueles que são fruto do charlatanismo, da autossugestão, do truque. E aqueles que, embora verdadeiros no sentido da cura ou da sobrenaturalidade, não procedem de Deus, mas de uma operação de engano tramada pelo mundo das trevas.

No mundo dos gregos, Paulo desmascarou certa vez um elemento demoníaco por trás de uma jovem escrava que fazia adivinhações para dar lucro a seus senhores (At. 16:16-18). Além disso, o próprio Jesus mencionou, no dia do juízo, a presença de pessoas que fizeram milagres, exorcismos e predições em seu nome e nem por isso eram verdadeiras diante de Deus (Mat. 7:21-23).

Tanque de Siloé

Os milagres em números

Nos evangelhos sinóticos a redação da história de Cristo é muito semelhante, mas não exatamente igual. Há milagres que num evangelho aparecem como um só evento, enquanto no outro aparece como sendo dois.

Considerando, pois, esse detalhe literário, é possível dizer que os evangelhos relatam, ao todo, 35 milagres realizados por Jesus: Mateus e Lucas mencionam 20 deles; Marcos, 18 e João, 7.

No caso de João, os milagres aparecem na primeira parte do seu evangelho e são chamados de sinais. Por isso, muitos teólogos denominam a primeira parte do Evangelho de João o "livro dos sinais".

Em termos mais específicos, os 35 milagres de Cristo podem ser assim distribuídos:
- 17 curas físicas;
- 9 ações sobre a natureza;
- 6 exorcismos;
- 3 ressurreições.

LISTA DOS MILAGRES DE JESUS

1- Transformação de água em vinho (João 2:1-11).

2 - Cura do filho do oficial (João 4:46-54).

3 - Cura do paralítico de Betesda (João 5:1-9).

4 - Primeira pesca Lucas (5:1-11).

5 - Libertação do endemoniado (Marcos 1:23-28; Lucas 4:31-36).

6 - Cura da sogra de Pedro (Mateus 8:14,15; Marcos 1:29-31; Lucas 4:38,39).

7 - Purificação do leproso (Mateus 8:2-4; Marcos 1:40-45; Lucas 5:12-16).

8 - Cura do paralítico (Mateus 9:2-8; Marcos 2:3-12; Lucas 5:18-26).

9 - Cura da mão ressequida (Mateus 12:9-13; Marcos 3:1-5; Lucas 6.6-10).

10 - Cura do criado do centurião (Mateus 8:5-13; Lucas 7:1-10).

11 - Ressurreição do filho da viúva de Naim (Lucas 7:11-15).

12 - Cura de um endemoninhado mudo (Mateus 12:22 e Lucas 11:14).

13 - Acalma a tempestade (Mateus 8:18,23-27; Marcos 4:35-41; Lucas 8:22-25).

14 - Cura do endemoniado geraseno (Mateus 8:28-33; Marcos 5:1-14; Lucas 8:26-39).

15 - Cura da mulher enferma (Mateus 9:20-22; Marcos 5:25-34; Lucas 8:43-48).

16 - Ressurreição da filha de Jairo (Mateus 9:18, 23-26; Marcos 5:22-24, 35-43; Lucas 8:41,42,49-56).

17 - Cura de dois cegos (Mateus 9:27-31).

18 - Cura do mudo endemoninhado (Mateus 9:32,33).

19 - Primeira multiplicação de pães (Mateus 14:14-21; Marcos 6:34-44; Lucas 9:12-17; João 6:5-13).

20 - Anda sobre as águas (Mateus 14:24-33; Marcos 6:45-52; João 6:16-21).

21 - Cura da filha da Cananéia (Mateus 15:21-28; Marcos 7:24-30).

22 - Cura de um surdo e gago (Marcos 7:31-37).

23 - Segunda multiplicação de pães (Mateus 15:32-39; Marcos 8:1-9).

24 - Cura do cego de Betsaida (Marcos 8:22-26)

25 - Cura do jovem possesso (Mateus 17:14-18; Marcos 9:14-29; Lucas 9:38-42).

26 - Pagamento do Imposto (Mateus 17:24-27).

27 - Cura de um cego (João 9:1-7).

28 - Cura de uma mulher enferma (Lucas 13:10-17).

29 - Cura de um hidrópico (Lucas 14:1-6)

30 - Ressurreição de Lázaro (João 11:17-44)

31 - Cura dos leprosos (Lucas 17:11-19).

32 - Cura do cego Bartimeu (Mateus 20:29-34; Marcos 10:46-52; Lucas 18:35-43).

33 - A maldição sobre uma figueira (Mateus 21:18,19; Marcos 11:12-14).

34 - Restauração da orelha de Malco (Lucas 22:49-51; João 18:10).

35 - Segunda grande pesca (João 21:1-11).

Fato importante

Esta lista não contempla tudo o que Jesus realizou. Conforme o testemunho final do Evangelho de João:

"E ainda muitas outras coisas há que Jesus fez, as quais, se fossem escritas uma por uma, creio que nem ainda no mundo inteiro caberiam os livros que se escrevessem." (Jo. 21,25).

Museu de Israel - Vasos de Herodes

Caná da Galileia

O primeiro sinal de Jesus Cristo, conforme o relato do Evangelho de João, ocorreu numa festa de casamento na cidade de Caná da Galileia.

"No terceiro dia, houve um casamento em Caná da Galileia, e a mãe de Jesus estava lá... Este início dos sinais, Jesus o realizou em Caná da Galileia. Manifestou-se sua glória, e os seus discípulos creram nele." (Jo. 2,1.11)

Poucas referências históricas e arqueológicas existem de Caná, a maioria das quais imprecisas. Ela já foi identificada como *Kafr Kanna*, *Kenet-l-Jalil* (também chamada de *Khirbet Kana*) e *Ain Kana*, em Israel, e *Qana*, no Líbano. Nenhuma, porém, conclusiva.

Por isso, sua localização geográfica não é muito segura. Se for em *Kefr Kanna*, por exemplo, a antiga Caná ficaria aproximadamente a 8 km na direção nordeste de Nazaré, na Baixa Galiléia, encravada na borda de ricos vales. Mas se for em *Khirbet Qanah*, aí sua localização vai para cerca de 14 km ao norte de Nazaré. Uma leitura atenta do episódio descrito em João 4:46-54 permite supor que, naqueles dias, uma viagem de Cafarnaum para Caná levaria pouco mais de meio dia.

As bodas de Caná

Em apenas duas ocasiões, Caná é mencionada fora do contexto bíblico: numa descrição do século II d.C. (Eleazar Kleir) e numa inscrição romana encontrada em Cesareia.

Além da ocorrência do "primeiro sinal" de Jesus de Nazaré (cf. Jo. 2:1-11), Caná é citada mais duas vezes no Novo Testamento, uma por ocasião de uma segunda visita de Jesus ao vilarejo (cf. Jo. 4:46) e outra numa referência a Natanael, seguidor de Cristo e natural de **Caná**, (cf. Jo. 21:2). Somente o Evangelho de João faz referência a esta cidade.

A natureza do sinal

A circunstância do evento foi relativamente simples ou corriqueira. Não se tratava de alguém doente, morto ou em profundo estado de sofrimento físico. Em meio à festa nupcial, acabou o vinho.

Maria comunica o fato a Jesus que age para resolver o problema. Ele manda encher de água as talhas de pedra que havia no lugar. Estas geralmente eram utilizadas para lavar utensílios ou as mãos dos convidados antes de cearem, pois acreditava-se que as pedras não traziam nenhum tipo de contaminação que prejudicasse a pureza ritual.

Jesus então transformou água em vinho e com isso deu início aos os sinais externos de seu ministério messiânico. Seu trabalho, porém, como rabi se iniciara antes disso, visto que ele já estava acompanhado de discípulos nesta festa.

A razão, porém, de tal milagre poderia ser uma demonstração física das limitações do judaísmo da época. Além do mais, serviria para corresponder a uma expectativa geral de que quando viesse o Messias, rios de vinho correriam livremente pela terra de Canaã (Am. 9:13; Jl. 3:18).

Fato importante

A Bíblia apresenta o vinho tanto como sinal de bênção, como emblema de corrupção, violência e ira divina. No mundo greco-romano e, possivelmente, na terra onde viveu Jesus, havia três tipos de vinho em uso:

1 – O vinho fermentado, que nunca era tomado puro, mas misturado com água, numa proporção de duas ou três partes de água para uma de vinho.

2 – O vinho não fermentado ou suco, feito de uvas recém-colhidas.

3 – O vinho feito à base de uvas passas fervidas em água, cujo processo de fermentação havia sido interrompido, se tornando mais um tipo de suco de uva não alcoólico.

Você sabia?

Já bem antes do período do Novo Testamento, era uma regra cultural para gregos e romanos nunca beberem vinho puro. Eles sempre o misturavam com bastante água – às vezes 90% de água e 10% de vinho.

A razão era justamente evitar o forte e rápido efeito embriagador da bebida não diluída. Beber vinho puro, sem mistura de água era coisa de bárbaros, sem cultura ou refinamento. Platão, Heródoto, Xenófanes, Xenofonte e Aristófanes são alguns dos autores da Antiguidade que confirmam isso.

Outra vantagem desse comportamento era que o álcool possui um excelente efeito bactericida. Assim, adicionar água ao vinho era uma forma de criar mais bebida numa época em que havia pouca água potável para ser consumida. Nas cidades, onde as fontes d'água eram canalizadas, o vinho misturado com água era a fonte segura de hidratação das pessoas. Até as crianças o bebiam normalmente.

Mar da Galileia

Mar da Galileia. De uma dessas encostas Jesus proferiu o sermão da montanha

Tanque de Betesda

O que Jesus ensinou

Os ensinamentos proferidos por Jesus são mensagens profundas, apresentadas numa forma que até crianças podem entender. Seus exemplos, ilustrações e parábolas não eram matizados em conceitos abstratos ou filosofias metafísicas. Ele usava os objetos do cotidiano, as realidades do dia a dia, as experiências vividas por pessoas comuns, a fim de transmitir verdades eternas e revelar o caráter de Deus.

Suas mensagens não eram para ser apenas ouvidas, mas acima de tudo vividas. Foi ele mesmo quem disse: "Todo aquele que ouve estas minhas palavras e não as pratica será comparado a um homem insensato que construiu sua casa sobre a areia" (Mat. 7:26).

Basicamente, Jesus ensinou que ele era o cumprimento único da promessa messiânica. Apresentou o amor a Deus e ao semelhante como requisito básico para a caminhada neste mundo e no porvir. E, finalmente, anunciou as boas-novas da salvação.

Em termos mais específicos, ele ordenou: "Qualquer que te ferir na face direita, volta-lhe também a outra" (Mat. 5:39), "amai vossos inimigos" (Mat 5:44) e a famosa regra de ouro: "O que quereis que os outros vos façam, fazei vós a eles" (Luc 6:31).

O que Jesus ensinou não se destacava tanto pela novidade. A regra de ouro, por exemplo, pode ser encontrada em Confúcio e em outras tradições filosóficas greco-romanas, embora ela venha usualmente no sentido negativo (não faça aos outros, o que não quer que eles façam a você). Assim, era a autoridade de Jesus, mais que o ineditismo de seus pensamentos, que chamava a atenção para o seu discurso.

A cura do Paralítico

De acordo com o Evangelho de João (5:1-18), Jesus subiu novamente a Jerusalém para uma festa dos judeus que, segundo alguns comentaristas, seria mais provavelmente a festa da Páscoa, embora não seja nula a chance de ser a festa do Pentecostes ou a festa dos Tabernáculos.

O evangelho informa que havia em Jerusalém, perto da porta das Ovelhas, um tanque que, em hebraico e aramaico, era chamado Betesda. Betesda (Beyt+tseda) significa casa da misericórdia.

O tanque tinha cinco entradas em volta. Ali costumava ficar grande número de pessoas doentes e inválidas: cegos, mancos e paralíticos. Eles esperavam um movimento nas águas. Acreditava-se que de vez em quando descia um anjo do Senhor e agitava as águas. O primeiro que entrasse no tanque, depois de agitada as águas, era curado de qualquer doença que tivesse. Um dos que estavam ali era paralítico fazia 38 anos. Quando o viu deitado e soube que ele vivia naquele estado durante tanto tempo, Jesus lhe perguntou: "Você quer ser curado? "

Disse o paralítico: "Senhor, não tenho ninguém que me ajude a entrar no tanque quando a água é agitada. Enquanto estou tentando entrar, outro chega antes de mim". Então Jesus lhe disse: "Levante-se! Pegue a sua maca e ande". Imediatamente o homem ficou curado, pegou a maca e começou a andar. Isso aconteceu num sábado.

O texto bíblico é realmente intrigante não só pela descrição do evento, mas também por uma questão de crítica textual. Mas o que é isso?

Infelizmente nenhum original da Bíblia sobreviveu até nossos dias. O que se tem são cópias feitas à mão que perfazem mais de 5.500 manuscritos apenas do Novo Testamento grego. Alguns estão mais completos, outros bastante fragmentados. Assim, o levantamento feito para se recuperar a forma original do texto envolve muitos especialistas e exaustiva comparação dos manuscritos que sobreviveram à ação do tempo. Esse trabalho é chamado "crítica textual".

O que o levantamento dos manuscritos tem demonstrado é que há uma parte do texto de João, aquela que diz que um anjo vinha e agitava as águas, que não está nos melhores e mais antigos manuscritos de seu evangelho. Logo, tudo indica que essa foi uma anotação textual ou um acréscimo feito posteriormente e que não constava no texto original, mas apenas numa cópia tardia. Somente no V século essa parte aparece pela primeira vez num palimpsesto, isto é, num texto que foi apagado e reescrito. Algo muito difícil de ler.

É por isso que em algumas versões da Bíblia essa passagem ou esse trecho aparece entre colchetes, indicando que não fazia parte do texto grego original adotado. Mas por que algumas Bíblias ainda a apresentam?

Porque ainda existe uma possibilidade mínima de que esse trecho disputado seja autêntico. Não se pode dizer com absoluta certeza que não é verdadeiro, embora neste caso a chance maior é de que seria um acréscimo feito posteriormente por algum copista.

Assim, entre o risco de mutilar as Escrituras e deixar anotado um verso cuja originalidade seria suspeita, a segunda opção se tornou preferível aos editores modernos que preferiram deixá-la assinalada por colchetes.

A origem de uma lenda

Caso o detalhe do anjo movendo as águas seja mesmo uma anotação textual posterior, resta perguntar o porquê desse acréscimo. A impressão redacional é que a parte acrescentada pode ter sido a princípio um comentário marginal anotado nas cópias do Evangelho de João, a fim de esclarecer algo que realmente acontecia nas águas de Betesda. Neste caso, elas realmente se movimentariam de tempo em tempo.

A redação original, apesar de não trazer explicação alguma a esse respeito, parecia exigir uma. Então, posteriormente, a nota deve ter sido incorporada por copistas ao texto do quarto evangelho, popularizando-se nos manuscritos bizantinos e no *textus receptus,* que foi um texto grego preparado por Erasmo de Roterdã e publicado entre 1681 e 1753. Mas isso ainda é uma hipótese.

O fato é que a arqueologia pode fornecer uma pista de onde viria essa lenda das águas se movimentando no tanque. Nas camadas superiores do antigo local de Betesda, foram escavadas as ruínas de um santuário pagão dedicado a Serápis ou a Asclépio, também chamado de Esculápio, o deus da medicina.

Figuras votivas de argila em formato de partes do corpo humano, bem como uma estátua quebrada de cabeça de homem e corpo de serpente – provavelmente Asclépio – reforçam a presença deste culto no perímetro urbano de Jerusalém.

Embora este santuário seja posterior ao do Século II d.C., sua construção nos arredores do Antigo Templo de Jerusalém, demonstra certo sincretismo entre pagãos e judeus que pode remeter aos dias de Jesus. Afinal, existem indícios de que nos dias do Novo Testamento havia em Jerusalém pessoas que praticavam o culto a Eshmun, a versão semítica para Asclépio, que também representava o deus da cura.

Some-se a isso o fato de que outros achados indicam a existência de pequenas grutas com água para cura já existentes na região muito antes da construção do santuário. As formas de uso dessa água ainda não estão claras. Porém, de qualquer modo, tudo isso contribui para traçar um pano de fundo para o capítulo 5 de João.

Muitos, é claro, deveriam protestar contra a presença de uma prática pagã na cidade sagrada. Mas, considerando que nos dias de Cristo Jerusalém ainda não havia sido ampliada por Herodes Agripa I, Betesda ficava fora dos muros da cidade e isso amenizaria a crise.

O local, neste tempo, ainda era administrado pelos sacerdotes do Templo, pois ali eram lavadas as ovelhas que seriam sacrificadas no santuário. Ora, João diz que o tanque ficava perto da porta das ovelhas e, por essa razão, ele também era conhecido como piscina *probática*, uma palavra que vem do grego *probaton* e quer dizer ovelha (no plural *probata*).

Considerando, pois, que o local ficava repleto de peregrinos judeus de todas as partes é hipoteticamente possível que quando sacerdotes abrissem e fechassem o canal d'água do tanque isso provocasse algum movimento incomum nas águas. Sendo assim, bastaria alguém apresentar uma suposta cura e visão de um anjo para que o mito estivesse criado. Se assim for, a atitude de Cristo em curar aquele paralítico não envolvia nenhum endosso da lenda, mas um ato de compaixão por alguém sincero, porém enganado.

Fato importante

Esse antigo mosaico de Madaba, encontrado na Jordânia e datado do século VI d.C., traz o mapa de Jerusalém como era conhecida naqueles dias e aponta a porta das ovelhas, hoje chamada porta dos leões. Ele também mostra a igreja de Santa Maria logo depois dela. Isso ajuda a comprovar a antiguidade do sítio identificado como sendo o local do tanque de Betesda.

O formato do tanque

Sobre a localização do tanque, o Evangelho de João se limita a dizer que ele ficava "perto da porta das ovelhas". Isso poderia ser no setor noroeste da cidade, pois segundo Josefo e algumas autoridades da Antiguidade, em Jerusalém, o mercado principal das ovelhas, que Josefo chama de *Beteza*, se encontrava ao norte da área do Templo, próximo à torre Antônia.

Até o século XIX, não havia nenhuma evidência externa a João para a existência desse tanque. Além disso, a descrição bíblica de que ele tinha cinco pavilhões não fazia sentido. Os historiadores pensavam num tanque em forma de pentágono, isto é, com cinco lados, e nada parecido com isso havia sido encontrado nem para servir de modelo arquitetônico.

Até que em 1888 escavações para reparo foram feitas na antiga igreja de Santa Ana, que data do ano de 1138, e somente então os primeiros indícios do tanque foram localizados. A igreja, uma das mais antigas ainda preservada, fica dentro do bairro muçulmano na cidade velha de Jerusalém.

Quem dirigiu as escavações foi o professor e arqueólogo Conrad Shick. Ele desenterrou a área total dos escombros até o nível romano, descobrindo dois grandes tanques com cinco pórticos e numerosos fragmentos de colunas e capitéis; tudo isso em estilo romano, mas evidentemente um pouco mais recente que a época de Cristo. Havia degraus empinados em forma de espiral que conduziam à parte de baixo, onde se encontravam os tanques.

As escavações continuaram em 1930, desta vez sob a direção do arqueólogo israelense Jeremias Joachim. As novas campanhas de escavação revelaram que o tanque original tinham quatro colunatas em torno de suas bordas e uma em seu meio.

Tal achado foi muito importante porque ajudou a esclarecer o texto de João que dizia ter o tanque cinco pavilhões. O complexo era formado por dois grandes tanques separados por um pórtico e ligados um ao outro. Quatro outros pórticos localizados nas partes laterais da piscina completavam o projeto. Isso justifica a referência de João aos cinco pórticos. O erro estava nos exploradores que até então buscavam um pentágono, quando na verdade deveriam pensar em outro formato.

A forma dos dois tanques, portanto, era trapezoidal com uma profundidade considerável de aproximadamente 15 metros. A primeira parte tinha 66 metros de extensão e a segunda 60 metros. o sitio inteiro tinha aproximadamente 5.000 metros quadrados, o que indica a importância do lugar realmente público.

Na verdade, a palavra grega para tanque que aparece no Evangelho de João é *Kolumbetra*, que seria melhor traduzida por piscina. Logo ainda que tenha sido originalmente um tanque fundo para armazenar água, foi transformado depois num local em que as pessoas pudessem entrar nele. E ele era grande, realmente das dimensões de uma imensa piscina pública.

De fato, Josefo fala de 2,5 milhões de pessoas que vinham anualmente visitar o Templo em Jerusalém e oferecer sacrifícios. Ainda que soe exagerado, tal número não era impossível e qualquer percentual simples que se interessasse pelo culto a Asclépio faria do tanque um local bastante concorrido.

Fato importante

Existem várias versões de seu mito, mas as mais correntes o apontam como filho de Apolo, um deus, e Corônis, uma mortal. Teria nascido de cesariana após a morte de sua mãe, e levado para ser criado pelo centauro Quíron, que o educou na caça e nas artes da cura. Aprendeu o poder curativo das ervas e a cirurgia, e adquiriu tão grande habilidade que podia trazer os mortos de volta à vida.

O seu culto disseminou-se por uma vasta região do mediterrâneo – Europa, norte da África – e por todo o Oriente, sendo homenageado com inúmeros templos e santuários, que atuavam como hospitais. Eram mais de 400 templos a Asclépio espalhados em todo o império romano. Legionários romanos estavam entre seus principais devotos.

O milagre de Jesus

O episódio da cura do paralítico em Jerusalém mostra como a cidade era um sinal visível de contradição. Por um lado, o rigor da lei cerimonial, por outro, os traços evidentes de comunhão com o paganismo. É por essa razão que Jesus ironiza a prática farisaica de "coar mosquitos e engolir camelos".

E não era somente Cristo quem condenava o paradoxo religioso da cidade. Um manuscrito encontrado no Mar Morto e datado dos dias de Cristo também falava de Jerusalém como se tornando um "antro de impiedade pagã".

De fato, ali estava repleto de monumentos pagãos especialmente trazidos por Herodes do mundo greco-romano. Esse monarca tinha feito um teatro romano, um hipódromo, um complexo esportivo, banhos romanos e a fortaleza Antônia, uma torre militar acoplada às paredes do pátio do Templo.

Sendo assim, o tanque de Betesda já não era mais um local absolutamente judeu, mas antes uma instalação greco-romana afiliada ao deus da cura. Os responsáveis pelo culto pagão acrescentaram cisternas, bancos nas salas cobertas e, possivelmente, um altar para sacrifícios.

Jesus vinha da Galileia, a caminho de Jerusalém, quando chegou ao tanque, próximo à porta das ovelhas, no lado norte da cidade. Nele se aglomerava uma grande multidão de enfermos, buscando uma chance para obter a cura.

Não sabemos ao certo as razões que conduziram Jesus para aquele recinto ou mesmo porque ele se dirigiu àquele homem e não a outros. No entanto, o texto aponta um detalhe quanto ao tempo de seu sofrimento que pode dar uma pista acerca das ações de Jesus. Ele estava preso àquela situação por 38 anos. Muita coisa pode ter acontecido neste meio tempo. Ele, porém, jamais deixou de tentar ser curado. Sua insistência, sem sucesso, de cair ou ser jogado no tanque por anos pode ter chamado a atenção de Cristo.

Ele, portanto, cura o pobre homem e, encontrando-o depois no Templo, diz-lhe para não mais pecar, a fim de que não lhe sucedesse coisa pior (João 5:14). Em seu compreensível desespero, ele, sendo possivelmente judeu, buscara no paganismo a solução de seus problemas. Contudo sua prática não podia ser endossada por não condizer com aquilo que fora orientado por Deus.

Deus, no entanto, mesmo em meio ao seu erro contemplou um coração sincero e buscou resgatá-lo. O propósito de João parece ser o de mostrar aos leitores a ação compassiva de um Salvador que percebe indivíduos na multidão e se importa com seu sofrimento. Um Cristo que vê e age em favor dos sofredores, mesmo que sua ação pareça demorada na ótica humana.

Ruínas de Betesda

Sermão da Montanha

O Sermão da Montanha

O famoso "Sermão da Montanha" com sua conhecida série de "Bem-aventuranças" tem sido uma inspiração e um desafio para pessoas de todos os tempos. Até mesmo pensadores não cristãos como Mahatma Gandhi e o rabino G. C. Montefiori demonstraram apreciação por seu conteúdo. Quase dois mil anos se passaram desde que essas palavras foram pronunciadas por Cristo e ainda assim elas não perderam seu vigor.

O sermão propriamente dito aparece em duas versões similares, mas com algumas descontinuidades. Mateus 5-7, por sua localização, é aquele que ficou conhecido como Sermão do Monte. E Lucas 6:17-49, também por causa da localização, é chamado sermão da planície.

As diferenças podem se dar por causa do objetivo literário de cada evangelista ou pelo fato de se tratarem de dois sermões tematicamente iguais, pronunciados por Cristo em situações diferentes. Seja como for, não se trata de contradições. Ambos focam os mesmos princípios éticos do Reino.

Tomando por base a versão mais conhecida de Mateus, o que se percebe no início da leitura é o elevado padrão de exigência que o texto apresenta. Isso fez com que Nietzsche e Jeffers o repudiassem e Naumann o considerasse uma utopia num universo capitalista.

Em princípio, a ideia de não "resistir ao perverso", "amar o inimigo" e "oferecer a outra face" parecia chocar-se com as noções de justiça, direito e condenação. Os presos deveriam ser soltos e as dívidas perdoadas. Isso seria um caos.

O sentido do texto

Existem atualmente pelo menos 36 diferentes interpretações para o sentido dessa mensagem ética de Cristo. As principais seriam:

1 – O padrão apresentado por Cristo representa a impossibilidade humana de cumprir a Lei de Moisés (Lutero).

2 – O sermão não se aplica à igreja em geral, mas apenas aos santos e ao clero da igreja (especialmente às ordem monásticas), os únicos capazes de atingir o seu ideal de comportamento (teologia católica medieval).

3 – O sermão deve ser encarado como uma obrigação moral de todo crente, seja clérigo, seja leigo. São regras de conduta literais (anabatistas).

4 – O sermão apresenta a solução para todo conflito armado, para fome e para as injustiças sociais. Somente se o homem viver segundo esses princípios, Deus estabelecerá seu reino na terra (Evangelho Social).

5 – O sermão era uma ética especial, para uma época especial, baseada na crença equivocada de Jesus de que o fim de todos os tempos estava para acontecer (A. Schweitzer).

6 – O sermão refere-se àquilo que Deus exigirá de seus filhos do tempo da grande tribulação (Dispensacionalistas).

7 – O sermão permanece como um ideal a ser constante buscado ainda que não seja necessariamente alcançável (escatologia inaugural).

Talvez uma boa sugestão no momento de se confrontar com essas possibilidades interpretativas seria seguir o conselho de Martyn Lloyd-Jones que disse: "Cuidemos da tendência de ficar discutindo contra esses princípios; cuidemos para não os fazermos parecer ridículos; e acautelemo-nos para não interpretá-los de tal maneira que julguemos ser impossível a aplicação de qualquer um deles."[101]

Como orar?

A chamada "Oração do Senhor", ou oração do "Pai Nosso", está registrada em dois dos quatro evangelhos. Lucas se limita a dar um resumo dela, dizendo apenas que os discípulos pediram a Cristo que os ensinasse a orar assim como João fizera com seus seguidores. Mateus apresenta, além do modelo oferecido, uma série de regras ou sugestões práticas que deveriam ser seguidas quando um indivíduo estivesse conversando com Deus. Uma efetiva comparação dessas regras com os costumes litúrgicos da época poderá oferecer interessantes conclusões.

Os ensinos de Jesus, registrados em Mat. 6:5-8, podem ser assim resumidos:

OS RELIGIOSOS	Como costumavam orar	Como deveríamos orar
JUDEUS DA ÉPOCA	Com ostentação e exagero	De modo íntimo e discreto
GENTIOS (NÃO JUDEUS) DA ÉPOCA	Com vãs repetições	Com serena confiança

Na prática é que se vê a coerência do ensino de Cristo. O exibicionismo religioso conduz os crentes à exaltação própria ou ao êxtase descontrolado.

Exibicionismo piedoso

Jesus primeiramente descreve os exibicionistas como religiosos que gostam de ser "vistos pelos homens". Literalmente eles gostam de *theathënai*, um termo grego curioso que deu origem ao vocábulo "teatralismo". Em outras palavras, os que se exibem em orações públicas estão apenas "*interpretando* o papel de piedosos sem que o sejam de fato".

O outro problema apontado nesta fala do Mestre é a extravagância espiritual, que pode levar à histeria. Era comum na cultura do Antigo Oriente Médio elevar hinos ou preces de lamentação a Deus. Esse *lamentar* era expresso por um antigo verbo grego (*koptô*) que significa "cortar", ou "cortar-se a si mesmo", se estiver na voz média. Trata-se de um tipo fanático de emocionalismo que leva as pessoas a retalharem seu próprio corpo a fim de expressar uma profunda angústia ou descontrolado êxtase emocional. Um exemplo seria o comportamento dos profetas de Baal, no embate com Elias que, aflitos pelo silêncio do seu deus, começaram a cortar o próprio corpo com facas e lanças (I Rs. 18:28).

Vãs repetições

Além do sentimentalismo excessivo, Jesus também critica a repetição desnecessária de preces decoradas sem nenhum sentido efetivo. A expressão grega (*battologein*) traz uma forma verbal de difícil significação etimológica. Robertson a explica como sendo mera onomatopeia (blá-blá-blá).

Albright e Johnson a traduzem respectivamente por "gaguejar" e "tagarelar". E Adam Clark, na mais interessante explicação do termo, cita uma informação atribuída a Seudas, cujo termo original seria *battos*, uma palavra mormente traduzida por "gago" e "tagarela", mas que nos seus primórdios significaria o nome de um homem compositor de hinos muito prolixos com desnecessária repetição de ideias.

Nesta mesma linha, há um testemunho de Heródoto (4,155) sobre um rei de Cirene, chamado *Battus,* que era terrivelmente gago. Esses pareceres não precisam se excluir mutuamente. Antes, em sua variedade, ajudam a compreender melhor o significado do dito de Cristo.

A palavra *polulogia* (excesso de palavras), que está logo abaixo na mesma unidade literária de Mateus, também nos ajuda a entender as "vãs repetições" como abrangendo tanto as recitações declarativas sem sentido quanto o excesso de formalidades e termos, e prolixidade desnecessária numa prece elevada a Deus.

A oração do Senhor

"Vocês, orem assim: 'Pai nosso, que estás nos céus! Santificado seja o teu nome.
Venha o teu Reino; seja feita a tua vontade, assim na terra como no céu.
Dá-nos hoje o nosso pão de cada dia.
Perdoa as nossas dívidas, assim como perdoamos aos nossos devedores.
E não nos deixes cair em tentação, mas livra-nos do mal, porque teu é o Reino, o poder e a glória para sempre. Amém'." (Mat. 6:9-13).

A oração do Pai nosso, em Lucas, é bem menor do que em Mateus e possui algumas pequenas variações de conteúdo. Possivelmente ambas as versões estavam em circulação entre os primeiros cristãos, a de Mateus, no entanto, seria de origem mais tardia:

MATEUS	LUCAS
Pai nosso que estás nos céus, santificado seja o teu nome.	Pai, santificado seja o teu nome.
Venha o Teu Reino. Seja feita tua vontade, como no céu assim na terra.	Venha o Teu Reino.
Dá-nos hoje o nosso pão: o pão [grego repartida ou necessária].	Dê-nos a cada dia o nosso dia [repartida] pão.
E perdoa-nos as nossas dívidas, assim como nós também temos perdoado aos nossos devedores.	E perdoa os nossos pecados: pois também nós perdoamos a todo aquele que é grato a nós.
E não nos deixeis cair em tentação, mas livrai-nos do mal. [Aditamento em muitos manuscritos: Porque teu é o reino e o poder, e a glória, para sempre. Amém!]	E não nos deixeis cair em tentação.

A despeito dessas singularidades entre as versões de Mateus e Lucas, o Pai Nosso se torna uma oração completa, justamente por sua simplicidade e objetividade das palavras. Ele abrange todas as áreas da existência humana conforme pode ser visto no esboço a seguir:

Oração do Pai nosso: Mat. 6:9-13

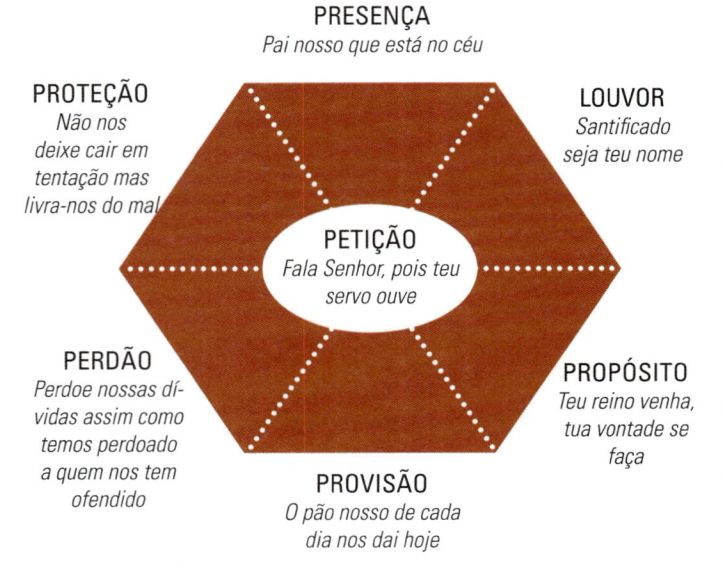

- PRESENÇA — Pai nosso que está no céu
- LOUVOR — Santificado seja teu nome
- PROPÓSITO — Teu reino venha, tua vontade se faça
- PROVISÃO — O pão nosso de cada dia nos dai hoje
- PERDÃO — Perdoe nossas dívidas assim como temos perdoado a quem nos tem ofendido
- PROTEÇÃO — Não nos deixe cair em tentação mas livra-nos do mal
- PETIÇÃO — Fala Senhor, pois teu servo ouve

As petições do Pai Nosso

R. G. Gruenler[102] apresenta o Pai nosso num contexto de pregação escatológica de Jesus. Sendo assim, o sentido básico da prece é fornecer um modelo resumido para ordenar corretamente as prioridades do Reino.

Dessa forma, tanto Mateus quanto Lucas preservaram; em essência, a ordem de Jesus: Deus em primeiro lugar, em seguida, as necessidades humanas. Seu intento primário não é uma elaboração litúrgica, embora nada impeça de ser usado num culto, mas sistematizar de forma consciente as sensibilidades de um coração redimido.

Petição para o Pai para a sua glória

Introdução: "Pai nosso que estás no céu", reconhece a íntima relação entre Jesus e os crentes para a família de Deus, que está acima de transição dos valores terrenos.

1. Primeiro pedido: "Que o teu nome seja santificado". Esta oração reconhece a reivindicação de soberania de Deus sobre o mundo e antecipa a resposta humana e a consumação final na era escatológica (cf. Rm. 10:13;. 15:09, Fil. 2,9-11).

2. Segunda petição: "Que venha o teu reino". Esta oração exerce sobre a urgência escatológica do "já / ainda não" da realeza de Jesus inaugurou.

3. Terceira petição: "Seja feita a tua vontade, assim na terra como no céu". Esta é uma expansão do tema unificado das duas primeiras petições, indicando o objetivo soberano do plano escatológico de Deus e da importância do papel do crente, orando e agindo para abreviar a vinda final do reino.

Endereço para o Pai, para as necessidades humanas

4. Quarta petição: "Dá-nos hoje o nosso pão para o dia de amanhã." Não são apenas as necessidades diárias em foco aqui, mas também bastante provável que um antegozo do banquete messiânico.

5. Quinta petição: "E perdoa-nos as nossas dívidas, assim como nós também temos perdoado aos nossos devedores". O ponto aqui é de atitude adequada, como na definição maior de Mat. 6:1-21. A menos que se esteja em um estado de espírito perdoando, no sentido de Mateus 6:14-15, ele ou ela não vai pedir ou receber o perdão divino.

6. Sexta petição: "E não nos deixeis cair em tentação, mas livra-nos do mal." A tentação é para ser entendida como teste (peirasmos), cf. Lucas 22:28; I Pet. 1:6. (Mat. 24:21, Mar. 13:24; 1 Pd. 4:12). A versão de Mateus pode ser traduzida: "Mas livra-nos do mal", isto é, do demônio. A petição é repleta de tensão escatológica, porque Jesus sabe que a inauguração do reinado de Deus em território inimigo ocupado vai significar teste e tanto sofrimento para si e para seus seguidores até o fim.

Reino dos céus

No Novo Testamento, as expressões "Reino de Deus" e "Reino dos Céus" aparecem de modo intercambiável. A rigor, alguns sugerem que "Reino de Deus" refere-se à atividade mantenedora e hierárquica de Deus sobre todo o Universo. Já o "Reino dos Céus" seria uma parte dele.

Essa, no entanto, é uma conclusão aparentemente poética, uma vez que não existe paralelo bíblico ou judaico que lhe sustente. Na verdade, ambas as expressões, "Reino de Deus", "Reino dos Céus" raramente aparecem na literatura judaica antes dos dias de Jesus.

De todo modo, o que pode ser dito é que, embora os acadêmicos ainda discutam os pormenores dessa temática, o que se tem claro no judaísmo posterior é o uso da palavra "reino" como símbolo do domínio ou soberania de Deus.

Esse pode ser também o melhor ponto de partida para compreender o sentido da expressão nos evangelhos. Considerando que "Reino dos Céus" é uma expressão que só aparece em Mateus e que "Céus" é um termo técnico para substituir o nome "Deus", pode-se concluir que, de fato, "Reino de Deus" e "Reino dos Céus" são sinônimos perfeitos ou variações terminológicas da mesma realidade.

A vinda desse reino "de Deus ou dos Céus" é o ponto central da pregação de Jesus Cristo. Falta, contudo, definir qual o sentido, afinal, desse reino.

Novamente, as posições interpretativas se multiplicam:

1 – O reino é a Igreja Cristã (Agostinho).

2 – O reino é a religião pura, profética, ensinada por Jesus no equilíbrio entre a paternidade de Deus e a irmandade entre os homens (A. Harnack).

3 – Um reino totalmente futuro e escatológico sem nenhuma relação com o presente (J. Weiss).

4 – O reino é uma escatologia realizada, mas que aguarda consumação fora da história humana. É uma realidade apocalíptica que transcende ao tempo, mas que por causa da vida e obra de Jesus, irrompeu na história (C. H. Dodd).

Você sabia?

Abba é a palavra aramaica usada para se dirigir a Deus, conforme se vê em Marcos 14:36, Romanos 8:15 e Gálatas 4:6. Num clássico trabalho dos anos 1970, Joachin Jeremias sugeriu que Abba era uma forma infantil da criança se dirigir ao pai, como se o chamasse de papaizinho[103]. Hoje muitos acadêmicos discordam disso. Ao que parece Abba era um termo usado tanto por adultos como crianças e seu sentido era mesmo "pai", assim como "ab"[104].

Contudo, ainda existe algo de especial na oração que ensina ao crente direcionar-se a Deus como "Pai Nosso". Na Gemara, um comentário rabínico sobre a Mishná, é dito que um escravo não poderia chamar o dono da casa de "abba", que seria normalmente seu título.

Assim, quando Jesus diz "Pai Nosso" quer elevar os crentes acima da ideia de escravos, para consciência de filhos de Deus.

Fato importante

A doxologia final do Pai Nosso ("porque teu é o reino, o poder e a glória para sempre") não se encontra nos melhores manuscritos gregos do NT, nem nos mais antigos, nem nos mais relevantes como o ℵ, B, D. Em função disso, muitos acreditam que esse trecho não teria sido parte das palavras originais de Jesus, mas acréscimos feitos posteriormente por um copista.

Por isso, as edições críticas do Novo Testamento grego (NA28 e UBS5) não a trazem na parte final no texto. Já as versões em português ou a omitem ou colocam-na entre colchetes, como é o caso da NVI, A21 e as versões de Almeida mais antigas. Contudo, é importante anotar que ela está em perfeita consonância com o tema original e os demais ensinamentos de Cristo.

5 – O reino é, em algum sentido, uma realidade tanto presente quanto futura. (G. Ladd).

Uma compreensão que costura todas essas posições seria aquela que entende o reino como o desdobramento da história da redenção. É o domínio real de Deus em dois momentos: um, o cumprimento das promessas do Antigo Testamento na primeira vinda de Jesus a esse mundo. Outro, na consumação da história, por ocasião do fim dos tempos e a inauguração da era vindoura que será após a segunda vinda de Cristo.

O amor como cumprimento da Lei

Certa vez Jesus foi abordado por um doutor da lei que lhe perguntou qual era o principal de todos os mandamentos. Em síntese, Jesus combinou Deuteronômio. 6:4 com Levítico 19:18 e lhe respondeu que era amar Deus e seu próximo. Esse episódio está relatado em Marcos 12:28-34 e Mat. 22:34-40.

Pela tradição rabínica mais antiga, a maior de todas as questões, à qual somente os grandes mestres do judaísmo poderiam responder, tinha que ver com a essência da Lei. Qual o maior dos mandamentos que abarcaria todos e lhes seria superior?

O tratado mishnaítico do *Pirkei Abhot* (a ética dos Pais) está cheio de aforismos e tentativas de resumo da lei no menor corpo possível de princípios éticos. Uma tarefa deveras difícil, senão impossível, de ser cumprida. De acordo com o cálculo de Maimônides (1180), se todos os mandamentos, normas e preceitos dados por Deus a Israel fossem juntados numa só cartilha, haveria um total de 613 regras *irredutíveis*: 365 proibições e 248 ordens positivas (*Sefer há-Mitzvot*).

Contudo houve interessantes tentativas de resumir tudo isso numa só sentença. Um rabino, certa vez, comentou numa preleção a sabedoria dos homens do passado. Moisés dera ao povo 613 mandamentos, mas o rei Davi reduzira-os a 11 (Sal. 15:2 – 5), Isaías a 6 (Isa. 33:15), Miquéias a 3 (Miq. 6:8), Amós a 2s (Am. 5:4) e Habacuque a 1 (Hab. 2:4).

O rabi Hillel (ca. 20 a.C.) deu um parecer muito próximo do que haveria de responder Jesus no futuro. Inquirido por um indivíduo acerca de qual a quintessência das leis judaicas, ele respondeu: "O que você não faria a si mesmo, não faça ao seu vizinho. A Torah se resume a isto; o resto é comentário." (*B. Shabbath* 31a). Também o Rabi Akiba (martirizado em 135 A.D.) disse que Levítico 19:18 seria o grande mandamento da lei.

Tentativas à parte, o fato é que rabinos mais tardios entenderam ser impossível resumir os mandamentos ou dizer qual o maior deles. Em uníssono afirmavam que "não há mandamentos que sejam maiores nem mandamentos que sejam menores".

Jesus, porém, conseguiu este feito, e de uma maneira superior à dos demais. Ele revelou o elemento distintivo do verdadeiro servo do seu reino: ele cumpre a lei por *amor*. Ele *ama* Deus e *ama* o seu irmão.

Nas demais sínteses, foram ditas coisas sábias e justas. Porém, o máximo que elas conseguem na prática, é classificar os homens como competentes e incompetentes, mas nunca como verdadeiros ou falsos servos de Deus. Um legalista bem treinado e acostumado à rigidez das regras pode praticar regras com rigor. Mas somente um verdadeiro converso pode fazer isto motivado pelo amor.

É interessante que a ideia de amor, em hebraico (*'ahav*), embora inclua o amor romântico e passional, é mais ampla do que isso. Ela extrapola os limites do sentimentalismo. É uma decisão da alma, uma tomada de atitude, enfim, uma escolha. O amor a Deus e ao próximo, na Bíblia, é a adesão consciente a uma pessoa que escolhemos servir. Esta escolha motivará todo o restante.

Na versão de Lucas, é um intérprete da lei quem faz este resumo e não Jesus (Luc. 10:25-28). Mas isso não indica uma contradição entre os sinóticos. O resumo de Jesus foi um silenciador de vozes lançado sobre um grupo (fariseus ou escribas?) que queria colocá-lo à prova.

Passado algum tempo um doutor da lei, que muito provavelmente vira a discussão anterior, desejou "testar" Jesus. Ele perguntou: "Que farei para herdar a vida eterna?". Quando o Mestre devolveu a inquirição (o que diz a lei?), o jovem repetiu as mesmas palavras de Jesus, pensando que com isso desarmaria o raciocínio do Mestre ou ganharia seu louvor. Por isso, provavelmente, ele aparece em Lucas como autor do resumo.

O amor de Deus

Um dos pontos altos do ensino de Cristo foi o amor de Deus. O conceito não era inteiramente novo. No Antigo Testamento há diversos textos falando do amor de Deus. Contudo, o legalismo pós-exílico levou muitos judeus de seu tempo a desenvolverem uma relação comportamental e ritualística com Deus.

O que importava não era o sentimento, a emoção de estar diante do Senhor, mas o comportamento externo e a prática do ritualismo religioso à risca. Essa era a religião dos escribas e fariseus.

Quando Jesus sugere uma "intimidade com o Pai" (Mat. 6:6), isso soou tremendamente revolucionário. O senso ético comum era conseguir o favor divino por meio de obras perfeitamente executadas. Obediência legal e estrita era o acesso mais rápido às bênçãos celestiais. E o pecado, ou descumprimento das regras, o afastamento delas.

Por isso, certo dia Jesus e seus discípulos passaram perto de um cego, e eles imediatamente perguntaram: "Mestre, quem pecou, este ou os seus pais, para que nascesse cego?" (Jo. 9:2).

Sua pergunta baseava-se no conceito popular da relação entre Deus e o mal. A crença difundida era que o sofrimento, a doença e própria a morte eram a punição, por parte de Deus, em virtude da prática do mal, quer pelo próprio sofredor ou alguém ligado a ele. Por esse motivo, como se não bastasse o sofrimento, aquele que padecia arcava ainda com o fardo de ser considerado um grande pecador, um merecedor daquele fardo.

Jesus corrige aquele erro, explicando em vívidas imagens, o amor de Deus pelos seus filhos. Ele também introduz um elemento novo, presente no Antigo Testamento, mas não tão bem explicitado como no Novo. A enfermidade e a dor são causadas por Satanás e seus demônios. Uma das ciladas do diabo consiste em atribuir a Deus as suas próprias características, de modo que muitos atribuem a Deus ações que não provêm de sua pessoa.

O próprio Cristo demonstrou ser, em suas atitudes, a expressão máxima do amor de Deus. Nele resume-se o dito de João 3:16 e 17: "Deus amou ao mundo de tal maneira que deu seu filho único para que todo aquele que nele crê não pereça, mas tenha a vida eterna... Ele enviou o Seu Filho ao mundo, não para que condenasse o mundo, mas para que o mundo fosse salvo por Ele". É nisto que consiste o evangelho! É nisto que consiste a redenção!

Por outro lado, Jesus nunca intentou passar uma imagem frouxa do amor paternal de Deus. Ele mesmo ordenou seus seguidores a serem perfeitos como o Pai celestial, a praticarem o bem, a cumprirem os mandamentos.

A diferença é que, na apresentação de Cristo, as obras não são o meio, a causa do amor de Deus, mas o resultado dele. Os súditos do seu reino não cumprem os mandamentos para serem salvos, mas porque o Pai os salvou. O comportamento é uma resposta ao amor de Deus e não uma porta de acesso a ele.

O juízo final

Apesar de não muito comentado por especialistas modernos, o tema do juízo final também fez parte ativa dos ensinamentos de Jesus Cristo. São diversas as passagens em que ele o menciona. Veja alguns exemplos somente em Mateus: 5:22, 29-30; 7:13-14, 21-23; 8:10-12; 10:28; 13:29-30, 49-50; 18:8 e 9; 22:11-14; 23:13, 32-33; 24:50-51; 25:29-30 etc.

Na cena final, descrita por Mateus por ocasião do fim do mundo, o Filho do Homem (Cristo) enfaticamente tomará assento no juízo (Mat. 25:31-46). Ele condena pessoas e absolve pessoas. Cada uma é aprovada ou não pela postura que assumiu diante da graça oferecida. Novamente, as obras ali exemplarmente mencionadas são o fruto da relação espiritual com Deus e não um caminho de acesso ao céu.

O cenário é vívido nos seus detalhes: um juiz separando cabritos de ovelhas. Um quadro comum do Oriente Médio era a criação conjunta de ovelhas e cabras. Ambos tinham muitas serventias para os seus donos: eram fonte de leite e carne, matéria-prima de tecidos (Isa. 7:21-22; Prov 27:27; Deut. 14:4; Lev. 13:47; Êxo. 25:4). As ovelhas provinham a lã para o vestuário que aquecia nas noites de inverno e a cabra, o odre para armazenar água e vinho (Mat. 9:17; Mar. 2:22).

A analogia da separação desses animais – com os cabritos representando os que se perdem – pode ser devido ao fato destes últimos serem mais rebeldes, não ficarem facilmente dentro de cercas e ameaçarem uma vegetação local por sua forma desenfreada de comer tudo que encontram pela frente. As ovelhas, por sua vez, são mais obedientes, ficam calmamente dentro do cercado de seu rebanho e comem com parcimônia.

No que diz respeito à separação lateralizada dos animais – uns à esquerda, outros à direita –, há quem suponha que isso pode ser uma imagem emprestada do julgamento comum que ocorria no Sinédrio, onde os prisioneiros absolvidos eram colocados à direita da presidência e os condenados à esquerda.

Seja como for, a imagem que Cristo passa é de uma separação efetiva entre os que se preocupam com o seu semelhante e os que desprezam seu irmão. Não há neutralidade entre os grupos. Todos deverão comparecer diante de Deus e seguir para um ou outro lado, o que definirá seu destino final.

Um pouco antes da descrição do grande julgamento, Jesus enumerou uma série de coisas que aconteceriam ao mundo antes de sua volta. Elas estão anotadas em Mateus 24, Marcos 13 e Lucas 21.

Ele prevê inicialmente a destruição de Jerusalém (Mat. 24:1-2) e, em seguida, fala de sinais que antecedem o fim dos tempos: perseguição, guerras, fomes, terremotos, um elemento de sacrilégio posto no Templo, sinais no sol, na lua e nas estrelas, o surgimento de falsos profetas e a pregação do evangelho no mundo inteiro. O evento a seguir é a própria vinda de Cristo em poder e majestade para buscar seus redimidos.

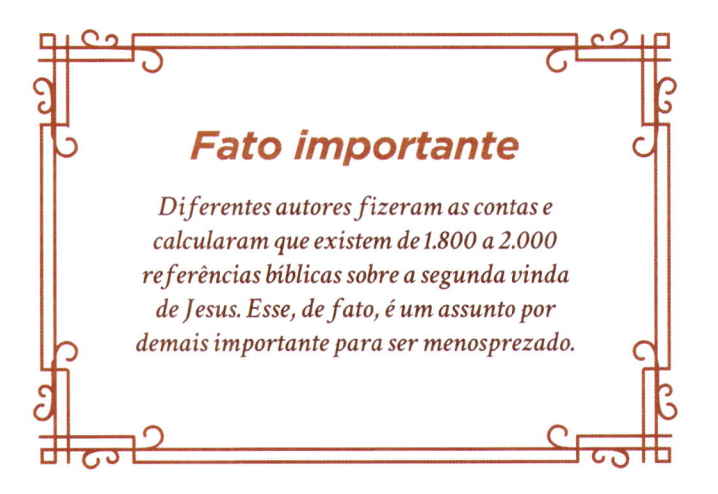

> **Fato importante**
>
> *Diferentes autores fizeram as contas e calcularam que existem de 1.800 a 2.000 referências bíblicas sobre a segunda vinda de Jesus. Esse, de fato, é um assunto por demais importante para ser menosprezado.*

Últimos dias na Terra

À medida que o calendário se aproxima do feriado de Semana Santa, cristãos do mundo inteiro se preparam para comemorar a morte e a ressurreição de Jesus Cristo. Embora cada ramo do cristianismo tenha sua própria liturgia e modos de relembrar aqueles importantes eventos do passado, todos revivem, de uma maneira ou de outra, os últimos dias do ministério de Cristo entre os homens.

O relato dos evangelhos é bastante vivido. A leitura atenta dos textos correspondentes transporta o indivíduo para um clima de tal compenetração que a paixão do Cristo se mistura com a própria realidade daquele que a relembra. É como se a vida de Jesus e do leitor moderno se tornasse uma em memória, meditação e segurança. Afinal é sua vitória sobre a morte que garante àquele que crê a certeza de que os sofrimentos deste mundo um dia chegarão ao seu fim e o bem triunfará.

Monte das Oliveiras - Igreja das Nações

Vista panorâmica de Jerusalém.

Jesus vem a Jerusalém

Aproximando-se do fim de seu ministério, Jesus resolveu subir a Jerusalém vindo de Jericó, onde estivera desde sua última descida da Galileia para o sul. Estava chegando a festa da Páscoa e Jerusalém estava repleta de peregrinos que vinham de todas as partes do mundo onde havia uma comunidade judia espalhada.

Porém antes de entrar na cidade, Jesus decide parar e descansar na casa de seu amigo Lázaro que ficava em Betânia (provavelmente a atual *el-Azariye*). O vilarejo distava apenas 3 km das muralhas de Jerusalém, na vertente leste do Monte das Oliveiras.

De lá, Jesus seguiu com os discípulos (não somente os 12, mas um grupo maior) até o vilarejo de *Betfagé* - Casa dos Figos. Sem entrar no local, ele mandou que dois de seus seguidores tomassem com um colaborador do grupo um jumentinho emprestado para que o mestre pudesse montar nele e assim entrar em Jerusalém.

João afirma que os discípulos, a princípio, não entenderam a atitude de Jesus ou o que ele pretendia com ela (Jo. 12:16). Até ali ele evitara a todo custo ser proclamado rei. Preferira a discrição e afirmara reiteradas vezes que seu reino não era deste mundo. Por que agora tomava aquela atitude? É evidente que ele conhecia as consequências de tal proclamação pública.

Contudo, percebendo que seu ministério estaria chegando ao fim e que seria crucificado, Jesus resolveu fazer uma derradeira e mais ampla proclamação de seu messianismo. Com este fim, convocou seus seguidores e colaboradores, talvez umas cento e poucas pessoas (At. 1:15), que voluntariamente o seguiram a pé até o local onde ele montou o jumento. Seu destino era Jerusalém, o coração da religiosidade judaica.

Aclamado como rei

Foi a partir daí, entre a subida e depois descida do Monte das Oliveiras, que a comitiva começou a aclamar Jesus como rei dos judeus (Luc. 19:37). À sua frente, outra multidão de pessoas curadas ou simpatizantes do Nazareno permanecia à espera de Cristo, evidenciando que a entrada triunfal foi algo previamente planejado, senão em detalhes, pelo menos em parte (Mat. 11:9). Que a multidão aclamava-o como rei torna-se óbvio pelos gestos de reverência muito parecidos com os recebidos por Jeú quando este foi proclamado rei de Israel (II Rs. 9:13).

Ao contrário da tradição latina relativa ao Domingo de Ramos, os ramos que o povo segurava não tinham por finalidade acenar para Jesus. Esta seria uma atitude mais apropriada à cerimônia dos *lulab* na festa dos Tabernáculos, que ocorreria meses depois deste evento.

Os ramos foram tomados pelo grupo para forrar o chão, à medida em que Jesus ia passando. Era talvez uma forma dos mais pobres, que não tinham a capa de cima, usarem as folhas como substituto das vestes que eram lançadas para que o rei passasse por cima delas (Cf. Mar. 11:8).

Era precisamente um domingo, poucos dias antes da festa da Páscoa, que inundaria ainda mais Jerusalém de peregrinos judeus vindos de todas as partes para as festividades religiosas. Do alto do Olival, Jesus para por um instante com sua comitiva e contempla o cenário da cidade com tremendo destaque para o seu Templo. Sua visão não poderia ser mais contraditória, num misto de beleza e temeridade, religião e apostasia. Assim era Israel contemplado por seu Messias.

Museu Israel - Cerca do Templo

O Templo

De cima do Monte das Oliveiras, era clara a visão do pátio do Templo repleto de pessoas em suas mais diversas atividades. Em termos de edificação, esta deve ter sido uma suntuosa paisagem vista por Jesus. O mesmo, contudo, não se pode dizer da ação do povo.

O Templo, outrora destruídos pelos babilônios, reerguido no tempo dos Persas e danificado por Antíoco, estava agora entre as maiores construções empreendidas por Herodes, o Grande. Embora boa parte do edifício já houvesse sido reerguida desde os tempos de Esdras e Neemias, foi este rei quem deu definida suntuosidade ao edifício sagrado, aumentando, inclusive, sua área e tamanho.

O projeto de reforma e ampliação herodiano foi uma grande obra iniciada entre 20 e 18 a.C., que levou mais de 50 anos para ser concluída (Jo. 2:20) e empregou cerca de 18 mil pedreiros. Seu acabamento só se deu entre 66 e 68 A.D., pouco antes de ser novamente destruído pelo ataque dos romanos no ano 70 d.C. Herodes, é claro, não sobreviveu para ver totalmente o fruto de sua engenharia.

O conhecimento que hoje se tem do Templo de Herodes, deve-se praticamente às descrições de Josefo, da Mishná (tratado *Middoth*), de um desenho numa das moedas de Bar Cochba e às explorações arqueológicas da região.

As conduções arqueológicas permitiram concluir que Herodes expandiu a área do Templo para além da dimensão natural do Monte Moriá sobre o qual ele fora edificado. Esse mesmo monte, segundo a tradição bíblica, teria sido o local onde, outrora, Abraão quase levara a efeito o ato de sacrificar Isaque ao Senhor.

O chamado Templo Monte, ou *Har ha Beyth*, porque a área era de fato uma montanha, era originalmente um recinto fechado de formato retangular, com os lados possuindo um cumprimento irregular. O maior era o lado oriental com a extensão de sua muralha atingindo perto de 485 metros. Os muros norte e ocidental mediam respectivamente 315 e 485 metros de comprimento. E o muro do sul, o menor de todos, 280 metros. Estas são medidas, evidentemente, aproximadas e os comprimentos podem variar de acordo com diferentes pesquisadores.

Os muros em si não eram lisos como hoje se vê, mas eram cunhados com frisos típicos que contornavam o bloco como uma borda em baixo relevo (característica precisa do período herodiano). Cada pedra usada na construção das muralhas media de 1 a 2 metros de altura, com comprimento horizontal de até 23 metros. Mas a largura parece ser uniforme (algo em torno de 3,5 metros).

O peso médio de cada pedra variava em torno de 50 toneladas ou mais. Só no canto sudoeste foi encontrada uma pedra de esquina cujo peso é estimado em 100 toneladas. Essas medidas e pesos extraordinários ajudam a entender melhor a admiração dos discípulos ao comentarem com Jesus a suntuosidade das pedras e da construção daquele Santuário. Qual não deve ter sido sua supresa ao Jesus afirmar que ali não ficaria pedra sobre pedra que não fosse derrubada! (Mar. 13:1)

Maquete do Tempo de Jerusalém

As técnicas usadas na construção ainda não são totalmente claras. As pedras presumivelmente foram carregadas do norte de Jerusalém até o monte Moriá. Mesmo com o uso de tração animal e roldanas, esse transporte exigiu dos operários grande força e muita habilidade braçal, devido ao exagerado peso de cada bloco maciço.

A área interna do Templo media 144.000 m². – o que, deveras, não o deixa em nenhuma desvantagem, se comparado a outros famosos santuários do mundo clássico. É evidente, também, que a área interna era desenhada de modo a ser uma simetria complexa, incorporando restos do antigo Templo ao leste, sobre a base de um gigantesco pátio com o novo Templo no centro.

Esquizofrenias reais à parte, Herodes fora de fato um gênio das construções. O erguimento de tal complexo sobre uma colina onde as condições de edificação eram totalmente desfavoráveis é algo realmente impressionante.

Nesse imenso pátio havia átrios separados para cada classe de pessoas. Os mais "consagrados", na visão religiosa da época, tinham acesso mais franco ao lugar Santíssimo, no fundo do Templo, enquanto os outros, variando a "casta", ficavam em áreas mais afastadas. Assim temos em ordem de prioridade sacramental: o átrio dos sacerdotes, depois dos homens (ou israelitas), das mulheres e finalmente dos gentios.

Havia ainda no átrio uma câmara reservada a leprosos que haviam sido curados. Dentro dela um tanque de purificação era preparado para que o ex-leproso se banhasse e depois de oito dias se apresentasse ao Sacerdote que validaria sua cura. Curiosamente no Novo Testamento há várias referências a leprosos curados por Cristo e em pelo menos duas delas ele disse que os curados deveriam se apresentar ao sacerdote, cumprindo a ordenança feita por Moisés (Luc. 5:12 e 17:12).

Templo – Pedras

Sobre o Templo propriamente dito, isto é, seu edifício, as pedras que compunham sua parede eram diferentes daquelas usadas para edificar os muros. Eram calcárias brancas cortadas com precisão e polidas. A estrutura anterior fora desnuda até os fundamentos e foram feitos novos alicerces. Segundo o desenho de uma moeda de Bar Kochba, a lembrança que tinham do Templo, 65 anos depois de sua destruição, apresentava quatro colunas na faixada (oito ou doze no total), que talvez sustentassem um telhado plano. Acima do telhado parecia haver uma estrela (embora isso possa ser apenas um enfeite na moeda).

Quanto às dimensões aproximadas, o lugar santo deveria ter em torno de 20 metros de comprimento por dez de largura e trinta de altura. No seu interior havia um candeeiro de ouro, a mesa com os pães da proposição e o altar de incenso. No fundo havia um véu ou dois para separá-lo do lugar santíssimo, que possuía dimensões menores, em torno de 10 m². por 30 m de altura. Ali não havia mobília, mas apenas uma pedra que, desde Zorobabel, ficava no centro do cômodo, em substituição simbólica à arca da aliança, desaparecida desde os tempos de Jeremias. Com efeito, aquele era considerado um lugar inviolável.

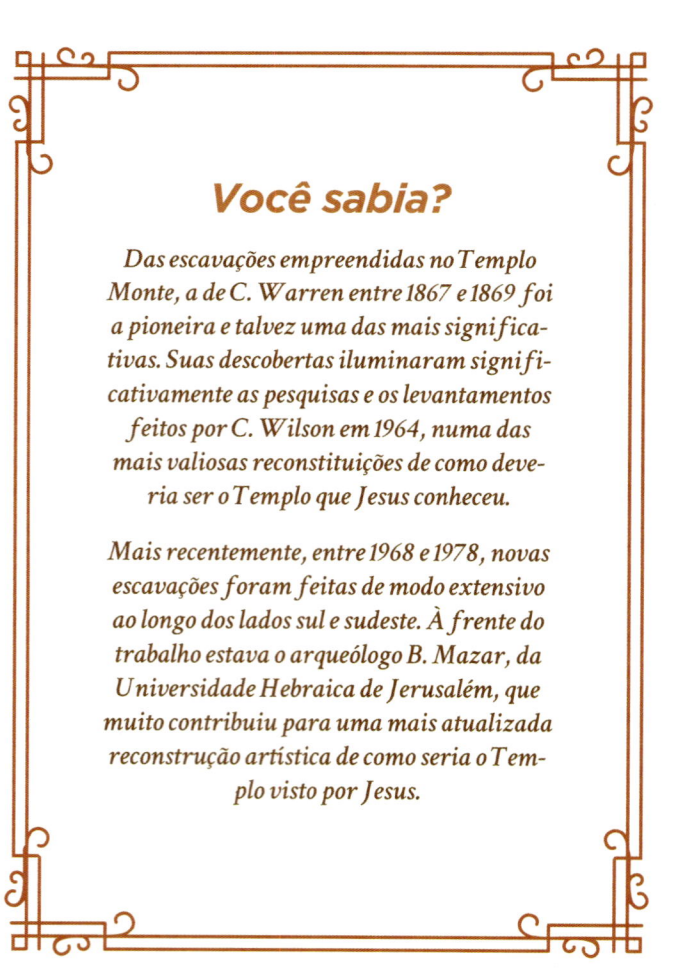

Judeus religiosos orando diante do Muro das Lamentações

Você sabia?

Das escavações empreendidas no Templo Monte, a de C. Warren entre 1867 e 1869 foi a pioneira e talvez uma das mais significativas. Suas descobertas iluminaram significativamente as pesquisas e os levantamentos feitos por C. Wilson em 1964, numa das mais valiosas reconstituições de como deveria ser o Templo que Jesus conheceu.

Mais recentemente, entre 1968 e 1978, novas escavações foram feitas de modo extensivo ao longo dos lados sul e sudeste. À frente do trabalho estava o arqueólogo B. Mazar, da Universidade Hebraica de Jerusalém, que muito contribuiu para uma mais atualizada reconstrução artística de como seria o Templo visto por Jesus.

Jesus diante da porta dourada

A entrada triunfal de Jesus em Jerusalém foi um dos pontos mais altos de seu ministério. Vindo desde o vilarejo de Betânia, o Mestre escolhera a estrada mais direta que passava pelo dorso do Monte das Oliveiras, indo em direção à porta dourada que dava acesso à entrada oeste do Templo.

Templo - Arco de Robinson, Vendas

Pelo relato de Marcos (11:11), já era tarde quando a comitiva que acompanhava o Senhor chegou às muralhas da cidade. Por esse detalhe da narrativa, podemos, com muita probabilidade, supor que tal acontecimento se dera por volta das 15 horas, ou seja, no momento em que era realizado o sacrifício da tarde e o pátio do Templo se encontrava repleto de adoradores.

Montado sobre o jumentinho, Jesus seguiu provavelmente em direção da porta de Susa ou porta oriental, que hoje é conhecida como porta dourada. Esta era, sem dúvida, a mais óbvia passagem para quem estivesse vindo do alto do Monte Olival.

Ao atravessar as imensas colunas em direção ao pórtico real do lado sul, Jesus começou a sentir ainda mais o peso da realeza que o povo impunha sobre seus ombros. A própria exclamação popular, que é a citação do Salmo 118:25 e 26, sugeria um acréscimo apelativamente político ao conteúdo da passagem. Enquanto o salmo em português traz apenas "bendito o que vem em nome do Senhor" (v. 26), o clamor dos seguidores de Cristo acrescenta a expressão "hosana" eu tem um sentido muito especial no texto. No original hebraico do Salmo 118 aparece a expressão Yhwh hoshi'ah na. Yhwh é o nome sagrado de Deus traduzido por "Senhor". Hoshi'ah quer dizer "salva" presumivelmente "salva-nos", pois o objeto direto é opcional em hebraico e pode ser deduzido pelo contexto). O na no final da sentença é difícil de traduzir, mas pode indicar uma expressão de polidez, algo como "por favor". Sendo assim, Yhwh hoshi'ah na quer dizer "ó Senhor, salva-nos, por favor".

Ora se ajuntarmos essas palavras num só termo abreviado, a pronúncia aramaica seria algo bem próximo de "HOSANA", o termo que aparece nos evangelhos. E mais, há um elemento profético nesta exclamação se lembrarmos que "o Senhor salva" é exatamente o significado do nome "Jesus". Assim, os discípulos de Cristo faziam uma versão aramaica do "salve" latino (ave) oferecido aos imperadores romanos ("ave César").

Em seguida, evocando talvez um lema preparado para a ocasião, eles prosseguiam dizendo: "Bendito o Reino que vem do nosso pai Davi! Hosana no mais alto dos céus" (Marcos 11:9-10).

Uma vez dentro das dependências sagradas, Jesus andava vagaroso por entre as majestosas paredes que, de acordo com Josefo, dispunham de 162 colunas monolíticas. Ali funcionavam várias salas chamadas *hanuyyoth*, que serviam de escritórios para os cambistas e lojas para os comerciantes que Jesus haveria de expulsar na manhã do dia seguinte (Mar.11:11-15).

Mas, voltando um pouco o transcurso dos acontecimentos, é possível imaginar Jesus momentos antes de entrar pela porta de Susa. Segundo os evangelistas, os fariseus, escribas e outros representantes do povo, temendo que o Mestre Galileu fosse aclamado rei, insistiram com ele para que mandasse seus discípulos se calarem. A isso Jesus respondeu que, ainda que eles se calassem, as próprias pedras clamariam (Luc. 19:40).

Por essa declaração podemos pressupor duas explicações: uma metafórica onde as pedras representariam os não judeus que estavam no local e que presenciavam o acontecimento. Em favor dessa leitura está inegociável a atitude de Pilatos em dizer que Jesus era rei dos judeus (Luc. 23:38) e a afirmação do soldado romano de que ele era um homem justo (Lc. 23:47).

Muro de Jerusalém com a porta oriental completamente fechada

Por outro lado, porém, é possível decifrar aqui uma referência profética ao Antigo Testamento. Observando os enormes blocos, Jesus declara que estes haveriam de testemunhar sua entrada triunfal na cidade. Sua fala parece um *midrash* do texto de Ezequiel 44:1 e 2. Lá o profeta é ordenado a voltar-se para a porta oriental da cidade. Mas eis que ela estava fechada. O motivo disso? Assinalar o momento em que o Deus de Israel viera visitar seu Santuário.

Curiosamente, depois da morte de Jesus, a porta de Susa permaneceu ainda por algum tempo sem nenhuma novidade que lhe dissesse respeito. Do ano 70 em diante, por diversas vezes as muralhas foram quase totalmente destruídas. A parte oriental, no entanto, teve uma boa parte de seu alicerce preservado. E a cada nova edificação, o plano geográfico daquela entrada era mantido exatamente como era nos tempos de Jesus. Apenas com uma diferença: seu acesso permanecia bloqueado.

O motivo do bloqueio se deu devido a um boato propagado entre judeus e palestinos que habitaram a região depois de Adriano. O boato dizia que no fim dos tempos o Messias israelita entraria por aquela porta e tomaria a cidade para seus compatriotas judeus.

Sendo assim, mesmo com a construção da Mesquita de Al Aqsa e do Domo da Rocha sobre o local do Antigo Templo, os ocupantes muçulmanos evitavam abrir aquele acesso para não permitir que o oráculo se cumprisse a favor do povo judeu.

Finalmente, no período da ocupação dos mamelucos em 1542, uma nova porta, que estava sendo aberta para servir de principal entrada ao Domo e à mesquita, também foi misteriosamente interditada, acredita-se pelo mesmo temor de que o Messias chegasse. Além disso, um cemitério islâmico foi estabelecido no local, ao lado da muralha para garantir que o Messias, de fato, não entraria ali. Afinal, sendo ele um sacerdote, não pisaria em túmulos, pois isso seria contra as leis de purificação do próprio judaísmo.

Até hoje quem visita Jerusalém pode ver na sua muralha oriental os entalhes de uma porta que nunca foi aberta. Precisamente abaixo dela jaz, também interditada, a porta original pela qual passou Jesus.

Os dias finais de Jesus

Os dias que antecedem a morte e ressurreição de Jesus Cristo são cruciais na estrutura dos evangelhos. A narrativa parece ter sito escrita para apontar esse episódio e deixar ao leitor o entendimento quanto ao seu significado. Ali a história dos homens entra em confluência com a história de Deus.

A última Páscoa

Todos os evangelistas são unânimes em afirmar que Jesus subiu da Galileia para Jerusalém, pela última vez, a fim de celebrar a Páscoa dos judeus.

Essa era a festividade religiosa instituída por Deus no Antigo Testamento, a fim de celebrar a libertação do povo hebreu da escravidão do Egito (Êxo. 12). Como parte do processo, um cordeiro sem defeito deveria ser sacrificado ao entardecer do dia 14 de abib, mais tarde chamado de nisã, e que corresponde a meados de março/abril.

Na noite do dia seguinte, 15 de nisã, o cordeiro sacrificado deveria ser comido numa ceia, acompanhado de ervas amargas e pão sem fermento. Orações especiais eram recitadas e o evento do Êxodo era relembrado em família.

Essa era justamente a data da saída do povo do Egito e, por causa disso, todos os anos em 14 de nisã (março/abril) o feriado deveria ser celebrado. O mês judaico, diferente dos padrões atuais, começava na lua nova. Seu primeiro dia era determinado por observação visual da lua.

A ordem divina para imolar os cordeiros pascais era na tarde (entre as duas tardes) do dia «quatorze do primeiro mês», isto é, 14 de Abibe/Nisã (Êx. 12.6; Lv .23.5; Nm. 9.3-5; Dt. 16.6). Mas não esquecer que os judeus contam o dia de pôr do sol a pôr do sol. Assim, ao pôr do sol do dia 14 já começaria o dia 15, de modo que, naquela mesma noite posterior ao sacrifício do cordeiro, a ceia pascal tinha de ser consumida.

Nos dias de Jesus, apenas em Jerusalém poderia ser celebrada a Páscoa, pelo fato do Templo ser o único lugar apropriado para o sacrifício do cordeiro pascal.

Logo, todos os que quisessem participar da cerimônia peregrinavam para cidade em caravanas que, no mínimo, quintuplicavam a população local que saltava de 50 mil para 250 mil pessoas. Josefo chega a mencionar uma ocasião em que 3 milhões de peregrinos vieram de uma só vez a Jerusalém para celebrar o feriado pascal[105].

Difícil é imaginar o trabalho que se tinha para sacrificar tal quantidade de cordeiros num único dia dentro do recinto sagrado do Templo. Afinal, o comparecimento dos peregrinos era obrigatório somente à ceia pascal (Deut. 6:7).

Quanto às acomodações para tanta gente, tudo indica que a hospitalidade era uma marca registrada de Jerusalém nestes dias festivos. As casas de família se abriam para receber os peregrinos e muitos dormiam, nos pátios internos, nos tetos ou alojados num único aposento. Não havia luxo, mas os peregrinos não pareciam se importar muito com isso, tudo era válido pela oportunidade de celebrar a festa em Jerusalém.

Adicionava-se a isso o fato de que muitos dos celebrantes obtinham alojamentos fora dos muros da cidade, especialmente em Betfagé e Betânia, dois povoados nas encostas do Monte das Oliveiras (Mar. 11:1; 14:3). Fazendas, lojas, galpões para prensa de oliveiras, abrigo de animais – tudo virara hospedaria para os visitantes. Até mesmo o sumo sacerdote emprestava algumas partes de sua rica mansão para receber os judeus de fora, razão pela qual foi fácil para Pedro e João entrarem ali até o pátio no momento em que Jesus era julgado pelo Sinédrio.

Uma aparente contradição

Algumas aparentes incongruências no relato dos evangelhos deixam no ar uma dúvida sobre as circunstâncias exatas da última ceia de Cristo com seus discípulos. Seria aquela uma cerimônia pascal? Os evangelhos sinóticos (Mateus, Marcos e Lucas) dão a entender que sim, enquanto João parece dizer que não.

Marcos 14:12 é o texto mais enfático que afirma ter Jesus se preparado para a ceia "no primeiro dia dos pães sem fermento, *quando o cordeiro da Páscoa era sacrificado*". Ora, se o preparo foi para uma ceia posterior ao sacrifício, como o texto parece supor, essa só poderia ser a ceia pascal que os judeus chamavam de *Seder*.

Semelhante a Marcos, Mateus 26:17 mostra os discípulos interpelando Cristo sobre a preparação da ceia: "No primeiro dia da Festa dos Pães Asmos, vieram os discípulos a Jesus e Lhe perguntaram: Onde queres que Te façamos os preparativos para comeres a Páscoa?"

Esse foi, com certeza, o dia 14 de nisã, pois era nele que se faziam os preparativos para a celebração da ceia, a qual só ocorria depois do pôr do sol, isto é, já nas horas do dia 15 (Êxodo 12:8 e 42; e Mateus 26:20).

Finalmente, Lucas confirma a mesma ideia: "Chegou o dia da Festa dos Pães Asmos, em que importava comemorar a Páscoa.' (Lucas 22:7). A expressão genérica "comemorar a Páscoa" literalmente significa "sacrificar a Páscoa".

Assim, no dia seguinte, 15 de nisã, Jesus foi crucificado e morreu por volta das 15 horas conforme o testemunho de Mateus 26:30, 47 e 57; e 27:1, 2, 26, 31, 33, 35, 45 e 50 e Lucas 22:14, 39, 47, 54 e 66; e 23:1, 7, 11, 24, 25, 33, 44 e 46.

João, porém, parece contradizer essa ordem dos fatos. Ele afirma que Jesus foi conduzido, na manhã de sexta-feira, da casa de Caifás para o pretório; porém, os judeus não quiseram entrar no prédio romano "para não se contaminarem, mas poderem comer a Páscoa" (João 18:28). O que dá a entender que ainda não haviam comido o cordeiro pascal. Logo, a festa da Páscoa não poderia ter sido na noite anterior de quinta-feira.

Além disso, João denomina a sexta-feira da semana da crucifixão de "preparação pascal" (João 19:14). Como os preparativos para a comemoração da Páscoa eram realizados no dia 14, essa declaração faria daquela sexta-feira o dia em que o cordeiro devia ser sacrificado. Por fim, o dia em que Jesus permaneceu no sepulcro é chamado "Sábado grande" (João 19:31), que, segundo alguns, assim se chamaria por causa da coincidência de se ter um sábado e uma ceia pascal ocorrendo no mesmo dia.

O problema parece pequeno, mas não é. Mesmo que aparentemente pareça mais importante sincronizar a morte de Jesus com a do cordeiro pascal – seguindo assim a cronologia de João –, isso sugeriria que Cristo participou da ceia pascal no dia errado, transgredindo assim a lei da Páscoa: "Cumpra esta determinação na época certa, de ano em ano ..." (Êxo. 13:10).

Harmonizando os relatos

Algumas possibilidades são levantadas para resolver essa questão:

1 – João e os sinóticos usavam calendários diferentes. Quem apresenta essa hipótese é Annie Jaubert[106] que, estudando os manuscritos do Mar Morto, sublinha a existência no tempo de Cristo de dois calendários. Em Jerusalém, no Templo, usava-se o calendário controlado pelo Sinédrio, calendário lunar, enquanto que em Qumran seria usado um calendário solar. Isso causava certa discrepância nas festividades.

Jesus possivelmente celebrara a última ceia segundo o calendário solar de Qumran, na noite entre a terça e a quarta-feira (conforme dito pelos sinóticos) e teria morrido dois dias mais tarde, na sexta-feira, preparação para a Páscoa, segundo o calendário oficial do Templo (conforme dito por João).

Assim, tanto as informações dadas pelos sinóticos quanto aquela transmitida por João estariam corretas.

2 – João 19:14 denomina a sexta-feira da crucifixão de "preparação da Páscoa". A palavra "preparação" é tradução do grego *paraskeue*, era um termo comumente utilizado para denominar a sexta-feira como dia de preparação para o sábado. A base dessa expressão se encontra em Êxodo 16:22-30. Portanto, quando João fala do dia da morte de Jesus como a "parasceve da Páscoa", sua intenção era simplesmente de retratar aquele dia como uma sexta-feira dentro da semana dos Pães Ázimos e não como o dia 14 de nisã.

3 – Os judeus comeram normalmente sua ceia. Mas os líderes do povo estavam tão obcecados em prender Jesus e condená-lo que cancelaram sua ceia pascal do dia 15 para comê-la atrasada no dia 16.

4 – Não temos todos os detalhes de como a ceia pascal era celebrada nos dias de Cristo. O formato hoje seguido pelo judaísmo se desenvolveu apenas após o ano 70 d.C., quando o Templo e Jerusalém foram destruídos pelo fogo. Assim, aquilo que aparenta uma contradição se resume num desconhecimento das liturgias pascais do tempo do Segundo Templo.

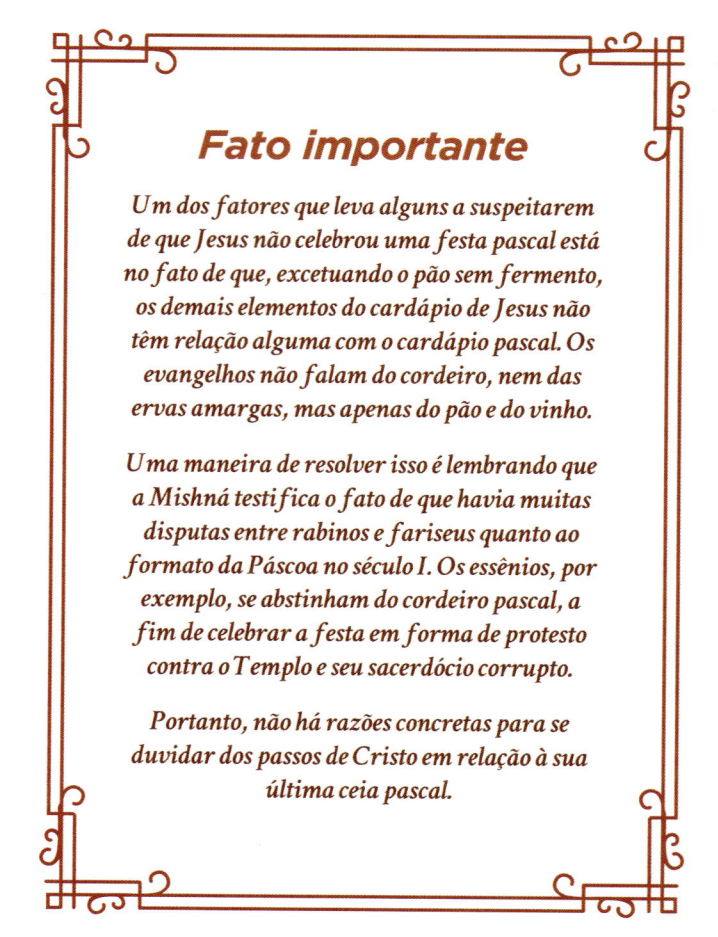

Fato importante

Um dos fatores que leva alguns a suspeitarem de que Jesus não celebrou uma festa pascal está no fato de que, excetuando o pão sem fermento, os demais elementos do cardápio de Jesus não têm relação alguma com o cardápio pascal. Os evangelhos não falam do cordeiro, nem das ervas amargas, mas apenas do pão e do vinho.

Uma maneira de resolver isso é lembrando que a Mishná testifica o fato de que havia muitas disputas entre rabinos e fariseus quanto ao formato da Páscoa no século I. Os essênios, por exemplo, se abstinham do cordeiro pascal, a fim de celebrar a festa em forma de protesto contra o Templo e seu sacerdócio corrupto.

Portanto, não há razões concretas para se duvidar dos passos de Cristo em relação à sua última ceia pascal.

Você sabia?

Segundo a lei judaica, o contato com um cadáver tornava a pessoa cerimonialmente impura para participar de cerimônias religiosas. Assim, precauções foram tomadas para proteger o peregrino que vinha em direção a Jerusalém celebrar a Páscoa.

Como era de costume sepultar pessoas em túmulos cavados nas rochas, um grupo especial de homens ia dias antes da festividade pintando de cal todos os túmulos que houvesse pelo caminho, a fim de que os viajantes pudessem vê-los ao longe e evitar a proximidade daquele campo fúnebre. Alguns pensam que os textos de Mateus 23:27 e Lucas 11:44 poderiam ter alguma relação com esse costume[107].

A última ceia de Cristo

Muitos, ao lerem o relato da última ceia de Cristo, com todo o drama da despedida e a revelação pública de quem seria o traidor, pensam erroneamente num jantar ou até mesmo numa cerimônia especial, mas com as características de uma refeição ocidental.

Nem mesmo pintores clássicos como Ghirlandaio e Da Vinci escaparam desse anacronismo. A postura, os gestos, a posição de cada um à mesa, praticamente nada corresponde aos costumes de uma refeição judaica dos tempos de Cristo.

Ninguém comia sentado em bancos como nos quadros clássicos, muito menos em pé. "Comer ou beber em pé transtorna todo o corpo do homem" – dizia um outro provérbio rabínico. Por isso, a expressão bíblica "assentaram-se pois e comeram juntos" (Jz. 19:5) era algo bastante literal; eles literalmente reclinavam-se como se estivessem indo deitar.

Nem os mais conservadores judeus se sentiam chocados, neste ponto, de se assemelhar aos gregos e romanos que comiam estendidos sobre pequenos divãs ou tablados com um acolchoado tendo ao centro uma pequena mesa com a refeição comunitária.

Um costume, por exemplo, que esclarece dois aspectos da última ceia de Cristo é o fato de os comensais usarem pedaços de pão como talheres que eram embebidos numa mesma tigela cheia de vinho. O recipiente único ficava posto no centro do tablado ou tapete usado para este fim, e todos, à medida que iam comendo, cortavam com a mão um pedaço de pão, embebiam-no no vinho e depois levavam-no à boca. Por isso Jesus anunciou que o traidor seria o que punha consigo a mão no prato.

Outro detalhe explicado por esse contexto é o fato de João ser descrito como aquele que reclinava-se sobre o peito de Jesus – o que ficaria sem sentido se eles estivessem todos assentados como figuram nas pinturas clássicas da última ceia. Assim a expressão que aparece no original grego do Novo Testamento, "reclinado à mesa", faz todo sentido especialmente em se tratando de um contexto de refeição. Cf. Mateus 9:10; 26:20; Marcos 14:18; 16;14; João 12:2.

O traidor

Embora a Bíblia não traga muitas informações acerca de todos os apóstolos, é possível deduzir que se tratava de homens simples, rudes, oriundos em sua

A Última Ceia, de Jacopo Bassano 1542, visão artística do período Renascentista

maioria da Galileia. A única exceção parece ser Judas, que seria um jovem promissor vindo da Judeia.

De acordo com uma interpretação iniciada por Jerônimo no século IV, o sobrenome Iscariotes seria uma helenização grega do hebraico *ish Qeryoth*, "homem de Queriote" (Jo. 6:71; 13:26). Queriote era o nome simplificado de uma aldeia ou de um conjunto de aldeias de Queriote-Ezron (Jos. 15:21), no território de Judá. De fato, existe até hoje uma cidade chamada Qirbet el-Qaryatein, situada a 20 km ao sul de Hebron, que muitos pensam ser a cidade original de Judas.

Por ter melhor conhecimento nas letras e números, ele tornou-se o tesoureiro dos apóstolos e foi designado para cuidar do dinheiro comum. Mas o evangelho revela seu caráter corrupto com a nota: "Tendo a bolsa, tirava o que nela se lançava" (Jo. 12:6). Aos olhos humanos, Judas seria o mais promissor discípulo de Cristo e foi justamente aquele que o traiu.

Um detalhe, no entanto, em relação à mesa da última ceia, revela que Cristo instou até o fim para ganhar o coração de Judas, mesmo sabendo o que ele estava para fazer.

Sabe-se que em volta dos braços do triclínio, os convidados se dispunham numa ordem hierárquica: o lugar de honra era o meio do "braço" esquerdo onde ficava o chefe da casa ou o promotor do banquete. A partir daí iam tomando assento os menos destacados na composição hierárquica.

Ladeando o anfitrião, do seu lado esquerdo e direito, ficavam seus imediatos mais íntimos ou aquelas pessoas que ele queria cativar, colocando-as perto de si. Novamente, o grau de importância era da direita (lugar de um primogênito, por exemplo) para a esquerda. Daí a expressão usada em vários papiros da época que falam dos privilegiados que na ceia da eternidade terão um lugar junto ao "seio de Abraão, Isaque e Jacó".

Ora, pelo que diz o quarto evangelho, João, o discípulo amado deveria ser aquele que estava reclinado à esquerda, ao peito de Jesus (Jo. 13:23). Do outro lado, porém, à sua direita, estava Judas – aquele que estendeu com Cristo a mão sobre o prato. Se ele não estivesse imediatamente ao lado do Mestre, não conseguiria fazer isso. Jesus, portanto, o honrou, mesmo sob circunstâncias tão desfavoráveis.

Mas ele foi descoberto. Desmascarado e denunciado, Judas abandonou o recinto da ceia e saiu disposto a cumprir com seu plano de entregar Jesus nas mãos de seus inimigos. Porém, tal foi o respeito de Jesus por sua pessoa que ele não saiu sem receber seu bocado da ceia. Jesus de alguma forma amenizou o ambiente, a ponto dos discípulos pensarem que estava tudo bem, que ele saíra para comprar algo a pedido de Jesus (Jo. 13:29).

O pacto da traição

Por que Judas traiu Jesus Cristo? Essa é uma pergunta que tem levado muitos a uma reflexão demorada. As razões mais íntimas de uma alma talvez nunca poderão ser completamente diagnosticadas pela ação humana. No entanto, algumas pistas podem sugerir certas conclusões.

Museu de Israel - Menorá, Moedas do Templo

João 6:64 talvez indique que sua adesão ao movimento de Jesus não foi motivada por uma crença sincera de que aquele era o prometido Messias, o Filho de Deus. Ao contrário dos outros discípulos que chamaram Jesus de "Senhor" (que é de grande importância em várias formas), Judas preferia chamá-lo unicamente de "rabi". Aqui talvez esteja um indicativo de que ele não via Jesus senão como um grande mestre do judaísmo.

Se assim for, não é difícil supor que ele – à semelhança de muitos outros – aderiu a Cristo por uma questão de oportunismo e interesse material. Afinal Jesus, a princípio, parecia ser um sucesso do ponto de vista político e social. Seu movimento crescia dia após dia e as multidões o amavam. Era uma questão de tempo e ele seria o maior rabino de Israel, provavelmente ocupando uma cadeira no Sinédrio ou erguendo o movimento que finalmente expulsaria os romanos do país.

O fato roubar o dinheiro que lhe era confiado e demonstrar ganância disfarçada de caridade (Jo. 12:5-6) revela um caráter doentio, não reconhecedor de sua própria impiedade. Na versão de Mateus 26:25, o próprio Judas teve a coragem de, junto aos demais, perguntar a Cristo se seria ele quem haveria de traí-lo.

Enciclopédia Histórica da Vida de Jesus

Este espírito maquiavélico é explicitado na expressão do evangelho "entrou nele Satanás" (Jo. 13:27). Judas era frio e calculista e acreditava de alguma maneira que os fins justificam os meios. Por essa razão, pouco antes da Páscoa, ele ratificara um possível acordo prévio com os membros do Sinédrio de que entregaria Jesus a eles

Combinou-se então que Jesus seria aprisionado, às ocultas, imediatamente, no retiro onde costumava ir para orar e meditar. Assim, desde muitos dias antes da noite da traição, teve ele oportunidade de pensar em seu erro e se arrepender. Mas isso não aconteceu.

Firmado em sua ideia de que Jesus era um bom rabino com grande potencial político, Judas deve ter se irritado ao ouvir o Mestre reiteradas vezes dizer que seu reino não era deste mundo. Ele tinha que achar algum modo de forçar Cristo a se apresentar como filho de Deus. Quiçá uma prisão pública ou a detenção num cárcere obrigaria Cristo a lançar mão de seus poderes e executar um milagre que evidenciaria a todos a sua capacidade.

Melhor ainda se esse milagre fosse feito em Jerusalém, com a cidade cheia de gente – como estava na festa da Páscoa. Mas não podia ser um milagre para beneficiar um pobre coitado. Desta vez, deveria ser uma manifestação de poder para mostrar quem Jesus era de fato. Sua glória seria irresistível e seus imediatos, é claro, tomariam carona nela.

Outra possibilidade seria se a guarda o prendesse e o levasse ao Sinédrio. Cristo, diante do risco de ser condenado, emitiria uma luz radiante e faria com que todos no recinto reconhecessem que ele era de fato o novo rei dos judeus.

Mas tal coisa não aconteceu. Saindo nervoso da última ceia, Judas informou os líderes que Jesus, dali a poucas horas, estaria com os discípulos orando no Monte das Oliveiras. Entretanto, era noite e possivelmente as pessoas estivessem com o rosto parcialmente coberto por causa da friagem da madrugada (que era frio naquela noite pode ser visto em João 18:18).

Num grupo de mais de dez pessoas seria difícil saber quem era o Mestre e tudo tinha de ser feito o mais discreto possível para que ele não fugisse. Este problema Judas resolveu sugerindo uma senha que identificasse qual deles era o líder. Um beijo e a saudação "salve, rabi" indicariam aos soldados qual dos 12 era Jesus de Nazaré (Mat. 26:49).

Você sabia?

Seguindo uma prescrição que vinha desde os dias de Moisés, os judeus do tempo de Cristo pagavam uma taxa de meio siclo ou meio shekel de prata para a manutenção do Templo. A origem dessa obrigação está em Êxodo 30:11-16, embora no tempo de Moisés não houvesse pagamento em moedas e, sim, em pedaços de prata derretida.

A coleta acontecia todo ano a partir do primeiro dia do mês de adar e terminava no primeiro dia do mês de nissã. Mas apenas o shekel de Tiro, por ter uma composição de prata mais pura, poderia ser aceito no interior do santuário. Assim os que tinham outros tipos de moeda, deveriam primeiramente ir a um cambista que ficava nas adjacências do Templo e trocar o seu dinheiro pelo shekel do Templo.

Era uma moeda de aproximadamente 13 gramas, tendo no verso um rosto de Melqart, o deus chefe da cidade de Tiro, e no anverso a imagem de uma águia.

Quando a Bíblia diz que Judas recebeu 30 moedas de prata para trair Jesus Cristo, considerando que ele as recebeu das mãos dos sacerdotes, muitos concluem que as moedas sagradas do Templo seriam as mesmas usadas para subornar o apóstolo de Cristo.

Litróstorod

Julgamento e crucifixão de Cristo

Conforme a interpretação mais tradicional da teologia cristã, o evento da cruz não se resume a um assassinato, uma execução legal, muito menos um martírio. A morte de Cristo representa mais do que isso. Ela culmina, em última instância, no ato salvífico de Deus em prol da humanidade.

Naquele momento de sacrifício, céu e terra se uniram: o plano da redenção finalmente executado e a graça inaugurada. Com sua morte, diz o mais antigo credo, Jesus desceu à mansão dos mortos e conferiu a todos a esperança de vida eterna no reino de seu Pai.

Hoje, por informações históricas e arqueológicas, é possível reconstruir, ainda que hipoteticamente, parte do drama de Cristo desde a sua prisão no Horto das Oliveiras até sua morte na tarde de sexta feira. É evidente, porém, que a reconstituição dos fatos se limitará a elementos históricos que nunca poderão abarcar, na totalidade, o significado mais profundo daquele momento.

Um processo ilegal

Jesus foi preso e levado até às autoridades judaicas que o aguardavam na casa de Caifás. Só o fato de estarem reunidos noite adentro já indica a ilegalidade do processo. Primeiro porque os romanos não autorizavam reuniões judaicas em período noturno devido ao seu tom subversivo. Segundo porque o próprio tratado da Mishná (*Sanhedrin* 4,1) prescrevia que, "em casos de crimes sujeitos à pena de morte, o julgamento deverá sempre ser feito durante o dia". Além disso, a mesma passagem prescreve que nenhum julgamento poderia ser feito na véspera de um sábado ou de uma festa religiosa.

Os criados acordados e uma fogueira acesa no pátio da casa confirma que, apesar da pressa (eles queriam condenar Jesus antes do sábado), todos os arranjos haviam sido feitos para reunir o conselho e trabalhar em todo o tempo noturno até conseguirem elementos para uma acusação formal contra Jesus.

Pedro e João conseguiram acompanhar o processo do pátio da casa, porque João, de alguma forma, era conhecido do sumo sacerdote e usou isso a seu favor. Ele então foi até a empregada e pediu que também deixe Pedro entrar, sob a alegação de se juntarem a outros em torno da fogueira externa (Jo. 18:15-24; Mat. 26:69-75; Mar. 14:66-72 e Luc. 22:55-62).

Anás, o sogro de Caifás, foi o primeiro a interrogar Jesus. A seguir, falsas testemunhas foram convocadas, mas os depoimentos eram contraditórios. Então resolveram acusar Jesus de blasfêmia (Mat. 26:57-68). Pela referência dada em Lucas 22:60 e João 18:28, o julgamento deve ter terminado depois das 3h da manhã, seguindo para o raiar do dia.

Você sabia?

Em novembro de 1990 profissionais da construção civil, trabalhando em um parque aquático na Peace Forest, sul da cidade velha de Jerusalém, encontraram uma tumba selada desde a guerra romana de 70 A.D.

Os arqueólogos da Universidade Hebraica correram ao local e encontraram 12 ossuários (caixas para ossos feitas de calcário). Dentro delas havia os restos mortais de pelo menos 63 indivíduos, todos possivelmente aparentados entre si, pois se tratava de um jazigo familiar.

Um dos ossuários, o mais ornamentado deles, surpreendeu a todos. Conforme costume da época, alguns desses caixões traziam na tampa ou do lado o nome daquele que estava ali sepultado. A inscrição aramaica estava suficientemente bem preservada para ser lida pelos especialistas. Ela dizia: Yoheph bar Kapha ou "José filho de (ou da família de) Caifás." Este era exatamente o nome completo do sumo sacerdote que prendeu Jesus. A Bíblia limita-se a chamá-lo de Caifás, mas o restante de seu nome está bem documentado nos escritos de Josephus que assim se refere à sua pessoa[108].

No interior do ossuário existiam os restos de um homem de aproximadamente 60 anos, o que aumentam as chances de ser o mesmo Caifás descrito no Novo Testamento. Esse memorável achado prové, pela primeira vez, os restos físicos de alguém mencionado nas Escrituras.

Igreja do galo cantou

O galo cantou?

A negação de Pedro é um episódio triste neste enredo. Pessoas que estavam na casa o reconheceram pelo seu forte sotaque da Galileia e entenderam que ele estava com Jesus. Os evangelhos não informam porque João, que o introduzira no recinto, já não estava mais com ele.

O fato, porém, é que Pedro negou com veemência que era discípulo de Jesus ou ao menos que conhecia esse homem. Ele chegou a praguejar e jurar apenas para convencer a todos que ele não era discípulo de Cristo (Mar. 14:71).

Esse fatídico momento termina com três situações emblemáticas: um galo que canta, Jesus que é transferido de uma sala para outra e troca olhares com Pedro (Luc. 22:61) e o próprio apóstolo que chora amargamente arrependido pelo que fizera (Luc. 22:62).

A incógnita neste caso é quanto ao canto do galo mencionado na predição de Cristo: "Antes que o galo cante [duas vezes] três vezes me negarás". Seria isso literal?

Embora o galo seja um animal limpo para consumo, de acordo com as regras do Levítico, ele não era condizente com um ambiente religioso da magnitude de Jerusalém, exatamente por causa do Templo e dos sacrifícios que eram feitos ali. Novamente a Mishná, no tratado de Baba Kama 7.7, prescreve as orientações de pureza da cidade e diz: "Não é permitido criar galos em Jerusalém por causa das Coisas Santas, nem os sacerdotes podem criá-los [em qualquer lugar] na Terra de Israel".

Sendo assim, fica difícil imaginar que um galo de verdade cantasse na casa do sumo sacerdote, ou nas redondezas dela, e fosse ouvido por todos. É praticamente nula a chance de haver um galinheiro ali na casa do chefe do Sinédrio de Jerusalém.

Uma forma de se resolver essa questão, embora não admitida por todos os comentaristas, seria assumir que não se trata de um galo de verdade. Mas haveria elementos argumentativos para isso? Provavelmente. Se for considerado o fato de que os romanos tinham uma trombeta militar que tocava à noite para marcar a troca da guarda e o raiar do dia e que essa trombeta tinha o apelido de galo (*gallicinium*), talvez era disso que Jesus estava falando.

Os sentinelas responsáveis pelo toque ficavam na Fortaleza Antônia e toda a cidade poderia ouvir seu som. Acredita-se que havia um toque para marcar a terceira vigília da noite (meia-noite às 3h) e outro para marcar o nascer do dia (3h às 6h). Neste segundo toque teria Pedro terminado de negar Cristo.

Pedro nega Jesus.

Perante Pilatos

Quando raiou a manhã de sexta-feira, os líderes judeus mal haviam pregado os olhos para um breve cochilo. Mesmo assim, novamente reuniram o Sinédrio bem cedo para formalizar a sentença dada durante a madrugada (lembremos: eles tinham pressa e o interrogatório da noite não possuía valor jurídico). Como Pilatos pouco ligava para questões religiosas dos judeus, a acusação de blasfêmia de nada adiantaria para o procurador autorizar a execução (Jo. 18: 28-32). Talvez, por isso, ao se aproximarem do procurador logo de manhãzinha, os sacerdotes mudaram levemente o teor da acusação dizendo que Jesus negava o tributo e pretendia ser Rei no lugar de César – de fato, um terrível crime contra o império (Luc. 23:1 e 2; Mar. 15:1 e 2).

Contudo, eram tão absurdas as colocações dos líderes em contraste ao silêncio de Jesus que Pilatos achou impróprio condená-lo à morte. Sabedor de que Jesus era da Galileia e de que Herodes estava ali para participar da festa pascal, resolveu enviar-lhe o caso para, quiçá, livrar-se daquele julgamento (Luc. 23:5-12).

Herodes, porém, ridicularizando a situação, vestiu Jesus com um manto pavoroso e o devolveu a Pilatos que continuou em seu tormento sem saber que solução daria para aquele caso.

O procurador romano, pressionado por uma turba de judeus arranjada pelos sacerdotes, resolveu agir com outra estratégia. Ele propôs a escolha entre Jesus e Barrabás. Novamente se frustra, pois o povo escolhe o salteador. Então ele, numa derradeira tentativa, ordena aos soldados que açoitassem o prisioneiro, pensando que assim conseguiria acalmar os ânimos de todos. Até que, finalmente, com medo da pressão política que isso podia causar, autorizou a crucificação de Jesus.

Você sabia?

Além do palácio em Jerusalém, Pilatos possuía outra residência oficial localizada em Cesareia Marítima. Era uma espécie de Palácio de Verão, construído por Herodes, mas que terminou servindo de "lar" para os procuradores romanos que não apreciavam muito a ideia de morar em Jerusalém. Cesareia Marítima foi por muito tempo o maior porto romano do leste do Mediterrâneo. Dali partiam as grandes navegações em direção a Roma. Paulo embarcou várias vezes nesse local, inclusive na sua última viagem quando foi finalmente levado preso para comparecer perante o tribunal de César.

Em 1961, arqueólogos italianos que escavavam o teatro romano da cidade localizaram uma placa de pedra que estava sendo disposta no que os arqueólogos chamam de "uso secundário", isto é, seu posto original fora demolido já no passado e os escombros usados posteriormente como alicerces de um novo edifício.

"Pôncio Pilatos, Prefeito da Judeia". Ao que tudo indica, Pilatos havia mandado construir em Cesareia um Tiberium, isto é, uma estrutura em homenagem ao imperador e, portanto, colocou ali o seu nome como o executor da obra.

Em 2018, surgiu a notícia de Jerusalém de que um anel havia sido descoberto na fortaleza de Herodes, a apenas 5 km de Belém. O anel, na verdade, foi descoberto em 1969! Mas ninguém havia conseguido ler o que estava inscrito nele. Apenas em 2018, após uma limpeza completa e os avanços na tecnologia fotográfica foi possível ler a inscrição grega que dizia ΠΙΛΑΤΟ (PILATO) – o nome de Pôncio Pilatos! Acredita-se que o anel não seria dele, mas de um secretário que assinava documentos em seu nome.

O açoitamento e humilhação de Jesus

A condenação final de Jesus aconteceu no pretório, ou seja, na residência oficial de Pilatos em Jerusalém. Em 1856, o padre Alphonse Ratisbonne, cofundador da ordem dos Padres de Sion, comprou um sobrado perto do arco chamado *Ecce Homo* onde, desde a Idade Média, cria-se ser o local onde Pilatos pronunciou as palavras: "Eis aqui o vosso rei".

Investigações posteriores demonstraram que esse arco era parte de um arco tríplice construído por Adriano em 135 A.D. Contudo, no trabalho de remoção de entulho com o fim de ampliar o convento para as religiosas de Sion, que ficaram responsáveis pelo lugar, descobriu-se uma plataforma muito antiga por baixo dos arcos de Adriano[109].

Escavações feitas pelo Dr. Hugues Vincent, em 1930, revelaram ser aquele lugar a fortaleza Antônia datada dos tempos do Novo Testamento. Entre as ruínas foram encontradas plataformas maciças que formavam parte do antigo pátio. Sobre essas lajes estavam gravados alguns jogos que os soldados romanos usavam para matar o tempo. Ali também achavam-se ossos usados como dados.

Uma dessas plataformas pode ter sido usada para a humilhação de Jesus, quando os soldados lhe bateram e lhe chamaram rei, pois as descrições desse pavimento (*lithóstotos*) é tremendamente harmônica com o que nos diz João 19:13.

Quem matou Jesus?

Durante muitos séculos, o povo judeu sofreu a marca indelével de serem "assassinos de Cristo" ou "culpados de deicídio". Isso pesou tanto em fomentar o antissemitismo no mundo que até mesmo a inquisição espanhola e o holocausto nazista tiveram nesta afirmação parte de seu argumento para aniquilar aqueles de sangue hebreu.

Embora o compromisso de Hitler com a religião não seja visto de modo unânime pelos historiadores, a maioria deles concorda que a morte injusta de Jesus também fez parte da propaganda do Reich para convencer soldados a exterminar os judeus da face da terra[110]. Jesus, para os filósofos do nazismo, não era um judeu, mas um ariano que sofreu nas mãos de um povo covarde e perigoso.

A segregação continua ativa hoje. Além dos *skinheads* e das gangues da supremacia branca, a sociedade convive com resquícios de um passado antissemita. Perceba as anedotas contadas que sempre falam dos judeus como "sovinas", trapaceiros e gente de pouca confiança. Até a língua portuguesa permitiu em seu vocabulário palavras como "judiar", "judiaria" e "judiação" que, originalmente, significavam "maltratar alguém, como é típico do povo judeu" – uma referência depreciativa óbvia em função do que fizeram com Jesus[111].

Esse preconceito vem desde os primeiros séculos da era cristã. Intentando defender o cristianismo de seus detratores, os primeiros Pais da Igreja queriam mostrar a Roma que os cristãos não eram uma seita judaica cheirando a sublevação. É que movimentos revolucionários judeus como a guerra dos hasmoneus e a revolta de Bar Kochba ainda ecoavam negativamente nos ouvidos dos romanos.

Por isso, os primeiros cristãos não queriam ser vistos como judeus. E para provar o que diziam, eles passaram a afirmar com maior ênfase a culpabilidade judaica no julgamento de Cristo, em detrimento à responsabilidade romana sobre a questão. Orígenes chegou a dizer que o sangue de Jesus caiu não só sobre os judeus daquela época, mas sobre todos os seus descendentes até o fim do mundo.[112]

Contudo, o acento exagerado nessa distinção fez com que a Igreja se afastasse do judaísmo e se aproximasse, sobremaneira, da cultura greco-romana. Mesmo antes da controversa conversão do Imperador Constantino, igrejas inteiras pararam de se reunir publicamente no sábado e adotaram a prática de comer as carnes proibidas de Levítico 11, apenas para serem distinguidas dos judeus.

O resultado a médio e longo prazo foi a perda das raízes judaicas do cristianismo. Chegou-se a cunhar o dito de que ser cristão era, em simples palavras, *nunca ser um judeu*. Hoje, vários especialistas estão tentando corrigir esse erro, redescobrindo o perfil judaico de Jesus e dos evangelhos[113].

De fato, uma análise criteriosa dos relatos bíblicos mostra que nem todos os judeus da época se envolveram no processo condenatório de Cristo. Muitos descendentes de Abraão estavam espalhados pela diáspora e nem se deram conta do que se passava em Jerusalém. O processo se concentrou mais nos líderes do povo e nos agrupamentos civis que eles influenciaram.

O problema é que a linguagem do Novo Testamento se torna generalizada em algumas passagens. Ou seja, falam da situação como um desprezo nacional de Israel ao seu legítimo Messias. Talvez os que pediam a crucifixão representassem uma considerável parcela da turba agitadora que, instigada pelos líderes, pedia a Pilatos que condenasse Jesus (Luc. 22:2, 52, 54; 23:1, 4, 13, 35, 51; Jo. 12:42 e 43).

Por outro lado, porém, tomar a parte pelo todo era uma forma comum de expressão na mentalidade do antigo Oriente Médio. A linguagem, de fato, implica numa responsabilidade coletiva pelo "linchamento" de um inocente. Contudo, é possível encontrar no próprio texto do Novo Testamento três fatores que inibem uma acusação generalizada e desautorizam qualquer atitude antissemítica.

Primeiro: muitos agiram, segundo a Bíblia, pela ignorância, levados pela consciência coletiva (Atos 3:12-26).

Segundo: O que aconteceu foi permitido por Deus para o cumprimento de seus planos. (At. 2:14-39; 4:27-28; 13:16-41).

Terceiro: O povo é posteriormente chamado ao arrependimento, ou seja, se reconhecessem sua culpa, Deus voltaria a perdoá-los individualmente e daria a cada um os mesmos benefícios salvíficos de qualquer seguidor de Jesus Cristo (At. 5:29-32; 7:52-53, 60).

Por que Jesus foi rejeitado?

O que teria, no entanto, levado as pessoas a apoiarem a decisão do Sinédrio em pedir a pena de morte para o Filho de Deus? Esta é uma antiga problemática

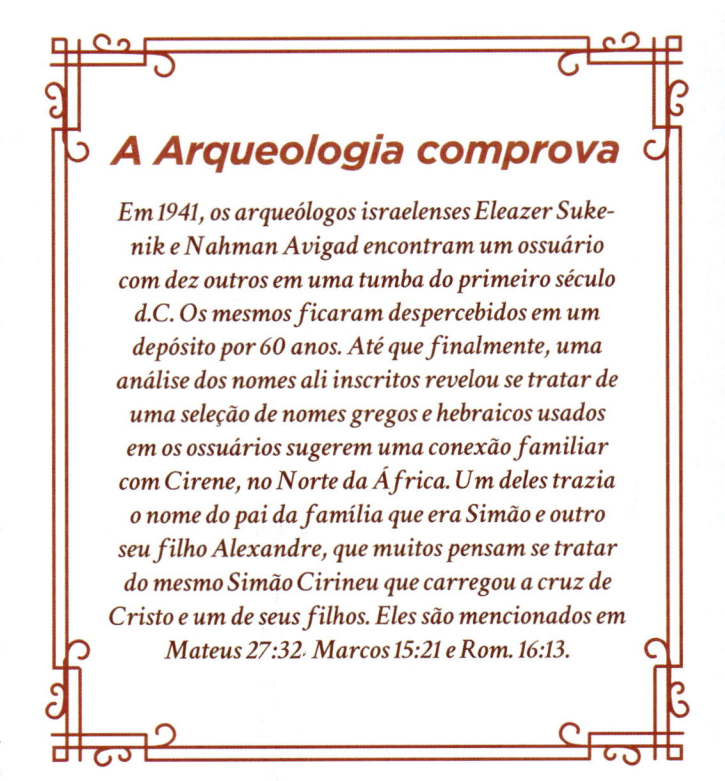

> ### A Arqueologia comprova
>
> *Em 1941, os arqueólogos israelenses Eleazer Sukenik e Nahman Avigad encontram um ossuário com dez outros em uma tumba do primeiro século d.C. Os mesmos ficaram despercebidos em um depósito por 60 anos. Até que finalmente, uma análise dos nomes ali inscritos revelou se tratar de uma seleção de nomes gregos e hebraicos usados em os ossuários sugerem uma conexão familiar com Cirene, no Norte da África. Um deles trazia o nome do pai da família que era Simão e outro seu filho Alexandre, que muitos pensam se tratar do mesmo Simão Cirineu que carregou a cruz de Cristo e um de seus filhos. Eles são mencionados em Mateus 27:32, Marcos 15:21 e Rom. 16:13.*

no mundo acadêmico. Na teologia medieval, ela era chamada de *contradictio in adjecto*, ou seja, por uma estranha razão, o povo, que antes que aclamava Jesus como rei, resolveu condená-lo à cruz.

Em princípio, três elementos podem ter motivado a reação popular:

Decepção com as palavras pregadas por Jesus – seu sermão não era politicamente correto, pois não omitia verdades para agradar a maioria. Ademais, ele se dizia Deus, o que era uma blasfêmia diante dos mais conservadores (Jo. 6:41-71; 7:1).

Jesus não aceitou ser o tipo de Messias que a maioria esperava. Ele não pregou a revolução contra os romanos, nem incitou os zelotes à guerra.

Devido à crescente incredulidade, Jesus diminuíra a manifestação de milagres e curas na Galileia. Desse modo, é bem provável que muitos interessados somente nesses aspectos, perdessem a motivação para segui-lo. Contudo, estando eles mesmos em Jerusalém, para celebrar a Páscoa, uniram-se aos inimigos de Cristo a fim de destruí-lo, pedindo sua morte (Mat. 13:58; Jo. 6:25-27). Os sonóticos apre-

Foto original e atual da rocha que o Gen. Gordon entendeu ser o antigo lugar do Calvário.

sentam, por exemplo, o Sinédrio subornando testemunhas vindas de todas as regiões do país para apresentarem perjúrios contra Jesus, quando estivessem diante de Pilatos (Mat. 26:57-68; Mar. 14:53-65 e Luc. 22: 66-71).

O calvário

Dois lugares disputam hoje a identificação como lugar original onde Jesus teria sido crucificado. Um seria a igreja do Santo Sepulcro, dentro da cidade velha, e o outro o Jardim de Gordon, localizado no lado de fora, próximo à porta de Damasco. A discussão é longa e ainda não foi resolvida. Pode até ser que não se trate de nenhum desses lugares.

A ideia de que Jesus foi sepultado na igreja do Santo Sepulcro vem de uma tradição que remonta à Helena, mãe do Imperador Constantino, que era uma peregrina cristã. Eusébio de Cesareia foi o primeiro historiador cristão a fornecer alguma informação sobre o assunto. Ele disse que homens perversos haviam coberto com terra o local do Calvário, construindo sobre ele um templo para a deusa Vênus. Constantino, portanto, teria tirado dali a estrutura pagã e construído uma igreja para demarcar o local da crucifixão e ressurreição de Jesus.

Contudo, os desencontros de informação dentro dos próprios escritos de Eusébio e a atmosfera política como tudo aconteceu, têm levado alguns a nutrirem profundas suspeitas quanto a essa tradição.

Uma segunda sugestão mais recente foi feita no final do século XIX pelo teólogo Otto Thenius e um certo General Gordon. Ambos identificaram uma pequena elevação rochosa, próxima à porta de Damasco, do lado de fora da cidade, como sendo o lugar da condenação de Jesus. O pequeno penhasco tinha dois grandes buracos que pareciam olhos e uma parte erodida abaixo que parecia uma boca. Pela semelhança com uma caveira, entenderam ser esse o lugar do Calvário.

Ali certamente era um lugar utilizado para sepultamentos desse o período bíblico até os tempos bizantinos. Um desses túmulos poderia ter sido o de Cristo. O problema, porém, é que os desgastes da rocha podem ter sido provocados posteriormente pelas séries de guerras e terremotos locais. Nada faz supor que realmente existissem nos tempos do Novo Testamento. Ademais, o túmulo que Gordon pensou ser o de Cristo fora escavado e usado entre os séculos VII e VIII a.C., logo não condizente com a informação de João 19:41, de que "era um túmulo novo, onde ninguém havia ainda sido posto".

Portanto, ambos os lugares podem ter seu valor espiritual para aqueles que querem relembrar a morte do Senhor. Mas não podem ainda possuir uma confirmação arqueológica e histórica inquestionável. Não se sabe hoje o local exato onde Jesus foi crucificado.

Ao que tudo indica, a própria igreja cristã primitiva não se preocupou muito em apontar a exatidão de alguns desses sítios. A primeira razão é porque os que viviam na cidade conheciam bem os locais e não precisariam de mapas para apontá-los. Em segundo lugar, alguns opinam que o fato do Novo Testamento não ter dado um endereço minucioso de cada evento da vida de Cristo – diz apenas a cidade, mas não onde dentro dela – se motive no desinteresse dos próprios discípulos em fazer de determinados pontos, centros de peregrinação religiosa. Seu interesse estava voltado para Jerusalém e o juízo final iminente. Eles não queriam que a geografia do evento se tornasse maior do que aquilo que aconteceu naquele lugar. Seu interesse era proclamar o fato de Cristo e não dar detalhes minuciosos de onde aconteceu.

Assim, o que se pode dizer em termos históricos ou geográficos é apenas o seguinte:

Calvário é a forma latina de Gólgota, que quer dizer crânio ou caveira (Luc. 23:33).

O lugar ficava fora dos muros da cidade, mas não afastado dela (Mat. 27:33; Jo. 19:17-22; Heb. 13:12).

Perto do local havia uma estrada e um túmulo num jardim (Mat. 27:39; Mar. 15:29; Jo. 19:41).

Poderia ser um local de certa elevação, pois os condenados poderiam ser vistos à distância (Mar. 15:40; Luc. 23:49).

Porém, nada na Bíblia indica que seria um monte ou colina. Os evangelhos se resumem a chamá-lo de "o lugar chamado Calvário" (Mat. 27:33; Mar 15:22; Luc. 23:33; Jo. 19:17). Essa é uma tradição posterior, encontrada primeiramente nos textos de Cirilo de Jerusalém e do *Peregrino de Bordeaux*, ambos do 4º. século d.C. Rufino, no século V, falava da "rocha do Gólgota". Mas apenas depois do século VI d.C. que popularizou-se a tradição de fazer do calvário uma montanha sagrada como o Sinai e o Horebe.

Igreja do Santo Sepulcro, outra tradição sobre o possível local do Calvário.

> ### *Fato importante*
>
> *Um detalhe apresentado por Mateus e Marcos leva a crer que o local de execução de Cristo ficava à beira da estrada, pois ambos mencionam a presença de transeuntes que escarneciam de Cristo (Mat. 27:39, Mar. 15:29). Semelhante a essa ideia há um curioso texto de Jeremias, que alguns autores interpretam como sendo uma profecia messiânica. Ele diz: "Não vos comove isto, a todos vós que passais pelo caminho? Considerai e vede se há dor igual a minha, que veio sobre mim, com que o Senhor me afligiu no dia da sua ira" (Lam. 1:12).*
>
> *De acordo com uma tradição anotada desde o século XVI em Beth hat Selzileh, uma gruta situada nas cercanias de Jerusalém seria o lugar onde o profeta escrevera esse oráculo, afirmando o que seria visto, no futuro, por aqueles que passassem naquele local. Seiscentos anos depois de Jeremias, os romanos constroem diversas vias públicas e, ao lado de uma delas, o Filho de Deus é sacrificado por amor à humanidade.*

O horror da crucifixão

Por causa da morte de Cristo e a condição majoritária do cristianismo no Ocidente, a cruz tornou-se atualmente um elemento de respeito, proteção e reverência. Contudo, nem sempre foi assim.

No tempo dos romanos, a cruz era algo tão horrível que, nos meios latinos, passou a designar todo tipo de sofrimento em geral. De acordo com um estudo lexicográfico sobre a obra *De Medicina*, escrita por Celso no século I d.C., as palavras mais relacionadas com sofrimento humano são: *puncio* (dor latejante), *tormentum* (angústia mental), *dolor* (dor) e a pior de todas, *crucio* ou cruz, para designar todo tipo de tortura infringida a alguém, seja ela física ou mental[114].

No âmbito jurídico, Cícero se referia variavelmente à cruz como *summum*, *supremum*, *ultimum* ou *crudelissimum taeterrimumque supplicium*, isto é, "a mais extrema, mais cruel e angustiosa forma de punição".[115] Ele chegava até a evitar o uso da palavra *crux*, que terminou tornando-se uma espécie de xingamento ou maldição na semântica latina da época. Enfim, a própria pronúncia do termo não era de bom-tom.

Em 63 a.C., Rabírio, um senador romano, foi acusado de alta traição e condenado à morte de cruz. Cícero, então, saiu em sua defesa, argumentando que a simples menção da palavra era algo inadmissível aos ouvidos de um respeitado cidadão romano. Veja o que ele escreveu na ocasião:

"Oh! Quão grave seria ser desgraçado publicamente por uma corte, quão grave seria sofrer um castigo, quão grave seria ser banido. Mesmo assim, em meio a um desastre, gozaríamos de certo grau de liberdade. Mesmo se formos condenados à morte, podemos morrer como homens livres. Mas... a simples menção da palavra 'cruz' deveria ser removida não apenas da pessoa de um cidadão romano, mas até mesmo de seus pensamentos, olhos e ouvidos... A simples menção dela é um desrespeito a qualquer cidadão romano ou homem livre."[116]

Talvez casos como esse serviram de jurisprudência para que fosse criada uma disposição legal de que nenhum cidadão romano, salvo em casos muito excepcionais, pudesse ser sentenciado à morte de cruz.

Num outro processo envolvendo certo senador por nome Manio Lépido – quem conta sua história é Cornélio Tácito –, a defesa argumentou que a crucifixão só deveria ser cogitada quando "nem a prisão ou o garrote ou mesmo a mais severa tortura fossem adequadas para o condenado"[117].

A rigor, a morte por crucifixão não era uma invenção dos romanos. De origens um tanto obscuras, suas prática já era vista entre os persas e cartaginenses por volta do século VI a.C.. Há quem diga que o *empalamento* praticado pelos assírios no século VIII a.C. já era uma espécie de crucifixão primitiva, embora fosse feita apenas com uma estaca pontiaguda inserida no corpo da vítima pelo ânus, vagina ou umbigo até que ocorresse a morte do torturado. A vítima, atravessada pela estaca, era deixada para morrer sentindo dores indescritíveis, que eram agravadas pela constante sensação de sede.

Seja como for, os romanos gostaram da ideia e praticaram a crucifixão por quase 500 anos, até a prática ser completamente proibida por ordem de Constantino no século IV d.C. Essa, contudo, não era a única maneira de punir um delinquente.

De fato, os romanos tinham muitas outras formas cruéis de executar uma pessoa. A degola seria o modo mais misericordioso, reservado aos cidadãos apenas. Além dela, havia o drama e as *naumachias*; em que o indivíduo morria interpretando uma peça com batalhas reais e o *Damnatio ad bestias* quando seria exposto num circo para ser devorado vivo por animais selvagens.[118]

Os desenhos desses métodos, encontrados em mosaicos domiciliares, por todo o império, faz supor que essas formas de execução eram mais aceitáveis que a cruz, ausente dos mesmos quadros. A crucifixão era uma condenação própria para criminosos desprezíveis e escravos. Nunca para homens livres. O dramaturgo Sêneca, escrevendo a seu amigo Lucílio, argumentava que preferia o suicídio à morte de cruz[119].

Se os romanos viam com horror a crucifixão, o mesmo se dava com os judeus, embora por motivos diferentes. Considerando que as línguas hebraica e aramaica não faziam distinção entre "madeiro" e "cruz", entre "enforcamento" e "crucificação", os judeus automaticamente aplicavam aos crucificados a terrível declaração do Antigo Testamento que diz: "O que for pendurado no madeiro é maldito de Deus" (Deut. 21:23).

Sendo assim era de se esperar uma grande resistência judaica à pregação do evangelho. Eles não podiam crer que o Messias de Deus morreria sob a maldição divina, pendurado num madeiro. No dizer de Trifo, um judeu, a quem Justino tentava apresentar a mensagem cristã: "Quanto a este ponto sou excessivamente incrédulo"[120].

Formato da cruz

Muitos autores debatem acirradamente sobre o formato da cruz de Cristo, havendo quem diga que ele morreu de braços abertos – conforme os quadros tradicionais do cristianismo – ou, então, pregado num único poste com as mãos juntas acima de sua cabeça.

Deve-se admitir que tanto a terminologia grega, quanto a latina para as palavras "cruz", "estaca", "crucificar", "empalar" ou "suspender" são ambíguas em algumas ocorrências, de modo que o contexto deve ser analisado em cada caso.

O próprio Sêneca testemunhou no século I a existência de diferentes tipos de cruz:

"Ali eu vi cruzes ali, não de um tipo específico, mas de diferentes formas, feitas por diferentes pessoas. Algumas tinham a vítima suspensa com a cabeça caída em direção ao solo; outras tinham uma estaca perfurando as partes íntimas e outras, ainda, estendiam os braços em uma peça de madeira. Eu vi cordas, eu vi açoites. E, para cada membro ou articulação específicos, mecanismos específicos causam ferimentos."[121]

Havia também casos em que a quantidade de crucificados era tão grande que faltava madeira e "improvisações" provavelmente eram feitas. Dois casos que levam a esse entendimento foram a ação de Varo para sufocar uma rebelião judaica em 4 a.C., que levou a crucifixão de 2.000 pessoas num só dia e o cerco de Jerusalém no ano 70 d.C., quando o general Tito crucificou tantos fugitivos da cidade que não se podia encontrar "espaço ... para as cruzes, nem cruzes para os corpos".[122]

Porém, de modo geral, ainda que existam exceções e atividade semântica do termo, as evidências convergem para a conclusão de que o costume comum era usar duas peças de madeira na montagem de uma cruz. Não é sem razão que a palavra latina *crux* dê origem aos termos *cruzar*, *cruzamento*, *cruzeiro* e *cruzado* – todos com o sentido de atravessar, de fazer com que dois elementos passem um pelo outro.

O mesmo se pode dizer do termo grego *staurós*, normalmente trazido por "cruz" nas Bíblias modernas. Acredita-se que ele seja derivado da letra TAU, que nas formas mais primitivas do alfabeto fenício, grego e hebraico era desenhada na forma de um X ou de um T. Logo, *stauros* seria originalmente algo como "na forma de TAU" ou na forma de X e T.

Uma passagem atribuída ao escritor sírio do século II, Luciano de Samosata, traz essa informação que concorda com essa versão sobre a origem do termo:

"As pessoas choravam e murmuravam acerca do seu destino e algumas vezes amaldiçoavam a Cadmos [o suposto inventor do alfabeto], por ter trazido o Tau para o conjunto de letras. A razão era que os tiranos se inspiravam nesta figura [o T ou X] e imitavam seu formato, ajuntando duas vigas no mesmo formato a fim de crucificar pessoas nelas. É a partir deste [TAU] que o maldito nome [*staurós*] é ligado ao maldito instrumento. Pois a cruz [*staurós*] foi criada a partir desta letra [o TAU], de modo que assim as pessoas a chamam."[123]

Assim, segundo dados históricos, os autores modernos geralmente falam de quatro tipos de cruzes: a *comissa* (em forma de T), a *decussata* (em forma de X), a *grega* (em forma de +) e a *immissa* (em forma de †). Como se pode ver, a última delas se refere àquela cruz tradicionalmente vista nos diversos quadros e pinturas da cristandade. Ela também é chamada de cruz latina. Sua escolha se dá devido a vários detalhes apresentados nos evangelhos canônicos.

Primeiramente percebe-se que somente ela e a cruz *grega* permitiam a colocação de qualquer placa acima da cabeça do indivíduo, conforme a Bíblia diz que ocorreu no caso de Jesus. Era normal que o condenado levasse em seu pescoço uma tabuleta narrando o seu crime ou o motivo porque fora crucificado. Essa tabuleta tinha o nome latino de *titulus* e, no caso de Jesus, é dito que ela fora fixada por cima de sua cabeça, logo, deveria haver um prolongamento da madeira acima dele (Mat. 27:37).

As cruzes, especialmente nos primeiros tempos, tendiam a ser baixas. Somente em situações especiais, em que o governador desejava tornar excepcionalmente exemplar e pública a condenação, o poste vertical era elevado acima do normal. Este foi o procedimento no caso de um criminoso, para o qual Galba mandou que se erguesse uma cruz bem alta e que a pintasse de branco para ficar bem visível a todos[124].

A cruz de Cristo também parecia ser alta. De acordo com João 19:29 e 34, os soldados precisaram de um caniço para alcançar sua boca com uma esponja molhada em vinagre e uma lança (não uma espada) para perfurar-lhe a costela. A cruz *grega* nunca ultrapassava a altura de dois metros, para facilitar o ataque de lobos e hienas que dilaceravam a carne dos condenados nesta forma de martírio (*damnati ad bestias*)[125]. Por isso, a cruz latina ou *immissa* seria a que mais se encaixa no relato evangélico da morte de Jesus.

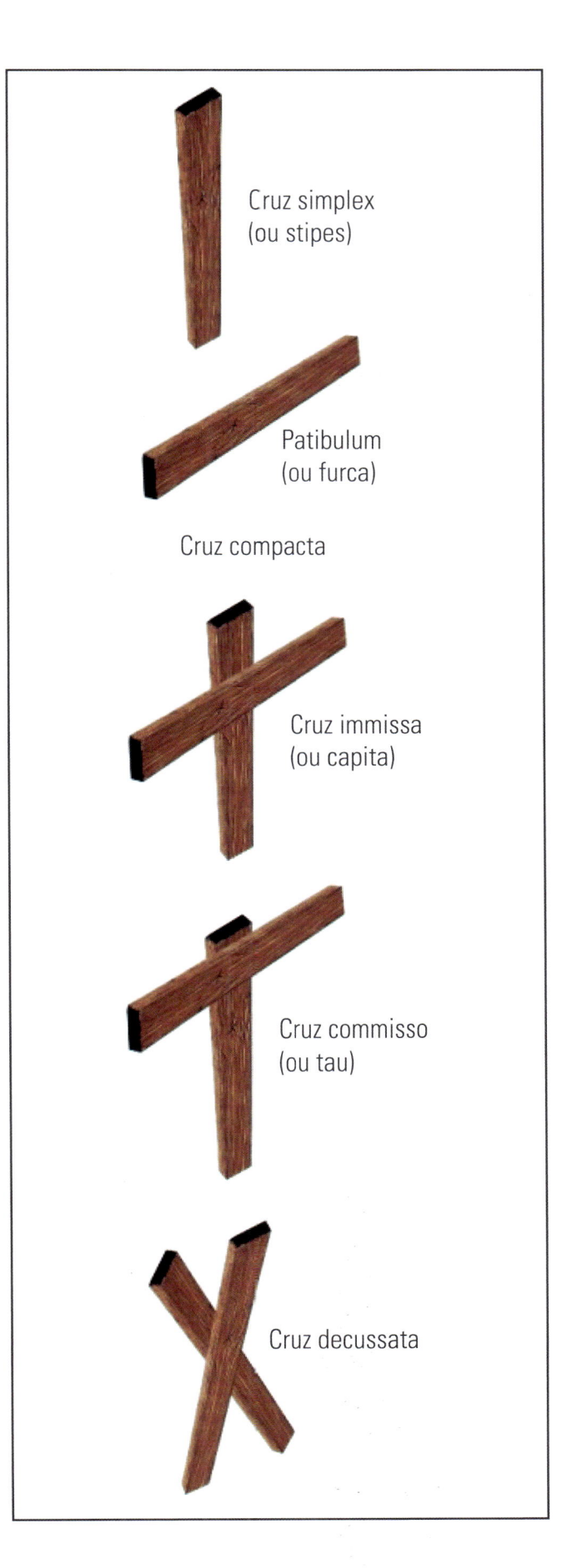

Cruz simplex (ou stipes)

Patibulum (ou furca)

Cruz compacta

Cruz immissa (ou capita)

Cruz commisso (ou tau)

Cruz decussata

INRI inscription (Hebrew / Greek / Latin):

ישוע הנוצרי מלך היהודים
ΙΗΣΟΥΣ ΝΑΖΟΡΑΙΟΣ ΒΑΣΙΛΕΥΣ ΙΟΥΔΑΙΩΝ
IESVS NAZARÆNVS REX IVDÆORVM

Fato importante

Conforme já foi dito, as cruzes romanas geralmente possuíam duas partes. No caso específico da immissa, havia o stipes também chamado de palus, que era a parte vertical da peça. Ela geralmente ficava fixa no local ou poderia ser montada onde a cruz seria erguida. Cruzando-a horizontalmente na parte superior havia o patibulum que era o travessão, por sobre o qual os braços do condenado seriam estendidos.

No local da crucificação, é provável que o stipes permanecesse deitado no chão à espera da parte que lhe completava. Sobre ele, então, fixavam o patibulum e, em seguida, pregavam a vítima. Depois soerguiam a peça inteira até que caísse com violência num buraco previamente preparado para este fim. Esse movimento provocaria intensa dor no crucificado.

Você sabia?

Ao contrário do que diz a tradição de muitos círculos do cristianismo, não há evidência alguma de que Jesus tenha carregado toda a cruz até o Calvário. Todos os dados históricos até agora levantados pelos pesquisadores levam a crer que apenas o patibulum ou o travessão era carregado pelo condenado.

Uma evidência de que este era o costume normal das execuções romanas pode ser visto em dois trechos de uma comédia latina escrita por Plauto dois séculos antes de Cristo. Em ambos, ele menciona que o condenado carregava o patibulum pela cidade e depois era amarrado à estaca vertical perfazendo a forma de cruz (crux)[126].

A peça se chamava **Miles Gloriosus**, *e nela um soldado fanfarrão descreve o processo de crucificação aplicado pelos romanos. Ele faz menção a duas peças de madeira, o stipes, tronco, estaca vertical, fincada no solo e o patibulum, a viga transversal. Então comenta com ironia "isto é para ti, que hás de morrer fora da porta, de mão estendida, depois de trazeres o patibulum".*

Essa descrição é confirmada mais tarde por Justino, o Mártir, um escritor cristão que viveu no século II. Ele compara o Cristo crucificado com a postura de Moisés de abrir os braços na guerra contra os amalequitas (Êxodo 17): "Com efeito, uma haste da cruz se ergue verticalmente e dela surge a parte superior, quando se ajustou a haste transversal."[127]

Singularidades judiciais

Os detalhes apresentados no relato do Novo Testamento acerca da crucifixão de Cristo condizem com a documentação descoberta dos antigos procedimentos romanos. Apenas dois elementos não encontram paralelo na literatura latina.

O primeiro diz respeito ao ato dos soldados darem vinho ou vinagre para Jesus beber, a fim de minimizar seu sofrimento. Há quem suponha que tal bebida seria a famosa *Posca* – uma mistura de vinagre e água muito comum no meio militar romano.

Porém, não existem indícios de que havia tal costume entre os romanos, isto é, de oferecer anestésicos para qualquer tipo de condenado. Apenas a literatura judaica posterior entendia ser um gesto de misericórdia oferecer a um condenado um copo de vinho misturado com mirra ou incenso a fim de que ele perdesse a consciência e tivesse sua dor diminuída[128].

A razão de Jesus não ter aceito a bebida oferecida parece estar no fato de que ele não queria perder sua consciência, a despeito da dor que sentia. Difícil, no entanto, é saber por que os soldados tiveram este gesto.

Alguns autores pensam que seria igualmente um ato de misericórdia, considerando que alguns romanos, como o centurião, admitiram ser Jesus o Filho de Deus ou pelo menos um homem justo (Mat. 27:54; Mar. 15:39; Luc. 23:47).

Outros, com base em João 19: 29, entendem que seria outro gesto de escárnio, talvez o pior de todos. Geralmente, nos banheiros públicos romanos, era comum o indivíduo usar um caniço com uma esponja do mar na ponta, a fim de limpar-se, após o uso da latrina. Esse instrumento era chamado *Tersorium* e considera-se que ficava disposto dentro de um vaso com vinagre, por questões de assepsia[129]. Se assim for, sua intenção era, novamente, humilhar Jesus.

O segundo elemento diferencial da morte de Jesus foi o fato de seu corpo ter sido removido da cruz e liberado para ser sepultado. O normal, neste caso, era deixar o corpo lá por dias (a fim de servir de exemplo) e, depois disso, jogar a carcaça em um lixão a fim de ser consumido pelos animais e pela putrefação.

Mas a intervenção de José de Arimateia, somada à condição religiosa da festa de Páscoa e à Providência divina não permitiram que o corpo de Jesus tivesse esse fim. Além de Jesus, existe apenas um outro caso na história que atesta a exceção de um crucificado com direito ao sepultamento.

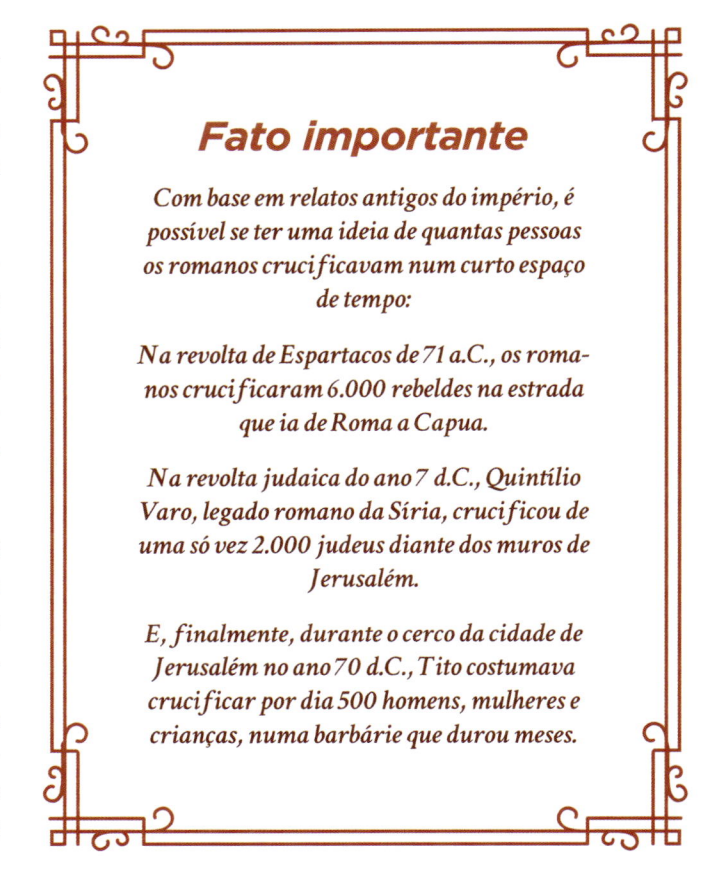

Fato importante

Com base em relatos antigos do império, é possível se ter uma ideia de quantas pessoas os romanos crucificavam num curto espaço de tempo:

Na revolta de Espartacos de 71 a.C., os romanos crucificaram 6.000 rebeldes na estrada que ia de Roma a Capua.

Na revolta judaica do ano 7 d.C., Quintílio Varo, legado romano da Síria, crucificou de uma só vez 2.000 judeus diante dos muros de Jerusalém.

E, finalmente, durante o cerco da cidade de Jerusalém no ano 70 d.C., Tito costumava crucificar por dia 500 homens, mulheres e crianças, numa barbárie que durou meses.

Encontrando um crucificado

Em junho de 1968, um ano após a guerra dos seis dias, tropas israelenses ocuparam Jerusalém e dali comandaram as novas construções da parte central do país. Distante pouco mais de 2 km da cidade velha, havia um lugar chamado *Givat há Mivtar* (Colina da Fronteira), que o governo mandara aplainar com o fim de construir um conjunto habitacional para colonos judeus que vinham de toda a parte. Então, acidentalmente, os tratores bateram em algumas rochas que revelaram ser 15 túmulos judeus contendo os esqueletos de 25 pessoas.

Calcanhar do crucificado descoberto em *Givat há Mivtar*, Israel.

O Dr. Vasilius Tzaferis, diretor do departamento de Antiguidades e Museus do Estado de Israel, foi ao local e constatou, depois de muitas pesquisas, que eram túmulos que podiam ser datados desde 70 a.C. até 70 d.C. Sua atenção voltou-se mais especialmente para uma caixa que continha a ossada de uma criança e um jovem adulto. Fora estava o nome aramaico *Yehohanan ben Hagakol* que muito provavelmente se refira ao mais velho dos esqueletos. O mais interessante, porém, é que a ossada do adulto possuía um cravo atravessando um dos calcanhares – um indício claro de que aquele sujeito morreu crucificado e, por alguma excepcionalidade, à semelhança de Jesus, teve seu corpo retirado do madeiro e posto para ser devidamente sepultado.

O Dr. Niqu Haas, um romeno que na época era diretor da Seção de Anatomia na Faculdade de Medicina da Universidade Hebraica, pediu para examinar o esqueleto e não somente confirmou a morte por crucificação, mas concluiu ainda que se tratava de um jovem de 20 a 30 anos, com 1,65 de altura, que usava barba e jamais realizara qualquer trabalho árduo (o que indica pertencer a uma classe abastada). Sua única deformidade física era o palato meio torto e uma saliência no crânio devido, talvez, a problemas de parto.

Esta é a primeira e única ossada inteira que se tem de um homem que morreu crucificado (há outras, mas com ossos muito fragmentados, impossíveis de ser examinados). Por meio dela, reconstituiu-se uma das prováveis formas como os romanos crucificavam as pessoas.

A posição do crucificado

A primeira reação causada pelo achado de *Givat há Mivtar* foi de espanto. Embora houvesse alguma discordância quanto à reconstituição última da morte de *Yohanan*, todos eram unânimes em afirmar que ele fora realmente crucificado e que indícios apontavam para uma posição nada condizente com as imagens produzidas pela piedade cristã[130]. Contudo, eram consistentes com certos detalhes referidos nos evangelhos:

As pernas estavam quebradas e, de acordo com Haas, isso teria ocorrido com o indivíduo ainda vivo. Para outros foi um evento *post-mortem*. Seja como for, não é inverossímil cogitar que fora aplicado ao sujeito o ato do *crurifragium*, isto é, quebrar as pernas do indivíduo quase na hora de sua morte. Para alguns isso preveniria a fuga, para outros, apressaria a morte do condenado por asfixia. De acordo com o relato de João 19:32, os ladrões que estavam crucificados com Cristo tiveram suas pernas quebradas pelos romanos, mas Jesus, por já estar morto, não teve seus membros golpeados.

A presença de um prego de 11,5 cm feito de ferro, perfurando o calcanhar e com traços de madeira nas duas extremidades, confirma que as pessoas eram mesmo "pregadas" no madeiro. Aliás restos de madeira de oliveira encontrados no prego levaram Haas a supor que oliveiras poderiam servir de matéria-prima para a fabricação de cruzes em Jerusalém, já que outras árvores são tremendamente escassas. Alguns chegaram a cogitar se a oliveira não seria, igualmente, a madeira original da própria cruz de Cristo. Mas quanto a isso não há dados que permitam uma afirmação conclusiva.

O prego torto fixado no calcanhar também evidenciava que, diferente do que se cria, os pés não eram sobrepostos um sobre o outro, mas fixados com pregos distintos. Ambos ficariam posicionados lateralmente, um de cada lado do madeiro.

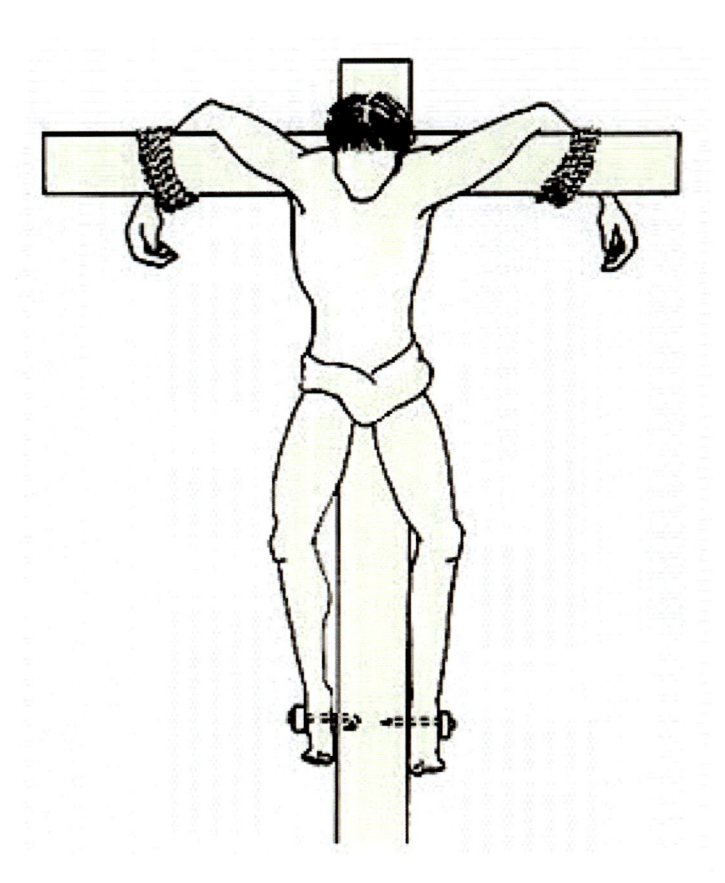

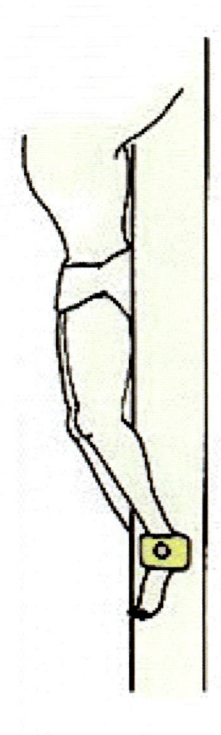

Sobre as mãos, a evidência é inconclusa. Para Haas, existem marcas entre o cúbito e o rádio do antebraço, que indicam perfuração por pregos. Mas Zias e Sekeles, que também examinaram os ossos, entenderam que não há indícios conclusivos quanto à presença de qualquer lesão traumática do antebraço e metacarpos da mão. Isso os levou a sugerir que os braços do condenado foram amarrados em vez de pregados na cruz. Logo, é mais provável que Yohanan estivesse pregado nos calcanhares, mas com os braços amarrados no travessão superior.

A iconografia cristã geralmente mostra os pregos nas palmas das mãos de Jesus e não nos punhos ou antebraços. Contudo, é importante dizer que nenhum dos evangelhos descreve com precisão o local dos cravos, se nas mãos ou nos punhos de Jesus. A razão disso talvez seja que o termo hebraico usado para "mão", *yad*, e traduzido por *cheir* em grego, tem um significado amplo, podendo se referir à "mão" e ao "braço" (Êx. 4:2; Jer. 38:12; Jo. 20:25).

A dificuldade para alguns é que as palmas das mãos não sustenta o peso de um corpo. Mas isso pode ser minimizado se for entendido que o corpo também poderia ser amarrado por cordas, embora isso ainda seja um assunto controverso. Ademais, a presença de um pequeno banco ou plataforma chamado *sedicula* sustentava o peso, impedindo sua queda para frente.

O condenado ficava provavelmente nu, com as nádegas apoiadas sobre a *sedicula*. Seus braços poderiam estar atados ao madeiro ou pendurados em V num ângulo de 60 ou 70 graus.

Mas é preciso sempre lembrar os já mencionados testemunhos de Sêneca e Josefo sobre o fato de haver muitas formas de crucificação. Nada indica que Jesus e o homem encontrado em *Givat há Mivtar* tenham sofrido da mesmíssima forma. Inclusive, há outro achado arqueológico que pode assegurar essa diversidade.

Grafites da cruz

Um curioso grafite foi encontrado na parede de um dos alojamentos de estudantes imperiais no Monte Palatino em Roma. Disposto atualmente no

Outro curioso desenho foi encontrado em 1959 num grupo de oito tabernas escavadas em Puteoli, Itália. Ele encontra-se na taberna 5 e é um ou dois séculos mais antigo que o de Alexamenos. Ali está retratada a imagem de 40x26 cm, contendo uma mulher crucificada. Acredita-se que, neste caso, o desenho seja dos tempos de Adriano, o que faz supor que a mulher seria uma das muitas vítimas de sua batalha contra os judeus de Bar Kochba.

O nome da mulher, inscrito sobre o lado esquerdo da imagem e acima do ombro, era Alkimila. O fato do nome estar escrito nessa posição indica mais uma maldição por parte de quem fez do desenho do que uma recordação de um fato histórico. A condenada ainda ostenta riscos nas costas, provavelmente indicando um flagelo causado por açoites.

Não há, contudo, nenhum indício, nesse caso, de que se tratasse de uma mulher cristã. A contribuição desse achado é a de conferir evidência descritiva sobre o formato da cruz romana.

Museu Antiquário do Palatino, ali está o desenho satírico do século III feito provavelmente por um adolescente estudante da escola imperial. Ele mostra um menino em pé, em postura de adoração, com uma mão levantada. O objeto de sua devoção é uma figura em uma cruz, um homem com a cabeça de um jumento. Debaixo dele está rabiscado: "Alexamenos adora seu Deus."

A interpretação de muitos é que naquele lugar estava um jovem cristão chamado Alexamenos, que por causa de sua fé era ridicularizado pelos demais. O gesto do garoto e o fato do condenado estar crucificado lança luz sobre a forma da crucifixão nos tempos antigos e como os cristãos da época imaginavam a morte do Senhor. Afinal, a caricatura certamente era feita com base naquilo que os cristãos diziam acreditar. A cruz assemelha-se à *immissa* e possui duas partes. Os braços do condenado se acham estendidos sobre o *patibulum* e suas pernas apoiadas numa pequena plataforma fixa no madeiro.

Afirma-se que outra inscrição feita por uma mão diferente foi encontrada no mesmo sítio com os dizeres "Alexamenos fiel." Talvez isso foi sua própria resposta ao desenho cruel.[131]

Fato importante

Por mais de 35 anos, Frederick Zugibe, conceituado perito criminal e professor da Universidade de Columbia, procurou dissecar a morte de Jesus com a objetividade científica da medicina.

A fim de saber não só a causa mortis de Cristo, mas se os pregos realmente se rasgariam com o peso do corpo, ele fez experimentos, usando um número de voluntários que aceitassem ficar suspensos numa cruz por várias horas e em diversas posições. Nenhuma delas mutilava a carne ou danificava o corpo. Zugibe utilizava luvas especiais de couro para "pregar" as mãos no madeiro.

A fim de demonstrar que um cravo pregado nas mãos podia suportar o peso de vários quilos, em outra experiência, usou braços cortados de cadáveres frescos, cravando-os pelos dois pontos e colocou pesos neles. Muitos dizem que ele provou sua teoria, mesmo que seu método seja considerado um tanto repulsivo.

Sepultamento

O sepultamento de Jesus seguiu de perto o ritual fúnebre judaico do século I. Contudo, considerando sua posição campesina e sua origem pobre, ele não teria condições financeiras de ter um túmulo nas imediações da cidade de Jerusalém. Somente pessoas muito ricas poderiam ter condições de comprar um terreno, na verdade, uma gruta natural ou cavada na rocha, para sepultar seus entes queridos. De acordo com a Bíblia, foi a benevolência de José de Arimateia, influente membro do conselho, que possibilitou a Cristo um sepultamento com dignidade.

Os túmulos de pessoas mais abastadas eram cavados nas rochas e encostas das colinas, ficando fora dos muros da cidade. Uma pedra bem talhada servia de bloqueio para a entrada da gruta onde o corpo ficava depositado, sem a possibilidade de ser maculado por estranhos.

Dentro do túmulo geralmente havia um ou mais compartimentos para o depósito de um corpo recém-falecido e ambientes menores serviam para a colocação dos ossuários ou pequenas caixas de pedra. O processo de um funeral complexo. Após todo o ritual de choros, lamentos e luto, o corpo era lavado, perfumado e colocado com bandagens de linho dentro do túmulo que então era lacrado. Por questões de purificação cerimonial, todos os objetos usados no rito – lamparinas, vasos de azeite perfumado e pedaços de tecido, eram deixados no lugar. Nada era levado para casa.

Pelas mesmas razões da não contaminação religiosa, geralmente eram as mulheres que faziam esse serviço fúnebre. Afinal, pelas regras da época, elas não tinham tantas obrigações cerimoniais como os homens e poderiam passar mais tempo em casa se purificando. Mas, talvez por causa da urgência do rito e da pressa em tirar o corpo de Cristo da cruz, Nicodemos e José de Arimateia acabaram participando em atividades que normalmente eram designadas às mulheres (Jo. 19:38-40).

Algum tempo depois – geralmente um ano –, certo parente que ficara responsável pelo corpo retirava o lacre da entrada e, com autorização oficial, removia os ossos para depositá-los nas caixas de pedra – ou nos ossuários, que eram, por sua vez, colocados nos vãos menores, ocupando, assim, menor espaço.

Um ossuário poderia conter ossadas de vários membros da mesma família, que poderiam ou não ter os seus nomes escritos na tampa ou na lateral da caixa. E um túmulo poderia ser várias vezes utilizado por diferentes membros de uma mesma família. Essa condição esclarece o comentário de João 19:41: "No lugar onde Jesus fora crucificado, havia um jardim, e no jardim, um sepulcro novo, *onde* ninguém jamais havia sido colocado."

Como não havia transferência de túmulos de uma família para outra, José de Arimateia apenas "emprestara" o túmulo para ali depositarem o corpo de Jesus até a época de transportarem seus restos mortais para Nazaré, sua cidade de origem. Portanto, segundo os costumes da época, caso Jesus não houvesse ressuscitado, seus ossos teriam sido posteriormente colocados num ossuário e removidos para lá, onde estariam sepultados os demais membros de sua família, eles não ficariam de modo algum em Jerusalém. Aliás, foi exatamente assim que ocorreu no caso de José, que teve seus ossos levados para fora do Egito assim que os hebreus saíram das terras de Faraó.

Fato importante

Ao todo já foram encontrados e catalogados 917 ossuários escavados nos arredores de Jerusalém, fora os túmulos e inscrições feitas em objetos que estavam dentro de um contexto funerário. Dos 917 ossuários catalogados por Rahmani e publicadas pelo Instituto de Antiguidades de Israel, 231 (25,2%) tinham inscrições com nomes gravados do lado de fora na tampa ou na lateral. Destas, dez traziam claramente o nome Jesus. Amós Kloner, arqueólogo israelense, declarou haver ainda 71 objetos tumulares que também traziam o nome de Jesus além de um ou dois casos em que havia o claro complemento "filho de José". Portanto, não seria uma coincidência tão improvável encontrar em alguns ossuários os homônimos de José e Jesus.

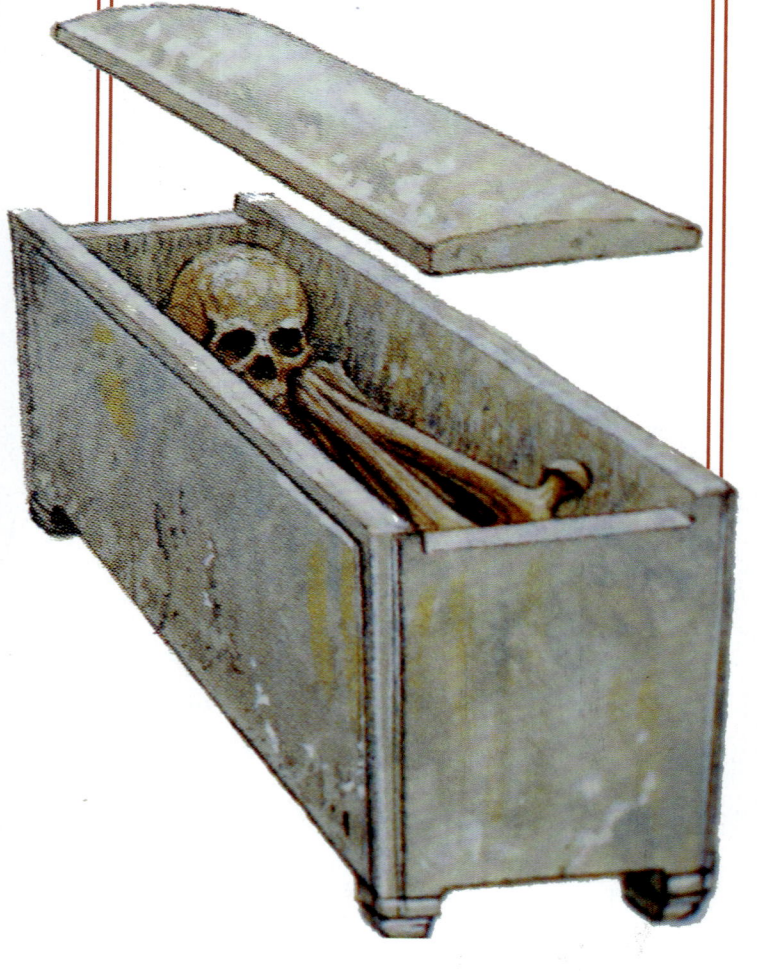

Você sabia?

Os judeus do tempo de Jesus não enterravam seus mortos. Eles depositavam o corpo do falecido em cavernas preparadas para isso. De igual modo, o sepultamento não era completado no momento da morte.

Somente no dia em que os ossos eram depositados nos ossuários de pedra, cumpria-se literalmente a expressão que dizia "o morto finalmente encontrou os seus mortos". E somente nesse dia, tinha-se por cumprido o rito de um sepultamento. Ou seja, a pessoa só era de fato sepultada por completo meses depois de sua morte.

Este procedimento cultural ajuda a entender o estranho pedido de um jovem a Cristo que solicitou primeiro sepultar seu pai e, somente depois, seguir a Cristo. A recusa do Mestre, seguida da enigmática expressão "deixa os mortos sepultar os seus mortos" (Mat. 8:22), talvez indique que, naquele caso, não se tratava de alguém deixando o velório de seu pai para seguir a Cristo. Antes era um jovem que, preferindo os cuidados desta vida, deu uma desculpa dizendo que preferia esperar a morte de seu pai e os meses que se seguiriam até seu sepultamento final para, somente então, vir e seguir o Mestre.

A ressurreição

Os discípulos estavam tremendamente desanimados pelos últimos acontecimentos. Seu Mestre havia sido morto e o corpo estava agora posto sem vida num sepulcro. Toda esperança depositada no movimento parecia ter sido arruinada.

Jesus, no entanto, havia dado claras declarações de que aquilo haveria de ocorrer. Ele tinha dito o que haveria de sofrer em Jerusalém e como ressuscitaria no terceiro dia. Mas eles não pareciam ter entendido suas palavras.

Domingo, de madrugada, Maria Madalena e algumas outras mulheres fiéis foram ao sepulcro do Salvador, levando especiarias e unguentos para completar a unção iniciada quando o corpo do Senhor foi apressadamente colocado na tumba antes do sábado que se aproximava. Para surpresa delas, o lugar parecia ter sido violado. A pedra que lacrava a entrada estava removida e o túmulo vazio.

De acordo com o relato, dois anjos declararam: "Por que buscais o vivente entre os mortos? Não está aqui, mas ressuscitou. Lembrai-vos como vos falou, estando ainda na Galileia, dizendo: Convém que o Filho do homem seja entregue nas mãos de homens pecadores, e seja crucificado, e ao terceiro dia ressuscite" (Luc. 24:5-7; Cf. Mat. 28:6-7).

Conforme os anjos lhe instruíram, Maria Madalena olhou para dentro do sepulcro, mas aparentemente tudo o que registrou na mente foi que o corpo do Senhor havia desaparecido. Ela correu para contar aos apóstolos e, encontrando Pedro e João, disse a eles: "Levaram o Senhor do sepulcro, e não sabemos onde o puseram" (Jo. 20:2).

Pedro e João correram até o local e confirmaram realmente que o sepulcro estava vazio, vendo "no chão os lençóis (...) e que o lenço, que tinha estado sobre a sua cabeça (...) estava (...) enrolado num lugar à parte". João aparentemente foi o primeiro a compreender a magnífica mensagem da ressurreição. Ele escreveu que "viu, e creu", ao passo que os outros até aquele momento "ainda não sabiam a Escritura, que era necessário que [Jesus] ressuscitasse dentre os mortos" (Jo. 20:8-9).

Pedro e João partiram, mas Maria permaneceu ali chorando. Nesse ínterim, os anjos retornaram e perguntaram ternamente: "Mulher, por que choras? Ela lhes disse: Porque levaram o meu Senhor, e não sei onde o puseram" (Jo. 20:13). Naquele momento, o próprio Cristo ressurreto aparece e lhe diz: "Mulher, por que choras? Quem buscas? Ela, cuidando que era o jardineiro, disse-lhe: Senhor, se tu o levaste, dize-me onde o puseste, e eu o levarei" (Jo. 20:15).

Ao reconhecer que era Jesus e não o jardineiro, Maria Madalena tornou-se a primeira pessoa a ver e a falar com Cristo ressuscitado. Mais tarde, naquele mesmo dia, Ele apareceu a Pedro, em Jerusalém ou arredores; a dois discípulos na estrada de Emaús e, à noite, a alguns dos apóstolos reunidos no cenáculo e a outras pessoas. "Vede as minhas mãos e os meus pés, que sou eu mesmo; apalpai-me e vede, pois um espírito não tem carne nem ossos, como vedes que eu tenho". Depois, para convencê-los ainda mais, "não o crendo eles ainda por causa da alegria, e estando maravilhados", ele comeu peixe e um favo de mel diante deles. Mais tarde, Cristo os instruiu dizendo: "Ser-me-eis testemunhas, tanto em Jerusalém como em toda a Judeia e Samaria, e até aos confins da terra" (At. 1:8).

A importância da ressurreição

A ressurreição de Cristo é, sem dúvida, um dos fatos mais intrigantes e significativos da história. Ela é tão essencial para o cristianismo que **o apóstolo Paulo chegou** a escrever: "Se Cristo não ressuscitou, a nossa pregação é vazia, e vazia também a vossa fé" (1Cor. 15, 14).

E ele delineia, neste mesmo capítulo de I Coríntios 15, as consequências para o cristianismo, caso a ressurreição não houvesse ocorrido:

1) pregar sobre Cristo seria em vão (v. 14);

2) fé em Cristo seria vã (v. 14);

3) todas as testemunhas e pregadores da ressurreição – incluindo ele mesmo - seriam mentirosos (v.15);

4) ninguém poderia ser redimido do pecado, pois a morte de Cristo não passaria de um martírio. Não seria um evento redentor (v. 17);

5) todos os cristãos que dormiam, isto é, morreram, teriam perecido para sempre (v. 18);

6) Os cristãos seriam os mais infelizes de todos os homens (v. 19), pois sua esperança está no fato de que, se Cristo realmente ressuscitou dos mortos e é "as primícias dos que dormem" (v. 20), então têm-se assegurado que os que o seguirem podem contar com a ressurreição final.

Além disso, Paulo e todo o restante do Novo Testamento falam da ressurreição como um evento sem igual. Uma ocorrência dentro da história, mas que, ao mesmo tempo, rompe o âmbito dos acontecimentos e os ultrapassa. A ressurreição de Cristo não foi, portanto, apenas a reanimação de um cadáver sem vida. Não se trata do mesmo evento que ocorreu com outros personagens bíblicos como a filha de Jairo (cf. Mc. 5, 22-24) ou Lázaro (cf. Jo. 11, 1-44), que foram trazidos de volta à vida por Jesus, mas que, mais tarde, num certo momento, morreram novamente.

Em síntese, se a ressurreição de Cristo realmente aconteceu, temos aí uma importante alegação que suscita vários outros elementos. Como uma corrente de afirmações.

Se Cristo, de fato, ressuscitou dentre os mortos conforme diz a Bíblia, então não se pode duvidar da existência de Deus e sua intervenção neste mundo. Acreditar na ressurreição implica acreditar em Deus. E, uma vez que Deus realmente existe, e Ele criou o universo e tem poder sobre o mesmo. Ele tem o poder para ressuscitar Jesus.

Uma vez que Deus tem poder e estava em Cristo, ele é um ser moralmente digno de nossa adoração. Não apenas porque nos criou, mas também porque nos ama e intenta nos salvar. Finalmente, a ressurreição de Cristo é um testemunho da ressurreição de seres humanos, e uma evidência singular da doutrina cristã. Ao contrário de outras religiões, o cristianismo possui um fundador que transcende a morte e promete que os seus seguidores farão o mesmo. Todas as outras demais seriam fundadas por homens e profetas cujo fim foi o túmulo.

O túmulo vazio de Cristo significa que ele hoje vive e se senta à direita do Pai, no Céu, de onde voltará para levar os justos de volta ao paraíso.

Fato ou lenda?

Teria Jesus realmente ressuscitado dentre os mortos? Existem razões para se crer na história do túmulo vazio? Jesus, respondendo ao incrédulo Tomé, disse que felizes eram os que não viram e creram. Mas isso não significa ter deixado Tomé e demais "não espectadores" sem qualquer evidência desse grandioso evento.

Escrevendo em cerca do ano 56 de nossa era, o apóstolo Paulo menciona que mais de 500 pessoas testemunharam a ressurreição de Cristo e muitas delas estavam ainda. Sua declaração está em I Coríntios 15:6 e significava um desafio aos que ainda duvidavam, pois poderiam consultar pessoalmente aqueles que viram e conversaram com o senhor ressurreto.

Essa evidência histórica que se vale de tantas testemunhas é mais que suficiente para satisfazer a curiosidade de um inquiridor honesto! E, diga-se de passagem, o próprio apóstolo Paulo fora um inquiridor da fé cristã. Ele não testemunhou pessoalmente o fato da ressurreição e se tornou um dos mais céticos e ferrenhos inimigos do cristianismo. Porém se deu por satisfeito diante dessa evidente nuvem de testemunhas oculares. E quanto a nós que não vimos nada do que aconteceu nem podemos mais entrevistar as testemunhas?

Frank Morison, que era um jornalista agnóstico, fez a mesma pergunta e resolveu escrever um livro refutando a ressurreição de Cristo. Porém, após anos de investigação, suas opiniões mudaram e ele mesmo se tornou de ateu a seguidor apaixonado de Jesus Cristo. O livro finalmente saiu, mas com um conteúdo bem diferente daquele intentado no começo. Seu título acabou sendo "Who moved the stone?" Ou "Quem moveu a pedra?"

Morison descobriu que Jesus foi morto realmente e que seu corpo foi publicamente colocado numa sepultura. Não havia nenhuma intenção de se esconder isso. Aliás, até historiadores oficiais do primeiro século, esse que não eram seguidores de Cristo, testemunharam este fato. Cornélio Tácito, descrevendo por volta do ano 115 o incêndio de Roma ocorrido cinco décadas antes, fala da perseguição de Nero aos cristãos e menciona o nome de Cristo, ele diz:

"Nero apresentou como culpados e condenou à tortura aquelas pessoas odiadas por sua torpeza, a quem a população chamava de 'cristãos'. Tal nome vem de Cristo que, no principado de Tibério, o procurador Pôncio Pilatos entregou ao suplício." Anais XV, 44.

Com tais elementos em mente, testifica-se não apenas a existência de Jesus Cristo, mas a tradição bastante antiga de que ele havia mesmo ressuscitado dos mortos. Logo, devemos aceitar que houve uma história ou um depoimento tradicional acerca do desaparecimento do corpo de Cristo que nos vem, desde os dias dos apóstolo, tornando-se conhecido até mesmo de pessoas fora do círculo cristão.

Não é por menos que uma pedra descoberta em 1930, em Nazaré, e que hoje fica na coleção do Museu do Louvre em Paris, menciona um decreto de um dos Césares, estipulando que nenhum corpo deveria ser removido do túmulo para benefício político pessoal. Esse talvez seja o mais antigo testemunho imparcial da ressurreição, baseado nos comentários externos de que os discípulos teriam roubado o corpo de Cristo e criado a história da ressurreição.

Um engodo?

O antigo livro judaico *Toledoth Jesu,* dedicado a combater o cristianismo – já trazia a acusação de que os discípulos tinham roubado o corpo para forjar a prova de uma sepultura vazia. Mas, sendo assim, a pergunta óbvia seria: se os discípulos houvessem inventado aquela história, por quanto tempo conseguiriam manter o seu segredo? Note que no grupo havia pessoas de todas as idades, posição social e sexo.

Logo, quanto tempo os discípulos conseguiriam manipular essa gente para repetir a mesma história sem se contradizer e correndo risco de morte, o que era mais terrível. Em outras palavras: se a ressurreição fosse uma mentira, como explicar a imensa multidão de discípulos que estiveram dispostos a enfrentar o martírio pela fé na pessoa de Jesus? Muitos foram perseguidos, caçoados e machucados. Alguns morreram das piores formas que se pode imaginar, inclusive os próprios apóstolos. Mas por que fizeram isso? O que os motivou ao martírio? Somente uma coisa: a certeza de que a história de Jesus não era um mito; ela ocorrera de verdade e eles não podiam se calar diante disso, mesmo que algumas coisas parecessem absurdas. Assim temos a certeza de que algo realmente aconteceu (Cristo foi morto, e segundo muitos, apareceu novamente vivo deixando para trás de si um sepulcro vazio) e ainda teve uma grande multidão disposta a enfrentar a morte nas mãos dos romanos apenas porque acreditaram que realmente a ressurreição foi um evento histórico bastante real. Afinal, nenhum deles, em sã consciência, morreria por uma lenda.

Assim resta perguntar quais são as probabilidades para o túmulo estar vazio naquela manhã de domingo? Que grupos poderiam ter tido interesse em tomar o corpo de Jesus? Os romanos, em primeiro lugar, deveriam ser descartados porque não fazia nenhum sentido supor que roubassem o cadáver de um judeu, principalmente levando-se em conta a iminência de uma guerra civil, gravitando em torno daquele que havia sido morto. Logo, roubar o seu corpo seria dar força argumentativa àqueles que afirmavam sua ressurreição. Os romanos, portanto, não seriam candidatos adequados fortes para esse quesito.

Temos então outro grupo, os judeus. Ora esses igualmente não teriam interesse em roubar o corpo de Cristo, pois previam os traumas que isso podia resultar. Tanto o é que, de acordo com Mateus 27, eles mesmos pediram reforço militar para protegerem o túmulo e certificarem que ninguém mexeria no corpo. Resta-nos, portanto, os próprios discípulos: teriam eles realmente roubado o corpo de Jesus? É claro que não, pois, como foi dito, eles não ariscariam morrer no futuro por algo que não considerassem verdadeiro.

Assim resta-nos a hipótese mais plausível diante dos fatos: Jesus Cristo ressuscitou dentre os mortos. Os discípulos podem não ter tido uma tecnologia acurada como a do século XXI, mas certamente sabiam a diferença entre um morto e um vivo, principalmente quando esse "morto" volta a viver. Como afirmou Pedro, que morreu mártir em virtude daquilo que cria: "Porque não vos fizemos saber a virtude e a vinda de nosso Senhor Jesus Cristo, seguindo fábulas artificialmente compostas, mas nós mesmos testemunhamos a sua majestade" (I Pe. 1:16).

A gênese de um mito

Os mitos levam tempo para se desenvolverem e os discípulos não tiveram esse tempo. Aqueles mitos que foram baseados em fatos, mas que foram exagerados, são, sem exceção, desenvolvidos ao longo de muito tempo e têm por característica tomar forma mais completa somente depois que muitas gerações passaram desde a época do evento original.

Veja, por exemplo, o caso do mítico herói Kadmos. A maioria dos especialistas em literatura grega sugere que esse personagem, que, segundo a lenda, teria semeado a terra com dentes de dragão e colhido dela uma safra de soldados armados, seria na verdade uma pessoa real, posteriormente *mitificada*. Ele havia originalmente emigrado da Fenícia e fundado a cidade de Tebas. Foi ele também quem levou aos gregos os conhecimentos rudimentares do alfabeto, transformando para sempre sua sociedade.

Ocorre, no entanto, que foram necessárias muitas gerações entre o Kadmos histórico e o Kadmos mitológico para que a lenda tomasse a forma mítica hoje conhecida. Ademais, neste estágio já mitologizado as versões da vida de Kadmos são cheias de contradições não periféricas como no caso dos evangelhos, mas antes contradições fundamentais, por exemplo: várias fontes incluindo Herodoto e Eurípedes dizem que sua história se passou na Fenícia, enquanto outras falam que foi no Egito.

Uma fonte mais tardia tenta corrigir as discrepâncias anteriores, dizendo que ele era filho do fundador de Tebas (não a Tebas da Grécia, mas a Tebas do Egito). E assim vão as incongruências.

No caso da Bíblia é diferente: ainda que João e Lucas mencionem a presença de dois anjos no sepulcro, e Marcos apenas um, isso é um detalhe insignificante no relato como um todo. Nas partes essenciais como o local da morte, o detalhe do túmulo vazio ou de terem sido as mulheres as primeiras a chegar ao local, nisto não há contradição alguma.

Sobre a data do testemunho, ainda que existam estudiosos que questionem que os evangelhos sonóticos (isto é, Mateus, Marcos e Lucas) remontem à primeira metade do século I – o que é um questionamento altamente especulativo, existe um consenso acadêmico de que as epístolas consideradas paulinas foram escritas bem cedo quando Paulo ainda estava vivo. I Tessalonicenses, por exemplo, foi escrita por volta do ano 49 ou 50 e lá Paulo já falava da ressurreição de Cristo em várias passagens.

Ora, o hiato entre esse texto de Paulo e a crucifixão de Jesus é de apenas 18 ou 19 anos, um tempo abreviado demais para se produzir um mito. E mais, Paulo utiliza-se de citações de hinos e credos cristãos primitivos, certamente anteriores à produção de suas cartas ou de qualquer um dos evangelhos e que já mencionavam a certeza da ressurreição do Senhor. É o caso de I Tessalonicenses 4:14 que diz: "Se cremos que Jesus morreu e ressuscitou, assim também Deus, mediante Jesus trará juntamente em sua companhia os que dormem". Essa é, segundo a maioria dos, uma citação que Paulo faz de um credo certamente anterior ao ano 49, portanto bem mais próxima historicamente da data em que Jesus morreu.

Outra passagem interessante é I Coríntios 15:3-8, que também parece citar uma antiga confissão da igreja bem mais completa e também anterior à produção da epístola. Novamente, conclui-se que não houve espaço de tempo suficiente entre a cruz e as declarações de ressurreição para que se criasse um mito e o pregasse ao mundo.

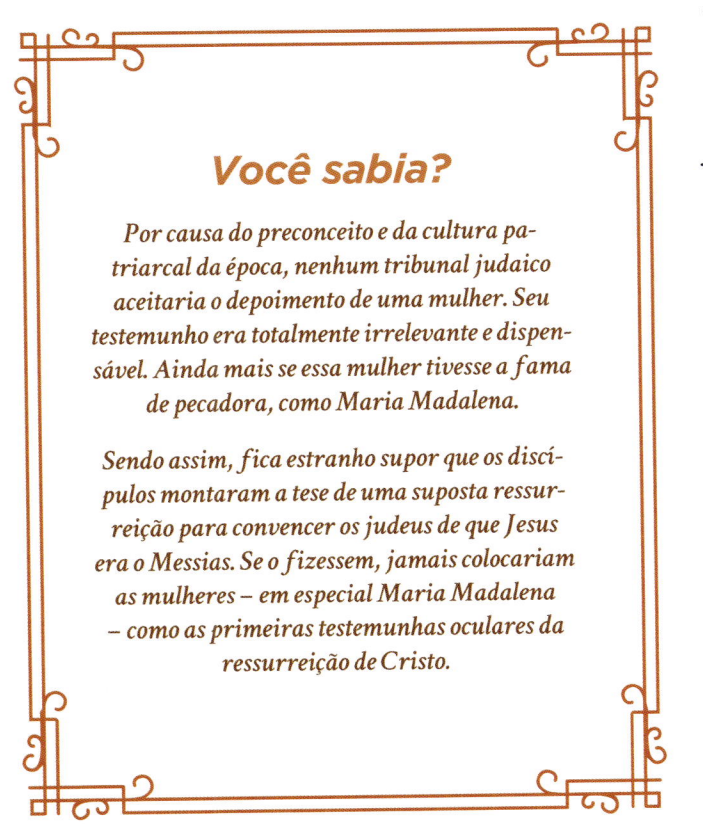

Você sabia?

Por causa do preconceito e da cultura patriarcal da época, nenhum tribunal judaico aceitaria o depoimento de uma mulher. Seu testemunho era totalmente irrelevante e dispensável. Ainda mais se essa mulher tivesse a fama de pecadora, como Maria Madalena.

Sendo assim, fica estranho supor que os discípulos montaram a tese de uma suposta ressurreição para convencer os judeus de que Jesus era o Messias. Se o fizessem, jamais colocariam as mulheres – em especial Maria Madalena – como as primeiras testemunhas oculares da ressurreição de Cristo.

Fato importante

Se os discípulos estivessem mesmo procurando criar um mito para aplacar o escândalo da cruz, eles certamente teriam outras teorias mais plausíveis para o término do ministério de Cristo. As ideias sobre a vida além-túmulo eram muito mais atraentes do que a história de uma ressurreição. Essa última doutrina só interessava a uns poucos religiosos judeus e estes, mesmo assim, criam apenas na ressurreição final e não num soerguimento contemporâneo de alguém que antes estivera morto. O Cristo vivo não era, portanto, uma invenção com fins publicitários. Era uma história admitidamente difícil de acreditar, mas fantástica para ser omitida por quem testemunhou o evento.

A "visão de Gabriel"

Em 2008, Ada Yardeni, especialista em epigrafia e paleografia semítica da Universidade Hebraica de Jerusalém, publicou um antigo texto paleohebraico intitulado "A visão de Gabriel", que, segundo ela, poderia ser um fragmento de algum dos manuscritos do Mar Morto[132]. A publicação e tradução inéditas contou com a colaboração do professor Binyamin Elitzur, também da Universidade Hebraica.

O texto inédito foi escrito com tinta em duas colunas numa placa de pedra calcária medindo 90 cm de altura. Ela foi provavelmente encontrada no lado jordaniano do Mar Morto. Segundo se sabe, um negociante de antiguidades da Jordânia a havia vendido por volta de 1997 a um colecionador suíço-israelense chamado David Jeselsohn que a guardou todo esse tempo em sua própria residência em Zurique. A peça foi negociada em Londres e não no Oriente Médio. Não obstante, a autenticidade da placa não foi até agora questionada por nenhum especialista. Yardeni datou o artefato em torno do final do século I a.C. ou no começo do século I d.C. (*fig. 2*).

A raridade do texto está primeiramente no fato de que as palavras eram geralmente esculpidas em pedra e não escritas com tinta, como neste caso. Infelizmente, devido à ação do tempo e ao manuseio indevido do artefato, a deterioração do texto provocou lacunas e deixou muitos vocábulos praticamente ilegíveis.

Em virtude de tais dificuldades, Yardeni foi cautelosa ao apresentar sua interpretação, pois reconhecia as tremendas lacunas do texto e a dificuldade de se ler seguramente alguns vocábulos e letras das 87 linhas, dispostas em duas colunas do texto original.

O que se pode dizer é que o manuscrito parece ser de natureza apocalíptica. Alguém de nome Gabriel (que se supõe seja um anjo) se dirige a outra personagem usando a segunda pessoa do singular. Em várias partes textos bíblicos são citados ou aludidos indiretamente.[133] As linhas 78 a 81 foram as que mais chamaram a atenção, pois compõem o trecho do que seria possivelmente uma revelação de Gabriel (*Hazon Gabriel*) dizendo que iria *despertar* o Príncipe dos Príncipes três dias, possivelmente depois de sua morte. Veja abaixo a tradução feita por Yardeni respeitando as lacunas originais.

78. Tu salvará a eles.

79. De diante de ti os três sinais,.....

80. Em três dia viverei, eu, Gabriel...

81. O príncipe dos principies, ..., buracos estreitos

Como se vê, o texto é muito fragmentário para afirmações conclusivas. Isso, contudo, não impediu que alguns especialistas o interpretassem como sendo uma evidência que antes de Jesus havia alguns que esperaram uma morte e possível ressurreição do Messias.

Os que assim entendem afirmam que nesse trecho o anjo Gabriel estaria revelando uma profecia acerca da vinda de um Messias sofredor, o filho de José, que serviu de modelo para Jesus de Nazaré[134]. O fato, porém, é que o texto não menciona nem uma vez os termos Messias e José, muito menos a expressão "Filho de José". Para o professor Israel Knohl, um dos que estudaram o manuscrito, Jesus era o Messias, "filho de José", não literalmente, mas simbolicamente. Ele, portanto, sabia que seria o Messias sofredor e não o Messias vencedor, filho de Davi.

A partir disso, foi proposta uma nova interpretação para alguns pontos borrados que Yardeni preferiu deixar em branco:

78. Tu os resgatarás.....por dois[] ....[ ]

79. De diante de ti os três sinais...[ ]

80. Em três dias, viva, eu Gabriel te ordeno

81. Principie dos príncipes, o estrume das fendas das rochas

Deve ser esclarecido que o professor Knohl não acredita numa ressurrreição sobrenatural de Jesus, nem na historicidade da mesma. Novidade de sua tese está em querer explicar, com elementos judaicos, que o tema ressurreição em três dias não é criação dos discípulos de Jesus. Já existia uma ideia a esse respeito, abraçada por judeus, muito antes do movimento cristão. Os seguidores de Jesus, portanto, apenas abraçaram uma legítima tradição judaica anterior.

Fato importante

A tradição judaica do Talmude fala pouco acerca da pessoa e atividades deste Messias, filho de José, alternativamente chamado de "filho de Efraim". Num dos textos clássicos do Talmude Babilônico (TM Sukkah 52ª), sua morte é mencionada em contraste com o Messias, filho de Davi:

"Os rabinos ensinaram: O Messias ben David, que (como esperamos) vai aparecer em um futuro próximo, o Santo, bendito seja Ele, irá dizer-lhe: Peça-me e dar-te-ei, como está escrito [Salmo 2:7-8]: 'Vou anunciar o decreto ... Peça-me, e darei' etc. Mas como o Messias ben David terá visto que o Messias ben Joseph, que o precedeu foi morto, ele vai dizer diante do Senhor: 'Senhor do Universo, nada peço a Ti, senão a vida'. E o Senhor irá responder: "Isso já foi profetizado pelo teu pai Davi a ti [Salmo 21:5]: 'A vida que ele pediu a ti, tu deste a ele'".

Um outro texto apocalíptico do século VII, conhecido como *Sefer Zerubabel*, diz que o "Messias, filho de José", foi morto pelo ímpio "Armilus" e acrescenta que foi posteriormente ressuscitado pelo Messias, filho de Davi e pelo profeta Elias[135].

A tradição midráxica é um pouco mais explícita. Ela afirma que esse Messias ben José é fruto de uma profecia feita por Raquel, mãe de José do Egito, segundo a qual José seria o ancestral de um "Messias", que surgiria no fim dos tempos. Nas descrições saaditas de *Emunot vê-De'ot*, cap. viii e *Ta'am Zekenim*, 59, esse Messias, filho de José, apareceria antes do Messias, filho de Davi. Ele reuniria os filhos de Israel ao seu redor e marcharia junto com eles para Jerusalém. Uma vez lá, depois de ter vencido as hostes do mal, reestabeleceria a adoração do Templo e ergueria o seu domínio.

Então, segundo outro grupo de fontes midráxicas, o ímpio Armilus, representado por Gogue e Magogue, apareceria com seu exército em Jerusalém, lutaria contra o Messias, filho de José, e o mataria com sua própria espada. Seu corpo ficaria estendido nas ruas de Jerusalém sem que ninguém se importasse em sepultá-lo. Até que, segundo outra fonte midráxica, viessem os anjos esconder seu corpo junto com o dos patriarcas. Ali ficaria ele preservado até que o Messias, filho de Davi, chegasse para ressuscitá-lo[136].

O Messias, filho de José, passou a receber os aspectos temporais e materiais que antes eram vistos como parte do "trabalho" do Messias Único. Já o Messias, filho de David, passou a ser cada vez mais visto como o Messias escatológico, o Messias que traria a ressurreição dos mortos, o julgamento final (*Midrash va Yosha*).

Essas tradições, no entanto, são reconhecidamente posteriores aos dias de Jesus e alguns as interpretam como uma resposta judaica em reação ao impacto do cristianismo sobre o judaísmo. Documentos rabínicos mostram a disposição de muitos pensadores de vincularem o "Messias, filho de José" a Bar Kochba e seu frustrado movimento messiânico. Além disso, Jesus nunca se declarou filho de Efraim. O José relacionado com sua história não era o patriarca do Egito, mas um desconhecido carpinteiro de Nazaré. E, finalmente, Jesus se identificava várias vezes como o Filho de Davi.

Por essas razões, muitos objetam identificar Jesus com esse suposto Messias ben José da tradição rabínica. Contudo, ela é interessante por apresentar as várias linhas messiânicas que havia nos tempos de Jesus – algumas envolvendo as noções de divindade, morte e ressurreição do esperado Messias.

Famosa pedra com inscrições acerca do Messias, filho de José.

Significado teológico da cruz

Jesus de Nazaré tornou-se, sem qualquer sombra de dúvida, o nome mais difundido de toda a história. Mesmo que ainda exista uma maioria do globo que não se diga "cristã", nenhum outro personagem recebeu tanta atenção quanto aquele "desconhecido" judeu da Galileia, que se identificou como o verdadeiro "Filho de Deus".

Hoje o turismo de Jerusalém recebe cerca de 3 milhões de pessoas a cada ano motivadas em conhecer os lugares onde o Senhor esteve. Ora, esse número se torna bastante expressivo quando lembramos que a cidade não possui mais que 800 mil habitantes. Aliás, o país inteiro tem algo em torno de 8 milhões de habitantes. Logo, o número de visitantes "interessados em Jesus" é quase a metade da população nacional e mais que o triplo da capital, Jerusalém.

É surpreendente que num mundo com tendências tão secularizantes e antirreligiosas o nome de Jesus ainda atraia tanta gente. Mesmo entre comerciantes palestinos ou de orientação muçulmana é comum ver a venda ostensiva de artefatos religiosos ligados à figura de um "judeu" chamado Jesus. De acordo com a *Revista de Antropologia Experimental*, o turismo religioso, especialmente o de orientação cristã, movimenta anualmente 4,5 trilhões de dólares e gera direta ou indiretamente 192 milhões de empregos.

Mas aqui cabe perguntar: será que esses milhões de admiradores, aficionados, comerciantes, seguidores, enfim, "pessoas direta ou indiretamente envolvidas com Cristo", têm uma noção real do que significou sua morte na cruz? Será que eles entendem o que aquilo quis dizer e a relação intrínseca entre sua vida hoje e a morte daquele judeu ontem?

Mártir ou redentor?

A lição inicia com a declaração profética de Simeão, anunciando Jesus como uma criança nascida para resgatar Israel e os gentios de uma maneira "contraditória" e "dolorosa" (Luc. 2: 32, 34 e 35). A "contradição" pode ser vista tanto nos resultados de sua obra (alguns caem como Judas, outros se levantam como Pedro) quanto na forma pela qual ele realizaria sua obra (morte que traz vida, ira que traz a paz, condenação que traz livramento). Maria e José, é claro, não entendiam a profundidade do que Simeão dizia, por isso se admiravam de suas palavras (verso 33) Aliás, talvez nem o próprio Simeão – que ali falava movido pelo Espírito de Deus – estivesse completamente inteirado do profundo alcance de suas palavras. Mas todos, de alguma maneira, entenderam que a obra daquela criança envolveria tremenda dor que Maria, como mãe, testemunharia qual uma espada traspassando sua própria alma.

A língua grega, na qual essas palavras foram conservadas pelo evangelista (pois certamente Simeão estaria falando aramaico ou hebraico), revela-nos um fato interessante. Quando se diz "este menino está destinado... para ser alvo de contradição", o autor usa um particípio presente passivo, o que quer dizer que aquilo seria uma ação contínua, que segue indefinidamente desde aquele tempo até o dia de hoje. Literalmente o texto está dizendo "para continuar sendo hoje alvo de contradição". Isso quer dizer que o trabalho de Jesus não se restringiria a seus contemporâneos, mas duraria para outras gerações vindouras.

Outro fato revelado pelo grego é a forma como o autor reproduziu as palavras finais de Simeão (ou quem sabe seria uma anotação/comentário do próprio Lucas?) de que aquilo tudo seria para que "se manifestem os pensamentos de muitos corações". Muitos aqui significa "todos" em grego. Aqui está implícita a ideia do juízo final e planejamento divino anterior. Como sabemos disto? Existe uma outra forma verbal (chamada tecnicamente aoristo do subjuntivo, passivo) depois da expressão "para que", que indica que a frase "para que se manifestem" era um propósito (logicamente "divino") que antecedia em muito o que haveria de acontecer. Logo, a obra de Jesus não iniciou com seu nascimento, mas começou muito antes dele (indicação indireta de sua preexistência) e alcança até o fim, o juízo, que é *manifestação* última (o melhor seria "revelação") de todas as decisões, segredos, planos e comportamentos que *proveem* (assim está no grego) do coração dos homens. Em outras palavras, o momento em que os frutos da vida de cada

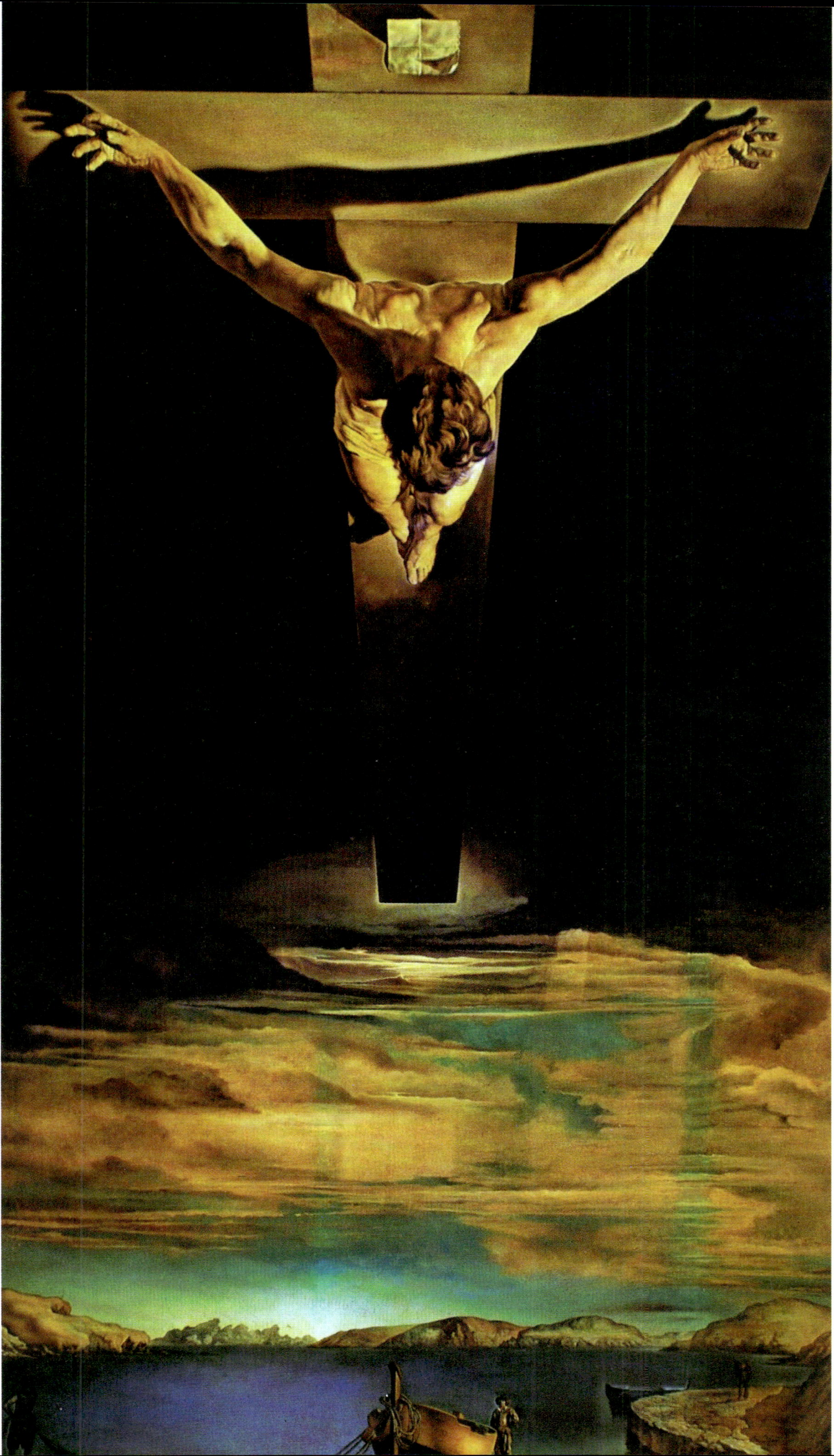

um de nós serão trazidos à luz diante do julgamento último de Deus.

Resumindo pois as palavras de Simeão: Elas dão o sentido formal, funcional, étnico, dimensional e temporal da obra de Jesus.

Sentido formal – seria um trabalho contraditório, estranho e dolorido.

Sentido funcional – serviria para revelar a glória de Israel e a luz para os gentios, isto é, salvar pessoas.

Sentido étnico – alcançaria judeus e gentios, ou seja, o mundo inteiro.

Dimensional – era plano de Deus que perpassa por todos os homens e o universo estaria, de certa forma, envolvido nessa obra.

Temporal – é anterior ao seu nascimento e sucede à sua vida neste planeta alcançando até o juízo final.

Essas palavras indicam, como bem apresentou a lição, que "Cristo nasceu destinado a morrer". Sua morte não foi um acidente. Foi um planejamento que envolve questões supra racionais. Mas alguns que não possuem conhecimento bíblico sobre esta questão poderiam objetar: "Ora, todos nós indistintamente nascemos para morrer. Afinal, a morte é a única certeza que temos quanto à nossa vida. Logo, o que tem de especial na frase: 'Cristo nasceu para morrer?'".

Essa colocação pode ser estendida se compararmos numa leitura rápida a obra de Cristo e a obra de outro mártir qualquer que deu sua vida por uma causa. Tiradentes, Gandhi, Martin Luther King são bons exemplos. E seu exemplo, ao morrer por uma causa justa, ainda alimenta a esperança de muitos que vieram depois deles. O que diferencia Cristo desses homens?

Bem, uma parte dessa questão já está respondida na própria forma da lição definir a morte de Cristo como um "não acidente". Veja, é claro que todos sabemos que vamos morrer, mas ninguém sabe como: se será por acidente, por doença fatal ou por uma depressão que leve ao suicídio. Nenhum mártir nasceu destinado por Deus a morrer por esta ou aquela causa. Seu martírio simplesmente aconteceu; não estava profetizado. Com Jesus foi diferente. Não tinha como escapar da sentença, a menos que decidisse não salvar a humanidade.

Sendo assim, não é teologicamente correto dizer que Jesus foi um simples "mártir". Afinal, os mártires, por mais que sejam louváveis e dignos de respeito, não podem com seu sangue salvar-nos do juízo final. O exemplo deles pode até inspirar gerações que venham posteriormente, a luta deles pode até salvar vidas (muitos indianos foram poupados quando a morte de Gandhi chamou a atenção do mundo para o que acontecia em seu país). Mas essa "salvação" é apenas um retardamento da morte e uma prolongação da existência que temos neste planeta. A salvação trazida por Cristo, diferentemente, produz a vida eterna e não uns anos a mais de existência terrestre.

Portanto, embora a morte de Jesus tenha algo de "martírio", seu significado extrapola em muito o sentido desta palavra. O melhor seria defini-lo como "redentor", para que se acentuasse a diferença entre ele e outros que morreram por causas nobres.

A morte de Cristo era uma coisa proféticamente esperada e anunciada desde a fundação do mundo (Apoc. 13:8). Quatro mil anos de história desde Adão até Cristo passaram em anúncio contínuo do que estaria para acontecer naquele dia, no Calvário. Pregações, anúncios proféticos, livros inspirados (o Antigo Testamento) e todo um ritual do santuário serviram para dizer ao mundo que Ele viria morrer. Nenhum outro herói da história tem uma trajetória assim.

O evento histórico da Cruz

Os evangelhos não são biografias escritas sobre Jesus nem intencionam ser. Eles são antes uma "teologia" de sua vida. Isso é verdade. Mas esse mesmo conceito, colocado nas páginas de um autor de linha liberal, pode ter um sentido estranho à compreensão dos mais conservadores. Em outras palavras, esses autores até dizem o mesmo, mas com um significado bem diferente do exposto pela lição e devemos ter cuidado com isso. Eles dizem: "Bem os evangelhos são apenas uma teologia da vida de Cristo, não uma biografia. Logo, são imagens filosóficas de Cristo e não descrições históricas do que ocorreu". Esse conceito aparece em muitos livros teológicos que saem por aí. Lembro-me de um conceituado autor, especialista em Novo Testamento, que, tendo em mente esse conceito de "evangelhos teológicos, mas não históricos", escreveu que a multiplicação dos pães não foi um evento histórico. Foi uma parábola para explicar como Jesus, através de sua mensagem, convencia os que tinham pães a se ajuntarem com os que tinham peixe, dividindo a comida com os que não tinham nada. Logo, não houve milagre algum a não ser o de convencer os que tinham a dividir com os que não tinham.

A ressurreição de Jesus é outro evento que muitos dessa linha tomam como sendo não uma história real, mas uma parábola teológica dos evangelistas para explicar que a fé de Cristo não morreu com ele na cruz, mas continuou viva por meio da pregação de seus seguidores. Sendo assim, a presença do cristianismo hoje é como se Cristo ainda estivesse vivo simbolicamente na continuidade do trabalho apostólico.

Essas ideias são absurdas e perigosas. Os evangelhos são, de fato, uma teologia, mas são também uma história real. A teologia apenas dá significado ao que aconteceu; ela não inventa os acontecimentos. A palavra evangelho é um termo técnico, que não foi criado pelos cristãos, mas já existia no mundo greco-romano para indicar o anúncio de uma boa coisa que havia realmente ocorrido. Se fosse inventado, não podia ser evangelho. O nascimento de César Augusto, por exemplo, é descrito numa inscrição romana como sendo o grande "evangelho do mundo". Sendo assim, seria estranho os autores do Novo Testamento darem o nome técnico de "evangelho" para algo que não fosse legitimamente histórico.

A história era, aliás, tão real, que seu ápice longe de ser uma invenção publicitária era um motivo de horror e vexame. Afinal de contas, eles falavam da morte do Filho de Deus. Curiosamente, no entanto, a cruz se torna motivo de alegria e paz, pois foi através dela que Cristo salvou o mundo, dando àquele que crer a oportunidade de voltar ao paraíso perdido por Adão. Na cruz, céu e terra se uniram, o pecado foi extirpado, a graça inaugurada. E isso não ocorreu pelo madeiro em si, mas por Aquele que ali estava pendurado, a saber o Filho de Deus.

A restauração

Existem algumas palavras gregas usadas no NT para ilustrar o significado profético e restaurador da cruz ou da morte de Cristo em lugar da humanidade:

Prosphora – oferenda em forma de fragrância, perfume, aroma. Paulo usa essa palavra em Romanos 15:16, ao exprimir seu desejo de que a oferta (*prosphora*) dos não judeus seja algo aceitável a Deus. Em Filipenses 4:18, ele fala das dádivas enviadas pelos irmãos como sendo "um aroma suave, um sacrifício aceitável e aprazível a Deus. Em Efésios 5:2, ele conclama seus leitores a serem como Cristo que se entregou por nós a Deus como um "aroma suave" (*prosphoran*). Ora, o aroma ou o perfume tinham um significado muito especial nos tempos bíblicos. O banho naquelas condições culturais era algo raro. Logo, o perfume era algo para neutralizar o mau odor; fazia parte da higiene.

Os sacrifícios, geralmente, por envolverem derramamento contínuo de sangue e apresentação de carnes queimadas sobre o altar, também poderia apresentar cheiros não muito agradáveis, especialmente quando eram realizados em meio a uma multidão de ofertantes, todos sem banhos a dias. Novamente, para neutralizar os maus odores dessa situação, havia a queima de incensos e especiarias que produziam uma fumaça de cheiro agradável como um incenso. Essa fumaça subia até Deus que, na concepção da época, via o sacrifício feito e sentia um cheiro agradável. Afinal, apresentar algo mal cheiroso à divindade seria um desrespeito, segundo a cultura da época.

Isso nos ajuda a entender o ritual bíblico das ofertas acompanhadas de incenso e aromas agradáveis que subiam até a presença de Deus (Êxodo 30:7; 34-35, 37, 38). As orações dos santos são, nesse contexto, simbolizadas como um aroma agradável que sobe até Deus (Sal. 41:2 e Apoc. 5:8). A morte de Cristo, por sua vez, também foi simbolizada como um incenso agradável a Deus, algo que permite a neutralização do mau odor que nossos pecados produzem. Ora, uma pessoa com maus odores é uma pessoa segregada; ninguém quer ficar perto dela. Pois o mesmo se passaria com a humanidade mal cheirosa por causa de seus pecados. Uma humanidade fadada à exclusão da família de Deus. Mas a graça de Cristo neutraliza aquilo que naturalmente causaria o repúdio dos outros em relação a nós e nos permite aproximar com confiança (e "bom cheiro") diante do trono de Deus.

Lutron – Mateus 20:28 (compare com Marcos 10:45) traz a palavra *Lutron*, "resgate", cujo sentido literal seria "pagamento por soltura", "preço de um resgate". Essa palavra só aparece no Novo Testamento nos ditos de Cristo (veja por exemplo: Lucas 22:27). Mas um adendo deve ser feito aqui: em nosso sentido ocidental, resgate é algo que você paga a um bandido que tem um ente querido como refém. Essa aplicação a Cristo poderia causar um embaraço por supor que Ele estaria pagando "a Satanás" o preço pela nossa redenção. E isso não é verdade. Para esclarecer é importante observar que o "preço de um resgate" nos tempos bíblicos envolvia muitas vezes duas situações diferentes do pagamento ao sequestrador que, creio, seriam a imagem original que o autor bíblico tinha de comparação com o trabalho de Cristo. A primeira era quando um resgatador (um pai, um rei) gastava somas enormes de dinheiro para empreender uma viagem em busca de alguém que havia sido raptado ou que estaria preso nas mãos de um inimigo. As custas do resgate eram altas e podiam envolver desde despesas de viagem até o aluguel de um exército se fosse necessário usar força física para libertar o que estava cativo. O exemplo de Abraão resgatando seu sobrinho Ló ilustra isso (Gên. 14:12-17). O "preço do resgate", portanto, não era um pagamento ao sequestrador, mas o preço gasto na operação de salvamento e guerra contra o inimigo. A segunda situação era quando um pai, oferecia a si mesmo para ser escravo no lugar do filho que havia sido escravizado. Essa prática legal também era um tipo de preço pelo resgate que envolvia a própria vida do indivíduo como pagamento não ao "escravizador", mas como substituto daquele que deveria, por qualquer razão, ser escravo de outrem.

Jesus não somente tomou nosso lugar na escravidão e no sequestro, como pagou um alto preço para vir nos libertar, e esse preço não custou nada menos que sua própria vida!

Hilasterion – esta é uma palavra que aparece em inscrições gregas com o sentido de uma oferta propiciatória dada aos deuses quando estes, por alguma razão, estavam irados com os homens. Daí o nome *Hilasterion* que vem da mesma raiz das palavras gracioso, bondoso, alegre. Os romanos vertiam o termo por *hilaris*, que deu origem à palavra hilário, em português. Havia até um deus com o nome de Hilaros, a saber, o deus da alegria. Mas é claro, como acentuou a lição, que os autores do Novo Testamento muitas vezes tomam emprestado palavras do mundo grego, mas dão-lhes um significado próprio, de acordo com a teologia bíblica, e não com a filosofia helenística. É o caso desse termo, que no conceito do Novo Testamento, equivaleria ao antigo termo hebraico Kipper, que literalmente significa "cobrir", "perdoar". Para os hebreus, a imagem de perdão (kippur) era uma imagem de Deus cobrindo a nudez de nossa transgressão. Por isso o dia da expiação é chamado, em hebraico, de Yom Kippur e aquele pequeno chapéu que os judeus usam é chamado de Kippah – uma lembrança contínua de que estão na presença perdoadora de Deus. A tampa da arca dos dez mandamentos era corretamente chamada de propiciatório (kipper), pois o perdão cobre-nos com a justiça, sem encobrir a transgressão. Por isso, no caso de Cristo, a propiciação pelo pecado não envolvia apenas um consentimento titular de "perdoado", mas a morte vicária de um inocente em nosso lugar, para poder, de fato, cobrir-nos com o manto de sua justiça.

Katallage – esta é uma antiga palavra, que denotava a restauração do entendimento original entre duas pessoas que estavam com as relações cortadas. Não se tem notícia, no mundo grego, de seu emprego no ambiente religioso, mas o Novo Testamento parece ter feito isso, embora sempre com o sentido de reconciliar. No que diz respeito à relação entre o homem e Deus, é curioso notar que as ocorrências parecem preferencialmente vir no passivo, "ser reconciliado" (embora existam também casos ativos). O sentido passivo é profundo, ele mede que a reconciliação embora demande a igualdade das partes após o acerto de contas, não é sinônimo de equivalência. Deus não é um ser de nosso nível, para que possamos "fazer as pazes" com Ele no mesmo pé de igualdade que faríamos com um colega de trabalho com o qual brigamos. Ele é o nosso amigo, mas é acima de tudo nosso Senhor, não nosso "colega". Ademais, a ofensa partiu de nós, não dEle. Nós é que precisamos ser reconciliados com Ele, pois fomos nós que quebramos a aliança. Não obstante, é Ele quem toma a iniciativa e dá primeiro passo.

O mundo grego tendia a ver o ser humano como naturalmente bom. Era o ambiente que nos estragava. Mas na visão bíblica, como consequência da transgressão de Adão, os seres humanos não são naturalmente bons. Eles precisam de reconciliação, resgate e redenção, que ninguém menor que Deus poderia dar.

Notas

1   Latourelle, s.j., L'accès à Jésus par les Évangiles. Histoire et herméneutique (coll. Recherches, 20). Tournai, Desclée - Montréal, Bellarmin, 1978, p. 8

2   http://www.pewforum.org/2015/04/02/religious-projections-2010-2050/ <acesso 28/01/2017>

3   http://globoesporte.globo.com/futebol/futebol-internacional/futebol-ingles/noticia/2014/12/pesquisa-criancas-inglesas-acham-que-jesus-cristo-e-jogador-do-chelsea.html <acesso 28/01/2017>

4   Agostinho, Sermão 43,1.

5   ALVES, Ruben. O que é religião? São Paulo: Loyola, 2002, p. 9.

6   Libânio, J. B., Bingemer, Maria Clara Lucchetti . Escatologia Cristã, Petrópolis, RJ: Vozes, 1989, p. 16 e 17.

7   SCHWIETZER, A., *Geschichte der Leben Jesu-Forschung*, Tübingen: Mohr, 1913- tradução inglesa de W. Montgomery sob o título: *The Quest for the Historical Jesus*, New York: Macmillan Company, 1968, PP. 398/9.

8   VOORST, Robert E. *Jesus outside the New Testament: An introduction to the ancient evidence.* Eedermnans, 2000, pp.53ss

9   Conjunto de quatro cavalos que puxam um carro.

10   Pantomimos eram artistas circenses que viviam nas praças à noite alegrando o povo com mímicas, teatro de sombras e coisas do gênero.

11   Sobre o debate acerca da autenticidade ou não deste trecho de Josefo, cf. GOLDBERG, G. J. *"The Coincidences of the Testimonium of Josephus and the Emmaus Narrative of Luke", The Journal for the Study of the Pseudepigrapha 13 (1995) pp. 59-77*; Feldman, Louis H., "The Testimonium Flavianum: The State of the Question," *Christological Perspectives*, Eds. Robert F. Berkley and Sarah Edwards, New York, 1982; Paul Winter, "Josephus on Jesus and James," in E. Schurer, *The History of the Jewish People in the Age of Jesus Christ*, rev. and ed. by G. Vermes and F. Millar (Edinburgh: Clark, 1973), pp. 428-441; J. Neville Birdsall, "The Continuing Enigma of Josephus' Testimony about Jesus," BJRL 67 (1984); Ch. Martin, "Le Testimonium Flavianum. Vers une solution définitive?" *Revue belge de philologie et d'histoire* 20 (1941), pp. 409-46; Shlomo Pines, *An Arabic Version of the Testimonium Flavianum and its Implications*, (Jerusalem: Israel Academy of Sciences and Humanities, 1971).

12   COOK, Michael J. "Evolving Views of Jesus," in B. Bruteau, ed., Jesus Through Jewish Eyes (Orbis, 2001), 22.

13   Lemaire, André. Burial box of James the brother of Jesus. *Biblical Archaeology Review*, 28:6 (November/December) 2002, 24-33, 70.

14   Mishná Shevi'it 8:10

15   Citado por Josefo, Antiguidades 14.115.

16   Shabbat 16:7, 15d.

17   http://www1.cbs.gov.il/ts/databank/series_one.html?codets=3763 acesso em 31/01/2017

18   Magen Broshi, The Population of Western Palestine in the Roman-Byzantine Period, *Bulletin of the American Schools of Oriental Research*, No. 236, p.7, 1979; Jack Pastor, *Land and Economy in Ancient Palestine,* Routledge, 2013 p.6; Brownstein, Robert. *Making*

Jesus the Messiah: Saint Paul and the God-fearers: a Market View. Nova Iorque: Writer's Showcase Press, 2000, pp. 90ss.

19   Dietmar Neufeld. "And When That One Comes: Aspects of Johannine Messianism." *Eschatology, Messianism, and the Dead Sea Scrolls*. Ed. Graig A. Evans and Peter W. Flint. (Grand Rapids: Eerdmans Publishing, 1997), 120.

20   Kay Silberling Smith, *The Messiah of Israel* (Unpublished Lecture Notes - Beth Emunah Messianic Synagogue, Agoura Hills, CA., 1997). Citado por Joshua Brumbach "Complexity in Early Jewish Messianism" publicado em Kesher, a Journal of Messianic Judaism. (Verão de 2010, issue 24).

21   E. P. Sanders, Judaism: *Practice and Belief 63 BCE-66 CE* (Londres: SCM Press; Philadelphia: Trinity Press International, 1992). Veja também: M. Smith, "The Dead Sea Sect in Relation to Ancient Judaism," New Testament Studies 7 (1960-61): 356: "Down to the fall of the Temple, the normative Judaism of Palestine is that compromise of which the three principal elements are the Pentateuch, the Temple, and the 'amme ha'arez, the ordinary Jews who were not members of any sect."

22   Johann Maier, *Entre os dois testamentos* – História e religião na época do Segundo Templo [Coleção Bíblica Loyola 46] (São Paulo: Loyola, 2005), 264.

23   Para autores que colocam Daniel e o apocalipsismo a partir do 2º. Século a.C. veja: W.G. Lambert, *The Background of Jewish Apocalyptic*. The Ethel M. Wood Lecture delivered before the University of Londres on 22 February 1977. (Londres: The Athlone Press, 1978), 20; J. Goldingay Daniel, *Word Biblical Themes* (Dallas: Word Publishing Group: 1989), 132. Para autores que colocam Daniel a partir do cativeiro veja: G. F. Hasel "The Book of Daniel: Evidences Relating to Persons and Chronology." Andrews University Seminary Studies 19 (1981): 211-225; J. G. Baldwin, "Is there Pseudonymity in the Old Testament?" Themelios 4(1978-1979): 6-12.

24   Rad, G. v., *Teologia do Antigo Testamento,* (São Paulo: ASTE, 1974), vol. II: 298 - 317

25   E. J. Bickerman, *The God of the Maccabees*: Studies on the Meaning and Origin of the Maccabean Revolt (Leiden: Brill, 1979).

26   N. Cohn, *Cosmos, Chaos, and the World to come: The Ancient Roots of Apocalyptic Faith* (New Haven: Yale University Press, 1993), 77ss; 220ss.

27   J.J. Collins, "From Prophecy to Apocalypticism. The Expectation of End" in *The Encyclopedia of Apocalypticism - The Origins of Apocalypticism in Judaism and Christianity -* ed. JJ Collins (New York: Continuum, 2000) vol. 1:129.

28   Talmude Babilônico Bava Batra 21a; Avot [Tradição dos Pais] 5:21.

29   Contra Apio 1.12#60

30   A. Demsky and M. Bar-Ilan, 'Writing in Ancient Israel and Early Judaism', *Compendia Rerum Iudaicarum ad Novum Testamentum*, Section II, vol. I, MIKRA, M. J. Mulder (ed.), van Gorcum, Assen / Maastricht & Fortress Press, Philadelphia 1988, pp. 1-38; M. Bar-Ilan, 'Illiteracy in the Land of Israel in the First Centuries C.E.', S. Fishbane, S. Schoenfeld and A. Goldschlaeger (eds.), *Essays in the Social Scientific Study of Judaism and Jewish Society, II*, New York: Ktav, 1992, pp. 46-61.

31   **Alan Millard. Reading and Writing. In the Time of Jesus**. (Sheffield Academic Press, 2000).

32   Burge, Gary M. "Fishers of Fish: The maritime life of Galilee's north shore, Jesus' headquarters." *Christian History*. 59 (1998): 36-37; Jackson, Samuel M. Ed. *The new Schaff-Herzog encyclopedia of religious knowledge*. Grand Rapids, MI. : Baker Book House, 1977. p. 310.

33   Charpentier, E., *Pour Lire Le Nouveau Testament,* Paris: Cerf, 1981, p. 14.

34   http://advpretel.blogspot.com.br/2009/03/psicologia-do-testemunho.h… <acesso 12?12/2016>

35   *Fragmento VI-10*

36   Borchert, O. *The Original Jesus*, London: The Lutterworth Press, 1933.

37   A mais recente datação radiométrica chamada acelerador de massas espectroscópica, registrou que alguns manuscritos de Qumran teriam cerca de 200 anos a mais que a data hasmonea dada pelos paleógrafos (300 a.C. e não 100 a.C.). Veja o relatório em G. Bonani et. ali., "Radiocarbon Dating of the Dead Sea Scrolls", *Atiqot* 20 (Junho, 1991), 27-32; "Radiocarbon Dating of Fourteen Dead Sea Scrolls" *Radiocarbon 34/3* (1992), 843-849.

38   Para mais detalhes sobre esse assunto veja: Martin G. Abegg, Jr., "The Messiah at Qumran: Are We Still Seeing Double?" in *Dead Sea Discoveries* Vol. 2, No. 2, Messianism (Jun., 1995), pp. 125-144 < Stable URL: http://www.jstor.org/stable/4201510>; James VanderKam, "Messianism in the Scrolls," in *The Community of the Renewed Covenant* (ed. Eugene Ulrich and James VanderKam; Notre Dame: University of Notre Dame Press, 1993) 211ff.; John J. Collins, "Messiahs in Context: Method in the Study of Messianism in the Dead Sea Scrolls, in *Methods of Investigation of the Dead Sea Scrolls and the Khirbet Qumran Site* (ed. M. O. Wise et al.; New York: New York Academy of Sciences, 1994) 213ff.; idem, *The Scepter and the Star: The Messiahs of the Dead Sea Scrolls and Other Ancient Literature* (New York: Double-day, 1995) 74ff.; and W. H. Schniedewind, "Structural Aspects of Qumran Messianism in the Damascus Document," in *The Provo International Conference on the Dead Sea Scrolls: New Texts, Reformulated Issues, and Technological Innovations* (ed. D. W. Parry and E. C. Ulrich; Leiden: Brill, 1999) 523-36.

39   Tradução de Florentino García Martinez, *Textos de Qumran* (Petrópolis, RJ: Vozes, 1995), 56.

40   O texto foi encontrado em apenas uma folha e foi datado em *ca.* Do século 1 a.C. Quem o publicou pela primeira vez foi John Marco Allegro. Veja o texto completo em Martínez, *Textos de Qumran*, 178.

41   Alguns entendem que a citação seria de Êxo. 20:22, conforme a tradição textual encontrada no Pentateuco Samaritano que combina os textos massoreticos de Deuteronômio 5:28-29; 18:18-19. Alex P. Jassen, *Mediating the Divine: Prophecy and Revelation in the Dead Sea Scrolls and Second Temple Judaism* [Studies on the Texts of the Desert of Judah, 68] (Leiden/Boston: Brill, 2007), 159.

42   Cf. as diferentes interpretações deste documento em John J. Collins, *The Scepter and the Star* (Nova Iorque: Doubleday, 1995), 74-101; Idem, "The Works of the Messiah," Dead Sea Discoveries 1 (1994) 98-112Marco Treves, "On the Meaning of the Qumran Testimonia," RevQ 2 (1960): 569–571; Joseph A. Fitzmyer, "'4QTestimonia' and the New Testament," in Essays on the Semitic Background of the New Testament (Londres: Geoffrey Chapman, 1971) 59-89.

43 Esta lista foi retirada de Paul Sumner, "Messianic" Texts at Qumran in www.hebrew-streams.org. As referências foram propositadamente deixadas conforme a versão em inglês. As fontes entre colchetes seguem a seguinte legenda: V5 - G. Vermes, *The Complete Dead Sea Scrolls in English* (New York/Londres:Penguin Books, 1997; rev. ed. 2004); GM - F. Garcia-Martinez, *The Dead Sea Scrolls in Translation* (2d ed., GrandRapids, Mich.: Eerdmans, 1996); WAC - M. Wise, M. Abegg, E. Cook, *The Dead Sea Scrolls: A New Translation* (New York: HarperCollins, 1996; rev. ed. 2005).

44 Como a linha inicial está danificada alguns lêem "God leads [não begets] the Messiah".

45 Alfred Edersheim, *The Life and Times of Jesus The Messiah.* (Peabody, MA: Hendrickson Publishers, 1993), 748.

46 Um possível significado para a palavra Siló que aparece nalgumas traduções. Delitzsch, embora favoreça a idéia de ser Siló um nome próprio de uma cidade, menciona as outras possibilidades. O Targum de Jerusalém, por exemplo, supõe que a leitura correta seria "até que venha o seu filho". Cf. Franz Delitzsch in CF Keil and Delitzsch, Commentary on the Old Testament, (Grand Rapids, MI: Eerdmans, 1973). Vol. 1:394 e 395.

47 I. Knohl, *The Messiah Before Jesus* – the Suffering Servant of the Dead Sea Scrolls (Oakland, Ca: Regents of the University of California, 2000).

48 D. Scardelai, *Movimentos messiânicos nos tempos de Jesus* (São Paulo: Paulus, 1998), 26.

49 Jean Danielou, *The Dead Sea Scrolls and Primitive Christianity* (Baltmore, MD: Helicon Press, 1958), 69.

50 H. E. Del Medico, "L'etat dês manuscrits de Qumran I," VT 7 (1957), 135. Israel Knohl, 27 e 28. Mansoor, discorda desta posição dizendo que o mesmo tipo de dano pode ser encontrado em outros manuscritos como o Manuscrito de Habacuque e o Manual de Disciplina. Menahen Mansoor, *The* Thanksgiving Hymns. (Leiden: Brill, 1961), 4. Não obstante é interessante que outros especialistas antigos não escondiam sua opinião de que o modo seqüencial dos rasgos demonstrava que alguns manuscritos, de fato, haviam sido maculados propositalmente na antiguidade e não por mera ação do tempo. Dentre estes estariam J. Allegro e R. de Vaux. (Cf. H. Cotton and E. Larson,. "4Q460/4Q350 and Tampering with Qumran Texts in Antiquity?" in *Emanuel: Studies in Hebrew Bible Septuagint and Dead Sea Scrolls in Honor of Emanuel Tov* (eds. Shalom M. Paul, et al.; Leiden/Boston: Brill, 2003), 123.

51 O Hino da auto-glorificação é composto a partir de testemunhos textuais diferentes dentro do corpus dos *Mss* do Mar Morto: 4Q471b, 4Q491, 4Q427, and 1QHa XXV-XXVI. Os fragmentos da gruta 4 também são identificados, dependendo do autor, como 4QHa, 4QHb, 4QHc, 4QHd e 4QHe. Alguns autores afirmam que o 4Q471b e o 4Q431 seriam duas partes de um mesmo manuscrito (4QHe). Esther Eshel, "4Q471b: A Self-Glorification Hymn," *RevQ* 17/65-68 (1996): 186-94.

52 Lit. Quem é como eu dentre os deuses? (*elim*).

53 M. Baillet, Discoveries in the Judean Desert VII, Qumran Grotte, 4, III (4Q482-4Q520) (Oxford: Clarendon Press, 1982), 26-29.

54 M. Smith, "Ascent to the Heavens and Deification in 4QMa," in Archaeology and History in the Dead Sea Scrolls: The New York University Conference in Memory of Yigael Yadin, Lawrence Shiffman, eds. (Sheffield: Journal for the Study of the Pseudepigrapha Supplement Series 8, 1990), 181-188.

55 M. Smith, "Two Ascended to Heaven—Jesus and the Author of 4Q491," in Jesus and the Dead Sea Scrolls, James H.Charlesworth, ed. (New York: Doubleday, ABRL, 1992), 290-301.

56 James Strong, The *New Strong's Expanded Dictionary of Bible Words* (Nashville, TN: Thomas Nelson Publishers, 2001). Cf. também R. L. Harris; G. L. Archer, Jr; B. K. Waltke, *Dicionário Internacional de Teologia do Antigo Testamento* (São Paulo: Vida Nova, 1999), 1255c.

57 J. C. Vanderkam, "Messianism and Apocalypsism" 112, 113. In: B. McGinn, J.J. Collins, S.J. Stein [Eds], The Continuum History od Apocalypsism (Nova Iorque: Continuum International Publishing Group, 2003).

58 S. Mowinckel, *He That Cometh*: The Messiah Concept In The Old Testament And Later Judaism (Grand Rapids, MI: Eerdmans, 2005), 3ss.

59 H. Ringgren *The Messiah in the Old Testament..* (Studies in Biblical Theology, No. 18.) (Londres: S.C.M. Press., 1956), 30.

60 Baron, David, *Rays of Messiah's Glory* (Jerusalem, Israel: Kern Ahvah Meshihit, 2000 reprint), 16.

61 James H. Charlesworth, "The Concept of the Messiah in Pseudepigrapha," in *Aufstieg und Niedergang der Römischen Welt* ed. Hildegard Temporini and Wolfgang Haase (Berlin: Walter de Gruyter, 1979): 188-218.

62 M. de Jonge, "The Use of the Word 'Anointed' in the Time of Jesus," *NovT* 8 [1966] 134.

63 A Guerra dos Judeus, livro VI, capítulo 5, secção 4

64 "The Staurogram: Earliest Depiction of Jesus' Crucifixion" the March/April 2013

65 Virgil. Mynors, R. A. B. (1969). Opera: recognovit brevique adnotatione critica instruxit R. A. B. Mynors. Oxford: Clarendon Press. Met. 1.112

66 APUD Evans, Craig A. Mark's Incipit and the Priene Calendar Inscription: From Jewish Gospel to Greco-Roman Gospel. Journal of Greco-Roman Christianity and Judaism. 2000; 1:67-81

67 Tradução do autor a partir de uma fotografia enviada.

68 TACITO.HISTORIAE. V13

69 SUETONIO. VIDAS DOS DOZE CÉSARES, VESPASIANO XXXVIII, 11

70 Mishná, Ket. 5:2.

71 Antiguidades XVII, 6, 4; Guerras II, 1, 3.

72 Antiguidades XVII 6, 4.

73 Bao-Lin in Canon Of Lunar Eclipses 1500 B.C. - A.D. 3000, published by Willmann-Bell, Inc. in 1998; APUD **OLIVEIRA, Juarez. Chronological Studies Related to Daniel 8:14 and 9:24-27**. Engenheiro Coelho-SP: Unaspress, 2004

74 William Whiston, tradutor das obras de Josefo para o ingles traz essa anotação: "This Passover, when the sedition here mentioned was

75 Antiguidades XVIII, 26 [ii.1]

76 William Ramsay, *St. Paul The Traveler and Roman Citizen.* Grand Rapids, MI: Baker Book House, 1962, p. 81

77 (*Corpus Inscriptionum Latinarum,* editado por H. Dessau, Berlim, 1887, Vol. 14, p. 397, N.° 3613)

78 Saturnalia, IV:11. Para um estudo sobre esse autor veja: Alan Cameron (1967). "Macrobius, Avienus, and Avianus". The Classical Quarterly 17 (2): 385–399.

79 Por exemplo: D.EHRMAN, Bart. Quem Foi Jesus? Quem Jesus Não Foi? Rio de Janeiro Editora: Ediouro Publicações, 2010; John Dominic Crossan, Jesus: A Revolutionary Biography (San Francisco: Harper SanFrancisco, 1994.

80 **Brown, Raymond**. *The Birth of the Messiah. A Commentary on the Infancy Narratives in the Gospels of Matthew and Luke.* New York: Doubleday, 1993, p. 205.

81 Anais 157.

82 http://wasjesusamagician.blogspot.com.br/p/accusations-of-magic.html <acesso 03/02/2017).

83 **Wace and Layamon** (trans. Eugene Mason) **Arthurian Chronicles** (**London**: Dent, [**1912**] 1976)

84 Kiddushin, capítulo 1, Mishná 1.Para várias passagens rabínicas sobre essa questão veja: McArthur, H., "Celibacy in Judaism at the Time of Christian Beginnings". AUSS, sumer 1987, vol 25., No 2, 165-181.

85 McArthur, Harvey. "**Celibacy in Judaism at the Time of Christian Beginnings**." Andrews University Seminary Studies (AUSS) 25.2 (1987) 163-181.

86 Antiguidades, 20, 9, 1.

87 Cf. Julio Africano, "The Extant Writings", em ANF, v. 6, p. 125-139; Ray A. Pritz, Nazarene Jewish Christianity: From the End of the New Testament Period Until Its Disappearance in the Fourth Century (Jerusalém: Magnes Press, The Hebrew University Press, 1992). J. Murphy-O`Connor, *The Holy Land: An Oxford Archeological Guide from Earliest Times to 1700* (Nova York: Oxford University Press, 1998), p. 374.

88 Apud J. Murphy-O'Connor, p. 374.

89 **OLIVEIRA, Juarez. Chronological Studies Related to Daniel 8:14 and 9:24-27**. Engenheiro Coelho-SP: Unaspress, 2004

90 J. Doukhan, *Drinking at the Sources* (Boise, ID: Pacific Press, 1981), 135; Jack Finegan, *Handbook of Biblical Chronology* (Peabody, Mass: Hendrickson Publishers, 1964), 259-273.

91 Contra Heresias II, 22. 3-6.

92 Ketouvoth 96a, Rabi Yehosua ben Levi disse: Todos os trabalhos devidos por um escravo a seu senhor, o discípulo também os deve a seu mestre, menos o de tirar as sandálias".

93 Elaine Ruth "Archaeological evidence shifting views on site of Jesus' baptism," Elaine Ruth Fletcher of the Religion News Service, 8 March; Mohammad Waheeb, Fadi Bala'awi, and Yahya Al-Shawabkeh, "The Hermit Caves in Bethany Beyond the Jordan (Baptism Site)", *Ancient Near Eastern Studies*, Vol. 48 (2011), 177-198.

94 **Gibson, Shimon 'The Cave of John the Baptist'**, Nova Iorque: Doubleday, 2004.

95 Avot [Tradição dos Pais] 2:2.

96 Talmude Babilônico Yebamoth 62b

97 *Da Vida Contemplativa* 68ss; Hipotética 11.14-17.

98 Guerras 2.8.2.121-122

99 McArthur, Harvey. "**Celibacy in Judaism at the Time of Christian Beginnings**." Andrews University Seminary Studies (AUSS) 25.2 (1987) 163-181.

100 Berachot 14b.

101 D. Martyn Lloyd-Jones, Studies in the Sermon on the Mount (Grand Rapids: Eerdmans, [1959, 60] 1971), 1:23.

102 R. G. Gruenler, "Lord"s Prayer", in Evangelical Dictionary of Theology, 2d ed., ed. Walter A. Elwell (Grand Rapids, MI: Baker Book House, 2001), 702.

103 **Joachim Jeremias,New Testament Theology** (New York: Charles Scribner's , 1971), p. 67.

104 **Barr**, J. "Abba Isn't Daddy." Journal of Theological Studies 39, no. 1 [1988]: 28-47; **Joseph A. Fitzmyer, "Abba and Jesus' Relation to God," in A cause deL'Ev- angile, Lectio Divina 123** (Paris: Cerf, 1985), 16-20.

105 Guerras 2:280.

106 **Annie Jaubert, The Date of the Last Supper**, (Alba House, Staten Island, N.Y: 1965).

107 http://biblehub.com/commentaries/matthew/23-27.htm <acesso em 08/02/2017>

108 *Antiguidades* 18: 2, 2; 4, 3.

109

110 Steigmann-Gall, Richard *The Holy Reich: Nazi Conceptions of Christianity.* Cambridge: Cambridge University Press, 2003.

111 https://www.gramatica.net.br/origem-das-palavras/etimologia-de-judiar/

112 *Comentário sobre Mateus*, ser. 124

113 Veja por exemplo: Vermes, G. *Jesus e o Mundo do Judaísmo,* São Paulo: Ed. Loyola, 1996; Porto, H e Schlesinger, H., *Jesus era Judeu,* São Paulo: Paulinas, 1979 e Charlesworth, J. H., *Jesus dentro do Judaísmo,* [Col. Bereshit], Rio de Janeiro: Imago, 1993.

114 **Maire,Brigitte 'Greek' and 'Roman' in Latin Medical Texts: Studies in Cultural Change and** Exchange in Ancient Medicine (Leiden: Brill, 2014), 138.

115 Verr. II.5.165 e 168, Andrew Roy **Dick, A Commentary on Cicero: De Legibus** (Ann Arbor: University of Michigan Press 2004), 318. **Berger, Adolf, Encyclopedic dictionary of Roman law** (Filadelfia: American Philosophical Society, 1991).

116 Cicero, *In Defence of Rabirius*, V. 16, tradução de H.G. Hodge, Cambridge Elementary Classics (Cambridge: University Press, 1956).

117 Tácito, Cornélio, . *The Annals of Imperial Rome*, III, 50, 1, tradução de Michael Grant (London: Penguin Books, 1996).

118 John Granger Cook, Crucifixion in the Mediterranean World. [Wissenschaftliche Untersuchungen zum Neuen Testament 327]. (Tübingen: Mohr Siebeck, 2015), 360ss..

119 Epístola 101, in Sêneca. Cartas a Lucílio. 2. ed. Lisboa: Fundação Calouste Gulbenkian, 2004..

120 Diálogo 89, Justino, **Dialogue with Trypho, Ante-Nicene Fathers**, Vol. 1. Edited by Alexander Roberts, James Donaldson, and A. Cleveland Coxe. (Buffalo, NY: Christian Literature Publishing Co. 1889, disponível em http://www.newadvent.org/fathers/0128.htm

121 *De constantia sapientis* XX 3, **Sêneca, De Constantia**, in Moral Essays, **ed.** and trans. **John W. Basore**, Loeb Classical Library, 3 vols (London: W. Heinemann, 1928-1935 reimpresso por Cambridge, MA: Harvard University, 1963-1970).

122 Veja os relatos dados por Josefo em Antigüidades XVII 10:10 e Guerra Judaica V. XI:1

123 *Judicium vocalium*, 12, **Lucian** Works. with an English Translation by. A. M. Harmon. Cambridge, MA: Harvard University Press. London. William Heinemann Ltd. 1913

124 Suetônio, Galba ix. **SUETÔNIO. A vida dos doze Césares**. 4ª Ed. São Paulo: **Ediouro**, 2002.

125 Plínio, o Velho parece referir-se a este tipo de cruz quando diz que "o rei encontrou um remédio novo que ninguém tinha imaginado antes dele: mandou pregar em cruzes os corpos de todos aqueles que se tinham matado, dando com isso um espetáculo aos cidadãos e uma presa a ser dilacerada pelos animais selvagens e as aves de rapina." (*História Natural* XXVI, 107).

126 *Mostellaria* 1,56 ss , Plautus, *The Rope and Other Plays*, translated by E. F. Watling, Penguin, London, 1964.

127 Diálogo 91.1, Justino, **Dialogue with Trypho, Ante-Nicene Fathers**, Vol. 1. Edited by Alexander Roberts, James Donaldson, and A. Cleveland Coxe. (Buffalo, NY: Christian Literature Publishing Co. 1889, disponível em http://www.newadvent.org/fathers/0128.htm.

128 Talmude, Sanhedrin 13:2 e 43a.

129 James B. Tschen-Emmons. **Artifacts from Ancient Rome,** (Santa Barbara, California : Greenwood, an imprint of ABC-CLIO, LLC, 2014), 176.

130 Para as diferentes posições acerca do assunto veja: **Davis, John J.** 2002 Bones, Burials and Biblical History: The Results of Burial Excavation Bible and Spade 15:81–84.
Haas, N.
1970 Anthropological Observations on the Skeletal Remains from Giv'at ha-Mivtar. *Israel Exploration Journal* 20:38–59.
Kuhn, H. W.
1978 Zum Gekreuzigten von Giv'at ha-Mivtar. Korrektur eines Versehens in der Erstveroffentlichung. *Zeitschrift für die Neutestamentliche Wissenschaft* 69:118–22.
1979 Der Gekreuzigte von Giv-at ha-Mivtar. Bilanz einer Entdeckung. Pp. 303–304 in *Theologia Crucis, Signum Crucis: Festschrift für Erich Dinkier zum 70 Geburtstag*, ed. C. Andresen and G. Klein. Tubingen: Mohr.
Naveh J.
1970 The Ossuary Inscriptions from Giv'at ha-Mivtar. *Israel Exploration Journal* 20:33–37.
Strange, J.
1976 Method of Crucifixion. Pp. 199–200 in *Interpreter's Dictionary of the Bible, Supplementary Volume*, ed. K. Crim. Nashville TN: Abingdon.
Tzaferis, V.
1970 Jewish Tombs at and near Giv-at ha-Mivtar. *Israel Exploration Journal* 20:18–32.
1985 Crucifixion—The Archaeological Evidence. *Biblical Archaeology Review* 11:44–53.
Yadin, Y.
1973 Epigraphy and Crucifixion. *Israel Exploration Journal* 23:18–22.
Zias, J. and Sekeles, E.
1985 The Crucified Man from Giv'at ha-Mivtar: A Reappraisal. *Israel Exploration Journal* 35:22–27.

131 Michael Green, D.D., *Evangelism in the Early Church,* Grand Rapids, MI: William B. Eerdmans Publishing Company, 1970, pp. 174, 175.

132 A. Yardeni, "A New Dead Sea Scroll in Stone?" *Biblical Archaeology Review* 34/1 (2008) 60–61. A tradução, na verdade apareceu um ano antes numa publicação especializada, a revista Cátedra, mas como se tratava de uma publicação em hebraico, a notícia ficou restrita a um grupo bem pequeno de especialistas. Ada **Yardeni** and Binyamin **Elitzur**, "Document: A First-Century BCE Prophetic Text Written on a Stone: First Publication," *Cathedra* 123 (2007) 155-66.

133 A tradução completa oferecida por Yardeni pode ser vista em http://www.bib-arch.org/news/dssinstone_english.pdf a transcrição do texto hebraico pode ser encontrada em http://www.bib-arch.org/images/DSS-stone-hebrew.jpg.

134 Israel Knohl, "The Messiah Son of Joseph: 'Gabriel's Revelation' and the Birth of a New Messianic Model," Biblical Archaeology Review (September/October 2008) 58–62, 78. Idem, "In Three Days, You Shall Live" Haaretz, April 19, 2007; Ibdem, "'By Three Days Live': Messiahs, Resurrection, and Ascent to Heaven in Hazon Gabriel," Journal of Religion 88 (April 2008): 147-58.

135 Citado por Knohl, "The Messiah Son of Joseph…, 58.

136 Midr. Wayosha' and Agadat ha-Mashiaḥ in Jellinek, "B. H." i. 55 *et seq.*, iii. 141 *et seq.* A. Jellinek, Gedächtnißrede auf die im letzten Kriege gefallenen Soldaten israelitischer Religion] (Vienna: Herzfeld & Bauer, 1867).Locus, nesidet essimus antestra? Mulinte aperi patilicis, quemus paris. et nonvendum um nulicaella re iuriptem dit factus clerum publicondes publinve, C. Viv rid capesciam.

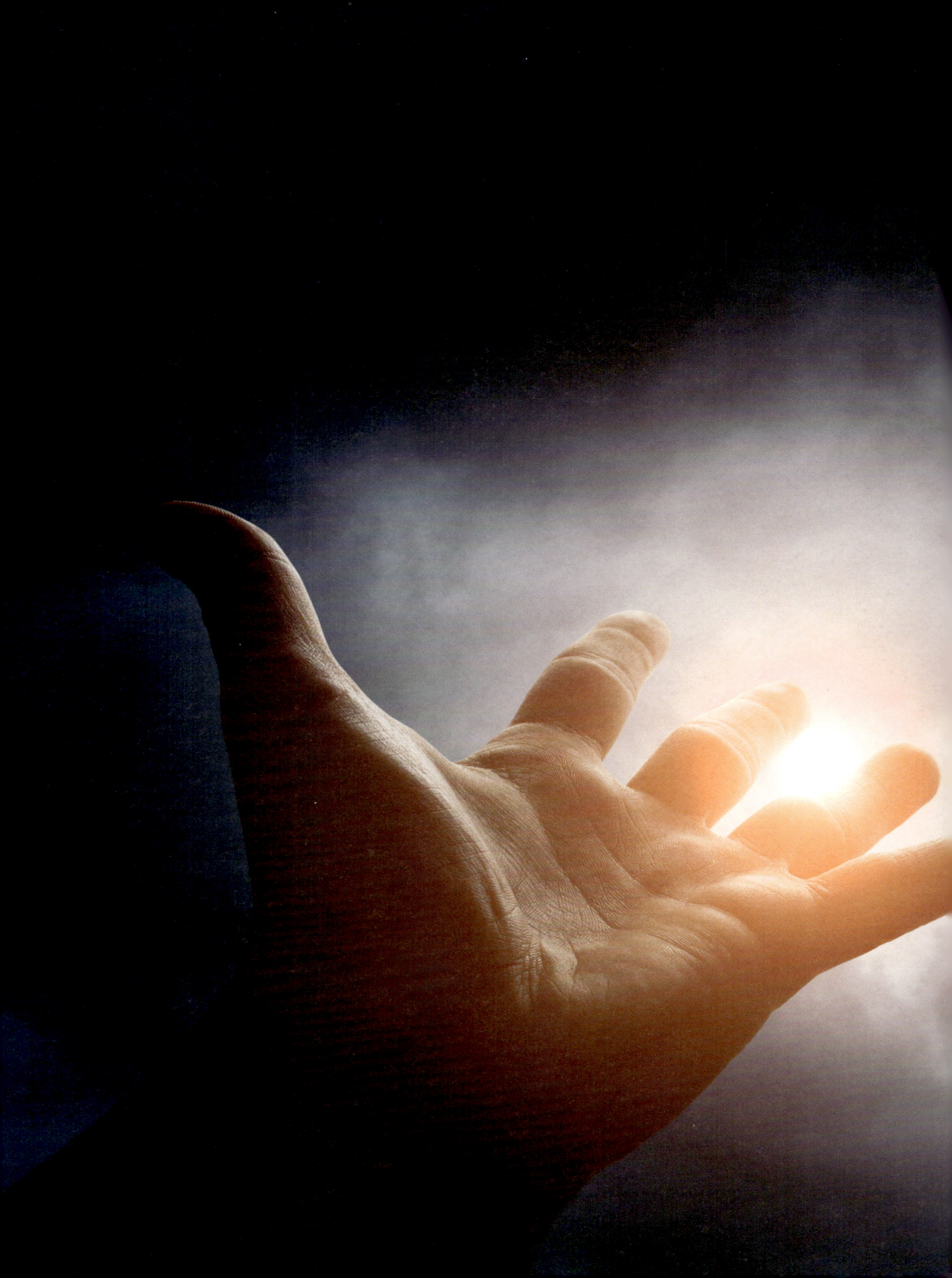

Conciso Dicionário sobre a
Vida de Jesus

CONCISO DICIONÁRIO SOBRE A VIDA DE JESUS[1]

A

ABBÁ

Esse é o termo aramaico para "pai", dito numa forma de intimidade familiar. Talvez a tradução mais aproximada seria "querido pai". No passado, prevaleceu entre os comentaristas o trabalho de Joachin Jeremias, que entendeu se tratar de um balbucio infantil, de modo que Abba seria algo como "papaizinho" ou "papai". Hoje há reservas em relação a essa conclusão. No entanto, ainda é aceito o fato de que o termo traz uma noção de intimidade entre uma criança e seu pai.

Nos evangelhos, Jesus chama a Deus de Pai mais de 200 vezes e a maior parte das ocorrências está no Evangelho de João. Lucas coloca Jesus referindo-se a Deus como seu Pai na primeira e na última referência às suas palavras. No primeiro registro Jesus diz: "Não sabíeis que me cumpria estar na casa de meu pai?" (Luc. 2:49). E na sua última súplica na cruz ele também diz: "Pai, nas tuas mãos entrego meu espírito" (Luc. 23:46).

Abbá aparece apenas uma vez nos lábios de Cristo, em Marcos 14:36. Contudo, acredita-se que se tratava de seu modo original de se expressar no aramaico.

Neste sentido, Jesus inaugurou uma forma extraordinária de se dirigir a Deus, pois na literatura devocional judaica jamais foi encontrado esse termo aplicado ao Deus de Israel. Os judeus do primeiro século tinham em grande reserva o uso do nome divino. Em lugar de seu uso – para não pronunciá-lo inadequadamente –, preferiam dizer algo como "o Santo, bendito seja" ou simplesmente chamá-lo de haShem, isto é, o nome.

Curiosamente, Abbá era também o termo que os discípulos usavam quando se referiam a um professor querido no judaísmo primitivo. Jesus, porém, o utilizou para se referir a Deus, e, pelo que consta, só ele e seus seguidores oravam a Deus dessa maneira.

Assim, depois da morte e ressurreição de Jesus, inspirados no seu próprio exemplo, as primeiras comunidades cristãs continuaram invocando a Deus como Abbá, Pai (Abbá, ho patér). A expressão, pois representa o grau de intimidade que Cristo tinha com Deus e que, através dele, seus discípulos também podem ter.

ABOMINÁVEL DA DESOLAÇÃO

Essa enigmática expressão aparece em Mateus 24: 15-25, quando Jesus discursa sobre a destruição do Templo e o fim dos tempos. A referência é às profecias de Daniel 11:31 e 12:11. Muitos comentaristas veem aqui a figura de Antíoco Epifânio, que profanou o Templo, construindo ali um altar a Zeus e oferecendo porcos no altar do santuário, em 168 a.C.

Jesus, porém, parece referir-se a um acontecimento futuro, de proporções semelhantes, mas de significado tanto físico quanto espiritual. Pode ser a presença das insígnias romanas no Templo antes de sua destruição no ano 70 d.C. e também uma manifestação futura de contradição explícita às verdades de Deus.

ACELDAMA

Ou Akeldama, literalmente campo de sangue. Este termo aramaico aparece em Mateus 27:8 e refere-se a um lugar na periferia de Jerusalém, comprado pelos sacerdotes com o dinheiro pago pela traição de Jesus Cristo. Quando Judas aceitou entregar o Senhor nas mãos dos sacerdotes, foi acertado que ele receberia 30 moedas de prata. Então foi feito conforme o combinado.

O remorso, no entanto, tomou conta do apóstolo traidor, que tentou, em vão, desfazer o trato, lançando as moedas no piso do Templo diante dos que haviam encomendado o serviço (Mat. 27:3-10). Sendo um dinheiro sujo, usado numa traição, que levou alguém à morte, foi chamado "dinheiro de sangue" e, portanto, não poderia retornar aos cofres do Templo.

Decidiu-se, pois, que seria usado para comprar um terreno, a fim de transformá-lo num cemitério para estrangeiros. A tradição costuma localizar esse campo no Vale de Hinom, situado a sudoeste de Jerusalém.

ADVERSÁRIO

Um termo geralmente usado com o sentido de oponente, inimigo. Nos lábios de Jesus, no entanto, ela aparece mais com o sentido técnico de oponente num processo legal. Assim está em Mateus 5:25 e Lucas 12:58. Em ambos os casos, Jesus apela à reconciliação e não à demanda, custe o que custar.

Em Lucas 18:3, o sentido é um tanto distinto e corrige a ideia de que jamais podemos levar pedidos jurídicos às autoridades constituídas. Neste caso, o juiz é tomado como um paralelo espelhado de Deus, isto é, se até um juiz sem coração atende a uma viúva ousada, que não desiste de seu pedido por justiça, quanto mais Deus, que está sempre disposto a compadecer de seus filhos. Basta pedir-lhe em oração.

AGONIA

Sentimento de intenso sofrimento mental que, às vezes, supera a dor física. O termo português vem do grego *agôn,* que quer dizer luta ou embate. É exatamente assim que o texto bíblico descreve o conflito de Cristo no Getsêmani (Luc. 22:44). Outras palavras gregas para agonia envolvem tanto a dor física como a emocional (cf. Luc. 16:24, 25).

AGRICULTURA

O plantio e a colheita eram elementos intrinsecamente conectados à vida diária dos dias de Cristo. Sua importância já vinha desde os dias do Antigo Testamento e não era diferente no primeiro século. A Galileia produzia o melhor trigo, enquanto a cevada era produzida na parte mais sudoeste e servia para alimentar animais ou fazer um pão menos nutritivo, consumido pelas classes mais baixas. As uvas eram comidas frescas, na época da colheita, ou em forma de passas em outras épocas do ano. Também eram usadas para fazer vinho.

As azeitonas eram outro produto da terra importantíssimo na vida dos judeus, pois provinha o azeite, que era matéria-prima para diferentes produtos, como combustível para lamparinas, sabão, ingrediente de culinária, perfume, remédio e outros. Não é por menos que a palavra Cristo ou Messias significa literalmente aquele que é ungido com azeite.

Tâmaras, figos, romãs, lentilhas e cebolas eram alguns dos outros produtos plantados e largamente usados, especialmente, nas receitas. Algumas frutas ajudavam a adoçar tortas e bolos, e as tâmaras, em especial, serviam para produzir um melaço que substituía, com propriedade, o mel de abelhas, mais raro na ocasião.

O calendário da agricultura era assim: de meados de setembro a meados de outubro, havia a colheita e prensagem das azeitonas para extração do azeite. Em novembro ocorriam as primeiras chuvas que permitiam o começo do plantio. Os campos então eram arados e semeados.

As chuvas continuavam caindo por intervalos durante os meses de dezembro até março/abril. O risco, porém, eram as chuvas de inverno, que podiam acabar com o plantio. As chuvas de março/abril eram as mais ansiadas, pois amadureciam o plantio para a colheita. Os meses seguintes eram de seca, até o novo ciclo em setembro/outubro.

Jesus tirou muitas lições espirituais das atividades agrícolas de seu tempo. Ilustrou o cuidado de Deus, lembrando as aves do céu e a erva do campo (Mat. 6:30). Comparou o evangelho a uma semente lançada em diferentes solos (Mar. 4:1-20). Ele também comparou pessoas com árvores que dão bons ou maus frutos (Luc. 6:43-45) e identificou-se como uma vinha, à qual os crentes deveriam estar unidos caso quisessem produzir frutos (Jo. 15:1-8).

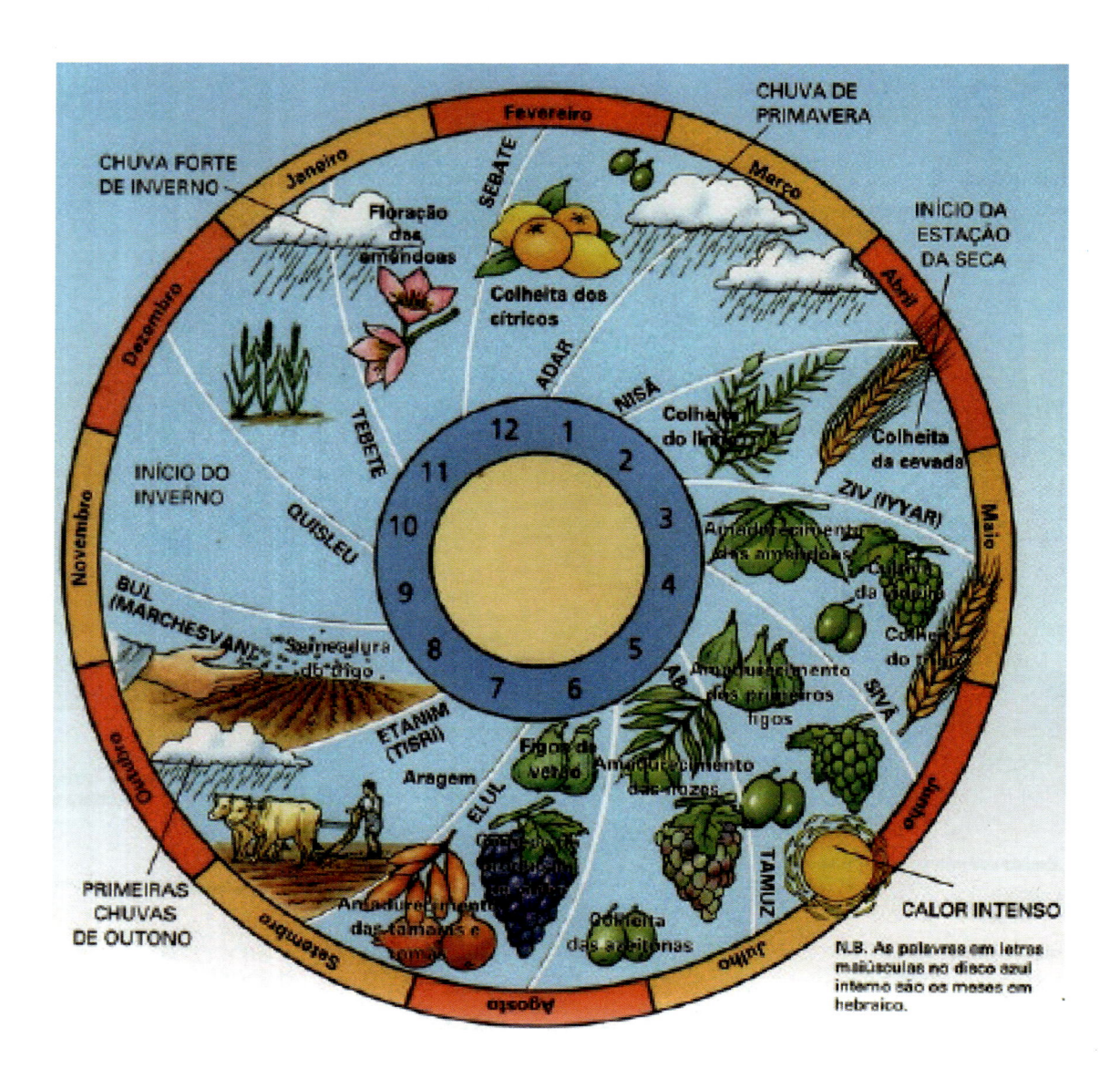

AGRIPA

Agripa era neto de Herodes, o Grande, o mesmo rei que tentou matar Jesus no infanticídio de Belém da Judeia (Mat. 2: 16-18). Ele nasceu em 27 d.C., época em que Cristo iniciava seu ministério, e morreu por volta do ano 100 d.C.

Sua atuação como governador da Galileia foi apenas depois da morte e ressurreição de Jesus, por volta do ano 60 d.C. Num encontro com o apóstolo Paulo, ele se declarou por pouco persuadido a ser um cristão (At. 26:28). Os comentaristas discutem o verdadeiro sentido dessas palavras. O texto é dúbio e pode revelar tanto uma disposição para ser convertido como uma ironia diante do prisioneiro.

ÁGUA VIVA

A expressão "água viva" é encontrada em diversas passagens da Bíblia Sagrada, significando, acima de tudo, uma forte corrente em oposição ao conceito de água parada (Lev. 14:5;14:50 - 53; Lev. 15:13; Núm 19:17; 20:6; ; Prov. 18:4; Is. 58:11; Jer. 17:13; Zac.14:8).

Considerando se tratar de uma região desértica, as terras bíblicas são carentes de fontes d'água perenes. Fora o Jordão e o lago da Galileia, o território dos judeus não dispunha de grandes rios e lagos. Era, portanto, bem mais árido que outras províncias do império romano. A estepe e o deserto eram realidades comuns para a maioria dos contemporâneos de Jesus.

Havia, no entanto, uma precipitação média de chuva suficiente para a agricultura, mas não para uma realidade abundantemente regada. Daí a consciência bíblica do valor da água e das terríveis consequências da falta dela.

Sua disponibilidade era garantida pelos poços e nascentes, ou pela conservação da água da chuva em cisternas, piscinas, etanques. De fato, a arqueologia descobriu uma quantidade considerável de complexas instalações hidráulicas para a canalização e armazenamento de água nas diferentes modalidades mencionadas. Havia cisternas e poços públicos situados em diversas cidades: Guibeon (2 Sam. 2:12), Hebron (2 Samuel 4:12), Samaria (1 Rs. 22:38), Jerusalém (Isa. 7:3; 22,9:11; 36:2; Neem. 2:14).

Um grande número de lugares tinha o nome de alguma fonte que estivesse próxima, sendo este fato indicado por meio dos prefixos Ain e En. Fontes perpétuas, descritas como nascentes de água viva, eram muito apreciadas (Sal. 36:7 a 9; Isa. 49:10; Jr. 2:13; Joel 3:18; Zac. 13:1). Zacarias profetizara que uma fonte se abriria em Jerusalém, na qual podiam ser lavadas todas as impurezas da casa de Davi.

Além de símbolo de salvação, a água envolvia uma questão social. Os direitos sobre ela eram muitas vezes motivo de disputa e seu uso assegurado por meio de pagamento. Isaías 55:1 faz supor que vendia-se água nas grandes cidades de Judá, embora nem sempre o recurso natural fosse cobrado (Núm. 20:19). Afinal, devido à escassez, era um gesto de hospitalidade oferecer água ao viajante sedento, tanto para beber quanto para lavar-se, mesmo que fosse necessário retirá-la de um poço profundo (Gên. 24:17; Jó 22:7; Isa. 32:6; Mat. 10:42; Mar. 9:41; Luc 7:44).

Normalmente, cabia às mulheres, a tarefa de tirar água do poço, prática ainda observada em aldeias do moderno Oriente Médio (Gên. 24:11; 1 Sam. 9:11). Mas nem sempre era assim. Jesus mesmo pediu a seus discípulos para procurarem um homem que levava um cântaro d'água (Mar 14:13; Luc 22:10).

Com esse pano de fundo em mente, é possível entender as duas ocorrências em que Jesus usa em seus ensinos a expressão "águas vivas", para simbolizar realidades espirituais. Ambas estão no Evangelho de João.

A primeira foi no poço de Jacó, onde ele se encontrou com a mulher samaritana (Jo. 4:1-42). A segunda, num dramático discurso em Jerusalém, quando muitos queriam matá-lo (Jo. 7:37-44).

No encontro com a mulher de Samaria, a expressão aparece pela primeira vez em João 4:10 e parece estar empregada no seu sentido comum de água corrente, mas no versículo 14 passa a significar a água da "vida eterna". Ao dizer que podia oferecer uma água viva que saciaria para sempre a sede de quem a bebesse, Jesus declarava ser o Messias. Somente o Messias poderia conceder essa dádiva que satisfaz a necessidade existencial da alma humana.

A segunda ocorrência, no discurso em Jerusalém, não distancia muito do sentido anterior, do contexto do diálogo com a mulher samaritana. Jesus aplica mais uma vez a imagem da água a si mesmo, prometendo que aqueles que bebessem dele, não somente serão saciados, como terão o privilégio de saciar a outros (Jo. 7:37-39). Tal declaração ecoa a promessa do Antigo Testamento de que o justo seria como uma árvore plantada junto às águas correntes (lit. águas vivas) que não se esgotam jamais (Sal. 1:3 e Jer. 17:8).

AI

A expressão "ai" é muito comum nos textos do Antigo Testamento (1 Rs. 13:30; Jer. 22:18; 34:5; Am. 5:16ss; 6:1, 3-7), é uma exclamação para lamento pelos mortos (luto) ou então como declaração de morte ou desgraça iminente. Fazia parte também de um gênero literário muito comum nos salmos e em alguns profetas (como Jeremias), conhecido como textos de lamentação ou execração. Não somente em Israel, mas em todo Oriente Médio, especialmente Egito, Babilônia e Ugarite são encontrados textos de lamentação.

A lamentação, portanto, não é apenas uma expressão de dor, mas também de sentimento de tristeza por algo eticamente errado ou ainda como admoestação profética, apelo e advertência.

Encontramos o "ai de..." como advertência pública de Cristo dirigida a pessoas que ele queria salvar, mas pareciam reticentes à sua mensagem e anestesiadas quanto ao juízo vindouro. Exemplos:

a) Luc. 6:24s (ai de vós, os *ricos*, pois fiaste-vos em vossa *riqueza*...)

b) Mat. 23:14 (ai de vós que *devorais as casas* das viúvas).

c) Mat. 23:25 (ai de vós, escribas e fariseus, hipócritas...).

Em Mateus 23 as frases com "ai" são direcionadas ao grupo dos fariseus, mas há também textos que falam acerca de cidades inteiras que estão sob a iminência do juízo divino (Mat. 11:21; 10:13). Nalguns casos, o ai toma proporções não apenas de advertência, mas de anúncio de veredito. O fato já está consumado e a condenação decretada.

Não se trata, porém, de uma condenação fria da parte de Cristo. O *ai* que ele usava em seus discursos nascia do lamento, da dor da perda de um filho impenitente, a mesma dor expressa nos cânticos fúnebres do Antigo Testamento (Am. 5:16s; Nm. 21:29-31).

ALELUIA

Essa é uma transliteração direta do hebraico Hallelu + Yah, literalmente, "louvai ao Senhor". Apesar de sua fama nas religiões judaica e cristã, é curioso notar que essa palavra só ocorre 23 vezes no Antigo Testamento, todas na seção que compreende os Salmos 104-150. Como ela sempre está no começo ou no final de cada salmo, muitos acreditam que seria uma espécie de resposta congregacional no momento da adoração.

Sua ocorrência continua rara no Novo Testamento, aparecendo apenas no livro do Apocalipse, onde é entoada por criaturas no céu, em louvor a Deus pela vitória sobre as forças do mal (Apoc. 19:1, 3, 4, 6).

Por seu significado profundo, Aleluia terminou sendo incorporada pelas primeiras comunidades cristãs a passou a fazer parte da liturgia do cristianismo, especialmente para celebrar a ressurreição e a divindade de Jesus Cristo.

ALFEU

Esse nome aparece nos evangelhos como transliteração grega do nome *Chalpay*, de significado desconhecido. Esse é o nome do pai de Levi Mateus, discípulo de Cristo, de acordo com Marcos 2:14 e Mateus 9:9. Também é o nome do pai de Tiago (Mat. 10:3; Mar. 3:18; Luc. 6:15; Atos 1:13). Não se sabe ao certo se se trata da mesma pessoa, o que faria de Mateus irmão de Tiago, mas muitos pensam que não.

ALIANÇA

Acordo feito por duas partes com o fim de firmar um projeto. Na Bíblia esse acordo reflete de maneira especial o pacto de salvação que Deus fez com a humanidade. Demonstrações pontuais desse pacto foram vistas nos acordos de Deus com Noé (Gên. 9:8-16), Abraão (Gên. 12:1-3), Davi (Sal. 89:3,4) e Salomão (II Cro. 7:11-22). De modo coletivo, também houve uma acordo de Deus com Israel (Êxo. 19:5), que é renovado por Josué no período da conquista de Canaã (Jos. 24:14-25).

As relações de Deus com seu povo sofreram, infelizmente, várias quebras de contrato por parte daqueles que deveriam ser fiéis. Daí a necessidade de confissão, arrependimento e perdão.

No Novo Testamento, revela-se a ação máxima de Deus em fazer uma "nova aliança" com os homens por meio de Jesus Cristo que seria a divindade encarnada em forma humana (Heb. 9:14).

No momento de sua despedida, Jesus participa com os discípulos da última ceia antes de sua morte e, no momento de oferecer o cálice, ele diz:

"Pois isto é meu sangue, o sangue da Aliança (Nova), que é derramado por muitos para a remissão dos pecados." (Mat. 26:28), Bíblia de Jerusalém.

Há teólogos que interpretam essa nova aliança como uma anulação da antiga. Considerando a quebra do pacto anterior, Deus teria de estabelecer um novo acordo com seu povo, mediante Cristo Jesus.

Outros, contudo, entendem que, a despeito das expressões "antigo" e "novo pacto", a Bíblia fala, na verdade, de uma única aliança feita originalmente com Adão (Gên. 3:15) e diversas vezes renovada ao longo da história. A nova aliança seria, nessa visão, o ápice do acordo firmado desde a entrada do pecado no mundo e que coincide com a própria história da redenção humana (Apoc. 13:8). Um pacto firmado no Éden, confirmado no Sinai e cumprido no Calvário.

ALFA E OMEGA

Literalmente, a primeira e a última letra do alfabeto grego, indicando o princípio e o fim. Algo semelhante a dizer: "de A a Z". Usada como identificação divina, a expressão aparece três vezes no Apocalipse, relacionando Cristo e com Deus Pai (Apoc. 1:8; 21:6; 22:13).

A imagem que o texto proporciona é de um Cristo Divino, Criador, Eterno e Mantenedor da ordem cósmica. É ele quem começa e conclui a história humana. É ele quem comanda a eternidade, ao lado de Deus, o Pai.

ALABASTRO

Também chamado de espato acetinado é um nome dado a dois tipos de minerais distintos: o gesso e o caLuc.ite. O segundo é geralmente o alabastro dos tempos bíblicos, encontrado principalmente no Egito, de onde era exportado para outras regiões, como a Judeia. Por ser um mineral de baixa dureza, era facilmente esculpido e torneado em tornos rudimentares ou ainda polido.

Um vaso feito de alabastro não era um produto barato, por isso era utilizado para fins muito específicos, como porta-cosméticos, tinteiro ou recipiente de unguentos e perfumes. Em Marcos 14:3-9 há a menção de uma mulher, Maria, irmã de Lázaro, que, de maneira ousada, mas ao mesmo tempo humilde e despretensiosa, entrou no recinto com um vaso de alabastro, ungiu Jesus com um perfume precioso, regou seus pés com lágrimas e o secou com seus próprios cabelos. O mesmo incidente aparece com variantes em outras passagens: Mateus 26:6-13; Lucas 7:36-50 e João 12:1-8. Alguns pensam que se trata de episódios distintos.

O perfume que Maria trazia também era raro. O nardo, proveniente de Tarso, na Cilícia – terra natal do apóstolo Paulo – era um dos mais caros aromas da ocasião. O escritor romano Plínio, em sua obra *Naturalis Historia*, escrita entre 77 e 79 d.C., diz que 500 gramas de Nardo custariam 100 denários. Só para lembrar, um único denário equivalia ao salário de um dia inteiro de trabalho (Mat. 18:28; Mar. 12:15; Luc. 20:24). Com esse mesmo montante, dava para comprar 800 quilos de pão.

O evangelho não esconde a indignação de Judas, dizendo que o perfume usado para ungir os pés de Cristo poderia ser vendido por 300 denários. Logo, ela deve ter trazido pelo menos 1.500 gramas de perfume – uma pequena fortuna para a ocasião.

O vaso levado pela mulher deveria ser belíssimo para carregar uma quantidade tão grande de um perfume tão caro.

ALFARROBEIRA

Sementes de alfarroba vagens (Ceratonia siliqua)

Uma típica árvore da família das leguminosas, muito comum no interior de Israel e na costa do Mediterrâneo. A alfarrobeira atinge uma altura de até 9 m e possui folhas pequenas e reluzentes. Seu fruto, a alfarroba, é uma vagem comestível, que pode medir de 15 a 25 cm de comprimento e cerca de 2,5 cm de largura. Dentro tem várias sementes parecidas com ervilha, separadas por uma poupa comestível de cor marrom-escuro e sabor adocicado. É muito rica em valor nutricional.

Acredita-se que os antigos egípcios a utilizavam no processo de mumificação e os romanos mastigavam suas vagens secas como se fossem doces. Os gregos deram-lhe o nome de *keration* e, por pensarem erroneamente que as sementes da alfarroba eram todas de igual peso, eles as utilizavam para pesar diamantes. Assim surgiu o nome Quilate, para designar a unidade de peso usada para metais e pedras preciosas.

Por ser árvore resistente à seca e à estiagem prolongadas, o fruto da alfarrobeira era distribuído aos animais, durante o período de pouca pastagem. Por essa razão, acredita-se que as alfarrobas seriam as bolotas dadas aos porcos e que o filho pródigo desejava comer, para matar sua fome.

Alguns presumem ainda que a alfarroba seria o alimento de João Batista, mencionado em Mateus 3:4. Daí a antiga tradição que a chama de Pão-de-São-João. Acredita-se que a palavra grega traduzida como "gafanhotos" pode se referir ao fruto da alfarroba, ao invés do inseto. Isto é sugerido porque os termos hebraicos para "gafanhotos" (hagavim) e "alfarrobeiras" (haruvim) são muito similares.

Complementando o argumento, existe outra tradição transmitida por antigos autores cristãos de língua grega, segundo os quais o termo grego traduzido por gafanhoto (*acris*) designaria mais propriamente outras coisas que não o inseto.

Considerando que a alfarrobeira demorava nos tempos antigos para dar frutos, o Talmude dispõe ainda de uma interessante parábola acerca dessa árvore:

Um homem idoso estava plantando uma árvore. Um jovem passa e pergunta, "O que você está plantando?"

"Uma árvore de alfarroba", responde o velho homem.

"Ora seu tolo", disse o jovem. "Você não sabe que levam 70 anos para uma árvore de alfarrobas dar frutos?"

"Não há problema," disse o velho homem. "Assim como outros plantaram para mim, eu planto para as futuras gerações."

AMÉM

Transliteração de um termo hebraico normalmente usado para indicar uma confirmação solene: Verdadeiramente! Digno de crédito!

Por causa das traduções grega e latina das escrituras judaicas, amém foi incorporado em vários idiomas ao redor do mundo. Poucos, no entanto, conhecem a raiz etimológica por detrás do termo.

Pensou-se por um tempo que Amém vinha do nome de um antigo deus egípcio chamado Amum (que, em alguns casos, aparece chamado de Amen). No entanto, a maior parte dos especialistas crê que isso não passa de uma mera coincidência fonética.

A proposta mais aceita atualmente é que Amém viria da raiz hebraica *aman* (אמן), que tem o significado de "ser firme, ser fiel, ser verdade", "algo no qual pode-se firmar" – como um tronco em meio a uma enxurrada ou um mastro em meio a um vendaval.

Da mesma raiz surgiram ainda as palavras "verdade" (*emet*: תמא) e "fidelidade" ou "confiança" (*emunah*, ou seja, אמונה – traduzida como fé em nossas Bíblias). Especialmente o Evangelho de João apresenta Jesus iniciando alguns de seus ditos com a frase "amém, amém", que muitas Bíblias traduzem por "em verdade, em verdade". Apenas Jesus se expressa dessa maneira, indicando a confiabilidade daquilo que ele diz.

ANÁS

Sumo sacerdote e um dos mais influentes membros do Sinédrio nos dias de Cristo. Segundo o relato bíblico, esse líder religioso participou ativamente do processo contra Jesus (Jo. 18:15-24). Era sogro de Caifás, outro sumo sacerdote, que também era inimigo de Cristo e concorreu para acelerar sua condenação.

O historiador judeu, Flávio Josefo, diz que Anás foi nomeado ao cargo por ordem de Quirino, governador da Síria, logo após a remoção de um certo Joazar, que ocupava a função de sumo sacerdote no ano 6 ou 7 d.C. Diferente do Antigo Testamento, em que o sacerdote era vitalício e escolhido por uma indicação espiritual, aqui o cargo havia se tornado uma moeda de troca de políticos.

Por essa razão, supõe-se que Anás era um homem de muito prestígio e acordos políticos com os poderosos de Roma. Afinal de contas, ele ficou no poder até o ano 15 d.C., quando foi destituído pelo procurador romano Valério Grato. Mesmo assim, conseguiu empossar, em sequência, cinco filhos e um genro (Caifás), o que demonstra que ele ainda tinha bastante poder sobre o Sinédrio.

A menção de Lucas 3:2, que anuncia Anás e Caifás como sumo sacerdotes de Jerusalém, ao mesmo tempo, é no mínimo estranha. Ela indica que, apesar de oficialmente destituído, ele ainda continuava a manipular o poder. Ademais, o fato de Jesus ser levado imediatamente para a casa de Anás, após ter sido preso, e somente depois para Caifás, confirma a suposição de que ele ainda comandava o jogo político por trás dos bastidores (Jo. 18:15-24).

Ao que tudo indica, a família de Anás fez fortuna manipulando a venda de itens necessários ao sacrifício no Templo, como pombas, ovelhas, azeite e vinho, que eram vendidos nas imediações do Templo. Tal pano de fundo faz sentido à luz do ato de Cristo em purificar duas vezes o Templo, expulsando os cambistas e vendedores que lá havia (Jo. 2:13-16; Mat. 21:12-13). Estes certamente eram funcionários a serviço da família de Anás. As palavras de Cristo eram uma denúncia ao seu comportamento: "Está escrito: A minha casa será chamada casa de oração; vós, porém, a transformais em covil de salteadores."

Numa situação posterior, Josefo diz que Ananus (Ananias), filho de Anás, tinha "servos tão maus que iam ... tomar à força as décimas [dízimos], que pertenciam aos sacrificadores [sacerdotes], e batiam nos que se recusavam a dá-las". Esse mesmo Ananus participou de um julgamento contra o apóstolo Paulo (At. 23:11-10).

ANDRÉ

Um dos primeiros discípulos de Cristo, irmão de Pedro, que se tornou um dos doze apóstolos (Mat.10:2; Mar. 3:18; Luc. 6:14). De acordo com João 1:44, era natural de Betsaida e seu nome significa "masculino", "viril", "principal". Seu pai chamava-se João, também apelidado de Jonas (Mat. 16:17; Jo. 1:42).

Embora fosse pescador, era também discípulo de João Batista, que indicou-lhe Jesus de Nazaré como o "Cordeiro de Deus". André, por sua vez, apresentou Pedro para Cristo e ambos aceitaram o chamado para se tornarem pescadores de pessoas (Mar. 1:16-17; Jo. 1:41-42).

André acompanhou Jesus durante seus três anos e meio de ministério. Sendo um dos que demonstram mais entusiasmo em anunciar Cristo, sua figura aparece em vários episódios dos evangelhos. É ele quem encontra o garoto com cinco pães e dois peixes, por ocasião do milagre da multiplicação dos pães (Jo. 6:8 e 9). Foi também ele quem auxiliou Felipe a acompanhar alguns gregos que queriam conhecer pessoalmente Jesus (Jo. 12:20-22). Finalmente, André aparece juntamente com Pedro, Tiago e João, indagando a Jesus acerca do fim do mundo (Mar. 13:3 e 4).

Diz a tradição que André foi crucificado em Acáia, segundo a ordem do proconsul Eges, cuja esposa se convertera ao ouvir sua pregação. Ele teria sido posto numa cruz decussata (X), depois conhecida como a cruz de Santo André. Diz-se que foi atado, e não cravado, à cruz, para assim prolongar seus sofrimentos.

ANJOS

Seres celestiais, criados por Deus, superiores ao ser humano e comissionados como mensageiros do Altíssimo. Talvez, por causa disso, a palavra anjo, quer na sua forma grega ou hebraica (*aggelos* e *mal'ak*) significa mensageiro.

Há diversas passagens na Bíblia em que anjos aparecem como mensageiros celestiais enviados ao mundo (Gên. 19:1; 28:12; Êxo 3:2; 14:19; Núm. 22:22; Jz. 6:11 etc.). Mas há textos também em que mensageiros representam apenas seres humanos em função de emissários (2 Sam. 3:14; Ezeq. 23:16; Mat. 11:10; Luc. 7:24).

Também existem certas passagens que conectam a presença de anjos no ministério de Jesus. Um anjo dirigiu José e Maria por ocasião da geração e nascimento de Cristo (Mat. 1:20; 2:13, 19); anjos cantaram para celebrar sua chegada (Luc. 2:13); ministraram em favor dele no monte da tentação (Mat. 4:11), rolaram a pedra de sua tumba e proclamaram sua ressurreição (Mat. 28:2, 5-7). Foram também dois anjos que se puseram diante dos discípulos após a ascensão de Cristo e comunicaram que ele haveria de voltar (At. 1:10 e 11).

Jesus também deu informações importantes sobre esses misteriosos seres. Ele disse que os anjos são superiores e de natureza diferente dos seres humanos (Mat. 22:30; Mar. 12:25) e também revelou que existem anjos maus (Mat. 25:41). Outros ensinos de Cristo referentes aos anjos podem ser vistos em Mateus 13:41; 18:10; 22:30; 25:41; Lucas 15:10.

ANTICRISTO

Literalmente, um oponente de Cristo, que procura usurpar-lhe a adoração. Esse termo aparece apenas nas cartas do apóstolo João, que também o escreve no plural, referindo-se à vinda de muitos "anticristos" (I Jo. 2:18; 4:3). Embora não se mencione o nome, acredita-se que Paulo refere-se ao mesmo personagem em sua admoestação aos cristãos de Tessalônica (2 Tes. 2:3-4; 8-10).

Jesus também falou da vinda de falsos cristos e falsos profetas (Mat. 24:24). Na interpretação joanina, o anticristo é alguém que nega a encarnação de Cristo, além de proferir outros ensinos contrários ao evangelho (1 Jo. 2:22; 2 Jo. 1:7).

A ideia da vinda desse poderoso oponente teve um destaque especial no imaginário apocalíptico cristão. No *Didachê*, um manual de doutrinamento cristão do início do segundo século, é dito que o Anticristo aparecerá um dia operando milagres e fazendo-se passar pelo Filho de Deus.

Poucos anos mais tarde Ireneu de Lion, um dos Pais da Igreja, apresentou um parecer que remetia ao apóstolo João, segundo o qual, o anticristo seria o império romano.

Paulo afirmou que nos últimos dias esse indivíduo (ou o poder que ele representa) seria revelado, desmascarado e destruído pela manifestação da vinda de Cristo (2 Tes. 2:6 e 8).

ARAMAICO

Língua semítica próxima ao hebraico e que era o idioma corrente dos judeus nos dias de Jesus. Suas origens indicam que teria sido uma língua comercial vinda do Antigo Oriente. Mais tarde, nos tempos da Assíria e Babilônia (1100-538 a.C.), o aramaico tornou-se um idioma de correspondência diplomática. Os oficiais dominavam o seu uso e recorriam a ela quando necessitavam conversar entre si.

Em 701 a.C., durante o reinado de Ezequias, um general assírio apareceu com sua comitiva fora dos muros de Jerusalém. Ao tentar conversar com os que estavam no muro, foi-lhe pedido que falasse em aramaico, pois assim facilitaria o entendimento (2 Rs. 18:26-28).

Ao que tudo indica, o aramaico suplantou a língua hebraica depois do fim do cativeiro babilônico. Muitos judeus que ficaram no cativeiro perderam fluência na língua hebraica e essa aos poucos foi relegada à função de língua litúrgica para uso nas sinagogas durante o *shabat*.

Um indício disso está num episódio envolvendo Esdras que liderou o povo na reconstrução de Jerusalém. Num momento em que as Escrituras hebraicas eram lidas em público, houve a necessidade de interpretar ou traduzi-las para o aramaico, a fim de que a população pudesse entender seu conteúdo.

Como não há qualquer indício de retomada da língua hebraica até os tempos de Cristo, é muito provável que ele e seus discípulos falassem correntemente o aramaico. O hebraico era usado no estudo das Escrituras e não podemos afirmar o grau de aprofundamento dos discípulos no idioma sagrado. O grego talvez fosse conhecido apenas superficialmente para possibilitar pequenas transações comerciais.

ARIMATEIA

Nome de uma aldeia de Israel cuja localidade ainda é desconhecida pelos arqueólogos. Pensa-se, sem muita certeza, que poderia ser o equivalente às cidades de Ramah, Ramat ou Ramataim do Antigo Testamento.

De acordo com o Novo Testamento, um membro do Sinédrio chamado José, que não aceitara o que fizeram com Jesus e, por isso mesmo, emprestou seu túmulo para que o Senhor fosse sepultado, era proveniente dessa cidade. Por isso os evangelhos o chamam de José de Arimateia (Mat. 27:57-60; Mar. 15:43; Luc. 23: 50-53; Jo. 19:38).

ASCENÇÃO DE JESUS

Quarenta dias após sua ressurreição, Jesus foi elevado ao céu em retorno para a glória de seu Pai. Ao que tudo indica, ele não havia ainda subido definitivamente ao céu após ressuscitar dentre os mortos, mas ficara junto aos discípulos em aparições corpóreas, dando-lhes os últimos ensinamentos a respeito do reino dos céus. Somente depois disso, à vista de todos, ele finalmente subiu corporalmente às alturas e uma nuvem o encobriu. Dois anjos apareceram e anunciaram que do modo como subiu, ele haveria de voltar (At.1:9-11; cf. Mat. 16:19; Luc. 24;50, 51; 2 Tes. 1:7-10).

Esse evento possui três significados básicos para o cristianismo: primeiro, que a ascensão de Cristo, tal qual sua ressurreição, coroam de êxito seu trabalho redentor. É a garantia de que ele conseguiu salvar a raça humana e agora pode assentar-se junto à majestade nos céus (Fil. 2:9-11; Ef. 1:20-22). Em segundo lugar, sua subida ao Pai chama a atenção não apenas para sua obra, realizada na cruz, mas também para seu ministério sacerdotal diante de Deus (Heb. 10:11-14). Uma vez sentado ao trono de majestade, ele pode interceder pelos que nele creem (Rom. 8:34; Heb. 4:14; 6:20; 7:25).

Em terceiro lugar, ao mesmo tempo que exerce o papel intercessor, Cristo prepara um lugar na casa do Pai para seus filhos (Jo. 14:1-3). Completada sua obra ministradora, ele voltará com os anjos, em glória, para buscar seus redimidos. Virá de maneira corpórea e literal, assim como subiu para comparecer perante o Pai no céu.

AUTORIDADE

Literalente poder, influência, domínio. Pode ser exercida de maneiras distintas. A autoridade no mundo militar é diferente da autoridade no mundo civil ou religioso. Pode ser positiva, como a autoridade que vem de Deus ou negativa como a autoridade de um ditador sanguinário.

A palavra grega para autoridade é *exousia*, que quer dizer capacidade e liberdade para agir externamente, isto é, para fora de si mesmo. Poder sobre outra pessoa ou situação, o que implica uma habilidade ou direito de exercer o controle e também um poder maior que confere a autoridade ao indivíduo.

O próprio Cristo declara ter "autoridade sobre a terra" (Mar. 2:10). De fato, todos os que lhe ouviam e testemunhavam seus milagres admitiam que ele falava e agia com uma autoridade acima de todas as outras (Mat. 7:29). Não apenas seu controle sobre as ondas e os ventos, seu poder de ressuscitar mortos e expelir demônios lhe conferiam admiração dos povos, mas, acima de tudo, seu caráter e coerência entre as atitudes e aquilo que dizia.

A autoridade de Cristo não consistia num mero título dado pelos homens, nem numa influência política sobre os demais, porém, na revelação que ele fazia do Pai. A vontade de Deus era apresentada sem rodeios em seu discurso, de maneira clara, objetiva e coerente.

Por isso ele pode conferir a mesma autoridade ou o mesmo poder aos que o recebem. Eles podem ser chamados filhos de Deus (Jo. 1:12).

B

BARRABÁS

Literalmente Filho (Bar) do pai (Abba), em aramaico. Trata-se do prisioneiro que, durante o julgamento de Jesus, foi apresentado à multidão, que deveria escolher quem haveria de ser solto e quem haveria de ser condenado. Todos, estranhamente, clamaram pela liberdade de Barrabás.

As razões da escolha têm desafiado por séculos o entendimento cristão, principalmente considerando a informação de que ele era alguém que fora "preso com amotinadores, os quais em um tumulto haviam cometido homicídio" (Mar. 15:7; cf. Luc. 23:19). João 18:40 acrescenta que Barrabás era também assaltante.

Ainda que os sentimentos da multidão sejam difíceis de avaliar, a visão conjunta dos evangelhos permite teorizar que Barrabás poderia ter sido um "fora da lei", envolvido em algum tipo de insurreição contra os romanos, um judeu zelota como muitos que agiram na Judeia e Galileia durante os dias de Jesus.

Se assim for, a tática de Pilatos para soltar Jesus talvez fosse tirar proveito do clima político que envolvia o pedido popular de crucifixão. Lembrando que não era todo o povo judeu que queria sentenciar Jesus à morte, mas uma turba incitada pelos membros do Sinédrio.

Por isso, Lucas afirma que Pilatos intentava libertar Jesus e a opção de apresentar Barrabás ao povo tinha tudo a ver com isso (Luc. 23:20). Os anciãos e principais sacerdotes haviam ameaçado Pilatos. Indiretamente o acusaram de estar contra Roma, soltando um homem – Jesus – que se dizia rei no lugar de César (Jo. 19:12). Pilatos, portanto, apresenta um verdadeiro inimigo do imperador, o insurgente Barrabás, devolvendo o dilema ao povo. Se escolhessem soltar um líder rebelde declarado, eles, sim, estariam assinando sua sentença perante César.

Mas, para surpresa do governador romano, o povo escolheu Barrabás (Mat. 27:24-26; Mar. 15:14 e 15; Luc. 23:24 e 24). Marcos 15:11, porém, explica que o estranho comportamento foi uma incitação feita pelos principais sacerdotes de Jerusalém. Não era, portanto, uma legítima vontade popular.

Uma curiosidade quanto à grafia do nome de Barrabás fica por conta de alguns poucos manuscritos como o Y, teta e o C, que trazem a variante "Jesus Barrabás", para Mateus 27:16, enquanto quase a totalidade dos manuscritos unciais e a maioria dos minúsculos trazem simplesmente "Barrabás". O escritor Orígenes rejeitou a variante "Jesus Barrabás" em defesa da simples forma "Barrabás", justificando que o nome "Jesus" não podia ser aplicado a alguém que praticasse o mal. Embora esse argumento seja de pequeno valor histórico, tudo indica que o nome Jesus Barrabás talvez foi um erro de copistas e não fazia parte original do Evangelho de Mateus.

BARTOLOMEU

Literalmente Filho de Tolomeu ou Tolmai; em aramaico (Bar + THOL+uh+myu). Um nome relativamente comum que aparece também nos escritos de Flávio Josefo.

Nada se sabe porém sobre esse apóstolo de Cristo. Ele apenas é mencionado nas listas contendo o nome dos discípulos (Mat. 10:3; Mar. 3:18; Luc. 6:14; At. 1:13). Tradições tardias, porém, datadas a partir do Século IV d.C., narram pretensas histórias a seu respeito como atuando na organização da Igreja Primitiva. Algumas versões também aparecem, incluindo algumas formas de martírio que supostamente ele teria sofrido. Entretanto, existem muitos conflitos entre tais relatos, que torna essas narrativas pouco confiáveis.

Inclua-se nisso as menções a um certo evangelho de Bartolomeu que havia se perdido. Muitos pensam que este seria o mesmo texto chamado de Questões de Bartolomeu ou a Ressurreição de Cristo, ou mesmo um terceiro livro distinto dos dois.

A partir do século IX, outras tradições surgiram procurando identificar Bartolomeu como sendo o Natanael, que aparece ao lado de Felipe, no Evangelho de João 1:43-5. Essa sugestão é levantada pelo fato de que os evangelhos sinóticos mencionam Filipe e Bartolomeu, onde o Evangelho de João menciona Filipe e Natanael, além de João nunca mencionar Bartolomeu entre os 12. Apesar de parecer lógica, a evidência não é conclusiva.

Voltando, pois às referências bíblicas, é curioso o fato de Bartolomeu ser sempre mencionado nas listas após Filipe. Em virtude disso, alguns acreditam que havia um agrupamento quádruplo dos discípulos que trabalhavam em duplas. De acordo com essa possibilidade, então Bartolomeu e Filipe eram companheiros no segundo grupo, liderado por Filipe.

BATISMO

Cerimônia de iniciação, com raízes judaicas, praticada até hoje em, praticamente, todos os ramos do cristianismo. Contudo, seu significado teológico e a forma de realizá-lo têm sido interpretados de diferentes modos ao longo da história.

Um apanhado bíblico que remete aos tempos anteriores ao Novo Testamento permite perceber que a preocupação com limpezas cerimoniais, envolvendo água, já era evidenciada desde os dias de Moisés (ca. de 1450 a.C.). Textos como Êxodo 30:17-21; Levítico 11:25 e Números 19:17 são exemplos disso.

Quando os eruditos judeus que editaram a Septuaginta – versão helenística das Escrituras – passaram essas passagens para o grego, resolveram traduzir os banhos de purificação pela palavra *baptismós* ou na forma verbal *baptizô*, que seriam equivalentes aos termos batismo e batizar.

Essa prática de purificação se intensificou nos dias que antecedem o ministério de Jesus. Sua evidência está confirmada por achados arqueológicos de vários tanques de purificação – tanto públicos quanto privados – espalhados em todo o território judeu. Não somente em Jerusalém, mas em toda a Galileia e até na comunidade de Qumran, que produziu os manuscritos do Mar Morto, tanques de imersão foram encontrados.

Mikveh é o nome hebraico que se dá para os tanques de purificação e *tevilah*, a cerimônia de imersão completa nas águas. A prática, ao que tudo indica, era diária, embora também pudesse ser um rito de iniciação do judaísmo.

O contato inevitável com coisas imundas demandava a prática frequente, a fim de que o religioso não estivesse contaminado no momento de se apresentar diante de Deus num recinto sagrado. Por isso, de acordo com as leis rabínicas, a água do tanque tinha de ser corrente (lit. águas vivas). Tubulações encontradas em diferentes tanques demonstram que realmente era assim que o ritual era realizado.

A prática de João Batista em realizar batismos no rio Jordão ou num lugar abastecido por suas águas está de acordo com a exigência das águas correntes (Mat. 3:6; Mar. 1:5). Do mesmo modo, considerando que o batismo judeu envolvia uma imersão do indivíduo nas águas, João provavelmente seguiu esse modelo ao batizar seus novos discípulos.

As diferenças, contudo, resumem-se ao fato de que o batismo de João já não figurava uma cerimônia de purificação pessoal do religioso, mas a admissão pública de arrependimento e reconciliação com as leis de Deus.

Foi surpreendente, pois, que Jesus, o Messias, viesse para ser batizado por João. Ele mesmo se surpreendeu com a atitude de Cristo. O episódio, porém, segundo a própria explicação do Senhor, era necessário para fazer "cumprir toda justiça" (Mat. 3:13-16). Assim, pois, João concordou em fazê-lo.

Saindo Jesus logo da água, o Espírito Santo apareceu como pomba e a voz do Pai no céu confirmou o ministério de seu Filho. Os eventos seguintes do deserto e o Sermão da Montanha (segundo a sequência de Mateus) conectam-se como inaugurados por essa cerimônia. O Espírito Santo havia ungido a Jesus como o Messias de Israel (cf. Mar. 1:9-11; Luc. 3:21-23; Jo. 1:32 e 33).

Seguindo trajetória parecida com o movimento de João Batista, os primeiros adeptos de Jesus Cristo também eram batizados. Contudo, uma leitura atenta do Evangelho de João 3:22 e 4:1-2 deixa explícito que Jesus mesmo não realizava a cerimônia, mas delegava-a a seus discípulos.

Muitos questionam o porquê de Jesus não realizar diretamente os batismos. Uma explicação possível seria que se tratava do cumprimento de uma expectativa messiânica. De acordo com Mateus 2:11 e João 1:33, a função do Messias não era batizar as pessoas com água, mas com o Espírito Santo e com o fogo. Por isso Jesus, embora não realizasse o rito, soprou seu fôlego sobre os discípulos, dizendo-lhes que recebessem o Espírito Santo (Jo. 20:22). Mais tarde, no Pentecostes, os mesmos discípulos tiveram a confirmação desse batismo, evidenciada com atos de poder e a presença de línguas como de fogo vindo sobre cada um deles (At. 2:3).

Após esse episódio, a Igreja passa consistentemente a praticar esse rito, à medida que aumenta o número de seguidores de Cristo. Agora, porém, um novo significado é agregado à cerimônia: o batismo era em nome de Jesus, para a remissão de pecados e recebimento do Espírito Santo (At. 2:38. Cf. I Cor. 1:13-17).

Assim, quando o Novo Testamento menciona o "batismo de João", está indicando uma mensagem de expectativa da chegada do Messias. Cumprida, porém, esta parte da história, os discípulos – após a morte e ressurreição de Jesus – dão ao batismo o símbolo de morte e ressurreição com Cristo para uma nova vida de comunhão com Deus.

BELÉM

Vista da cidade de Belém.

Cidade de Judá, também chamada de Efrata, situada cerca de 10 km a sudoeste de Jerusalém (Gên. 35:16; 48:27 e Rt. 4:11). Ali nasceram Davi e Jesus (1Sam. 17:12; Luc. 2:4-7). 2). Era chamada Belém da Judeia, para distingui-la de outra cidade do mesmo nome, situada no território de Zebulom, a noroeste de Nazaré (Sal. 132:6; Jos. 19:15).

O nome Belém (Beyth + lehem) significa literalmente "casa do pão" e Efrata "frutífera". É, por sinal, este o nome com que ela é referida na história de Jacó. Raquel foi sepultada perto deste lugar, mas foi Salma, neto de Calebe que ficou conhecido na história como "pai dos belemitas", isto é, dos moradores de Belém (I Crôn. 2:51 e 54). A história de Rute também tem relação direta com esse lugar. Pelo livro de Ed 2.21, sabe-se que 123 homens de Belém voltaram do cativeiro com Zorobabel (Ne. 7:26).

Contudo, a despeito de ser palco de importantes ocorrências, dentre elas o nascimento de Davi, a cidade nunca ganhou destaque entre as demais de Judá. Nenhum monumento de grande porte foi edificado ali. Tais dados tornam memorável o fato daquele lugarejo simples ter sido o local do nascimento do Messias conforme a profecia de Miqueias 5:2.

No século II d.C., o imperador de Roma, Adriano, plantou um bosque idolátrico no sítio nas redondezas da cidade e, mais tarde, Helena, mãe do imperador Constantino, edificou uma igreja ali para demarcar o suposto local do nascimento de Jesus. Essa igreja acha-se hoje circundada por três conventos, pertencentes às igrejas grega, latina e armênia.

BELZEBU

Nome de divindade pagã ligada a Baal. Alguns pensam que seria uma forma jocosa de se referir à divindade pagã. No original aramaico, Bee + El + zay + bu significaria "senhor das moscas" ou "senhor da casa [de demônios]".

Nos dias de Jesus essa figura era ligada ao príncipe dos demônios (Mar. 3:22; Luc. 11:5). Os três primeiros evangelhos mostram a acusação dos inimigos de Cristo em dizer que seus atos de exorcismo eram realizados pelo poder de Belzebu, uma acusação gratuita, motivada pelo ciúme e a inveja da influência de Jesus sobre o povo (Mat. 12:23).

Os fariseus tentavam argumentar que os milagres de Cristo eram obra de demônios, o que faria dele também um demônio entre os homens. Ao que Jesus contra-argumentou: "**Se Satanás expulsa Satanás**, está dividido contra ele próprio. Como poderá então subsistir o seu reino?" (Mat. 12:25). Ou seja, sua lógica não fazia sentido. Era mais uma tentativa infundada de negar que o Messias havia chegado e com ele a demonstração do poder de Deus.

BETESDA

Local em Jerusalém, nas adjacências do Antigo Templo, também chamado de piscina probática, por ser originalmente um tanque d'água para se lavar ovelhas. O termo grego *probaton* (ou seu plural *probata*) denotava, num sentido mais amplo, todos os quadrúpedes (especialmente os domesticados), em contraste com os que voavam, nadavam ou rastejavam. Porém, mais especificamente, designava "ovelhas e cabras". Daí o nome probática.

Ali, acredita-se, seria o local em que se lavavam as ovelhas que seriam sacrificadas no Templo. Por isso, João, ao descrever o local, menciona o tanque de cinco pavilhões e também a proximidade da chamada "porta das ovelhas".

Com o passar do tempo, porém, é provável que o mesmo tenha se transformado num tanque público de purificações para judeus peregrinos que viessem adorar no Templo em Jerusalém. Assim, o tanque da porta das ovelhas, ao norte do templo (uma piscina, na verdade) juntamente com o tanque de Siloé na parte sul serviriam aos ritos de purificação do judaísmo.

As evidências arqueológicas, no entanto, demonstram que o local foi transformado num templo pagão em homenagem a Asclépio, deus da cura, que os romanos chamavam de Esculápio. O paganismo localizado nas adjacências do Templo não deve ter agradado aos mais conservadores, pelo que até mesmo judeus que deveriam evitar o lugar iam até ali a fim de obter cura para seus males.

E assim ocorreu com um homem paralítico que jazia ali há anos à espera de um milagre. Seu encontro com Cristo está registrado em João 5:1-9. Que razões levaram o Salvador a se deslocar para aquele setor da cidade não sabemos. Mas que a misericórdia em relação àquele indivíduo estaria nos motivos de Cristo, isto não se pode negar.

BENEDICTUS

Nome latino que significa "bendito" ou "abençoado". Desde provavelmente o século VI d.C. que os mosteiros medievais usaram esse título para referir-se à canção de Zacarias, que aparece em Lucas 1:67-79. Alguns pensam que poderia se tratar de um antigo hino cristão colocado propositalmente pelo evangelista para fazer coro a outras duas canções litúrgicas o "Magnificat" e o "Nunc diittis", que também aparecem nos capítulos iniciais do texto lucano.

Alguns sugerem que os dois primeiros capítulos do Evangelho de Lucas podem ser lidos como uma parte de uma ode ou de um oratório sacro. Ali verifica-se a presença de cinco movimentos:

Isabel começa a cantar "Beatitude" (Luc. 1.42)

Maria vem em seguida, entoando o "Magnificat" (Luc. 1:46-50)

Zacarias é o terceiro solista, apresentando o "Benedictus" (Luc. 1:68-79)

Eis que retumba o Coral de Anjos, ressoando "Gloria in excelsis Deo" (Luc. 2:14)

Simeão, então, finaliza solando o "Nunc Dimits" (Luc. 2:29-32)

O cântico de Zacarias, especificamente, é um hino de louvor a Deus por ocasião do nascimento de João Batista, seu único filho. Mas ele também alude à história de Israel e à promessa messiânica de alguém que viria para salvar o seu povo, do qual seu filho seria o profeta anunciador.

Bendito seja o Senhor Deus de Israel, porque visitou e remiu o seu povo,

E nos suscitou um libertador poderoso na casa de Davi, seu servo,

(Como anunciou desde o princípio pela boca dos seus santos profetas),

Para nos livrar dos nossos inimigos e da mão de todos os que nos odeiam;

Para usar de misericórdia com nossos pais,

E lembrar-se da sua santa aliança,

Do juramento que fez a Abraão, nosso pai,

De conceder-nos que, livres da mão dos nossos inimigos, O servíssemos sem temor,

Em santidade e justiça diante dele por todos os nossos dias.

Sim, e tu, menino, serás chamado profeta do Altíssimo, porque irás ante a face do Senhor preparar os seus caminhos,

Para dar ao seu povo conhecimento da salvação na remissão dos seus pecados,

Devido à entranhável misericórdia de nosso Deus, pela qual nos visitará a aurora lá do alto,

Para alumiar os que estão de assento nas trevas e na sombra da morte, para dirigir os nossos pés no caminho da paz.

BET

Em nomes próprios Bet (ou Beth) significa "casa". Assim lugares mencionados no evangelho teriam esse prefixo associado ao seu significado. Betânia – Casa das Tâmaras, Betesda – Casa da Misericórdia, Betsaida – Casa da Pesca, Belém (or. Bethlehem) – Casa do Pão.

Betsaida

BETSAIDA

Uma vila de pescadores localizada às margens do Mar da Galileia, próxima onde o rio Jordão deságua nas águas do grande lago (Jo. 12:21). Seu nome significa "Casa da Pesca" e ela é mencionada tanto nos quatro evangelhos quanto pelo historiador romano Flávio Josefo, segundo o qual, a cidade de Betsaida foi reconstruída pelo tetrarca Filipe e chamada de Júlias, em homenagem à filha de César Augusto[2].

Ali ocorrerem importantes fatos relacionados à vida de Jesus Cristo. Betsaida foi a terra natal de três dos 12 Apóstolos, a saber: Pedro, André e Filipe. O próprio Jesus visitou o vilarejo e realizou vários milagres ali. (Mar. 8:22-26; Luc. 9:10). Foi também para Betsaida que, após a morte de João Batista, Jesus retirou-se, juntamente com seus discípulos, e, num lugar próximo, proveu miraculosamente alimento a mais de de 5.000 pessoas que se haviam ajuntado para ouvi-lo. (Luc. 9:10-17; Mat. 14:13-21; Jo. 6:10.) Fora de Ali também ele restaurou a vista a um cego. (Mar. 8:22).

Visto que tais obras poderosas foram feitas na sua vizinhança, o povo de Betsaida, em geral, junto com a população de Corazim, veio a merecer censura por causa da sua atitude impenitente (Luc. 10:13).

Por quase dois milênios, a localização de Betsaida permaneceu um mistério. Vários sítios já foram identificados com o lugar e depois abandonados. Desde o século IV d.C., peregrinos tentaram em vão descobrir o local exato do antigo vilarejo, embora, a rigor, a identificação bíblica que ora a chama de "aldeia" (Mar. 8:22, 23) ou "cidade" (Luc. 9:10) tem gerado certa discussão entre os especialistas.

Atualmente dois lugares ocupam destaque entre os arqueólogos como sendo o antigo sítio de Betsaida:

al Tel - um grande monte localizado a dois quilômetros do Mar da Galileia.

el-Araj - um pequeno sítio localizado às margens do Mar da Galileia.

Contudo, ainda não se têm certeza absoluta que aponte para um ou outro assentamento.

BETÂNIA

Literalmente "Casa das Tâmaras", mas há quem sugira que o sentido podia ser "Casa dos figos verdes" e, por extensão, "Casa da Aflição" (do hebraico *beit-te'enah*). Seja como for, os evangelhos parecem fazer referência a dois lugares distintos com esse nome.

O primeiro, mais conhecido, é aquele que a identifica como local da casa de Maria, Marta e Lázaro, três irmãos que se tornaram amigos amados de Jesus (Luc. 10:38). Ali Jesus descansava quando estava na região da Judeia e numa ocasião, perto de sua própria morte, ele realizou o milagre da ressurreição de Lázaro (Jo. 11:1; 38-44). Próximo à casa de seus amigos, ficava a residência de Simão, o leproso (Mat. 26.6), em companhia do qual Jesus foi ungido por Maria durante uma ceia (Mat. 26:6-13; Mar. 14:3-9; Jo. 12:2-8).

De Betânia Jesus, envia seus discípulos a um lugar próximo para buscar o jumentinho no qual ele haveria de montar e entrar em Jerusalém aclamado como rei em cumprimento à profecia de Zacarias 9:9 (cf. Marcos 11:1). Recebido com louvor pela multidão de seguidores, ele chega ao Templo e de lá retorna com os discípulos para Betânia. Ali ele descansou de noite, na semana anterior à sua crucificação, e ai se realizou a sua ascensão aos céus (Mat. 21:17 e Luc. 24:50).

O segundo lugar chamado Betânia estaria do outro lado do Jordão. Ele é mencionado apenas uma vez no Evangelho de João 1:28. Ali era onde João realizava seus batismos e, ao que tudo indica, o lugar onde o próprio Jesus foi batizado. Pensando se tratar de uma confusão de nomes, Orígenes, no terceiro século, substituiu o nome Betânia por Betabara, e a versão *Trinitariana* seguiu nesta direção. Contudo, os melhores manuscritos gregos trazem Betânia, pelo que parece que realmente havia dois lugares com o mesmo nome.

Atualmente a primeira Betânia, lar de Maria, Marta e Lázaro, é identificada com a pequena aldeia de el-'Azariyeh (El 'Eizariya), nome árabe que significa "o Lugar de Lázaro", situada a 2,5 km da cidade velha de Jerusalém. Já a segunda Betânia, dalém do Jordão, ainda não teve seu lugar definido, mas presume-se que seria algum sítio um pouco ao sul do Mar da Galileia.

BARJONAS

Patronímico de Pedro (Mat. 16:17; Jo. 1:42) porque o nome do seu pai era Jonas. O sobrenome na antiguidade judaica é o nome do pai. Pedro foi o apelido que Jesus deu ao seu discípulo mas seu nomes era Simão filho de Jonas.

BODAS

A palavra bodas, assim sempre no plural, vem do latim VOTA, plural de VOTO, e significa "jura, promessa, garantia". É um termo, hoje não tanto utilizado, para referir-se à cerimônia de casamento em português. No original grego do Novo Testamento, o termo é GAMÒS, que possui o mesmo significado.

Não existem muitas informações diretas sobre como era cada detalhe de uma cerimônia de casamento no tempo de Jesus. Mesmo nas páginas do Antigo Testamento, a cerimônia matrimonial propriamente dita só é mencionada na história de Sansão.

É verdade, contudo, que o Evangelho de João conta as "**Bodas** de Canã como sendo o contexto do primeiro milagre de Cristo (Jo. 2:1-2). No mais as referências de Jesus à cerimônia de casamento, usadas sempre como metáfora de realidades espirituais, seriam: a menção profética de Jesus sobre a alegria de se estar com o noivo antes de sua partida (Mat. 9:15; Mar. 2:19; Luc. 5:34); a indicação de que os anjos do céu não se casam (Mat. 22:30; Mar. 12:25; Luc. 20:34-35); a referência profética de Noé quanto à vida cotidiana no tempo do fim (Mat. 24:38; Luc. 17:27); a advertência quanto à vigilância (Luc. 12:36) e o ensino sobre o lugar que devemos procurar ocupar durante uma festa de casamento (Luc. 14:8-11). Um caso bastante especial é a referência de Jesus a dez virgens que participariam de um processual de casamento, mas cinco perdem a oportunidade por seu descuido em não prover óleo suficiente para a espera do noivo (Mat. 25:1-13).

C

CAIFÁS

Sumo sacerdote contemporâneo de Jesus que ficou oficialmente no posto por muitos anos, a partir do ano 18 até por volta do ano 36 quando foi deposto por Vitélio. Seu nome completo seria José Bar Caifás e ele provavelmente subiu ao poder por meio de jogos políticos e um casamento arranjado com a filha de Anás, sumo sacerdote que o antecedeu no poder.

Citado várias vezes no Novo Testamento era um homem de caráter bem duvidoso (Mat. 26:3; 26:57; Luc. 3:2; 11:49; 18:13-14; Jo. 18:24-28 e At. 4:6). Caifás era o sumo sacerdote quando Jesus foi condenado a morrer na cruz e peça chave na sua condenação ao provocar Pilatos para que o sentenciasse à morte de cruz. Ele também era presidente do Sinédrio – o supremo tribunal dos judeus.

A fonte literária mais confiável sobre sua vida é a obra *Antiguidades dos Judeus*, composta pelo historiador do século I, Flávio Josefo.

De acordo com a Bíblia, Jesus foi preso pela guarda do Templo de Jerusalém e foi levado diante de Caifás, que o interrogou e lhe acusou de blasfêmia, porém, como o Sinédrio não tinha autoridade para sentenciar pessoas à morte, Cristo foi levado para o governador romano Pôncio Pilatos, que teria o poder de realizar tal sentença.

Caifás, sabia que para os líderes judeus do período, existiam preocupações sérias sobre o domínio dos romanos, e que essa mesma liderança judaica via com temor qualquer reformista ou líder religioso que pudesse vir a negar-lhes sua própria legitimidade de governar.

Os romanos, por sua vez, não aplicavam penas de morte a violações da lei judaica e, portanto, a acusação de blasfêmia não faria qualquer diferença para Pilatos. Caifás então tentou convencer Pilatos que Jesus era uma ameaça para a estabilidade romana, culpado não só de blasfêmia, pois este se proclamava rei dos judeus e teria que morrer para evitar uma rebelião. Para isso chegou a fomentar certa agitação populacional (possivelmente pessoas compradas) que agitadas diante do palácio de Pilatos exigiam a crucifixão de Jesus Cristo.

Logrado o desejo de matar Jesus de Nazaré, Caifás continuou ativo, perseguindo os seus seguidores, conforme mencionado no livro de Atos 4.

Em 1990, nos arredores da atual Jerusalém, foram descobertos 12 ossuários numa sepultura familiar de um certo "Caifás". Um dos ossuários estava inscrito com o nome completo, em aramaico: "José, filho de Caifás", o mesmo nome que Flávio Josefo atribui a Caifás. Outro ossuário tinha apenas o sobrenome "Caifás". Considerando a semelhança dos nomes e a datação do artefato que coincide com o século I d.C., os restos mortais contidos nesse recipiente bem poderiam ser os mesmos do personagem mencionado nos evangelhos. Após serem examinados, os ossos foram enterrados novamente no Monte das Oliveiras.

CALVÁRIO (GÓLGOTA)

Palavra que vem do latim *calvarium*, que significa calvo, careca ou crânio. Aliás, é daí que nos veio a palavra calvo. É uma tradução do aramaico/hebraico gólgota, ou gulgathan, que provavelmente significa "colina arredondada" e designava um lugar nos arredores de Jerusalém onde Jesus foi crucificado.

Há quem pense que o nome tem algo a ver com o formato da colina que seria semelhante a uma caveira. Mas não há nenhuma fonte contemporânea aos tempos de Cristo que confirme a exatidão dessa hipótese.

Três dos evangelistas conservam o nome aramaico do lugar que seria, Gólgota (a caveira), e acrescentam a interpretação – "Lugar da Caveira" (Mat. 27:33; Mar. 15:22; Jo. 19:17). Lucas omite isto, e mais simplesmente diz: "Quando chegaram ao lugar chamado Calvário, ali o crucificaram" (Luc. 23:33). Na Vulgata, e traduções da Vulgata, adota-se o termo latino Calvário, que é empregado como nome próprio, "o lugar que se chama Calvário". E é este o nome pelo qual é mais conhecido em português o local da crucificação de Jesus Cristo.

CANÁ DA GALILEIA

Cidade, ou vila, notável pelo fato de ter sido ali que se operou o primeiro milagre de Jesus Cristo (Jo. 2:1 a 11; 4:46), realizando o Salvador, mais tarde, no mesmo lugar, outro sinal maravilhoso (Jo. 4:54). Era, também, a terra natal do apóstolo Natanael (Jo. 21:2). Nenhuma dessas passagens, porém, permitem indicar de uma maneira precisa a localização precisa do antigo assentamento. O que se pode dizer, a partir da Bíblia, é que aquela povoação não ficava muito longe de Cafarnaum (Jo. 2:12; 4:46).

Não se sabe ao certo o local exato de sua antiga localização. Contudo, intervenções arqueológicas recentes tendem mais a identificá-la com Curbete Caná, que fica 10 km ao norte de Nazaré, e não mais com as ruínas de Queque Quená, que fica 5 km ao nordeste de Cafarnaum.

CENTURIÃO

Era um oficial do exército romano, o sexto na cadeia de comando de uma legião. Literalmente o nome significa "aquele que comanda sobre cem", isto é, uma centúria de homens. Assim, espalhados por todo território do império romano, os centuriões comandavam grupos de 60 até 100 soldados, mantendo a ordem, garantido o pagamento de impostos e prestando serviços nas províncias, tendo com frequência competências judiciais ou mesmo administrativas.

Devido ao fato de, na maioria das vezes, as legiões estarem distantes da pátria, os centuriões eram escolhidos pelas suas capacidades de comando e pela prontidão em lutarem até à morte. Dessa forma conseguiam conquistar vitórias contra inimigos em números bem superiores, em territórios hostis onde era por vezes difícil de receberem reforços, ao contrário do inimigo. Suas ordens eram prontamente obedecidas pelos homens que lideravam, inclusive na rápida execução de uma qualquer formação militar. Era deles a responsabilidade pela disciplina e instrução dos legionários.

A figura do centurião aparece com frequência nos evangelhos em diferentes encontros com Cristo. Os dois episódios mais famosos são a cura de um servo do centurião que morava em Cafarnaum e ao momento da cruz em que um dos centuriões presentes reconheceu Cristo como o "Filho de Deus" (Mat. 8:5; 8.13; Luc. 7:2-6; Mat. 27:54; Mar. 15:39-44; Luc. 23:47).

CÔVADO

Unidade de medida que era amplamente utilizada no antigo Oriente Médio. Geralmente o côvado media aproximadamente 45 centímetros, porém essa medida variava de região para região.

Ela aparece no discurso de Jesus como uma indagação retórica: *"Qual de vocês poderá, com toda preocupação, acrescentar mesmo um côvado à sua estatura?"* (Mat. 6:27; Luc. 12:25). A pergunta de Cristo denota uma expressão figurada para indicar que mesmo que o ser humano se preocupe o tanto quanto quiser, não será capaz de acrescentar uma única medida à duração de sua vida, ou seja, nem um dia sequer de adiantamento do tempo ou acréscimo na expectativa de vida.

CÉSAR

Nome ou título que, após o governo de Júlio César, passou a ser usado por todos os imperadores que o sucederam. Por extensão e semântica, passou a significar "governante", "rei" ou "imperador" e pelo menos os onze primeiros imperadores romanos se valeram dele como título de nobreza (Luc. 20:25). No NT são mencionados quatro césares: Augusto (Luc. 2:1); Tibério (Mat. 22:17; Jo. 19:12), Cláudio (At. 17:7) e Nero (At. 25; Fp. 4:22).

O significado etimológico de César, embora não consensual, pode vir de duas raízes: do latim *caesaries*, que significa "o que tem cabelo comprido" ou "o cheio de pelos". A segunda possibilidade é que venha da expressão também latina *"a caeso matris utero"* ou "o corte do útero da mãe", onde *caeso* significaria "cortado, talhado". Daí vem a palavra "cesária", nome da cirurgia em que se retira o feto de dentro do útero através de um corte na barriga da mãe.

Diz uma lenda que o nome surgiu com o imperador romano Júlio César, que teria nascido através de uma cesariana e por isso obteve esse nome.

CÉSAR (AUGUSTO)

Imperador romano (63 a.C.-14 d.C.). Sob seu governo, Roma se firmou como um poderoso império e teve um enorme crescimento cultural e comercial. Foi também durante seu reinado que expediram-se vários censos, um deles mencionado no Evangelho de Lucas e relacionado ao nascimento de Jesus (Luc. 2:1).

O mencionado censo, como todas as operações dessa natureza, consistia em inscrever em registro público o nome, a idade, a profissão, a fortuna, os filhos dos cabeças das famílias de uma comarca, cuja intenção, na maioria das vezes, era contabilizar a arrecadação de impostos, evitando a sonegação fiscal no território do império.

O decreto estabelecido por César Augusto, o primeiro imperador romano, alcançava, conforme o propósito dele, todos os territórios que fizessem parte das províncias romanas, reinos subjugados ou aliados, que dependiam do imenso e potente império, designado pela hiperbólica expressão de toda a população do império.

Esse recenseamento é um dos problemas mais difíceis de resolver no NT e muito já foi escrito sobre ele. Nenhum outro historiador daquela época menciona isso, mas a habitual fidelidade de Lucas é suficiente garantia de sua veracidade, tanto neste ponto como em todos os outros.

CESAREIA DE FELIPE

Cidade pagã, construída ou ampliada por Herodes Filipe nas cabeceiras do rio Jordão. Perto dessa cidade, Pedro confessou que Jesus era o Messias esperado (Mat. 16:13-20).

CIRCUNCISÃO

Cerimônia judaica para retirar cirurgicamente o prepúcio, por razões higiênicas e/ou religiosas. Trata-se de um rito celebrado há milênios no judaísmo como sinal de inclusão do indivíduo na comunidade dos descendentes de Abraão.

Jesus foi circuncidado no oitavo dia, depois do nascimento, conforme a prática observada desde os dias do Antigo Testamento (Gên. 17:12). Desde Abraão, quando o rito foi estabelecido até os dias de hoje, a circuncisão é praticada como um símbolo da aliança estabelecida entre Deus e Abraão, extensiva aos seus descendentes. A razão pela qual Jesus foi submetido a esse rito é uma demonstração indelével de que ele pertencia a uma família de judeus praticantes e como tal exerceu todas as prescrições judaicas de seu tempo. (Luc. 2:21,23).

CIDADE DE DAVI

Expressão que aparece no Evangelho de Lucas 2:11, referindo-se a Belém, cidade de origem do rei Davi. Contudo, o mesmo nome também fora dado a algum setor urbano de Jerusalem, que foi conquistada por Davi e transformada em sua morada (2Sm 5.6-9).

CÂNON DO NOVO TESTAMENTO

Conjunto de 27 livros do NT que a igreja cristã reconhece como genuínos e inspirados. O cânon do NT é igual para evangélicos e católicos. No princípio, alguns livros foram aceitos com certa reserva, mas no final do quarto século o cânon atual já era aceito em quase toda parte.

CLÉOFAS OU CLOPAS

Esposo da Maria que estava aos pés da cruz com a mãe de Jesus (Jo. 19:25). Alguns sugerem que ele teria sido irmão de José, esposo de Maria, mãe de Jesus; isto é, tio de Jesus. Talvez seria distinto do outro Cléofas, um dos discípulos de Emaús (Luc. 24:8).

CRISTO

O termo de origem grega significa "ungido" e traduz o termo hebraico "Messias". Os sumos sacerdotes (Lev. 4:3-16; 6:15) e os reis de Israel (1Sm. 12:3-5; 24,7.11) eram chamados "ungidos". Os discípulos de Jesus deram-lhe o nome de "Cristo" (Ungido), reconhecendo-o como o Messias prometido (Jo. 1:41; 4:25; Mat. 16:16).

CORDEIRO

Filhote ainda novo da ovelha; carneirinho. Sua carne servia de alimento e era usada nos sacrifícios judaicos conforme a orientação divina (Êx. 29:39). João, percebendo, pela iluminação do Espírito, o sentido tipológico do ritual do santuário no ministério de Cristo, apontou para ele, chamando-o de o "Cordeiro de Deus, que tira o pecado do mundo" (Jo. 1:29).

D

DENÁRIO OU DINHEIRO

Antigo denário de prata contendo a face de Tibério César

A tradução do grego *denarion*. O denário era uma moeda de prata romana (Mat. 22:19-21), no valor de mais ou menos 17 centavos no tempo de Cristo. Era o pagamento ordinário de um operário agrícola por um dia (Mat. 20:2,9,13). O hospedeiro do bom samaritano recebeu dois denários para cuidar do judeu ferido. Entretanto ele prometeu suplementar essa soma se as despesas excedessem a isso (Luc. 10:35). Os apóstolos calcularam que seriam precisos 200 denários para comprar pão suficiente para alimentar 5.000 pessoas (Mar. 6:37). Isso seria um denário para cada vinte e cinco pessoas, ou dois terços de um centavo para cada pessoa. Em Apocalipse 6:6, os preços eram daqueles de muita carência que estavam à morte.

DIMAS

A Bíblia não menciona o nome dos "dois ladrões" que foram crucificados com Cristo, "um à Sua direita, e outro à Sua esquerda" (Mat. 27:38; Mar. 15:27; Luc. 23:32 e 33; Jo. 19:18). Mas no Evangelho de Nicodemos (obra apócrifa, produzida no período pós-apostólico), capítulo 9, verso 4, os dois malfeitores são identificados como Dimas e Gestas. Já no capítulo 10, verso 2, do mesmo evangelho apócrifo, Dimas é identificado como aquele que repreendeu o outro malfeitor por suas blasfêmias (ver Luc. 23:40-42).

Apesar de não serem canônicos ou inspirados, livros apócrifos podem conter informações históricas, corroboradas por outras fontes confiáveis da época. Porém, pelo fato de não ser confirmada pelos quatro evangelhos canônicos ou outra fonte mais confiável, a tradição de se identificar os dois malfeitores pelos nomes anteriormente mencionados não passa de mera possibilidade.

DECÁPOLIS (DECÁPOLE)

Conjunto das dez cidades da Transjordânia, de população quase exclusivamente pagã, anexadas por Alexandre Janeu ao território judaico, mas desde 63 a.C. tornadas cidades independentes da província romana da Síria. São elas: Damasco, Filadélfia, Ráfana, Citópolis, Gádara, Hipos, Dion, Péla, Gérasa e Cânata. Embora judeus piedosos evitassem passar pelo lugar para que não se contaminassem com os pagãos, Jesus, em várias ocasiões de seu ministério, atravessou o território da Decápole e realizou curas na região (Mar. 5:20; 7:31).

DEMÔNIO

Ao lado dos anjos bons, o judaísmo reconhece a existência de espíritos maus, ou anjos maus, que causam mal aos homens. São todos subordinados ao "diabo", também conhecido como Satanás, o grande adversário do Filho de Deus (Mat. 4:1; 13:39; 25:41; Jo. 6:70; At. 10:38; 2 Cor. 12:7; 2Tm. 2:26; Ap. 2:10; 12:7).

Jesus expulsou muitos demônios ou espíritos impuros" durante seu ministério, além de curar doenças, então popularmente atribuídas à ação de demônios (Mat. 9:34; 10:8; 11:18; 12:24).

Os evangelhos, portanto, concebem o mundo dominado por forças maléficas (demônios), cujo chefe é Satanás, ao qual Cristo veio vencer. Em oposição ao Reino de Cristo e os seus santos está o Reino de Satanás e dos seus aliados.

DRACMA

A dracma (em grego, *drachma*) é o nome de uma antiga unidade monetária encontrada em muitas cidades-estados gregas e Estados sucessores, e em muitos reinos do Oriente Médio do período helenístico. Mesmo nos tempos do império romano, continuou sendo utilizada em todas as províncias, principalmente na Judeia e Galileia dos tempos de Cristo. A dracma era a mais antiga moeda ainda em circulação na Grécia até ser substituída pelo euro.

DÍDIMO

Nome de origem grega, provém de *Didymos*, que significa literalmente "gêmeo", "nascido do mesmo parto", de *dís*, o mesmo que "duas vezes", em português. O nome equivale em significado a Tomé, que vem do aramaico *teoma*, também com o sentido literal de gêmeo.

É o nome um dos doze apóstolos de Jesus que demonstrou lealdade, mas também dúvida ao ouvir a notícia da ressurreição do Mestre (Mat. 10:3; Mar. 3:18; Luc. 6:15; Jo. 11:16; 14:5; 20:25-29). Contudo, ele aparentemente permaneceu firme depois disso, pelo que é visto com os discípulos no Mar da Galileia, após a ressurreição de Jesus (Jo. 21:2).

Quanto ao título de "gêmeo", há quem diga que se trate de um nome próprio ou da indicação que Tomé tinha, de fato, um irmão gêmeo. Mas a Bíblia é silente a esse respeito e a tradição também. Diz uma tradição posterior que Tomé pregou o evangelho na Índia, China e em várias ilhas de perto e de longe. Os cristãos da igreja de S. Tomé, sobre a Costa de Malabar, consideram-no seu fundador.

DOUTOR DA LEI

Também chamado de escrita, é o especialista nas leis de comportamento do judaísmo, tanto civis quanto religiosas (Luc. 5:17; Mat. 23:3). Eles recebiam o título honorífico de rabi (Mat. 23:7s) e ensinavam a Lei ao povo (Luc. 2:46; Rm. 2:20). Seu trabalho de instrução era elogiado no judaísmo tardio mas Jesus os criticou por seu relativismo teológico, sua incoerência jurídica e sua conduta hipócrita. Por isso, os evangelhos apresentam muitos embates entre Cristo e os doutores da lei, embora também mencione alguns que aceitaram o chamado de Cristo, como foi o caso de Nicodemos e José de Arimateia.

E

EFATÁ

Termo aramaico usado por Jesus em uma de suas curas e quer dizer "abre-te". Ele ocorre uma única vez no Novo Testamento, no texto de Marcos 7:34.

Segundo o Evangelho de Marcos, Jesus seguia para a Galileia, pelos confins de Decápolis. Durante o trajeto, trouxeram-lhe um homem surdo e gago. Após ouvir o clamor pela cura, Jesus o tirou à parte, e pôs-lhe os dedos nos ouvidos, em seguida, tirou de sua saliva e tocou-lhe na língua. Depois disso, ergueu os olhos ao céu, suspirou, e disse: Efatá, isto é, "abre-te" e o homem ficou curado.

Os especialistas divergem quanto ao sentido do gesto de Jesus: há quem defenda que ele "cuspiu" ou, simplesmente, tocou em sua saliva e a pôs no homem. São divergências meramente culturais, da tradução das Escrituras, mas que não descaracterizam a realidade maior do milagre realizado.

EFRAIM (CIDADE DE)

Cidade "vizinha ao deserto", para onde Jesus Cristo se retirou, após ressuscitar Lázaro. Nesse contexto era viva a hostilidade e rejeição dos líderes judeus de Jerusalém (Jo. 11:54). Existe uma possibilidade, mas não uma certeza absoluta, de que essa vila seria o mesmo local mencionado em 2 Samuel 13:23. Há também quem sugira que a antiga Efraim onde Jesus permaneceu oculto por um tempo seria a moderna cidade de Taybeh, localizada no território palestino, próxima a Ramallah, uns 15 km a noroeste de Jerusalém.

ELIAQUIM

A quem Deus estabelece. l. Um dos oficiais da corte de Ezequias. Sucedeu a Sebna como mordomo da casa real e foi nomeado para conferenciar com o rei da Assíria, que estava então cercando a cidade de Jerusalém (2 Rs. 18 e 19 – Isa. 22:20). 2. Filho e sucessor do rei Josias. Foi posteriormente chamado Jeoaquim (2 Rs. 23:34). 3. Sacerdote que assistiu à festa da dedicação dos muros, no tempo de Neemias (Ne. 12:41). 4. e 5. Antepassados de Jesus Cristo (Mat. 1:13; Luc. 3:30).

ELOÍ, ELOÍ, LAMÁ SABACTÂNI?

Expressão de dor, clamada por Cristo na cruz do Calvário. Quer dizer: Deus meu, Deus meu, por que me desamparaste? É a quarta das sete últimas palavras de Cristo na cruz (Mar. 15:34). Mostra que naquela hora Jesus sentiu que estava carregando o peso dos pecados de toda a humanidade e temeu ficar por toda a eternidade afastado do Pai.

EMANUEL

(Deus Conosco). Nome simbólico da criança que ia nascer pela promessa que Deus fez ao rei Acaz, por meio do profeta Isaías. Esse nome indicava que Deus estaria presente no meio do seu povo (Is. 7:13-14). Essa profecia se cumpriu primeiro, de modo parcial, provavelmente com o segundo filho de Isaías e, depois, de modo completo, com o nascimento de Jesus (Mat. 1:23).

F

FARISEUS

Partido judaico de maior apreço no meio popular dos tempos de Cristo. Seu nome, em hebraico *perushim* e significa "os separados". Surgidos no século II a.C., os fariseus viviam na estrita observância das Escrituras religiosas e da tradição oral. Dedicavam sua maior atenção às questões relativas à observância das leis de pureza ritual, inclusive fora do Templo.

As normas de pureza sacerdotal, estabelecidas para o culto, passaram a marcar para eles um ideal de vida em todas as ações da vida cotidiana, que ficava assim ritualizada e sacralizada. Junto à Lei escrita (Torah ou Pentateuco), foram compilando uma série de tradições e modos de cumprir as prescrições da Lei, às quais se concedia cada vez um maior apreço até que chegaram a ser recebidas como Torah oral, atribuída também a Deus. Segundo suas convicções, essa Torah oral foi entregue junto com a Torah escrita a Moisés no Sinai e, dessa forma, ambas tinham idêntica força vinculante. Os evangelhos estão repletos de situações em que os fariseus tratam essas tradições como equivalentes à Palavra de Deus (Mat. 9:14; 15:1-9; 23:5; 23:16, 23; Mar. 7:1-23; Luc. 11:42).

Jesus, porém, denunciou muito de sua atitude como sendo um comportamento vazio e hipócrita. Por isso, muitos deles se tornaram inimigos de Jesus (Mar. 14:53; 15:1; Jo. 11:48-50). Contudo, também é verdade que alguns fariseus se uniram ao movimento de Cristo ou, pelo menos, tornaram-se simpatizantes à sua mensagem no início de seu ministério.

Num desses encontros Jesus aceitou o convite para tomar uma refeição com um fariseu, provavelmente durante o dia. (Luc. 11:37, 38; veja Luc. 14:12.) Antes de comer, os fariseus seguiam o ritual de lavar as mãos até os cotovelos. Mas Jesus não fez isso. (Mat. 15:1, 2). Não era algo que Deus exigia.

O líder fariseu ficou surpreso porque Jesus não seguiu o protocolo de purificação. Então o Mestre lhe diz: "Ora, vocês, fariseus, limpam por fora o copo e o prato, mas por dentro estão cheios de ganância e de maldade. Insensatos! Aquele que fez o exterior também fez o interior, não fez?" — (Luc. 11:39, 40).

Muitos fariseus evitavam temáticas políticas, mas, para uma parte deles, a dimensão política desempenhava uma função decisiva em seu posicionamento e estava ligada ao empenho pela independência nacional. Foi talvez por essa razão ideológica que eles se uniram aos saduceus – seus inimigos ideológicos – para condenar Jesus à morte.

FLAUTA

Instrumento feito de dois pedaços ocos de bambu. O som era obtido soprando numa das extremidades e as notas eram controladas bloqueando os orifícios com os dedos em cada tubo. Elas podiam fornecer música alegre nos desfiles dos dias santos (1 Rs. 1:40) e também música triste (Jr. 48:36). As flautas eram fáceis de fazer e também quebravam com facilidade. Quando se estragavam eram jogadas fora e se fazia outras novas. Quando foi dito de Jesus que "não esmagará a cana quebrada"(Mat. 12:20),o profeta estava afirmando que, contrário à prática comum, o método de Jesus era e é consertar o que está quebrado, em vez de jogá-lo fora.

Jesus usou ainda a imagem da flauta em sua advertência aos judeus de sua época e à rejeição que faziam das mensagens vindas do céu. Trata-se de uma mini parábola narrada em Mateus 11:16-19 e Lucas 7:31-35.

A cena comparativa foi extraída diretamente do cotidiano. Jesus descreve uma situação comum em que crianças, inventando suas brincadeiras, imitam situações comuns do mundo dos adultos e as representam.

O faz de contas podia se dar assim: vários meninos e, talvez, meninas (não se sabe ao certo se ambos os sexos brincariam juntos), estariam brincando na praça de uma cidade, enquanto os adultos se ocupavam em suas atividades. Algumas crianças queriam brincar de casamento. Além da noiva e do noivo, precisavam de um tocador de flauta, pois um grupo deveria dançar na festa. Embora o noivo e a noiva estivessem prontos, e uma das crianças providenciasse a música de flauta, o resto das crianças se recusou a dançar, pois queriam brincar de fazer funeral.

Uma delas tinha que se fingir de morta, enquanto outras cantavam um canto fúnebre, uma lamentação. As demais tinham que chorar, mas também se recusaram. Não queriam participar daquela brincadeira. Então as próprias crianças que tinham inventado as brincadeiras sentaram-se e começaram a discutir entre elas mesmas: "Nós tocamos flauta e não dançastes" – reclamaria o primeiro. "Entoamos lamentações e não chorastes" – responderia o segundo.

A comparação de Jesus gira em torno das semelhanças entre sua geração e as crianças brincando na praça. As crianças eram os judeus que deviam observar a advertência (arrependimento sincero) e a esperança (conversão e preparação para as bodas do Messias).

Veio João Batista, "aquele que entoou lamentações", com sua advertência e convite ao arrependimento, mas eles não choraram, nem se penitenciaram de seus pecados. Veio o Cristo, o noivo messiânico de Israel e eles, novamente, recusaram participar das bodas – com o toque festivo de flautas.

Tal impenitência e endurecimento em relação à chegada do Messias era o que mais agoniava trazia pesar ao coração de Cristo em relação ao seu povo escolhido.

FILHO DE DEUS

Expressão empregada para designar a pessoa de Jesus Cristo, em seu aspecto divino. Ele era o Filho celestial em relação ao Pai eterno (Mat. 3:17; Jo. 5:18-40). Também pode significar simbolicamente os filhos humanos de Deus que, pelo novo nascimento, passaram a pertencer à família de Deus, relacionando-se com ele como filhos em relação a um pai amoroso (Luc. 20:36; Rm. 8:14; Gl. 3:26; Fp. 2:15; Hb. 12:7). Aos filhos de Deus se contrapõem os filhos do Diabo (At. 13:10).

FILHO DO HOMEM

Título que Jesus usava para referir-se a si mesmo como o escolhido de Deus (Mar. 10:45). A expressão faz jus à condição humilde de Cristo, bem como apela para a sua humanidade (Mar. 8:31; Luc. 9:58) e também à sua futura glória (Mat. 25:31; Mar. 8:38).

No Antigo Testamento, o mesmo título era aplicado ao ser humano, debilitado e mortal. Essa expressão aparece umas cem vezes em Ezequiel (por exemplo, 2:1) e uma vez em Daniel (8:17).

FILHO DE DAVI

Título que os judeus davam ao Messias. Ele seria descendente de Davi e viria para ser rei de Israel. Jesus foi diversas vezes chamado "Filho de Davi" por pessoas que queriam ser curadas por ele (Mat. 12:23; 21:15; Luc. 18:39).

FELIPE (FILIPE)

Nome que aparece nos evangelhos referindo-se a três diferentes pessoas: Filipe, filho de Herodes, o Grande e Cleópatra, tetrarca da Itureia e Traconites (Luc. 3:1), que governou de 2 a 34 d.C.; Filipe, filho de Herodes com Mariamne II, o qual era casado com Herodíades, que o abandonou para viver com Herodes Antipas (Mat. 14:3) e, finalmente, Filipe apóstolo, natural de Betsaida (Jo. 1:43-46). É mencionado na multiplicação dos pães (6:5-7) como intermediário entre Jesus e alguns pagãos (12:21s) e num diálogo com Jesus (14:8-10).

G

GADARA E GERASA

Cidades mencionadas no Novo Testamento em relação a uma das mais impressionantes curas realizadas por Jesus – o exorcismo sobre um jovem que passava dias e noites nas cavernas e nos cemitérios, feria-se de propósito, gritava pelas estradas, tinha uma força capaz de arrebentar correntes de ferro, era violento e perigoso, andava nu e assustava todo mundo.

A historia é descrita nos Evangelhos de Mateus, Marcos e Lucas, porém, Mateus foi o único a contar que não era apenas um homem a viver nos sepulcros de Gadara, sob domínio de Satanás, mas dois: "E tendo chegado ao outro lado, a província dos Gadarenos, saíram-lhe ao encontro dois endemoniados, vindos dos sepulcros; tão ferozes eram que ninguém podia passar por aquele caminho" (Mat. 8:28).

A aparente discrepância pode ser explicada pelo fato de que um seria mais velho e o outro uma mulher ou criança, indivíduos que não eram obrigatoriamente mencionados numa história relatada. Eles podiam ou não ser citados. Era a cultura da época.

Sendo um nome de origem semita, Gadara significa "recinto" ou "confim". Hoje muitos a identificam com Umm Qais na região da Jordânia.

Nos tempos de Cristo, Gadara havia sido uma grande cidade fortificada da Pereia, na extremidade noroeste das montanhas de Gileade, à distância de oito quilômetros ao oriente do Jordão e quase dez quilômetros a sudeste do Mar da Galileia. Foi também uma das cidades mais importantes de Decápolis. Cunhava sua própria moeda e era referência em cultura, pois abrigava vários poetas clássicos e filósofos. Era na sua maior parte uma cidade grega, até ser capturada pelos romanos e dada por Augusto a Herodes, o Grande.

Provavelmente Gerasa era uma vila e Gadara era a cidade mais importante da região. Tanto Gadara como Gerasa eram cidades situadas a uns 48 km a sudeste do Mar da Galileia.

Embora se notasse um forte elemento judaico na população, o caráter gentílico também se torna claro, uma vez que os judeus não criavam porcos, pois a lei mosaica os considerava animais impuros.

As ruínas locais compreendem dois teatros, uma basílica, um templo e uma bela estrada com uma colunata de cada lado. Ao longo das bordas do Mar da Galileia, perto de Gadara, ainda se podem ver os restos de antigos sepuLuc.ros, cavados nas rochas, estando voltados para o mar.

GALILEIA

Região norte do antigo território judeu que formava, junto com a Pereia, o conjunto de cidades administradas por Herodes (4 a.C. a 37 d.C.). Sua população era formada sobretudo de judeus. Mas, por causa de sua cultura e dialeto próprio (Mat. 26:73), os galileus eram desprezados pelos judeus da Judeia como se fossem ignorantes e não observadores da Lei (Jo. 7:41; Mar. 14:70). Cidades da Galileia, como Nazaré, Caná, Cafarnaum, Betsaida e Tiberíades, além do lago da Galileia, são o cenário mais familiar da vida pública de Jesus.

GÓLGOTA

Termo aramaico que significa "lugar do crânio" ou da caveira (em latim *Calvaria*, de onde vem a palavra

"Calvário"); é o lugar onde Jesus foi crucificado (Mat. 27:33; Jo. 19:17). Era, provavelmente, uma pequena colina, fora dos muros de Jerusalém, onde os condenados eram executados.

GEENA

Palavra que aparece em determinados discursos de Cristo e que normalmente é traduzida por inferno. O sentido parece ser o de castigo que existirá após a ressurreição. Jesus perguntou aos fariseus: "Como vocês escaparão da condenação do inferno [*geena*]?" (cf. Mat. 23:33). Também disse aos fariseus que eles faziam discípulos para depois os tornarem "duas vezes mais filho do inferno [*geena*] do que vós" (cf. Mat. 23:15), e que "é melhor entrar na vida aleijado do que, tendo os dois pés, ser lançado no inferno [*geena*]" (cf. Mar. 9:45). Qualquer um que disser "louco" ao ser irmão, "corre risco de ir para o fogo do inferno [*geena*]" (cf. Mat. 5:22).

Vista do vale do Geena em Jerusalém

A passagem mais clara de que o verdadeiro *inferno* à luz da Bíblia (que é o *geena*) não é um local para espíritos incorpóreos, mas para onde vão os *corpos físicos* dos ímpios, é Mateus 5:29, onde Cristo diz que, "se o teu olho direito te escandalizar, arranca-o e atira-o para longe de ti; pois te é melhor que se perca um dos teus membros do que seja todo o teu corpo lançado no inferno [*geena*]". Mas o que era esse *geena*, de que Cristo tanto falava? *Geena* era o nome dado ao Vale de Hinon, que se localizava ao sul de Jerusalém. Era um verdadeiro "lixão público", local onde se deixavam os resíduos, bem como toda a sorte de cadáveres de animais e malfeitores, e imundícies de todas as espécies, recolhidas da cidade.

Neste local, era aceso um "fogo que nunca se apagava", pelo fato de que estava constantemente aceso, tendo em vista que suportava todos os tipos de lixo e carniça que eram ali despejados. Os dejetos que não eram rapidamente consumidos pela ação do fogo eram consumidos pela devastação dos vermes que ali se achavam – um cenário muito típico de um verdadeiro lixão público –, que devoravam as entranhas dos cadáveres dos impenitentes que lá eram lançados, em um espetáculo realmente aterrador.

Por isso mesmo, o fogo não podia ser apagado, para a preservação da saúde do povo que viva naquelas redondezas. Esse quadro histórico do "Vale de Hinon" ou "*Geena*" também é o quadro espiritual do fim dos pecadores que, de acordo com a Bíblia, serão ali lançados. Esse é exatamente o mesmo quadro também relatado por Isaías, no último capítulo de seu livro:

"E sairão, e verão os **cadáveres dos homens** que prevaricaram contra mim; porque o seu verme nunca morrerá, nem o seu fogo se apagará; e **serão um horror a toda a carne**" (cf. Isaías 66:24).

Exatamente o mesmo cenário histórico é retratado por Isaías como o cenário do juízo final. Isaías não contemplava "almas" ou "espíritos" vivos entre as chamas, mas, sim, **cadáveres**, ou seja, *pessoas mortas*. Não existe vida eterna no *geena*. O geena era um local de impurezas, e no Reino de Deus "não entrará nela coisa alguma que contamine, e cometa abominação e mentira; mas só os que estão inscritos no livro da vida do Cordeiro" (cf. Ap. 21:27). Aquilo que era considerado impureza era lançado no *geena* para ser completamente consumido e devorado pelo fogo e pelos vermes, o mesmo cenário do destino final dos pecadores!

H

HOSANA

Palavra que em hebraico são duas (hoshiah na), que querem dizer "salva, pedimos" (SL 118:25; v. HALEL). Com o tempo essa oração se tornou uma exclamação de louvor (Mat. 21:9).

A palavra **hosana** aparece 6 vezes na Bíblia, nos evangelhos (Mat. 21:9[2x].15; Marcos 11:9; João 12:13). A transcrição do vocábulo grego é *Osanna*. Contudo não é uma palavra grega, mas hebraica. Trata-se do verbo *hosha* (salvar) no imperativo hifil, seguido da partícula enclítica de súplica *na*, que às vezes é traduzida como "te emploro". Portanto, poderíamos traduzir *hosana* como *"Salva, te imploro"*.

No Antigo Testamento não aparece a forma literal "hosana", mas no Salmo 118:25 temos a forma imperativa longa (hoshi'ana): *"Salva-nos, agora, te pedimos, ó SENHOR; ó SENHOR, te pedimos, prospera-nos"*. Esta citação é importante para entender o contexto em que era usado este termo. O Salmo 118 era usado por ocasião da festa dos Tabernáculos e o versículo 25 tinha a função especial de dar o sinal para começar a agitação dos ramos (*lulab*).

HERODES

Nome comum de vários reis IDUMEUS que governaram a Palestina, de 37 a.C. até 70 d.C.
1) Herodes, o Grande (37 a 4 a.C.), construiu Cesareia, reconstruiu o Templo e mandou matar as criancinhas em Belém (Mat. 2:1-18). Quando morreu, o seu reino foi dividido entre os seus três filhos: Arquelau, Antipas e Filipe.

2) Arquelau governou a Judeia, Samaria e Idumeia de 4 a.C. a 6 d.C. (Mat. 2.22).

3) Herodes Antipas governou a Galileia e a Pereia, de 4 a.C. a 39 d.C. Foi ele quem mandou matar João Batista (Mat. 14:1-12). Jesus o chamou de "raposa" (Luc. 13:32).

4) Filipe, TETRARCA que governou, de 4 a.C a 34 d.C., a região que ficava a nordeste do lago da Galileia, isto é, Itureia, Gaulanites, Bataneia, Traconites e Auranites (Luc. 3:1).

5) Herodes Agripa I governou, de 41 a 44 d.C., toda a terra de Israel, como havia feito Herodes, o Grande, seu avô. Esse Agripa mandou matar Tiago (At. 12:1-23).

6) Herodes Agripa II, que governou o mesmo território que Filipe havia governado (50-70 d.C.). Paulo compareceu perante esse Agripa (At, 25:13; 26:32).

HERODIAS

Herodias casou-se com seu tio, Filipe, e tiveram uma filha chamada Salomé. Herodias abandonou seu marido para viver com seu cunhado, o rei Herodes Antipas, homem mais poderoso do que seu marido. Ela era muito ambiciosa. Certamente, ela pensou que, casando-se com seu cunhado teria uma posição melhor, teria mais poder, um acréscimo de riqueza. Ela era uma mulher sem escrúpulos e manipuladora, conseguiu com que Herodes se divorciasse de sua esposa. Ela também divorciou-se de seu esposo Filipe, o meio irmão de Herodes, e se casaram.

Esse casamento foi muito ofensivo aos judeus. João Batista, um grande homem de Deus, foi preso por ordem de Herodes porque o repreendeu publicamente por ter tomado Herodias, a mulher de seu irmão Filipe (Mar. 6:17,18).

Herodias passou a odiar João Batista com grande ira, a ponto de desejar a morte dele. (Mar. 6:19)

O ódio, a obsessão maldosa de Herodias de fazer mal a João Batista realizou-se quando sua filha Salomé dançou na festa de Herodes, diante de todos, o agradando, ao ponto de Herodes prometer dar a ela o que ela quisesse. Herodias, imediatamente, influenciou e manipulou, convenceu sua filha Salomé a pedir a cabeça de João Batista em um prato. (Mat. 14:8).

HIDRÓPICO

Pessoa que sofre de hidropisia, doença que consiste no acúmulo de líquido e inchaço no corpo todo ou numa de suas partes, como, por exemplo, no ventre (barriga d-água) (Luc. 14:2).

Há uma pessoa citada como hidrópica na Bíblia (Luc. 14:2), que procurou Jesus e por ele foi curada. Parte dos comentaristas bíblicos traduzem sua enfermidade como barriga d'água. A palavra na língua grega (língua utilizada no Novo Testamento) é hydropikós e dá um sentido de acúmulo de líquido.

HINOM

Vale situado a sudoeste de Jerusalém, entre a estrada que vai para Belém e a que vai para o Mar Morto. Estava na divisa entre Judá e Benjamim (Js. 15:8). Ali se queimavam crianças no culto a MOLOQUE (2Rs. 23:10). Mais tarde era lugar onde se queimava lixo. *Geena* é a forma grega do hebraico *ge-hinom*, que quer dizer "vale de Hinom".

I

IGREJA

Tradução da palavra grega **ekklesia**, significa assembleia, ajuntamento dos servos de Deus. Grupo de seguidores de Cristo que se reúnem em determinado lugar para adorar a Deus, receber ensinamentos, evangelizar e ajudar uns aos outros (Rom. 16:16). A palavra considera igreja a totalidade das pessoas salvas em todos os tempos (Ef. 1:22). Segundo a palavra, podemos observar neste conceito que igreja não é a estrutura material construída por mãos humanas. Para tanto, a primeira vez que a palavra igreja fora pronunciada no Novo Testamento deu-se no Evangelho de Mat. 16:14-18, ocasião em que o Senhor Jesus interrogou seus discípulos, dizendo: *Quem dizem os homens ser o Filho do Homem? E eles disseram: Uns, João Batista; outros, Elias, e outros, Jeremias ou um dos profetas. Disse-lhes então Jesus: E vós, quem dizeis que eu sou? E Simão Pedro, respondendo, disse: Tu és o Cristo, o Filho do Deus vivo. E Jesus, respondendo, disse-lhe: Bem-aventurado és tu, Simão Barjonas, porque não foi carne e sangue quem te revelou, mas meu Pai, que está nos céus. Pois também eu te digo que tu és Pedro e sobre esta pedra edificarei a minha igreja, e as portas do inferno não prevalecerão contra ela.* E verdadeiramente a igreja primitiva de Cristo foi primeiro edificada fundamentada na doutrina dos apóstolos (At. 2:47), hoje, é edificada no **IDE** de cada um dos que tem compromisso de servir a Deus em Espírito e em Verdade (Ef. 2:19, 20).

INFERNO

Castigo em que os perdidos estarão eternamente separados de Deus (Mat. 18:8-9; 25:46; Luc. 16:19-31; 2Pe. 2:4; Ap. 20:14). "Inferno", no NT, traduz as palavras *hades* (uma vez) e *geena* (v. HINOM).

INRI

Em meio à crucificação, foi colocada uma placa, uma espécie de letreiro, bem em cima da cruz, com alguns dizeres em três línguas (hebraico, latim e aramaico): *"Muitos judeus leram este título (...) e estava escrito em hebraico, latim e grego."* (Jo. 19:20)

Esse "título" escrito nessa placa continha em latim a expressão *(Iesus Nazarenus Rex Iudaeorum)*, que significa: *"JESUS NAZARENO, O REI DOS JUDEUS." (Jo. 19:19)*. "I.N.R.I." são as iniciais dessa expressão. Essa mesma expressão também estava escrita em hebraico e grego como vimos em (Jo. 19:20).

J

JOANA

Forma feminina do nome João. Vem do hebraico *Yehohanan*, composto por *Yah*, que é a abreviação de *Yahweh* (o nome de Deus) e por *hanan*, que significa "teve misericórdia". Significa, literalmente, "Deus teve misericórdia" ou também "Dom de Deus". Era um nome dado pelos pais aos filhos muito esperados, nascidos quando os pais já tinha perdido a esperança, como no caso de João, o Batista.

Joana é citada na Bíblia apenas duas vezes no Evangelho de Lucas (8:1-3; 24:1-10). Na primeira referência, encontramos a única informação sobre sua vida pessoal, no caso, o nome de seu esposo.

O texto do evangelho nos diz que seu marido, Cuza, era *"procurador de Herodes"* (Luc. 8:3). Com base nessas palavras, não se sabe exatamente se Cuza era oficial da casa de Herodes, ou seja, um mordomo, ou se ele era um oficial de seu governo, isto é, um tipo de chanceler.

Na mesma passagem, Joana é citada, juntamente com Maria Madalena e Suzana, como pertencendo a um grupo de mulheres que serviam ao Senhor Jesus e seus discípulos com seus próprios bens, ou seja, a contribuição dessas mulheres ajudava a sustentar o ministério itinerante do Senhor, que percorria de *"cidade em cidade e de aldeia em aldeia"* (Luc. 8:1).

O fato de mulheres serem citadas acompanhando Jesus e os doze apóstolos é bastante significativo e incomum, pois os rabinos da época se recusavam a ensinar mulheres. Portanto, era raro encontrar qualquer mulher envolvida dessa forma em algum grupo religioso.

Em Lucas 8:2 somos informados de que as mulheres mencionadas pelo Evangelista, o que possivelmente inclui Joana, tinham sido curadas de *"espíritos malignos e de enfermidades"*.

JOSÉ DE ARIMATEIA

Membro do Sinédrio, simpatizante do movimento de Jesus e que assumiu publicamente sua decisão ao lado de Cristo, por ocasião de seu julgamento na corte judaica. Era provavelmente um homem de posses e emprestou seu próprio túmulo familiar para colocarem o corpo do Senhor (Mat. 27:57; Luc. 23:50) Era natural de Arimateia, provavelmente a cidade de Ramá, citada no Antigo Testamento (1Sm. 1:19). Foi ele quem intercedeu junto a Pilatos e pediu o corpo de Cristo. Após a certificação do óbito e autorizada a remoção do corpo, José imediatamente adquiriu um pano de linho fino (Mar. 15:46) e seguiu para o Gólgota, a fim de tirar o corpo da cruz. Ali foi ajudado por Nicodemos e algumas mulheres que ungiram o corpo do Senhor com a mirra e o aloés que o próprio Nicodemos trouxera (Jo. 19:39). Depois disso, transportaram-no para o túmulo talhado, que pertencia à família de José e lá o deixaram (Luc. 23:53, 55). Isso foi feito apressadamente, por causa da chegada do sábado. E ali Cristo permaneceu até ressuscitar na manhã do primeiro dia da semana. Fora esses detalhes, nada mais é dito acerca desse seguidor de Jesus Cristo.

JOSÉ, PAI DE JESUS

Foi marido de Maria, mãe de Jesus. Embora o mais correto seria chamá-lo "padrasto" de Jesus – pois ele não teve participação biológica na geração de Cristo –, algumas passagens se referem a ele como pai de Jesus Cristo, porque agia legalmente dessa maneira. Os próprios judeus da época consideravam Jesus como filho de José (Luc. 3:23; 4:22; Jo. 1:45; 6:42).

São bem poucas as informações sobre a vida de José. Sabe-se que ele era um descendente legítimo da casa do rei Davi, conforme registrado na genealogia de Jesus apresentada em Mateus 1.

Já a genealogia presente no Evangelho de Lucas, possivelmente não é a de José, mas a de Maria. De qualquer forma, ambos os evangelhos demonstram claramente que **Jesus não era filho José.** Mesmo a genealogia registrada em Mateus enfatiza que *"Jacó gerou José, marido de Maria, da qual nasceu Jesus, que se chama Cristo"* (Mat. 1:16).

José era um carpinteiro que vivia em Nazaré, uma pequena aldeia na região da baixa Galileia. O Censo de Lucas, no entanto, sugere que ele era originário de Belém da Judeia. Sua aparição no texto bíblico começa como o noivo de Maria, uma virgem que morava no mesmo vilarejo de Nazaré.

José é mencionado em todos os evangelhos, menos no de Marcos. Ele recebe maior destaque em Mateus, onde está registrada a revelação que teve de um anjo, alertando-o, em sonho, sobre o perigo que o menino Jesus corria de ser morto por Herodes (Mat. 1:20-25).

O mesmo anjo ordenou-lhe tomar, sem medo, Maria por esposa, além de revelar que o menino que ela estava esperando deveria se chamar Jesus (Mat. 1:21). Depois da revelação que teve, José assumiu Maria como sua esposa e desempenhou o papel de "pai" para o menino Jesus. Após o nascimento de Jesus, em Belém, José o levou a Jerusalém para a purificação (Luc. 2:22), e depois, como chefe da família, fugiu com ele para o Egito a fim de escapar da perseguição invejosa de Herodes, conforme a instrução recebida do anjo do Senhor (Mat. 2:13-15).

Quando voltou do Egito, José se estabeleceu novamente em Nazaré, onde Jesus foi criado e aprendeu sua profissão (Mar. 6:3). Anualmente José levava sua família para Jerusalém, por ocasião da celebração da Páscoa (Luc. 2:41-52).

É difícil saber se José ainda estava vivo quando Jesus iniciou seu ministério público. Alguns estudiosos, baseados em João 6:42, sugerem que talvez ele ainda estivesse vivo, porém admitem que provavelmente ele tenha morrido durante esse período, visto que ele não é mencionado juntamente com Maria e os irmãos de Jesus em outras referências (Mat. 12:46-50; Marcos 3:31-35 e Lucas 8:19-21).

Além disso, por José não ser mencionado na ocasião da crucificação de Jesus, e pelo fato de Maria ter sido recomendada aos cuidados do apóstolo João, por Jesus, conclui-se que José já havia morrido nesse tempo. Apesar dos poucos detalhes, certamente pode-se afirmar que José, o pai de Jesus no sentido legal, era um homem de grandes qualidades, fiel e obediente ao Senhor.

Estrada do Bom Samaritano

JERICÓ

Cidade do Novo Testamento em que Jesus realizou a cura do cego Bartimeu e recuperou um publicando chamado Zaqueu (Mat. 20:29 – Mar. 10:46 a 52; Luc. 18:35; 19:1 a 10). Não deve ser confundida com a Jericó do Antigo Testamento destruída nos dias de Josué. Sobre a primeira caiu uma maldição divina que sentenciaria qualquer um que tentasse reedificar "esta cidade de Jericó" (Js. 6:26). A condenação caiu, quinhentos anos mais tarde, sobre Hiel, de Betel (1 Rs. 16:34).

A Jericó dos tempos de Jesus foi reconstruída por Herodes e se localizava a mais de 1,6 km para o sul da Jericó do Antigo Testamento, era a segunda cidade da Judeia e abrigava o palácio do rei onde João Batista foi preso e decapitado. Houve um tempo em que Jericó fizera parte da propriedade de Cleópatra e lhe fora dada como presente de Marco Antônio. Mais tarde foi arrendada a Herodes, o Grande, que ali construiu muitos palácios e edifícios públicos. Foi, finalmente, destruída pelos romanos, cerca do ano 230 d.C.

É possível entender os episódios em que Jesus curou os homens cegos nas Escrituras, quando entendemos que Jesus estava passando pela Jericó antiga (Mat. 20:29; Marcos 10:46) e se aproximando da Jericó de Herodes (Luc. 18:35). Quando Jesus passava por Jericó (Luc. 19:1), ele conheceu e comeu com Zaqueu, um rico coletor de impostos da nova Jericó romana. A cidade também aparece na parábola do Bom Samaritano (Luc. 10:30-37).

JESUS

Nome dado ao salvador, mas também um nome comum nos tempos do Novo Testamento. Era a forma grega (*Yesus*) do nome Josué aramaico: *Yeshua*, e em hebraico: *Yehoshua*. Seu sentido é, "o Senhor salva". Por isso o Anjo disse a José que este deveria ser o nome da criança, pois "ele salvará o seu povo dos pecados deles" (Mat. 1:21).

Existe outro Jesus seguidor e cooperador do apóstolo Paulo, a quem ele afetuosamente chama de "Jesus, conhecido por Justo". Sua referência encontra-se em Colossenses 4:11.

JOÃO

O apóstolo, irmão de Tiago, o "Grande" (Mat. 4:21; Mat 10:2; Mar. 1:19; Mar. 3:17; Mar. 10:35). Era um dos filhos de Zebedeu (Mat. 4:21) e de Salomé (Mat. 27:56; comp. Mar. 15:40), provavelmente o mais novo, tendo nascido em Betsaida.

O seu pai era, aparentemente, um homem rico (comp. Mar. 1:20; Luc. 5:3; Jo. 19:27). Ele foi, sem dúvida, treinado em tudo o que constituía a vulgar educação destinada aos jovens judeus. Quando cresceu, seguiu a profissão de pescador, no lago da Galileia. Quando João Batista começou o seu ministério no deserto da Judeia, João, com muitos outros, juntou-se a ele e foi profundamente influenciado pelos seus ensinos. Aí ele ouviu o anúncio "Eis o Cordeiro de Deus" e, imediatamente, a convite de Jesus, tornou-se um discípulo, sendo contado entre os seus seguidores (Jo. 1:36, 37) durante algum tempo. Ele e o seu irmão voltaram, então, para a sua ocupação durante mais algum tempo. Jesus chamou-os novamente (Mat. 4:21; Luc. 5:1-11) e dessa vez eles deixam tudo, ligando-se permanentemente à companhia dos seus discípulos.

Fez parte do circulo mais íntimo de Jesus (Mat. 5:37; Mat. 13:3; Mat. 17:1; Mat. 26:37). Ele foi o discípulo amado. Pelo seu zelo e intensidade de carácter, foi chamado "Boanerges" (Mar. 3:17). Mas este espírito foi domado (Mat. 20:20-24; Mar. 10:35). Quando da traição de Jesus, ele e Pedro seguiram Cristo de longe, enquanto os outros fugiram apressadamente (Jo. 18:15). No julgamento, seguiu Cristo até a câmara do concílio e depois até o pretório (Jo. 18:16, 19, 28), indo também até o lugar da crucificação (Jo. 19:26, 27). É a ele e a Pedro que Maria dá primeiro as novas da ressureição (Jo. 20:2), e são eles os primeiros a ver o que tudo aquilo significava.

Após a ressureição, ele e Pedro voltam ao Mar da Galileia, onde o Senhor se lhes revelou (Jo. 21:1, 7). Após esses acontecimentos, vemos Pedro e João frequentemente juntos (Jo 3:1; 4:13). Aparentemente, João permaneceu em Jerusalém como líder da igreja aí estabelecida (At. 15:6; Gl. 2:9). A sua história subsequente não está registada. Ele não estava em Jerusalém, contudo, no momento da última visita de Paulo (At. 21:15-40). Parece que se tinha retirado para Éfeso, mas não sabemos em que altura. As sete igrejas da Ásia foram objeto do seu especial cuidado (Ap. 1:11). Sofreu perseguições e foi preso em Patmos (Ap. 1:9), de onde voltou para Éfeso. Aí morreu provavelmente em 98 d.C., tendo sobrevivido a todos ou quase todos os amigos e companheiros, mesmo os dos seus anos mais maduros. Existem muitas tradições interessantes sobre João, enquanto ele viveu em Éfeso, mas a nenhuma se pode atribuir um caráter de verdade histórica.

JOÃO BATISTA

Precursor de Cristo. Sua vinda fora profetizada por Isaías 40:3 e Malaquias 4:5 (cf. Mat. 11:14). Seu nascimento também foi anunciado a seus idosos pais por "um anjo do Senhor" (Luc. 1.5 a 23). Seu pai Zacarias era sacerdote, e sua mãe Isabel "era uma das filhas de Arão".

Quanto à sua infância, apenas se sabe que João Batista "crescia e se fortalecia em espírito. E viveu nos desertos até o dia em que havia de manifestar-se a Israel" (Luc. 1:80).

Assim, embora tivesse sido consagrado antes do seu nascimento à missão de pregar e ensinar (Luc. 1:13 a 15), ele só deu início à sua obra quando chegou à idade adulta, depois de ter passado vários anos isolado, vivendo em abnegação. Há quem pense que ele se filiou por um tempo à comunidade dos essênios, o que é possível, mas ainda que assim seja, se distanciou dela quando iniciou seu ministério junto ao rio Jordão.

A maneira como João Batista apareceu pregando chamou a atenção de toda a gente. O seu vestido era feito de pelos de camelo, e ele andava cingido de um cinto de couro, sendo a alimentação do notável pregador o que encontrava no deserto, gafanhotos e mel silvestre (Lv. 11:22 - Sl. 81:16 - Mat. 3:4). O ministério de João começou "no deserto da Judeia" (Mat. 3:1; Mar. 1:4; Luc. 3:3; Jo. 1:6 a 28).

Ele pregava o arrependimento e a vinda do reino dos céus, e todo o país parecia ser movido pela sua palavra, pois vinham ter com ele as multidões para receberem o batismo (Mat. 3:5 e Mar. 1. S). Em termos enérgicos censurou a falsa vida religiosa dos fariseus e saduceus que se aproximavam dele (Mat. 3:7), avisando, também, outras classes da sociedade (Luc. 3:7 a 14). Chamava a atenção dos ouvintes para Jesus Cristo, o Cordeiro de Deus (Luc. 3:15 a 17 - Jo. 1:29 a 31), a quem batizou (Mat. 3:13 a 17). O povo quis saber se João era o Cristo prometido (Luc. 3:15) - mas ele categoricamente asseverou que não era (Jo. 1:20).

A importância do ministério de João acha-se claramente indicada nas referências de Jesus Cristo e dos apóstolos ao caráter e à obra notável do pregador. Depois de responder aos mensageiros de João (Mat. 11:2 a 6; Luc. 7:19 a 23), falou Jesus às multidões sobre o caráter e missão do Batista, declarando: "Entre os nascidos de mulher, ninguém apareceu maior do que João Batista" (Mat. 11:7 a 11; Luc. 7:24 a 28). Mais tarde foi por Jesus, de um modo preciso, identificado com o prometido Elias (Mat. 17:10 a 13; Mar. 9:11 a 13) - e também o batismo de João foi assunto de que Jesus se serviu para discutir com "os principais sacerdotes e os anciãos do povo", colocando-os em dificuldades (Mat. 21:23 a 27) - e, pelo fato de estes judeus rejeitarem o apelo de João, fez-lhes sentir o Salvador a sua responsabilidade (Mat. 21:32). O batismo de João foi lembrado por Jesus depois da sua ressureição (At. 1:5) - a ele se referiu também

Pedro (At. 1:22; 10:37 - 11:16), e o apóstolo Paulo (At. 13:24,25). Apolo conhecia somente o "batismo de João" (At. 18:25), e maior conhecimento não havia em certos discípulos de Éfeso (At. 19:1 a 4).

O ministério corajoso de João parece ter alarmado Herodes, o tetrarca da Galileia, que, segundo conta Josefo[3], o considerava como demagogo e pessoa perigosa. Como João o tivesse censurado por ter casado com Herodias, mulher de seu irmão Filipe, que ainda estava vivo, lançou Herodes o seu censurador numa prisão. O medo da indignação popular (Mat. 14:5) parece tê-lo impedido de matar João Batista, mas a filha de Herodias, baseando-se numa inconsiderada promessa de Herodes, obteve a morte de João Batista (Mat. 14:3 a 12).

JOÃO MARCOS

Missionário, autor de um dos evangelhos canônicos. Era filho de Maria, uma das seguidoras de Jesus e proprietária da casa em Jerusalém onde provavelmente Jesus realizou a última ceia com os discípulos. Era também primo ou sobrinho de Barnabé. Apenas cinco vezes ele é chamado pelo nome de João (At. 12:12,25 e 13:5,13 e 15:37). Nas demais passagens é o nome Marcos que prevalece.

JUDAS ISCARIOTES

Um dos 12 apóstolos, o que traiu Jesus Cristo. É chamado o filho de Simão Iscariotes (Jo. 6:71), daí ser conhecido como Judas Iscariotes. Esse sobrenome ou apelido é fonte de muitas opiniões entre os especialistas, sobretudo quanto à sua significação etimológica.

A mais provável traz uma conotação política, ligando-o ao grupo dos sicários, uma ramificação do grupo dos zelotes que perpetrava violentos ataques – geralmente com punhais, e daí o seu nome latino de sicarii – contra as forças romanas na Palestina. Por isso, argumenta-se que Judas Iscariotes, alegadamente, teria sido um membro desse grupo e que o seu nome seria a transliteração de homem do punhal, em hebraico *ish sicari*. Outros derivam o seu nome do aramaico *saqar*, palavra que significava alguém "mentiroso", que é "falso".

Outra possibilidade é que Iscariotes fosse usado como apelido, em hebraico *ish Qeryoth*, que significa homem de Queriote. (Jo. 6:71; 13:26) Também, podia ser designado filho/descendente/natural de Queriote. Queriote – de acordo com a interpretação inicialmente veiculada por São Jerônimo – seria o nome simplificado da aldeia, ou mais provavelmente um conjunto de aldeias, de Queriote-Ezron (Jos. 15:21) – nome que significa "cidades de Ezron" – localizada na província romana da Judeia (no território da Tribo de Judá) e que é comumente identificada com a moderna Qirbet el-Qaryatein, situada a cerca de 20 km a sul de Hébron.

Se proceder esta última hipótese, Judas seria o único apóstolo de Cristo que não era originário da região da Galileia.

Seu mau caráter, bem como sua atitude final, foi sempre do conhecimento de Jesus (Jo. 6:64). A sua fraqueza logo se manifestou na cena da unção em Betânia (Jo. 12:4,5). As palavras, "por que não se vendeu?" manifestavam o sentimento dos 12 –- mas a ideia de que o unguento devia ser vendido para socorrer os pobres era de Judas, como o dá a entender o apóstolo João, acrescentando que ele tinha proposto a venda daquela essência por ser ladrão, pois "tendo a bolsa, tirava (isto é, subtraía) o que nela se lançava" (Jo. 12:4 a 6).

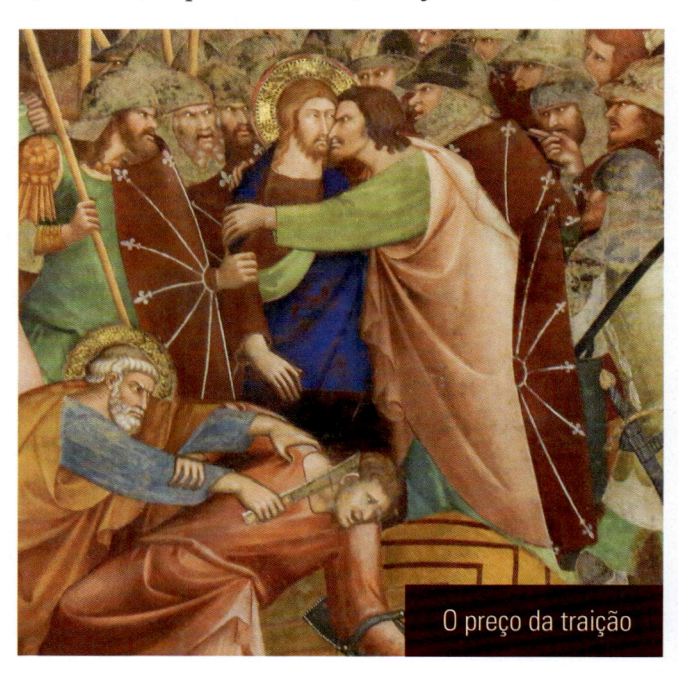

O preço da traição

Por essa revelação já se explica o ato que mais tarde praticou. Sendo ele, pois, cobiçoso, e não podendo conformar-se com a natureza da missão de Jesus Cristo, foi-se fortalecendo no seu espírito aquele sentimento que se acha indicado pelas palavras: "Entrou nele Satanás" (Jo. 13:27) - e a triste consequência foi o pacto com os principais sacerdotes, e a entrega de Jesus Cristo.

Depois do episódio em Betânia, as más ideias continuaram a afetar sua mente (Mat. 26:14). Judas, então, foi ter com os príncipes dos sacerdotes a fim de negociar traiçoeiramente a rendição de Cristo (Luc. 22:3,4). Provavelmente ele esperava mais do que as 30 moedas de prata (Mat. 26:15), porque houve discussão sobre a quantia que lhe haviam de dar.

Também é provável que quisesse, com seu ato, provocar a revelação pública de Jesus que, segundo seu entendimento, usaria seus poderes para se libertar dos grilhões assim que fosse preso pelos soldados. Assim, revelaria sua identidade messiânica de um modo mais eficiente que aquele até então escolhido pelo Mestre: curar doentes, na sua maioria pobres e campesinos, e pedir a muitos que não dissessem ser ele o Messias.

Mesmo desempenhando o papel de traidor, Judas não se separou de Jesus. Aguardava ocasião oportuna para entregá-lo. E esta aconteceu no momento em que Jesus orava no Jardim do Getsêmani (Jo. 18:2). Entregando, com um beijo o Mestre, foi tomado não por um arrependimento genuíno, mas pelo remorso (Mat. 27:3,4).

Foi nesse estado de alma que ele lançou aos pés dos sacerdotes as 30 moedas de prata, sendo por eles escarnecido. Tornou-se "o filho da perdição" (Jo. 17:12), não havendo para ele esperança de perdão nesta vida - e assim ele "retirou-se e foi enforcar-se" (Mat. 27:5). As diversas descrições da sua morte se harmonizam, sendo compreendido que Judas primeiramente se enforcou em alguma árvore que estivesse à beira de um precipício, e que, quebrando-se a corda ou o ramo, ele foi despedaçado na queda. Em Atos 1:20 liga-se a morte de Judas com as predições dos Salmos 69:25, e 109:8 (cf. Jo. 17:12).

JUDAS

Nome de origem hebraica, bastante comum nos dias de Cristo. Vem da palavra *Yehudah*, traduzida em grego por *ioudas* e latim por *Iudas*. Significa "louvor a Deus", "exaltação a Deus" e resulta de uma expressão hebraica feita em agradecimento a Deus "*Yah hu Dah*".

Além de Judas Iscariotes, o discípulo que traiu Cristo, o Novo Testamento menciona pelo menos cinco outros indivíduos que levam esse nome:

1. Judas, escolhido e nomeado por Cristo para ser um dos 12 APÓSTOLOS (Jo. 14:22), também é chamado de "Tadeu" (Mat. 10:3), é irmão de um Tiago (At. 1:13) (que não é apóstolo (nota Mat. 4:21). Este Judas não é irmão de Jesus porque todos os irmãos de Jesus não creram neste durante sua vida na terra (Mr 3:21; Jo. 7:5), andaram enciumados e antagonizando-o (Jo. 7:3-8) e longe dele (Mar. 3:31-32), mas, após a ressurreição, Cristo apareceu a seu irmão Tiago (1Co. 15:7) e, somente então, ele e todos seus irmãos se arrependeram, creram, e ajuntaram-se aos discípulos (At. 1:14). Portanto, os irmãos Tiago e Judas, mencionados em At. 1:13, não são irmãos de Jesus.

2. Judas, irmão de Jesus (Mat. 13:55; Mr 6:3; At 1:13) não é apóstolo, pelos motivos já citados. Escreveu a epístola de Judas, aproximadamente no ano 66, não é certo de onde.

3. Judas Galileu, um rebelde dos dias do alistamento (At. 5:37).

4. Judas de Damasco, hospedador de Saulo enquanto cego (At. 9:11).

5. Judas de Antioquia, enviado com Silas, pela assembleia local, para acompanhar Paulo e Barnabé (At. 15:22,27,32).

JUDEIA (JUDÁ)

Estes nomes aplicam-se, algumas vezes, a todo o território dos judeus (At. 28:21 – e talvez Luc. 23:5), mas geralmente só à parte meridional do país. A extensão do território que coube a Judá acha-se descrita minuciosamente em Josué 15. O limite norte do primitivo quinhão de Judá começava no lugar em que o Jordão entra no Mar Morto, e daí para o ocidente, passando por Bete-Semes até Jabneel, perto de Ecrom, distante 16 km do Mediterrâneo. E a linha limítrofe toma depois a direção do sueste, quase em linha reta, correndo junto ao país dos filisteus, e pelos limites de Simeão até Cades-Barneia, na orla do deserto.

Ao oriente era limitada a tribo pelo Mar Morto e montanhas de Seir na terra de Moabe. Mas depois da morte de Salomão, a tribo de Benjamim fez aliança com a casa de Davi, ficando assim incorporadas as duas tribos. E por essa forma ficou Jerusalém dentro dos limites do novo reino, tornando-se uma cidade real Sm 2.9).

Parte de Simeão (1 Sm. 27:6) e outra de Dã (2 Cr. 11:10) foram também incluídas em Judá. Mais tarde foi aumentada essa área pela inclusão de parte de Efraim (2 Cr. 13:19; 15:8, e 17:2). O total do território achava-se dividido em quatro regiões, e tinha a extensão de quase 72 km do norte ao sul, sendo de 80 km a distância do oriente ao ocidente. Compreendiam essas regiões a que se achavam ao Sul, as terras de pastagens e os desertos da parte mais baixa da Palestina (Js. 15:21). Esta última parte também se chamava o Deserto de Judá (Jz. 1:16).

Judá sobreviveu aos avanços da Assíria, mas grande parte da sua população foi deportada pelos babilônios (2 Rs. 23-25; Jer. 52, c. 597- c. 538 a. C; → Cativeiro). O retorno do exílio trouxe uma restauração de Judá, mas sem a monarquia (cf. Ezr. - Ne.). Judá ficou cada vez mais sob influência helenística, especialmente sob a pressão do império selêucida sírio. Após o exílio na Babilônia, Judá tornou-se um nome favorito entre os judeus.

L

LEPTON

A menor moeda judaica em circulação e a única dessa origem citada no Novo Testamento. Valia muito pouco, cerca de 2% do valor do *denário*, ou seja, o pagamento de 15 minutos ou menos de trabalho. Tem o seu nome derivado do termo grego com o sentido de "*despojado da própria pele*", "*desnudo*", "*delgado*", "*fino*", *delicado*", "*leve*". Vem do verbo *lepo*, que significa "*pelar*", "*descascar*", "*desnudar*". Podemos notar pelos significados do nome que a moeda não tinha nenhuma camada externa de prata ou ouro, mas era feita de materiais menos nobres como o cobre ou bronze, extremamente fina ou delgada, portanto de pequeno peso e destituída de valor monetário. Foram duas moedas dessas que a viúva elogiada por Cristo deu como oferta no Templo em Jerusalém. De acordo com a Bíblia, isso era tudo o que ela possuía (Mar. 12:42).

LEGIÃO

Corpo do exército romano de mais ou menos 6.000 soldados de infantaria. A legião era dividida em dez COORTES de 600 soldados, e cada coorte, em seis CENTÚRIAS. Tendo em vista o grande tamanho de uma legião, o termo passou a designar uma multidão organizada (Mat. 26:53).

LAMENTO

O Novo Testamento emprega diversas expressões que retratam dor, angústia e choro humano. Ao referir-se ao destino dos incrédulos, o evangelista coloca nos lábios de Cristo o termo *Brugmós,* que tem o sentido de rilhar, ranger os dentes, denotando raiva ou

Moedas de Bronze.

dor intensa (Mat. 8:12; 13:42,50; 22:13; 24:51; 25:30; Luc. 13:28).

Mas, também empregam-se expressões como *trêneô*: prantear, lamentar, cantar um lamento (Mat. 11:17; Luc. 7:32; 23:27; Jo. 16:20); *klaiô*: chorar, gritar (Mat. 2:18; 26:75; Luc. 19:41; At 21:13,15). 5); *klauthmós*: pranto, choro (Mat. 2:18; At. 20:37) e *Pentheô*: chorar, lamentar, prantear, estar triste (Mat. 5:4; 9:15; Mar. 16:10; Luc. 6:25).

Para referir-se especificamente à dor que Cristo sentiu, os evangelistas utilizam-se ainda de termos como *parassô*, que, na forma figurada e passiva, significa angustiar-se, ficar agitado, alarmado (Jo. 11:33; 12:27; 13:21). Ou, de maneira mais solene, *Lupeô* e seus derivados que significam "estar em luto, estar em lamento," pois são termos que vêm de uma palavra raiz que significa "dor" do corpo e da mente. Envolve tristeza misturada com dor física (Mat. 17:23; 18:31; 26:37). 8; Luc. 22:45; Jo. 16:6,20,21,22).

Quando Jesus disse a seus discípulos que logo seria traído e morto, eles se encheram de lamento por sua perda iminente."E mata-lo-ão, e ao terceiro dia ressurgirá. E eles se entristeceram grandemente" (Mat. 17:23). Textos assim revelam uma profunda participação divina nos sofrimentos humanos.

Embora os sentimentos de Deus sejam inegavelmente únicos e não comparáveis, pela encarnação do Filho, pode-se dizer que o céu simpatizou literalmente com a nossa angústia, Jesus sentiu na pele o que é sofrer como seus filhos humanos sofrem.

LÂMPADAS

Sem eletricidade nas casas e com poucas janelas, o interior das casas era um pouco escuro. Em várias residências a única iluminação que havia eram tigelinhas rasas, semelhantes a um pires, onde ao centro, mais baixo que as bordas, ficava o pavio. As tigelinhas do tempo de Jesus possuíam uma tampa, fechando-as. Nelas colocava-se um pouco de azeite, onde se imergia o pavio, que era de algodão ou linho. As mais simples eram feitas de barro, mas algumas eram de metais, como o bronze, e muitas eram adornadas com desenhos. Os gentios ou não judeus faziam lâmpadas com formato de animais, porém, os judeus não adotavam esse tipo de formato por abominarem a idolatria.

Se uma casa estivesse totalmente escura, podia-se ter certeza de que não havia ninguém. Mesmo durante o dia, sempre que houvesse uma pessoa dentro de casa, haveria uma lâmpada acesa, já que o azeite era barato e de fácil acesso. Além disso, outra razão para manter as lâmpadas acesas, era porque era difícil acendê-las; o fogo era feito com o atrito de duas pedras ou dois toquinhos de madeira que produziam faíscas. Entretanto, as pessoas mais pobres economizavam no uso do azeite.

Quando Jesus narrou a parábola da dracma perdida, os ouvintes entenderam perfeitamente o fato de a mulher ter usado uma candeia para procurar a dracma nos cantinhos mais escuros da casa (Luc. 15:8). E na parábola das dez virgens, dá para perceber o drama das que não tinham levado azeite nas vasilhas. (Mat. 25:1). Sendo assim, dizendo sobre lâmpadas e iluminação, Jesus expôs o evangelho em linguagem prática, mostrando o dia a dia das pessoas.

Pelo fato de as lâmpadas ficarem na maioria do tempo acesas, sempre havia um aroma agradável no ar, e qualquer pessoa que entrasse logo sentiria.

Podia-se colocar as lâmpadas em vários pontos de um cômodo. Em alguns lugares costumava-se fixar à parede algo como uma prateleira de pedra para colocar a lâmpada, ou então utilizavam-se veladores portáteis, levando-a para onde fosse necessária. Esses suportes, de madeira ou cerâmica, eram colocados bem no alto para iluminar ao máximo o local. As pessoas mais ricas tinham veladores de metal.

Quando Jesus afirmou que não devíamos ocultar nossa luz (Mat. 5:15), os ouvintes logo notaram o ridículo da situação. Nós ligaríamos uma lanterna e a guardaríamos dentro do bolso? Mas Jesus disse que, quando se acende uma candeia, deve-se colocá-la no velador, onde será de proveito para todos. Para compreendermos bem essa ilustração, temos que deixar de lado por um momento as técnicas modernas de iluminação e ter em mente as antigas.

Naquele tempo, os povos deviam cuidar muito bem das lâmpadas, e por isso tinham zelo pelos componentes básicos: o recipiente, o azeite e o pavio, e sempre tinham uma quantidade significativa em estoque, para não faltar, pois era desagradável ficar sem eles de repente. A parábola das dez virgens ilustra bem essa situação (Mat. 25:1-13).

LEI E OS PROFETAS

Quando Jesus narra sobre a lei e os profetas, está falando a respeito da Bíblia de seus dias – o Antigo Testamento. A lei consistia dos cinco livros de Moisés e ia de Gênesis a Deuteronômio. E os profetas eram os livros daqueles escritores posteriores da Bíblia que ensinavam a lei, a interpretavam e a aplicavam ao povo de Israel.

A lei era um conceito central na Bíblia, do início ao fim. Por isso, é nosso dever tomar tempo para entender o assunto, cabe a nós tomar um pouco de tempo para entender o assunto, principalmente porque Jesus disse que isso é importante.

A lei de Moisés consistia, na realidade, de alguns tipos de leis. A primeira era a lei moral dos Dez Mandamentos, que Deus escreveu em pedras no Monte Sinai. A lei moral constitui importantes princípios que envolvem todas as ações e relacionamentos humanos.

O segundo conjunto de leis encontrado nos livros de Moisés é a lei cerimonial. Essas leis se referiam ao modo como Deus lidava com o problema do pecado. Concentravam-se no santuário, em sacrifícios de sangue e no ministério sacerdotal. A lei cerimonial é de grande importância porque prenuncia o valor de Jesus e da natureza de sua obra.

Existe uma terceira categoria de leis que devemos observar. Mas esta não está nos livros de Moisés. Trata-se da lei oral, ou seja, a interpretação da Lei de Moisés pelos escribas e fariseus.

Um texto que intriga muitos leitores é a fala de Cristo referente a um suposto término de tudo no ministério de João Batista. Ele disse "A Lei e os Profetas vigoraram até João; desde esse tempo, vem sendo anunciado o evangelho do reino de Deus, e todo homem se esforça por entrar nele". (Luc. 16:16).

O ponto de partida para a boa compreensão desse verso é sabermos que as palavras duraram, vigoraram ou existiram, que aparecem em algumas versões uqe não se encontram no original.

Na tradução de "Almeida Revista e Corrigida" está duraram em grifo, indicando que ela não se encontra no original. Foi um acréscimo do tradutor para a complementação do sentido.

Para uma apropriada compreensão do sentido, esta passagem deve ser colocada ao lado do texto paralelo de Mateus 11:13, que diz a mesma coisa, com mais clareza:

"Porque todos os profetas e a lei profetizaram até João". O sentido, portanto, é que as profecias ensinadas pelos profetas com referência a Cristo quando Ele veio, deixaram de ser profecias e passaram a ser fatos históricos consumados.

Sobre Lucas 16:16, a palavra até (no grego "*méchri*") jamais autoriza a ideia de que os escritos da lei e dos profetas tenham perdido o seu valor quando

João começou a pregar. O evangelho veio, não para ser colocado em lugar do Antigo Testamento, mas para cumpri-lo e dar-lhe sentido. Este é o significado claro no qual *méchri* é usado aqui e também em Mateus 28:15. Jesus mesmo afirmou que, até que tudo se cumpra, ele mesmo não tiraria nem um "i" nem um til das Escrituras divinamente inspiradas por Deus. (Mat. 5:18).

LEPRA

A Bíblia, principalmente no Antigo Testamento, cita várias sobre o problema da lepra. Quando são citadas pessoas leprosas, significa uma doença da pele, e pode envolver tipos diferentes de doenças. Além disso, a mesma palavra fala de manchas em roupas ou paredes, o que nós poderíamos chamar hoje de fungo ou mofo.

Na lei que Deus deu aos israelitas, uma pessoa leprosa era considerada imunda (Lev. 13:2-3). A doença foi vista como uma praga. Às vezes, a praga foi dada por Deus para repreender o povo desobediente (Lev. 14:34).

Os ensinos sobre a lepra serviam para conter uma doença maligna, mesmo séculos antes de cientistas compreenderem como doenças se espalham (Lev. 14:54-57; Deut. 24:8).

Nos tempos de Jesus, a lepra era uma doença terrível e incurável. Desde o momento em que era diagnosticada a lepra, a pessoa contaminada era isolada do convívio com outras pessoas. O Novo Testamento mostra a situação dos leprosos, a vida em cavernas, afastadas das pessoas. Se por acaso um deles tivesse que se direcionar ao encontro das pessoas, teria que tocar um sino para se auto anunciar e determinar a distância. A circunstância do leproso era humilhante, visto que a lepra era considerada no judaísmo um estado de grande impureza, sua situação sem solução.

Jesus, durante seu ministério galileu, curou um leproso, descrito por Lucas como "homem cheio de lepra". Jesus ordenou-lhe que não o expusesse a ninguém, e disse: "Mas vai e mostra-te ao sacerdote, e faze uma oferta em conexão com a tua purificação, assim como Moisés determinou, em testemunho para eles." (Luc. 5:12-16; Mat. 8:2-4; Mar. 1:40-45).

Quando Cristo enviou os 12 apóstolos, ele lhes disse, entre outras coisas: "Tornai limpos os leprosos." (Mat. 10:8). Mais tarde, quando andava em Samaria e Galileia, Jesus curou dez leprosos num certo povoado. Apenas um deles, um samaritano, "voltou, glorificando a Deus com voz alta", e se lançou ao solo diante dos pés de Jesus, agradecendo o que ele tinha feito em seu favor. (Luc. 17:11-19). Deve-se também observar que Cristo estava em Betânia, na casa de Simão, o leproso (a quem Jesus talvez havia curado), quando Maria ungiu Jesus com o custoso óleo perfumado, poucos dias antes de Sua morte. (Mat. 26:6-13; Mar. 14:3-9; Jo. 12:1-8).

Especificamente sobre Simão, existe uma questão em aberto para os especialistas no Novo Testamento. A dúvida é se ele era um leproso ou um fabricante de jarros, pois se era leproso não poderia morar em Betânia. Pelos costumes e discriminações da época, ele viveria isolado. Duas hipóteses têm sido indicadas para solucionar a questão: primeiro que a tradução estaria equivocada, em aramaico leproso é *Gar'ba* e fabricante de jarros é *Garaba*. Sendo assim, a similaridade no idioma original de Jesus resultou em erro no texto grego de João. A segunda hipótese seria a de que o termo usado não indica que Simão continuava leproso, mas que contraíra a doença anteriormente e fora curado, possivelmente por Cristo.

LEVITA

A função dos levitas era o sacerdócio dada por Deus a eles [para Arão e seus filhos]. Cantavam o louvor, sendo cantores e instrumentistas. Arrumavam e davam manutenção no tabernáculo e no Templo. Agiam como guardas, porteiros, padeiros; enfim, tudo que devia ser feito em relação à programação no tabernáculo ou no Templo era de responsabilidade dos levitas. Era proibido que alguém de outra tribo fizesse esse trabalho, pois era designado por Deus aos levitas.

Na parábola do Bom Samaritano (Luc. 10:25-37), três personagens são mencionados por Jesus na história: um sacerdote, um levita e um samaritano. O sacerdote e o levita eram religiosos, que estavam descendo de Jerusalém, o que indica que provavelmente voltavam do culto a Deus, pois o Templo de adoração dos judeus ficava em Jerusalém.

LINHO

O "fino pano de linho" do antigo Egito, universalmente utilizado naquele país para fazer roupa e envolver os corpos dos mortos, e amplamente exportado, era feito das fibras da planta do linho. Uma das pragas do Egito foi a destruição, pela saraiva, das plantações desta plantade linho. Um pano tão leve, macio e asseado era especialmente adequado para os vestidos das pessoas que tinham como responsabilidade os serviços religiosos. Tanto os sacerdotes judaicos, como os do Egito deviam usar, por lei, os vestidos de linho (Êx. 28 - Ez. 44:17 a 19). As cortinas do tabernáculo eram do mesmo tecido e bordadas (Êx. 26:1). Samuel e Davi usavam estola de linho (1 Sm. 2:18 - 2 Sm. 6:14). Criaturas angélicas foram vistas por Ezequiel e Daniel (Ez. 9:2 - Dn. 10:5) vestidas de linho – e nas visões finais do Apocalipse anjos e santos glorificados aparecem adornados das mesmas simbólicas vestimentas de pureza (Ap. 15:6 - 19:8, 14). Em Provérbios (31:22 a 24) faz-se menção ao trabalho de fiar e tecer das mulheres judaicas. Os mantos finíssimos de linho acham-se, em tempos de corrupção, entre aqueles objetos de luxo que as mulheres usavam, e pelo que são censuradas no livro do profeta Isaías (3:23). O rico da parábola estava "vestido de linho fino" – e José de Arimateia prestou ao Salvador a honra de envolver o Seu corpo num lençol de linho, antes de o depositar no túmulo (Luc. 16:19-23:53).

LÍRIO

Planta originária da Europa, Ásia e América do Norte. Algumas espécies são nativas dos trópicos, de regiões com altitude elevada. Porém, todas as espécies atuais são resultado de cruzamentos entre si, dando origem a vários tipos e cores. Estas são chamadas lírios híbridos. Nos campos de Israel, especificamente, existem pelo menos 39 diferentes tipos florescendo.

Contudo, a flor, conhecida pelo nome de lírio do vale, não está mencionada nas Sagradas Escrituras. Igualmente, os "lírios do campo", mencionados por Cristo em Mateus 6: 28, podem se referir a flores silvestres", conforme se deduz pelo termo grego usado no texto. Também pertencem àquelas famílias de flores a tulipa, a íris, o jacinto e a fritilária, bem como as anêmonas.

LITÓSTROTOS

- Litóstrotos é o local no tribunal onde Pôncio Pilatos se assentou para julgar Jesus perante o povo. É na verdade um termo grego que aparece no livro de João 19:13, com sua equivalência no hebraico: "Ouvindo, pois, Pilatos este dito, levou Jesus para fora, e assentou-se no tribunal, no lugar chamado Litóstrotos, e em hebraico *Gabatá*."

O Litóstrotos ou Gabatá é uma área aberta com um pavimento de pedra (*lithos* em grego significa "pedra") que poderíamos chamar de varanda e que possivelmente ficava num primeiro piso bem à altura dos olhos de todos.

O comum seria executar o processo judicial dentro do palácio, porém Pilatos o faz do lado de fora. O motivo do julgamento de Jesus ter acontecido na varanda é explicado no próprio evangelho: "E não entraram (os acusadores judeus) na audiência, para não contaminarem, mas poderem comer a Páscoa. Então Pilatos saiu para fora..." (Capítulo 19, Versículos 28 e 29).

Pilatos se retirou por uma questão política. Para evitar confrontos desnecessários, ele sai para atender à lei judaica e aos líderes que levavam o caso de Jesus até ele. Entretanto, o procedimento em si estava à margem da lei mosaica, que proibia qualquer pessoa ser julgada e condenada em época de Páscoa, especialmente à noite, quando Jesus foi traiçoeiramente preso por ordem dos sacerdotes.

LUCAS

Lucas foi um médico que escreveu o Evangelho de Lucas e Atos dos Apóstolos. Em acordo com o fragmento do *Cânon Muratoriano*, datado do século II, ele também seria jurista ou estudante de leis:

"(...) o terceiro evangelho é o de Lucas. Lucas era médico por profissão. [Mas] Depois da ascensão de Cristo, Paulo o tomou consigo porque era um estudante de leis [jurista]. Lucas escreveu sua narrativa a partir de opiniões [pesquisadas] e a firmou com seu próprio nome. Mesmo sem ter tido contato com o Senhor pessoalmente, se aplicou [começando] seu relato pelo nascimento de João Batista."

Segundo a Bíblia, Lucas ainda acompanhou Paulo em suas viagens missionárias e investigou atenciosamente os relatos da vida de Jesus para escrever seu evangelho. A Bíblia fala pouco sobre ele.

Lucas provavelmente era um gentio convertido pelos primeiros discípulos de Jesus. Ele foi o único autor conhecido de um livro da Bíblia que não era judeu. Era um homem muito culto, com conhecimentos não só de medicina, mas também de investigação histórica e escrita (Col. 4:14).

Lucas esteve com Paulo em algumas partes de suas viagens missionárias. Quando Paulo foi preso, Lucas o acompanhou na viagem até Roma para o julgamento. Ele estava com Paulo quando o navio naufragou pelo caminho e ficou do seu lado enquanto permaneceu preso em Roma (Atos 28:16).

M

MAGOS

Quando Jesus nasceu, os magos do Oriente foram o adorar guiados por uma estrela. Eles eram homens sábios, e sua história só aparece uma vez na Bíblia, em Mateus 2:1-12.

Eles estudavam as constelações e perceberam uma estrela que indicava que o rei dos judeus tinha nascido. Sendo assim, foram para a capital dos judeus, Jerusalém, para o procurar (Mat. 2:1-2). O rei Herodes, quando ouviu isso, ficou muito perturbado, porque não queria um rival. Os sacerdotes e os mestres da lei explicaram que o Cristo deveria nascer em Belém.

Os magos seguiram a estrela, que parou em cima do lugar onde Jesus estava. Eles se prostraram e adoraram o menino e lhe presentearam com ouro, incenso e mirra (Mat. 2:9-11). Depois, um anjo lhes disse para não voltar a Herodes. Assim, eles foram para casa por outro caminho.

Nos países a leste de Israel, como a Pérsia, um mago era um homem sábio que tinha conhecimento de astrologia.

Eram, portanto, homens com muito conhecimento sobre as estrelas, a natureza e também de magia e adivinhação.

É um tanto curioso que Deus tenha usado "especialistas em astrologia" – ciência proscrita na Lei de Moisés, para receber o Messias ao mesmo tempo em que os líderes de Jerusalém pareciam alheios à sua chegada (cf. Deuteronômio 18:9-14; Isaías 8:19; Levítico 19:31; 20:6, 27; 2 Reis 21:6; Ezequiel 13:18; Malaquias 3:5). Entretanto, talvez nesse episódio esteja demonstrado o fato de que Deus tem filhos sinceros em todas as esferas da humanidade em todos os lugares do mundo.

Além disso, mesmo Daniel, sendo profeta de Deus, foi nomeado chefe dos magos, isto é, dos astrólogos da Babilônia (Dan. 5:11), embora dificilmente ele faria qualquer coisa que contrariasse os ditos e a vontade de Deus.

Importante também levar em conta que na ocasião não havia distinção moderna entre astrônomo e astrólogo. Isso indica que a profissão de mago não era apenas ritos de adivinhação e prognóstico. Provavelmente alguns estudavam mais a magia, outros a filosofia e ainda outros conhecimentos científicos.

Contudo, é possível que os magos tivessem acesso às Escrituras, pois ainda havia muitos judeus na Babilônia (que ficava no Oriente) no tempo de Jesus, e eles sabiam que a estrela indicava o nascimento do grande rei dos judeus.

MANSO E HUMILDE

No famoso Sermão do Monte, Jesus pronunciou as seguintes palavras: "Bem-aventurados os mansos, porque herdarão a terra." (Mat. 5:5). Interpretando esse texto pelo significado comum e como é entendida a palavra "manso", pode-se concluir de que Jesus falava dos "de gênio brando, ou índole pacífica; bondosos, pacatos", ou de quem é "sereno, sossegado, tranquilo, quieto". Mas a palavra grega usada para manso, no texto grego, "*praus*", refere-se à pessoa submissa para com Deus, sem resistir à sua vontade.

Além disso, não se diz só no comportamento exterior da pessoa, nem em relação com o próximo ou na sua mera disposição natural. Antes é uma entrelaçada graça da alma; e cujas ações são primeira e primariamente para com Deus. É o temperamento de espírito onde aceitamos Seus procedimentos conosco como bons, e, portanto, sem disputar ou resistir. [...] Sendo em primeiro lugar uma mansidão perante Deus, também há diante dos homens, até de homens maus.

No Sermão do Monte, Jesus referia-se especialmente àqueles que aceitam a vontade de Deus nas suas vidas sem questionar. Longe de ser uma fraqueza de caráter, uma calma excepcional, e sim a quem é submisso a Deus e entende que mesmo quando ofendido, trata-se de uma permissão de Deus para refiná-lo.

O próprio Jesus se descrevia como manso e humilde de coração (Mat. 11:29). Mesmo assim, não entendeu o termo como falta de autoridade quando fosse preciso agir em nome de Deus. Sua ira ao expulsar os vendedores ambulantes do Templo é um exemplo disso.

No Evangelho de Mateus 11:29, especificamente, o termo grego traduzido por humilde é "tapeinos" que significa, entre outras coisas "exercer funções humildes". Sendo assim, Jesus queria dizer que se ele se submeteu à vontade do Pai, ou seja, aqueles que se submetem a ele têm de se sujeitar a Deus como ele mesmo o fez.

Nessa sentença, Cristo não perdeu sua consciência de ser divino. Ao afirmar ser manso e humilde (em relação àquilo que o Pai lhe pedira), Jesus estava ao mesmo tempo exigindo que os homens se sujeitassem a ele na condição de servos.

Jesus não estava falando de suas emoções e sentimentos como se estivesse triste, abatido, deprimido etc., ou de sua condição socioeconômica: pobre, oprimido etc. Ele também não estava se apresentando como alguém que "não se levanta muito do chão", no sentido de condição modesta e nem como alguém que foi humilhado.

Na verdade, ao dizer que era "manso e humilde de coração", Cristo reivindicou seu senhorio, dizendo: "Tomai sobre vós o meu jugo, e aprendei de mim..." (Mat. 11:29). Jesus enfatiza que é necessário tomar sobre si o seu jugo e carregar o seu fardo (Mat. 11:30).

No mesmo discurso em que se declara manso e humilde de coração, Jesus exige submissão e não se priva da condição de guardião das coisas entregues pelo Pai "Todas as coisas me foram entregues por meu Pai..." (Mat. 11:27). Essa declaração de Jesus sobre mansidão e humildade se dá após demonstrar ser o único que conhece Deus, e que só Ele pode revelar o Pai aos homens, o que demonstra que a humildade de Jesus não é à base do privar-se do que é ou possui.

Quando Jesus diz: "Todas as coisas me foram entregues por meu Pai", estava se apresentando como o Filho de Deus prometido a Davi, o rebento da raiz de Jessé (Is. 11:1-4; 2Sm. 7:14).

Importante ressaltar que consta no Apocalipse 13:8 uma menção a Cristo como cordeiro morto desde a fundação do mundo. Falando figuradamente nos Salmos, Cristo é representado como alguém colocado na aljava de Deus. Ora, a flecha na aljava aponta para a filiação divina de Jesus (Sal. 127:4-5).

Deus concede apenas aos filhos o privilégio de O servirem. Ser servo de Deus é honroso, de modo que não cabe no termo "humildade" um mau sentido quanto a ser servo de Deus. O mau sentido de "humildade" procede dos eventos recentes na história da humanidade "Como livres, e não tendo a liberdade por cobertura da malícia, mas como servos de Deus" (1Pd. 2:16).

MARIA

Nome próprio comum nos tempos no Novo Testamento. Esse era o nome da mãe de Jesus e de algumas de suas seguidoras. No Novo Testamento temos ao todo oito referências a "Marias", que, dentre elas, cinco ou seis provavelmente são pessoas distintas, sendo estas: 1. Maria, mãe de Jesus; 2. Maria Madalena; 3. Maria, mãe de Tiago, Maria, esposa de Cleopas, a outra Maria; 4. Maria, irmã de Marta e Lázaro; 5. Maria, mãe de João Marcos; e 6. Maria, saudada pelo apóstolo Paulo. Maria é um nome de origem hipotética, provavelmente se originou a partir do hebraico *Myriam*, que significa "senhora soberana" ou "a Vidente".

Há autores que atribuem a origem do nome Maria à raiz egípcia *mry*, que significa "amar". Algumas teorias que traduzem o nome Maria para "mar de amargura", "a forte", "a que se eleva" ou, ainda, "estrela do mar".

Além disso, outra versão supõe que o nome *Maryam* teria surgido a partir das palavras assírias *YamoMariro*, que significa "oceano azedo", ou "ácido" no idioma aramaico assírio.

MARIA, MÃE DE JESUS

A tradição da Igreja afirma que os pais de Maria se chamavam Joaquim e Ana. Não há menção deles na Bíblia Sagrada. Essa informação aparece pela primeira vez num documento do século II, chamado Proto evangelho de Tiago.

Pelas informações colhidas dos evangelhos, pode-se dizer que Maria era uma mulher simples do povo, camponesa, que habitava em Nazaré, um povoado pequeno da Galileia, localizado ao norte do atual Estado de Israel (Luc. 1:26). Era esposa de José, carpinteiro justo e honrado (Mat. 1:18-25). Pessoa de fé e muito sensível às necessidades dos outros (Luc. 1:39-45:56).

Deus escolheu Maria para ser a mãe do Salvador (Luc. 1:30-33; Gl. 4:4). Movida pelo Espírito Santo, entendeu sua missão, dedicando-se ao cuidado da criança que era, na verdade, o Filho de Deus (Luc. 1:26-38).

Maria concebeu Jesus em Nazaré, da Galileia (Luc. 1:26; Mat. 1:1-25). Entretanto, deu à luz ao Messias (Mat. 2:1-8) em Belém, Judá, pois Maria acompanhou José até lá para recenseamento. No tempo correto, Maria e José levaram o menino Jesus para ser dedicado a Deus no Templo de Jerusalém, cumprindo assim a lei judaica (Luc. 1:21-38). O menino também foi circuncidado. Em Belém, Maria e José presenciaram a vinda dos magos do Oriente, que vieram visitar o menino Jesus (Mat. 2:1-12).

Algum tempo depois, Maria e José foram com Jesus para o Egito, para escapar da perseguição do rei Herodes (Mat. 2:13-18). Ficaram por lá certo tempo, e voltaram para Nazaré quando o rei Herodes morreu (Mat. 2:19-23).

Em Nazaré, Maria e José cuidaram e educaram o menino Jesus muito bem, acompanhando seu crescimento e sua formação humana, constituindo uma verdadeira e unida família, cheios de amor e de compreensão (Luc. 2:51-52). Quando o menino Jesus tinha 12 anos, eles o levaram ao Templo de Jerusalém, em peregrinação para a Páscoa judaica (Luc. 2:41-50).

Maria participou da vida de Jesus Cristo, sendo sua mãe e, ao mesmo tempo, sua discípula (Mar. 3:31-35). Ela sabia guardar os mistérios da fé em seu coração (Luc. 2:19; 51). No começo do ministério público de Jesus, Maria esteve com Ele nas bodas de Caná, no seu primeiro milagre (Jo. 2:1-12). Ela sempre soube ouvir a Palavra de Deus, anunciada por Jesus, e vivenciá-la (Luc. 11:27-28). Foi uma generosa companheira e a humilde serva do Senhor, acompanhando os passos de Jesus com atenção, fé, discrição e docilidade.

Até mesmo na paixão de Cristo, Maria esteve junto à cruz, em pé, firme, quando o entregou ao Pai e foi dada por seu Filho como Mãe dos Homens, por João (Jo. 19:25-27). Ela se revelou como mulher forte, conservando sua fidelidade constantemente, tanto nos momentos alegres, quanto nos cruciais.

Jesus Cristo não permaneceu morto, Ele ressuscitou e está vivo, junto do Pai do Céu, como os primeiros cristãos testemunharam (Jo. 20:1-29; Luc. 24:1-43; Mar. 16:9-20; Mat. 28:1-10). Maria, peregrina na fé, com toda certeza, acreditou na ressurreição de seu Filho.

Maria esteve presente com os apóstolos e os discípulos no cenáculo de Jerusalém, perseverante e em oração, por ocasião de Pentecostes (At. 1:12-14).

Tanque de Betesda

MESSIAS

Messias foi o título dado a Jesus, o salvador esperado pelo povo judeu. Com origem do hebraico *Mashiach*, que significa "o ungido", derivado de *mashah*, que quer dizer "ungir". Este nome é citado na Bíblia no Antigo Testamento. Tem o mesmo significado de Cristo, a partir do nome grego *Christós*, que também quer dizer "ungido".

Um dos temas centrais da Bíblia Sagrada era justamente a vinda do Messias prometido por Deus para salvar o Seu povo. André, antes de se tornar apóstolo, demonstra que tal expectativa pode ser vista na atitude de André que corre a Pedro e diz "Achamos o Messias..." (Jo. 1:41). O povo judeu esperava ansiosamente o surgimento de um Salvador, que era chamado por eles de o Messias que haveria de vir.

MILAGRE

Palavra originária do latim (*miraculum*), que, em sentido lato, aplica-se a qualquer acontecimento maravilhoso. Mas na Bíblia usa-se em sentido restrito, significando "um ato de Deus, que de um modo visível é um desvio das conhecidas operações do Seu poder com o fim de autenticar uma mensagem divina, embora possa servir para outros fins". Muitas palavras em hebraico (*Mopheth, Péle, oth*) se traduzem no Antigo Testamento por milagre, maravilha e sinal. Já no Novo Testamento usa-se a palavra Dunamis (poder) para significar milagre 0fc 9:39) - e Semeion (sinal), também com o mesmo significado (Luc. 23:8). Esta é a palavra característica que se emprega no Evangelho de João. Os milagres de Jesus são também narrados por *erga*, "obras" – (Jo. 5:20; 7:3; 10:25; 15:24 etc.), e *terata*, 'prodígios' - (Jo. 4:48; At. 2:22). O sentido de milagre para confirmar uma mensagem divina é claramente indicado.

Desse modo, os milagres de Jesus Cristo "devem ser compreendidos segundo a Sua messiânica obra, e acomodados aos interesses do reino de Deus. Nenhum milagre, seja qual for, pode ser considerado mera manifestação de poder, mas todos, naturalmente, ocorreram segundo as circunstâncias e para um fim benéfico em relação à obra de Cristo, o Arauto, o Fundador do reino dos Céus". Eles assim são entendidos pelo próprio Salvador (Mar. 2:10; Jo. 5:36). Os milagres ajudam a destacar o poder e a divindade de Jesus. As Sagradas Escrituras dizem, em João 2:11: "Assim deu Jesus início aos seus sinais em Caná da Galileia, e manifestou a sua glória; e os seus discípulos creram nele."

Contudo, os milagres não devem nunca excluir a necessidade de uma fé pessoal em Cristo. Em João 20:29-31 está escrito: "Disse-lhe Jesus: Porque me viste, creste? Bem-aventurados os que não viram e creram. Jesus, na verdade, agiu na presença de seus discípulos ainda muitos outros sinais que não estão escritos neste livro; estes, porém, estão escritos para que creiais que Jesus é o Cristo, o Filho de Deus, e para que, crendo, tenhais vida em seu nome."

Os outros milagres do Novo Testamento devem ser considerados à luz do que foi ordenado por Jesus aos apóstolos (Mat. 10:8) e aos demais crentes (Mar. 16:17), embora esse último texto seja controverso do ponto de vista da crítica textual.

MOEDAS

As principais moedas dos tempos de Jesus eram o denário e aureus, ou libra. Uma libra valia quarenta denários. O denário é citado muitas vezes no Novo Testamento e é traduzido por dinheiro. O seu valor monetário atual seria por volta de dezessete centavos de dólar (americano), embora o seu valor de compra fosse consideravelmente maior. Compunha o salário de um dia de trabalho de um homem no Oriente (Mat. 20:2). Muitas das cidades do império tinham o direito de criar as suas próprias moedas e as moedas das nações conquistadas não eram retiradas de circulação. Então poderiam ser usadas vários tipos de dinheiro concorrentemente dentro do domínio. Os cambistas faziam um negócio rentável para si, aproveitando-se dos peregrinos que chegavam a Jerusalém, como o mostra o episódio da purificação do Templo por Jesus (Mat. 21:12).

A seguir há a tabela das moedas mencionadas no Novo Testamento e o valor de cada uma delas:

Novo Testamento:

NOME	TIPO	CORRESPONDENTE BÍBLICO	PROPORÇÃO
Lepto (Mar. 12:42, "pequenas moedas")	Moeda de cobre ou bronze	½ quadrante ou 1/128 do denário	1/128
Quadrante (Mar. 12:42, RA;RC, "cinco réis")	Moeda romana de cobre	¼ do asse ou 1/64 do denário	1/64
Asse (Mat. 10:29, "ceitil")	Moeda romana de cobre	1/16 do denário	1/16
Denário (unidade básica, Mat. 20:2, "dinheiro")	Moeda romana de prata	Salário de um dia de trabalho	1
Dracma (unidade básica, Luc. 15:8)	Moeda grega de prata	Igual a 1 denário	1
Didracma (Mat. 17:24)	Moeda grega de prata	2 dracmas ou 2 denários	2
Tetradracma (Mat. 26:15, "moedas de prata")	Moeda grega de prata	4 dracmas ou 4 denários	4
Estáter (Mat. 17:27)	Moeda grega de prata	2 didracmas ou 4 denários	4
Mina (Luc. 9:13)	Moeda grega de ouro	100 denários	100
Talento (Mat. 25:15)	Prata ou ouro	6.000 denários	6.000

OBS.: Calculando que uma diarista no Brasil ganhe o equivalente a 10 dólares por dia (igual a um denário), um talento de prata valeria 60.000 dólares. O talento de ouro valia umas trinta vezes mais do que o talento de prata.

MONTE DAS OLIVEIRAS

Chamado também de Monte Olivete ou Monte Olival. Trata-se de uma elevação montanhosa, com um pouco mais de um quilômetro e meio de comprimento, ao oriente de Jerusalém (Ez 11.23 – Zc 14.4). Este monte está separado da cidade pelo estreito vale do Cedrom. Cerca de 90 metros mais alto do que o monte do Templo e vai gradativamente subindo desde a parte norte da cidade na direção do oriente até à distância de, aproximadamente, 1200 metros ao sul de Harã, onde o Cedrom se desvia para o oriente, indo para o mar Morto. O monte possui quatro cimos: (1) o Galileu, ou Viri Galilaei (homens da Galileia), o tradicional lugar sobre o qual os anjos falaram, dizendo "Varões galileus" (At. 1.11); (2) o tradicional "Monte da Ascensão"; (3) os "Profetas", nome originário de uma singular gruta, chamada "os túmulos dos profetas"; (4) "o Monte da Ofensa", por ser ali que Salomão edificou um alto (1 Rs. 11:7; 2 Rs. 23:13). Pela subida do Monte das Oliveiras Davi fugiu por causa da revolta de Absalão (2 Sm. 15:30; 16:1,13). Os judeus foram buscar no Monte ramos para celebrar a festa dos Tabernáculos, depois da volta do cativeiro (Ne. 8:15). Ali foi o lugar de onde Jesus partiu, quando realizou a Sua entrada triunfal em Jerusalém, indo pela estrada entre os cumes (3 e 4) – e ali também proferiu a Sua última profecia. E no cimo oriental, perto de Betânia, realizou a Sua ascensão (Mat. 26:30; Mar. 14:26; Luc. 22:39; Jo. 8:1; Mat. 21:1 a 11; Mar. 11:1; Luc. 19:29, 37; Mat. 24:3; Mar. 13:3; Luc. 21:37; 24:50; At. 1:12).

N

NAIM

Naim era o nome de uma cidade à entrada da qual o Senhor Jesus ressuscitou o filho único da viúva, conforme narrado em Lucas 7:11 ss. No hebraico, significa deleite, beleza. Essa cidade não é mencionada em qualquer outro trecho da Bíblia Sagrada. Entretanto, tem sido identificada com *Naim,* uma aldeia cerca de dez quilômetros a sudeste de Nazaré, e a quase cinco quilômetros a nordeste de Solem, o lugar onde tinha habitado a mulher sunamita, quando Eliseu ressuscitou seu filho. Nas redondezas desse local há algumas cavernas antigas, usadas como sepulcros, localizados no lado oriental da cidade. O caminho que conduz à localização geral, segundo dizem alguns arqueólogos, é o mesmo onde a multidão se encontrou com Jesus, quando o cortejo fúnebre prosseguia em direção ao local do sepultamento. Jesus ficou emocionado diante da triste cena de uma viúva que perdera seu filho único, interveio e ressuscitou o rapaz, para espanto de toda cidade. Somente Lucas, em seu evangelho, narra o acontecido, sendo esse um dos 13 textos onde Lucas usa o título "o Senhor", para indicar Jesus (ver o vs. 13).

A moderna aldeia de Nain, identificada como aquela do Novo Testamento, fica cerca de 16 quilômetros ao sul e levemente a leste de Nazaré, perto de Kefar Yeledim e de Mahne Yisrael. Atualmente é um povoado islâmico. Os frades franciscanos erigiram ali uma pequena capela, para comemorar aquele milagre feito por Jesus. Josefo (*Guerras* 4.9.4,5) menciona uma cidade com esse nome, que um certo revolucionário, de nome Simão, fortificou; mas esse lugar ficava na Idumeia, ao sul de Massada, e não pode ser o mesmo lugar mencionado por Lucas.

NARDO

É uma planta da família das gramíneas (*Nardostachys jatamansi*), que pode crescer até 1 metro de altura e possui flores brancas e cor rosa em formato de sino.

A palavra nardo também pode ser sinônimo de perfume, pois o óleo aromático da planta é usado para fazer perfumes. Além disso, esse mesmo óleo pode ser usado também para fins medicinais, mais comum em países como Nepal, China e Índia.

Na Bíblia Sagrada, os óleos eram usados para ungir uma determinada pessoa, normalmente com o objetivo de conceder autoridade a uma pessoa que vai exercer alguma função, como um rei ou um profeta, por exemplo. Além disso, a unção com óleo também acontecia quando alguém necessitava de cura. O óleo feito com as flores de nardo é mencionado 24 vezes na Bíblia.

A expressão "fazer descer o nardo" pode significar ungir alguém com esse óleo.

O episódio mais conhecido com o óleo de nardo ocorreu em João 12:3: "Então Maria pegou um frasco de nardo puro, que era um perfume caro, derramou-o sobre os pés de Jesus e os enxugou com os seus cabelos. E a casa encheu-se com a fragrância do perfume".

No Evangelho de Marcos, capítulo 14, é citado que o frasco de perfume em questão custava 300 denários, valor que correspondia aproximadamente a 300 dias de salário, o que significa que era um óleo muito caro.

NAZARENO

Nazareno era chamado o habitante de Nazaré. Era um termo frequentemente usado para se referir a Jesus, talvez em algumas ocasiões por desprezo, sendo depois adotado e glorificado pelos discípulos. Todos os habitantes da Galileia, em que se achava situada a cidade de Nazaré, eram olhados com desprezo pelo povo da Judeia por causa da singularidade das suas maneiras e da sua fala. O demérito de Nazaré, a que se refere um homem, que era galileu (Jo. 1:46), pode ter-se originado na má reputação pela falta de religiosidade e pelo relaxamento de costumes. A palavra hebraica, vertida para nazareno, é "netser", que significa "renovo", e é idêntica à palavra usada em Isaías 11:1: "Do tronco de Jessé sairá um rebento, e das suas raízes um renovo." E desta maneira, todas as vezes que chamaram a Jesus o "Nazareno", estavam pronunciando, com conhecimento ou sem o saber, um dos nomes do anunciado Messias. E assim se explica a menção em Mateus 2:23. O codinome de nazareno é aplicado com desprezo aos seguidores de Jesus, em Atos 24:5. O termo ainda existe em árabe, como uma simples designação dos cristãos.

NICODEMOS

Nicodemos, cujo nome em grego significa "conquistador do povo", é citado no Novo Testamento. Era provavelmente um dos principais líderes da nação, pelo que João o chama em seu evangelho de fariseu e "chefe [lit. 'príncipe'] dos judeus" (Jo. 3:1). A explicação por seu nome ser de origem grega dá-se pelo fato de que, a partir do período dos governantes macabeus, tornou-se comum uma mistura de nomes gregos entre os judeus e esse era um nome comum nos tempos de Cristo.

Nicodemos aparece apenas no Evangelho segundo João, o que desperta o interesse das pessoas sobre sua história. E especialmente o episódio em que ele se encontra com Jesus à noite e ambos conversam sobre o novo nascimento (cap. 3).

Possivelmente, tratava-se de um homem de grandes posses (Jo. 3:1,10; 19:39). Não se sabe praticamente nada sobre sua vida pessoal, além do que é relatado no livro de João. Alguns estudiosos tentam identificá-lo com um homem rico e generoso, chamado *Naqdimon Ben Gorion*, mencionado no Talmude, um dos livros básicos do judaísmo. Entretanto, tal identificação é incerta.

Nicodemos aparece mais duas vezes no Evangelho. A primeira no episódio citado em João 7:50-52, em que ele se mostra contrário aos sacerdotes e fariseus que haviam tentado prender Jesus.

Por último, ele reaparece no sepultamento de Jesus, onde ajuda outro membro do Sinédrio, José de Arimateia, na preparação do corpo (Jo. 19:38-42). A narrativa diz que Nicodemos levou uma grande quantidade de especiarias, cerca de cem libras em peso (algo em torno de 30 quilos), para a unção do corpo de Jesus.

O

ODRE

Os odres são recipientes para armazenar líquidos como água e azeite. Eles eram, e ainda são, feitos de peles de animais. As peles são despegadas dos animais com o maior cuidado – separam-se do corpo, depois de removida a cabeça e as extremidades, como uma luva bem ajustada – e depois são cozidas as aberturas à exceção do pescoço, que é atado como um saco por meio de um cordel de chicote. Estes odres eram de diversos volumes, conforme era o tamanho grandes das peles. Enquanto a pele ainda está fresca, é curtida para que se torne própria para conter não somente água, mas vinho, leite e outros líquidos. O curtimento é feito com casca de carvalho ou de acácia, sendo deixada de fora a parte cabeluda. A pele dos suínos nunca é utilizada para este fim pelos judeus, porque o porco é animal "imundo". Durante as longas caminhadas no deserto, estas vasilhas de couro, principalmente as de pele de cabra, tornam-se secas e gretadas como os "odres de vinho, velhos, rotos, e consertados" que os gibeonitas trouxeram a Josué, querendo enganá-lo quanto à duração da sua viagem. Os odres que ficavam com fendas pelo seu uso eram consertados, mas depois já não tinham grande utilidade (Mat. 9:17). Os odres, feitos de peles de animais, não eram somente usados pelos árabes: na Europa, Ásia e África estava muito generalizado o seu uso. Atualmente na Espanha e em Portugal há as borrachas, para vinho, que são muito semelhantes às da Arábia. Os gregos, os romanos e os egípcios também faziam o uso dessas vasilhas com o mesmo objetivo. Na Pérsia eram as peles conservadas, sendo barradas de breu. "Já me assemelho a um odre na fumaça:" Esta passagem do Sl. 119 (vers. 83) é uma referência à ação do calor sobre a pele, secando-a e gretando-a – mas em Mat. 9:17 fala-se da expansão produzida pela fermentação.

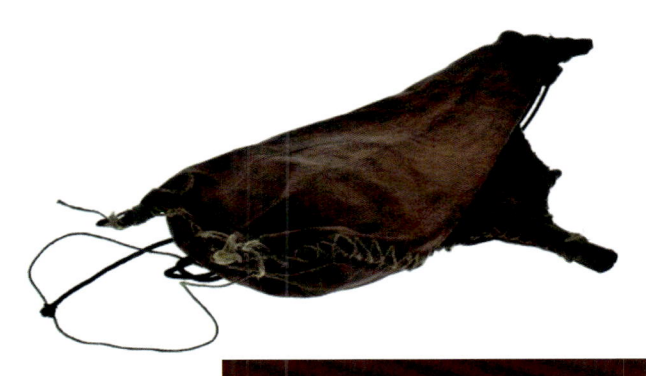

Típico odre para armazenar vinhos.

ÓLEO

As oliveiras produziam as azeitonas que, por sua vez, produziam o azeite. O azeite era e é usado na alimentação (1Rs. 17:12) e também para colocar em ferimentos (Luc. 10:34), para passar no corpo como cosmético (Sl. 104:15), para iluminação (Mat. 25:4), para a unção de doentes (Tg. 5:14) e de hóspedes (Luc. 7:46). Pela unção, pessoas eram separadas para serviço especial (Reis: 1Sm. 10:1; Profetas: 1Rs. 19:15-16; e Sacerdotes: Êx 28:41) e também objetos sagrados (Êx. 30:22-33).

A aplicação do óleo sobre a cabeça ou o corpo (unção), ou ainda sobre uma oferta (libação) era um ato muito significativo na cultura do antigo Israel. No caso da unção de seres humanos, representava a capacitação dada por Deus a alguma pessoa, credenciando-a para cumprir uma missão específica, especial, dentro de propósitos divinos. Por isso Jesus foi ungido pelo Espírito Santo, "para evangelizar os pobres", "curar os quebrantados do coração, apregoar liberdade aos cativos... a por em liberdade os oprimidos" (Luc. 4:18). Ele foi ungido "com óleo de alegria" (Hb. 1:9). (Ver Is. 61:1; At. 10:38; 1 Cr. 16:22).

Uma mulher ungiu os pés de Jesus (Luc. 7:38) e Ele chamou a atenção do anfitrião por não tê-lo ungido a cabeça (Luc. 7:46). Este, portanto era um gesto de significado tanto espiritual quanto de hospitalidade e cortesia. Pelas informações dadas no Antigo Testamento, supõem-se que o azeite era misturado com perfume para fazer a unção o que está em acordo com o gesto da mulher pecadora. O azeite consagrado era composto de especiarias, normalmente mirra, canela aromática, cálamo aromático, cássia e azeite de oliveiras. (ver Êx. 30:22-25). Era o "azeite da santa unção".

No Novo Testamento, a palavra unção (do gr. *chrisma*) só ocorre três vezes (ver 1 Jo. 2:20,27). O verbo ungir (*chríō*) aparece cinco vezes (Luc. 4:18; At. 4:27; 20:38; 2 Co. 1:21; Hb. 1:9). Já o adjetivo *christós* (Cristo, o ungido) ocorre mais de 500 vezes, em várias referências, como em Mateus 1:1 e Apocalipse 22:21.

Os discípulos também ungiam pessoas enfermas, como descrito no texto de Maros 6:13. Esta é a única referência nos evangelhos sobre esse trabalho dos discípulos. Certamente, era algo muito comum, embora as curas feitas por Jesus aparentemente não utilizavam o óleo como elemento auxiliar.

A oliveira

OLIVEIRA

A oliveira (em hebraico *zayit*, que significa oliveira, azeitona) é uma das árvores mais impressionantes da Terra e uma das árvores mais importantes citadas na Bíblia Sagrada, por ser tão utilizada pelo povo de Israel e também pela riqueza de ilustrações representadas por ela. Ela é da família das oleáceas e se originou na região do mediterrâneo.

Os povos orientais classificavam-na como um símbolo de beleza, força, da bênção divina e da prosperidade. A perenidade das oliveiras é uma das características mais impressionantes. Mesmo o solo sendo pobre e seco, elas crescem e vivem bem em praticamente qualquer condição, nas montanhas ou nos vales, nas pedras ou na terra fértil, contando que suas raízes possam enterrar-se em profundidade. Crescem sem problemas sob o intenso calor e temperatura elevada, com pouca água e são quase indestrutíveis, resistindo muito bem a todas estações. Seu desenvolvimento é lento, porém contínuo. Quando é bem cuidada, pode atingir um grande porte chegando aos 7 metros de altura. A copa não é alta, mas tem alto poder de regeneração. Mesmo se cortar a copa, rapidamente acontece um novo brotamento. Até as oliveiras doentes continuam a brotar novos ramos. Algumas árvores têm troncos torcidos e velhos, mas sempre com folhas verdes.

Esta era, sem dúvida, a árvore mais referida e simbólica de toda a Escritura Sagrada. Os judeus a viam como fonte de alimento, luz, higiene e cura. Cada árvore pode produzir até 80 litros de azeite por ano.

O azeite era tão abundante em Israel que era um dos produtos regularmente exportados. Salomão enviou ao rei de Tiro 4.391.064 litros de azeite: "*E Salomão dava a Hirão vinte mil coros de trigo, para sustento da sua casa, e vinte mil coros de azeite batido. Isso fazia de ano em ano*" (I Rs. 5:11). Mil anos depois, nos tempos de Jesus, o azeite é mencionado como o único produto de exportação da região de Jerusalém. O Monte das Oliveiras, localizado logo a leste da Cidade Velha de Jerusalém, testemunha a presença das oliveiras ao redor da cidade. Também foi no Jardim do Getsêmani (*Gat Shemen*, em hebraico – literalmente, o lugar da prensa de azeite) onde Jesus passou muito do seu tempo em Jerusalém com os seus discípulos: *"Jesus saiu e, como de costume, foi para o Monte das Oliveiras, e os seus discípulos o seguiram"* (Luc. 22:39).

ORAÇÃO

A oração cristã está fundamentada na convicção de que o Pai Celeste, que tem providencial cuidado sobre nós (Mat. 6:26,30; 10:29,30), que é "cheio de terna misericórdia" (Tg. 5:11), ouvirá e responderá às petições dos seus filhos da maneira e no tempo que Ele julgue melhor. A oração deve, então, ser feita com toda a confiança (Fp. 4:6), mesmo Deus sabendo de tudo aquilo que necessitamos, antes mesmo de Lhe pedirmos (Mat. 6:8,32). A Sua resposta pode ser demorada (Luc. 11:5 a 10) – talvez a oração seja importuna (Luc. 18:1 a 8), e repetida, como no caso de Jesus Cristo (Mat. 26:44) –, a resposta pode não ser bem o que se pediu (2 Co. 12:7 a 9) –, mas o crente pode deixar toda a sua ansiedade de lado, descansando na paz de Deus (Fp. 4:6,7). Não falando na oração relacionada com o culto, ou na oração em períodos estabelecidos (Sl. 55:17; Dn. 6:10), orava-se quando e onde era preciso: dentro do "grande peixe" (Jn. 2:1) – sobre os montes (1 Rs. 18:42; Mat. 14:23), no terraço da casa (At. 10:9), num quarto interior (Mat. 6:6), na prisão (At. 16:25), na praia (At. 21:5). O templo era, principalmente, a "casa de oração" (Luc. 18:10), e todos aqueles que não podiam juntar-se no Templo com os outros adoradores voltavam-se para ele, em oração (1 Rs. 8:32; 2 Cr. 6:34; Dn. 6:10). Notam-se várias posições na oração, tanto no Antigo Testamento como no Novo Testamento: Em pé (1 Sm. 1:10,26; Luc. 18:11) – de joelhos (Dn. 6:10 – Luc. 22:41), curvando a cabeça e inclinando-a à terra (Êx. 12:27; 34:8), prostrado (Nm. 16:22; Mat. 26:39). Em pé ou de joelhos, na oração, as mãos estavam estendidas (Ed. 9:5), ou erguidas (Sl. 28:2; cp. com 1 Tm. 2:8). As manifestações de contrição e de dor eram algumas vezes acompanhadas de oração (Ed. 9:5; Luc. 18:13). A oração intercessória (Tg. 5:16 a 18) é prescrita tanto no Antigo Testamento como no Novo Testamento (Nm. 6:23; Jó 42:8; Is. 62:6,7; Mat. 5:44; 1 Tm. 2:1).

Exemplos de oração intercessória aparecem nos casos de Moisés (Êx. 32:31,32), de Davi (2 Sm. 24:17; 1 Cr. 29:18), de Estêvão (At. 7:60) – de Paulo (Rm. 1:9). Solicitações para oração intercessória se encontram em Êx. 8:8, Nm. 21:7; 1 Rs. 13:6; At. 8:24, Rm. 15:30 a 32 – e as respostas a essas orações em Êx. 8:12,13, e Nm. 21:8,9; 1 Rs. 13:6; At. 12:5 a 8. Cp com 2 Co. 12:8. O próprio exemplo de Jesus a respeito da oração é decisivo. Ele indicou o fundamento sobre o qual repousa a crença na oração, e que é o cuidado providencial de um Pai onisciente (Mat. 7:7 a 11). Ele ensinou aos discípulos como deviam orar (Mat. 6:5 a 15; Luc. 11:1 a 13) – assegurou-lhes a certeza da resposta de Deus a uma oração reta (Mat. 7:7; 18:19; 21:22; Jo. 15:7, e 16:23,24); associou a oração com a vida de obediência (Mar. 14:38; Luc. 21:36), também nos anima a sermos persistentes e mesmo importunos na oração (Luc. 11:5 a 8 e 18:1 a 7), procurou os lugares retirados para orar (Mat. 14:23; 26:36 a 46; Mar. 1:35; Luc. 5:16). Ele fez uso da oração intercessória na súplica, conhecida pela designação da Sua alta oração sacerdotal (Jo. 17) – orou durante a agonia da cruz (Mat. 27:46; Mar. 15:34; Luc. 23:34,46). A oração em nome de Cristo é autorizada pelo próprio Jesus (Jo. 14:13,14, e 15,16) e pelo apóstolo Paulo (Ef. 5:20; Cl. 3:17). Além disso, o Espírito Santo também intercede por nós (Rm. 8:26).

OVELHAS, BODES E CABRAS

Estes são animais muito presentes nas Escrituras Sagradas e nos ensinamentos de Jesus. A palavra ovelha, na Bíblia, pode significar uma ovelha ou uma cabra; a mesma palavra é usada para ambas em várias ocasiões. O leite de cabra não só era importante por causa da quantidade (cerca de três litros por dia), mas também podia ser usado para fazer um tipo de iogurte (*leben*) e queijo (Pv. 27:27). Uma cabra era, portanto, deixada com a família, embora as outra fossem com o pastor, e se tornava, em geral, um animal de estimação. O animal podia ser usado para o sacrifício (Lv. 1:10), e a carne consumida em alguma refeição (Jz. 15:29), mesmo que não fosse tão gostosa quanto de cordeiro ou vitela (veja Luc. 15:29), mas era substancial.

Na Primavera, depois da chuva de inverno, havia muita pastagem perto da aldeia. Depois que o cereal era colhido, as ovelhas tinham permissão para comer tudo o que sobrasse. Quando isso acabava, era necessário deixar a região e procurar a erva seca que permanecia sob sol quente (1 Cr. 4:39, 40) lugares de erva fresca onde houvesse suprimento de água (águas tranquila, quando disponível) tornavam esse movimento possível (Sl. 23:2). Quando a água da superfície desaparecia, era preciso usar água de poço para as ovelhas. Era costume cobrir o manancial com uma pedra tão pesada que exigia vários homens para levantá-la, protegendo assim os direitos à água.

Os pastores geralmente colocavam as cabras na frente das ovelhas. Portanto, uma cabra se achava na frente de Isaías a ideia dos reis guiando o povo (veja Is. 14:9; Dn. 8:9; Zc. 10:12). A relação entre ovelhas e cabra pode estar por trás das palavras de Jesus, de que ele iria separar os homens como o pastor separa as ovelhas dos bodes (Mat. 25:32). Um bordão era usado para separá-los, os bodes sendo enviados numa direção e as ovelhas em outra – "debaixo da vara". As ovelhas e os bodes eram mantidos próximos uns dos outros porque ambos precisavam pastar e por comerem mais ou menos a mesma coisa.

Há várias diferenças entre os dois animais. Os bodes são geralmente escuros e as ovelhas, brancas. Os bodes sobem montanhas e penhascos com facilidade, mas as ovelhas preferem os vales planos. Os bodes comem as folhas das árvores (no geral ajudados pelo pastor que derruba os galhos menores com a vara), enquanto as ovelhas preferem pastar. Os bodes pastam o dia inteiro, mas as ovelhas deitam-se à sombra quando o sol está mais forte (Ct. 1:7).

O bode sempre foi menos popular que a ovelha para a maioria das pessoas. Um desses animais se tornou o "bode expiatório", levando os pecados do povo para o deserto (Lv. 16:22). Os "bodes" foram reservados por Jesus à destruição, enquanto Ele descreveu a vinda do Filho do Homem (Mat. 25:33,41). Essa impopularidade pode ser porque os bodes são destrutivos; eles comiam a erva mais perto do solo do que as ovelhas e destruíam a pastagem. Os gregos acreditavam em criaturas místicas, metade bode e metade homem, chamada sátiros. Baco era metade bode e metade homem. A profecia de Isaías sobre o juízo contra a Babilônia menciona bodes (sátiros) (Is. 13:21; 34:14).

Era comum às famílias mais pobres comprarem dois cordeiros na Páscoa. Um era consumido de acordo com a lei e o outro mantido para a engorda durante o verão. Ele se tornava o bichinho de estimação da família, de um modo que o bode jamais era aceito. O cordeirinho dormia em geral com as crianças e até partilhava do mesmo recipiente para beber. Era uma tragédia para os filhos da casa o dia em que o cordeiro era sacrificado e preservado na gordura da sua própria calda. Essa é a prática subentendida na parábola de Natã, em 2 Samuel 12:1-7.

É possível também ler neste costume a força da designação de Cristo como Cordeiro de Deus, em João 1:29 e 1:36. A dor do Pai em sacrificar seu Filho, o cordeiro celestial, por amor da raça humana, é um sentimento cujas palavras jamais conseguirão plenamente descrever.

P

PAIXÃO DE CRISTO

A Paixão de Jesus Cristo é o último ciclo da Sua vida. Nele estão todos os episódios que decorrem desde a Última Ceia até a morte na cruz. O termo "paixão" provém do latim *passio*, que significa sofrimento.

Já a expressão "Paixão de Cristo" ou "Paixão do Senhor" abrange mais do que o momento exato em que Cristo foi crucificado. Na verdade, ela antecede o evento e o supera. Nota-se que no Evangelho de João 2:27, Cristo afirma: "Agora, está angustiada a minha alma, e que direi eu? Pai, salva-me desta hora? Mas precisamente com este propósito vim para esta hora."

O sintoma da Sua paixão é essa angústia da alma de Cristo. Ele demonstra, com exclamação que, mesmo antes de ser preso e torturado fisicamente, já estava sofrendo. Tal episódio ocorreu seis dias antes, quando entrou em Jerusalém e foi aclamado pela multidão. Contraditoriamente, Jesus se vê angustiado num momento em que todos parecem reconhecer sua realeza e sua condição de Messias.

Mas Ele sabia, pelo relacionamento íntimo que tinha com o Pai, qual era sua missão neste mundo: salvá-lo pelo seu próprio sofrimento expiatório. Por isso, a Paixão de Cristo significa mais que um ato de martírio ou sofrimento físico. Era um sofrimento em lugar dos pecadores. Sua dor representa a máxima expressão do sofrimento humano, que, na sua entrega como Redentor da humanidade, recebe um sentido novo e mais profundo ao ser associado ao amor de Deus por seus filhos (Jo. 3:16).

Assim, embora o termo também apareça no Novo Testamento para falar de sofrimentos humanos de um modo geral, sua ênfase parece ser naquilo que Jesus sofreu em prol da humanidade. Literalmente, a frase "depois de ter padecido" significa "depois de Ele ter sofrido", fazendo ver que todos os incidentes da traição e da morte de Jesus Cristo se concentraram num só grandioso fato de redenção (Luc. 24:46; At. 1:3; 3:18; 17:3; Hb. 2:18; 9:26; 13:12; 1 Pe. 2:21; 3:18; 4:1).

No Evangelho de Marcos, Jesus prenuncia os Seus sofrimentos por três vezes (Mar. 8:31; 9:31; 10:33). Além dessas menções, Ele refere-Se uma vez à morte, como "resgate por muitos" (10:45), e uma vez também ao Seu "sangue da [nova] aliança, derramado em favor de muitos" (14:24).

Contudo, durante os acontecimentos, que de um modo imediato têm relação com a cruz, e que não chegaram a durar uma semana, consagra Marcos mais que um terço de todo o seu livro. Se a exposição até à última semana era fragmentária, torna-se afinal diária – torna-se agora um relato diário, minucioso. A Paixão, morte e ressurreição de Jesus era o assunto essencial da igreja cristã primitiva.

Os fatos contados nos evangelhos podem ser resumidamente comparados, com respeito aos incidentes da Paixão.

1. Getsêmani: na triste emoção de Jesus, Marcos põe na descrição um sinal de "assombro", ou de "espantosa surpresa", omitido por Mateus. Lucas notavelmente abrevia essa parte da narrativa e registra só o aparecimento do anjo e a "agonia" (Luc. 22:43,44). As pequenas variantes que aparecem na oração para que o cálice da amargura seja afastado, acabando o incidente com a vitoriosa submissão à vontade do Pai, não produzem alteração na substância.

2. A prisão: Marcos não refere palavra alguma de Jesus em resposta ao beijo da traição. Mateus diz: "Amigo, para que vieste?". E Lucas narra: "Judas, com um beijo trais o Filho do homem?". A narrativa se completa em alguns pequenos pormenores, recorrendo aos três autores.

3. A zombaria: Os três evangelhos referem-se à zombaria na casa do sumo sacerdote. Em Marcos e Mateus esse caso vem exposto em seguida à condenação, onde em Lucas acha-se antes. Marcos e Mateus falam da flagelação e da zombaria, levadas a efeito pelos soldados de Pilatos. Lucas omite estes fatos, mas apresenta um caso anterior de zombaria, que os soldados de Herodes praticaram.

4. A crucifixão: Os sarcasmos do povo, dos magistrados e dos soldados, junto à cruz, aparecem nas três narrações: segundo Marcos e Mateus, ambos os ladrões crucificados se uniram nas injúrias ao Salvador – mas Lucas descreve o lindo acontecimento do ladrão arrependido. Mateus fala por duas vezes da bebida que foi oferecida a Jesus, revelando esses atos a compaixão dos oferentes: era a costumada bebida estupefaciente ("vinho com fel"), que era dada aos crucificados, e que Jesus recusou, e, numa esponja, algum vinagre (ou vinho azedo), para aliviar as dores nos últimos instantes de esgotamento. Mateus apresenta primeiro, como sendo um ato adicional de crueldade ("vinho com fel"), Lucas menciona o oferecimento do vinagre, como ato de escarnecimento dos soldados, logo que Jesus foi crucificado.

5. As sete palavras na cruz: a provável ordem por que foram as sete palavras proferidas, cotejando os Evangelhos, é a seguinte:

(1) "Pai, perdoa-lhes, porque não sabem o que fazem" (Luc. 23:34).

(2) "Em verdade te digo hoje: Estarás comigo no paraíso" (Luc. 23:43).

(3) "Mulher, eis aí o teu filho! ... Filho, eis aí a tua mãe" (Jo. 19:26,27).

(4) "Deus meu, Deus meu, por que me desamparaste?" (Mat. 27:46; Mar. 15:34). (5) "Tenho sede" (Jo. 19:28).

(6) "Está consumado!" (Jo. 19:30).

(7) "Pai, nas tuas mãos entrego o meu espírito" (Luc. 23:46).

Antiga estrada romana.

As palavras do evangelho de João que descrevem a Paixão de Jesus são resultado de uma elevada concepção da pessoa de Cristo. Nota-se menos alento narrativo na humilhação e nos sofrimentos humanos de Jesus, e mais tocantes expressões no divino sacrifício daquele que, embora na Sua submissão, permanece Senhor e Rei (Jo. 18:6,36; 19:11).

PARÁBOLA

Parábola é uma narrativa, imaginada ou verdadeira, que ao final, tem o objetivo de ensinar uma moral, uma verdade. Esta, neste ponto, é diferente do provérbio: não é a sua apresentação tão concentrada como a daquele, contém mais pormenores, exigindo menor esforço mental para se compreender. E difere da alegoria, porque esta personifica atributos e as próprias qualidades, ao ponto que a parábola nos faz ver as pessoas na sua maneira de proceder e de viver. E também difere da fábula, visto como aquela se limita ao que é humano e possível. No Antigo Testamento a narração de Jotão (Jz. 9:8 a 15) é mais uma fábula do que uma parábola, mas a de Natã (2 Sm. 12:1 a 4), e a de Joabe (14:5 a 7) são verdadeiros exemplos. Em Isaías 5:1 a 6, vimos a semi parábola da vinha, e, em 28:24 a 28, a de várias operações da agricultura.

Jesus fez o uso contínuo das parábolas e isso em perfeita concordância com o método de ensino ministrado ao povo no Templo e na sinagoga. Os escribas e os doutores da Lei faziam grande uso das parábolas e da linguagem figurada para ilustração em seus sermões. Tais eram os Hagadote dos livros rabínicos. A parábola usada tantas vezes por Jesus, no Seu ministério (Mar. 4:34), servia para esclarecer os Seus ensinamentos, referindo-se à vida comum e aos interesses humanos, para patentear a natureza do Seu reino, e para experimentar a disposição dos Seus ouvintes (Mat. 21:45; Luc. 20:19). As parábolas do Salvador diferem muito umas das outras. Algumas são breves e mais difíceis de compreender. Algumas ensinam uma simples lição moral, outras uma profunda verdade espiritual. Neander classificou as parábolas do Evangelho, tendo em consideração as verdades nelas ensinadas e a sua conexão com o reino de Jesus Cristo.

PAROUSIA

Também grafada como "parusia", é um termo grego que significa "presença, vinda". Usada muitas vezes como a chegada de um rei, ela é empregada no Novo Testamento em sentido escatológico, para expressar o retorno de Cristo no final dos tempos. No Novo Testamento, a palavra é utilizada em contexto de alegria, pois anuncia a vinda e a presença do Senhor, consumando a história. O anelo pela parusia é um elemento importante da vida cristã (cf. Mat. 24:3.27.37.39; 1Cor. 15:23; 1Ts. 2:19; 3:13; 4:15; 2Ts. 2:1; 2Pd. 1:16).

PÁSCOA

Festa religiosa comemorada por judeus e cristãos. Páscoa vem da palavra hebraica *pessah* e significa **pas-**

sagem. Para os antigos hebreus, significava a comemoração de sua saída do Egito. Para os cristãos é a passagem de Jesus da morte para a vida, trazendo salvação para todos que creem nele (Jo. 5:24). Jesus veio à terra com um grande objetivo. Quando Ele morreu e ressuscitou, pagou o preço do pecado, nos dando uma nova oportunidade para ter um relacionamento pessoal com Deus (Rom. 8:1 e 2). Voltando ao significado judaico da festa, em algum período na história do povo hebreu eles ficaram escravos por séculos no Egito, vivendo sob a opressão de temidos faraós. Mas, por intermédio de Moisés, Deus providenciou a libertação de seu povo.

Dez pragas caíram no Egito como juízo divino que, ao mesmo tempo em que punia os opressores, abria espaço para revelar a soberania do Deus dos hebreus. Assim, na última da praga, os primogênitos egípcios foram visitados pelo anjo da morte, ao passo que os primogênitos hebreus foram poupados.

O livramento da morte dava-se pelo emblema posto nas habitações dos israelitas, cujas portas tinham sido aspergidas com o sangue do cordeiro pascal, morto na ocasião (Êx. 12:11 a 27).

Assim, chama-se "a Páscoa do Senhor" (Êx. 12:11,27) – a "festa dos pães asmos" (Lv. 23:6 – Luc. 22:1), os "dias dos pães asmos" (At. 12:3; 20:6). A palavra Páscoa é aplicada não somente à festa no seu todo, mas também ao cordeiro pascal e à refeição preparada para essa ocasião solene (Luc. 22:7; 1 Co. 5:7; Mat. 26:18,19; Hb. 11:28).

O ritual realizado na primeira Páscoa, que é descrito em Êxodo 12:1-20, deveria, então, a partir daquele momento, ser observado todos os anos pelas próximas gerações. E foi assim que aconteceu. No livro de Êxodo 12:27 está a explicação que deveria ser dada quando os filhos daquelas pessoas perguntassem o que eram aqueles rituais simbólicos feitos na Páscoa.

"Respondereis: É o sacrifício da Páscoa ao SENHOR, que passou por cima das casas dos filhos de Israel no Egito, quando feriu os egípcios e livrou as nossas casas" (Êxodo 12:27).

Originalmente, a maneira de celebrar a Páscoa seguia conforme o preceito de Deus: o mês da saída do Egito (nisã-abibe) devia ser o primeiro mês do ano sagrado ou eclesiástico, e no 14º dia desse mês, entre as tardes, isto é, entre a declinação do sol e o seu pôr do sol, deviam os israelitas matar o cordeiro pascal e deixar de comer pão fermentado. O cordeiro ofertado devia ser sem defeito, macho e do primeiro ano. Quando não se encontrava cordeiro, os israelitas podiam matar um cabrito.

No dia seguinte, o 15º, a contar desde o pôr do sol anterior, começava a grande festa da Páscoa, que durava sete ou oito dias, dependendo da situação. Naquela mesma noite, ou seja, no começo do 15º dia, o cordeiro devia ser comido, sem que os seus ossos, fossem quebrados, assado, com pão asmo e uma salada de ervas amargas. Além disso, se sobrasse alguma coisa para o dia seguinte, tudo era queimado. Os que comiam a Páscoa precisavam estar na atitude de viajantes, cingidos os lombos, tendo os pés calçados, com os cajados nas mãos, alimentando-se apressadamente para lembrar a saída apressada do Egito.

Durante os sete ou oito dias da Páscoa, não deviam fazer uso de pão levedado, embora fosse permitido preparar comida, sendo isto, proibido no sábado (Êx. 12). A Páscoa era uma das três festas em que todos os varões haviam de "aparecer diante do Senhor" (Êx. 23:14 a 17). Por isso o evangelho mostra algumas situações em que Jesus sobe a Jerusalém para celebrar a Páscoa com seus discípulos (Mat. 26:17 a 20; Luc. 22:15; Jo 2:13,23).

A festividade pascal no tempo de Jesus Cristo só podia realizar-se em Jerusalém. Havia tanta gente que não era possível acomodarem-se todos dentro dos muros da cidade. Por essa razão que os magistrados queriam que Jesus não fosse preso, pois receavam algum tumulto da parte da multidão, que estava em Jerusalém para a celebração da Páscoa (Mat. 26:5).

Após a morte e ressurreição de Jesus, a Páscoa mudou sua forma, mas não seu significado. Jesus, através de Seu sangue derramado na cruz em sacrifício, nos libertou da escravidão do pecado. Jesus é como aquele cordeiro que ofereceu o seu sangue para que o povo que vivia como escravo vivesse e fosse totalmente livre. Pelo sangue de Jesus vivemos a liberdade. Ele foi o sacrifício que nos trouxe vida e libertação da condenação e da escravidão do pecado.

A Páscoa cristã (Santa Ceia) comemora, então, o sacrifício e a ressurreição de Jesus Cristo. Jesus é o nosso Cordeiro pascal (1 Corintios 5:7). Ele nos propiciou a liberdade através de Seu sangue e da Sua vitória na cruz. Essa comemoração deve ser lembrada todos os dias e não somente na Páscoa.

Os pastores de Belém

PASTOR

Várias referências são encontradas na Bíblia Sagrada ao ofício de pastor de ovelhas. Grandes personagens do Antigo Testamento são descritos como pastores: Abraão, Moisés, Davi. O próprio Davi, em um de seus salmos (23), expressou de forma muito apropriada as responsabilidades e as preocupações de um bom pastor.

A profissão de pastor continuava ativa e essencial nos tempos de Cristo, pelo que ele referiu a si mesmo como "o bom pastor" e tirou lições disso (Jo. 10:2-4, 11). Curiosamente, Deus Pai também é reconhecido como um bom pastor em pelo menos duas ocasiões no Antigo Testamento em Isaías 40:10 e 11 no Salmo 23:1-4.

Provavelmente os pastores no Israel antigo cuidavam de vários tipos de ovelhas, entre elas, a *caracul*, uma raça síria com cauda gorda e lã grossa. Os machos dessa raça têm chifres, mas as fêmeas, não. São animais dóceis, podem ser facilmente conduzidos pelo pastor mas também são muito vulneráveis a predadores e a outros perigos.

Os pastores cuidavam de cabras que podiam ser pretas ou marrons. Enquanto escalavam encostas rochosas e pastavam, muitas vezes elas feriam suas orelhas compridas em arbustos e espinhos.

Ensinar as ovelhas e as cabras a obedecerem aos pastores, era um dos constantes desafios. Mas os bons pastores eram pacientes e cuidavam com carinho dos animais de seu rebanho, até mesmo dando-lhes nomes que os animais reconheciam (Jo. 10:14, 16).

Havia duas épocas importantes para o pastor: o nascimento dos cordeiros e a tosquia das ovelhas. O nascimento se dava geralmente em janeiro/fevereiro. A tosquia era feita depois da pastagem de verão, quando os lucros eram distribuídos e seguiam-se vários dias de festa.

Havia pastores mais pobres, que tinham um pequeno rebanho. Então os grandes criadores de ovelhas empregavam tais pastores para cuidar de seus vastos rebanhos. As famílias mais pobres usavam os filhos menores para cuidar do rebanho.

PEDRA ANGULAR

Chamada também de pedra de esquina ou pedra de toque. Esta era literalmente o canto inferior de uma construção (alicerce) ou a parte central de um arco (Mar. 12:10). Pode fazer tropeçar (1Pe. 2:8) ou cair sobre alguém (Mat. 21:44; Luc. 20:17 e 18).

Jesus faz referência à profecia da pedra rejeitada no discurso apresentado logo depois de proferir a parábola dos trabalhadores maus. O incidente estava relacionado com a edificação do Primeiro Templo de uma ocorrência verdadeira da história de Israel.

Ao ser erguido o Templo de Salomão, as imensas pedras para as paredes e os fundamentos foram inteiramente preparadas na pedreira; nenhum instrumento devia ser empregado nelas depois de serem levadas para o local da construção; os trabalhadores só tinham que as colocar na posição correta. Pedras de dimensões extraordinárias e de singular feitio foram levadas para serem colocadas na fundação, mas os construtores não conseguiam achar um lugar para ela e não a queriam aceitar.

A pedra tornou-se um empecilho, ficando sem utilidade. Por muito tempo, esta ficou como pedra rejeitada. Mas, quando chegou o momento de colocar a pedra angular, os construtores procuraram por muito tempo uma de tamanho e resistência suficientes e do devido formato, para ocupar aquele lugar e suportar o grande peso que sobre ela ficaria.

Várias pedras devem ter sido escolhidas, várias vezes, mas, sob a pressão de imensos pesos, elas se despedaçavam. Outras provavelmente não suportavam a prova das mudanças atmosféricas. Com isso, a atenção dos construtores foi atraída para a pedra que fora rejeitada por tanto tempo, então eles a analisaram. Esta ficou exposta ao ar, ao sol e à tempestade, sem apresentar nenhum desgaste e mudança. Suportara todas as provas, menos uma. Se pudesse resistir à prova de vigorosa pressão, decidiriam que iriam aceitá-la para ser a pedra angular. A prova foi feita a pedra e aceita. Foi levada para o lugar que lhe era designado, verificando-se se poderia ajustar-se perfeitamente.

Além disso, foi mostrado a Isaías, em profética visão, que essa pedra era um símbolo de Cristo. Diz ele: "Ao Senhor dos Exércitos, a Ele santificai; e seja Ele o vosso temor, e seja Ele o vosso assombro. Então Ele vos será santuário; mas servirá de pedra de tropeço, e de rocha de escândalo, às duas casas de Israel; de laço e rede aos moradores de Jerusalém. E muitos dentre eles tropeçarão, e cairão, e serão quebrantados, e enlaçados e presos." (Isa. 8:13-15). Levado em visão adiante, ao primeiro advento, é mostrado ao profeta que Cristo devia sofrer provas e experiências das quais era um símbolo o que se fizera à pedra de esquina do Templo de Salomão. "Portanto assim diz o Senhor Jeová: Eis que ponho em Sião uma pedra, uma pedra já provada, pedra preciosa de esquina, que está bem firme e fundada; aquele que crê não se apresse." (Isa. 28:16).

Jesus Cristo é o fundamento que Deus, com tanto amor e bondade, nos concedeu. Esta é a obra do Senhor. Ele é colocado em Sião, na igreja, no Monte Santo. Ele é uma pedra provada, rejeitada, mas única capaz de sustentar o edifício. Uma pedra de toque (conforme alguns entendem), que fará distinção entre o verdadeiro e o falso. Ele é uma pedra preciosa, representada pelos fundamentos da Nova Jerusalém (Apoc. 21:19), uma pedra de esquina, sobre a qual os lados do edifício estão unidos.

PEDRA DE TROPEÇO

Pedra de tropeço é uma expressão idiomática da Bíblia Sagrada e do Novo Testamento e denomina a atitude ou o comportamento de alguém que conduz outro a pecar. Essa expressão pode estar relacionada com a condição das estradas nos lugares por onde passou Jesus. Além de ser uma região montanhosa nem todos os lugares tinham estradas pavimentadas feitas pelos romanos. Assim, algumas viagens ou caminhadas por determinados tipos de terreno podiam ser perigosas, principalmente à noite, pois não era difícil tropeçar numa pedra desregular e cair ou quebrar uma perna.

Na Bíblia hebraica, o termo para "pedra de tropeço" é *mikshowl*, citado na Septuaginta como *skandalon*. A palavra em português "escândalo" tem origem no termo grego da Septuaginta *skandalon*, que por sua vez tem origem no termo hebraico *mikshowl*. *Skandalon* tem um significado muito diferente ao que normalmente é atribuído nos dias de hoje para a palavra escândalo.

Ao substantivo grego *skandalon* também é associado um verbo, *skandalizo* ("escandalizar"), significando literalmente "fazer alguém tropeçar" ou, idiomaticamente, "conduzir alguém a pecar."

No Novo Testamento são usadas duas palavras que transmitem o sentido de algo contra o que alguém tropeça. São os gregos *proskomma*, "pedra de tropeço" e o já mencionado *skandalon*.

Ambos aparecem em diferentes contextos. Em Romanos 14:13 e 1 Coríntios 8:9, a expressão "pedra de tropeço" é aplicada aos cristãos que, por algum motivo, podem tornar-se um obstáculo ou uma causa de tropeço para os irmãos mais fracos. Ou seja, ao exercerem toda sua liberdade pela compreensão do ensinamento de Cristo, alguns cristãos poderiam magoar e ofender outros que ainda não tinham compreendido tal liberdade.

Além de *skandalon* a expressão idiomática "pedra de tropeço" tem um segundo significado na palavra grega *proskomma* ("tropeçando"). Ambas palavras são usadas juntas em 1 Pedro 2:8; isto é a "pedra de tropeço" (*lithos proskommatos*) e a "rocha que faz cair" (*petra skandalou*).

O modo com que as expressões "pedra de tropeço" e "rocha de escândalo" aparecem em algumas passagens bíblicas nos adverte para a realidade de que em algumas ocasiões pode acontecer de um cristão tentar alguém a pecar, e tal comportamento deve ser evitado a todo custo ou corrigido rapidamente. É nesse sentido que em Apocalipse 2:14 lemos sobre alguns cristãos professos da igreja em Pérgamo que estavam apegados aos ensinos de Balaão e se entregando aos prazeres do paganismo, fazendo concessões ao mundo e servindo de escândalo. Esse texto está se referindo ao episódio registrado no livro de Números, onde Balaão deu conselhos a Balaque que fizeram com que

Israel tropeçasse (Num. 22:5; 25:1-4; 31:15,16). Vale destacar também o episódio registrado em Mateus 16:23, onde Pedro tentou insistir para que Jesus desistisse do sofrimento na cruz. Na ocasião o Senhor lhe chamou de "pedra de tropeço", pois estava expressando o ponto de vista insensato e meramente humano.

Uma passagem que confunde muitos leitores é o texto de I Pedro 2:8, que compara Jesus a uma pedra de tropeço. Porém, se o mesmo for lido à luz de Lucas 2:34 e Romanos 9:33 (cf. Isa. 28:16), esse problema se desfaz. O que a Bíblia quer dizer é que Cristo é, em última instância, o elemento comum tanto nos que se salvam como nos que se perdem. Afinal, é sua aceitação ou sua rejeição que definem o destino de cada ser humano, tanto judeus quanto não judeus. Por isso Ele é, paradoxalmente, o elemento que salva, mas ao mesmo tempo que leva à perdição.

Jesus é pedra de tropeço somente para os que não obedecem ou vão contra a Palavra de Deus. Quem não crê, tropeça e cai, e se escandaliza nEle, pois não compreende ou confia em Seu agir. Mas Ele é a pedra angular daqueles que O servem e creem nEle acima de todas as circunstâncias.

PEDRO (SIMÃO)

Pedro (Simão), o apóstolo filho de Jonas (Mat. 16:17), era um pescador de Betsaida, na Galileia (Mat. 4:18 e ref.). Os galileus atribuem um temperamento que se revela através da energia, independência, e na demasiada franqueza de Pedro. A sua fala também era característica da Galileia (Mar. 14:70; At 2:7). Provavelmente antes de ser chamado para seguir Jesus, ele já era casado, visto como a cura da sua sogra está descrita em Mateus 8:14 e seguintes – e mais tarde teria sido acompanhado pela esposa em suas viagens missionárias (1 Co. 9:5).

Sem dúvida, aquele "meu filho Marcos", que é citado na 1ª epístola de Pedro (5:13), era João Marcos, e não um filho natural de Pedro, pois o título de filho era muitas vezes aplicado a discípulos.

Quando Jesus esteve em Betânia, no outro lado do Jordão (Jo. 1:28), André, irmão de Simão, levou-o a Jesus (Jo. 1:40,41). Foi então que Cristo lhe deu o nome de Cefas (Jo. 1:42). Pedro, já sendo discípulo de Jesus, esteve com o Mestre nas bodas de Caná (Jo. 2:1 a 11), e é possível que o acompanhasse na Sua viagem pela Judeia (Jo. 2:12; 4.4), voltando depois ao seu ofício de pescador (Jo. 4:43). Depois disto recebeu o chamado definitivo para o ministério (Mat. 4:18 a 22; Mar. 1:16 a 20; Luc. 5:1 a 11), quando Pedro foi incluído aos 12 apóstolos (Mat. 10:2 a 4; Mar. 3:13 a 19; Luc. 6:12 a 16).

Daqui em diante Pedro é o mais notável dos 12 discípulos nas narrativas do evangelho. Foi testemunha da ressurreição da filha de Jairo (Mar. 5:37; Luc. 8:51) – andou sobre a água para ir ao encontro de Jeaus (Mat. 14:28 a 31) – confessou que Jesus era "o Cristo, o Filho do Deus vivo", e foi abençoado por Ele (Mat. 16:13 a 20; Mar. 8:27 a 30; Luc. 9:18 a 21) – mesmo assim, foi censurado pelo Senhor, pelo motivo das suas petições, para que os sofrimentos preditos por Cristo fossem dele afastados (Mat.16:22,23) – esteve com Jesus no Monte, e foi testemunha da transfiguração (Mat. 17:1 a 4; Mar. 9:2 a 6; Luc. 9:28 a 32; 2 Pe 1:17,18).

Ele foi buscar a moeda do tributo, encontrando-a na boca do peixe (Mat. 17:24 a 27) – procurou saber de Jesus a respeito da prática do perdão (Mat. 18:21) – recebeu a promessa a respeito da futura glória daqueles que tinham deixado tudo para seguir a Cristo (Mat. 19:27 a 30) – juntamente com outros interrogou o Divino Mestre sobre as desgraças anunciadas para a cidade de Jerusalém (Mar. 13:1 a 4) – e foi mandado com João preparar a Páscoa (Luc. 22:8). Na última Ceia não queria que Jesus lavasse seus pés (Jo. 13:6 a 9) – sugeriu a João que perguntasse o nome do traidor (Jo. 13:24) – declarou a sua firme fidelidade a Jesus, mas foi avisado da sua próxima queda (Mat. 26:33 a 35; Mar. 14:29,31; Luc. 22:31 a 34; Jo. 13:36 a 38). Pedro acompanhou Jesus ao jardim do Getsêmani (Mat. 26:36 a 48; Mar. 14:33 a 42; Luc. 22:40 a 46).

Quando chegou àquele lugar, onde povo queria prender o Salvador, Simão Pedro resistiu e chegou a cortar uma orelha de Malco (Jo. 18:10,26), depois foi seguindo de longe o seu Mestre até o palácio do sumo sacerdote, onde entrou por intermédio de João (Jo. 18:16) – e foi durante o julgamento que ele por três vezes negou conhecer o seu Mestre, chorando depois amargamente por sua falta (Mat. 26:69 a 75; Mar. 14:66 a 72; Luc. 22:55 a 62; Jo 18:17,18,25 a 27). Depois da crucifixão, Pedro visitou o sepulcro, acompanhado de João (Luc. 24:12; Jo 20:2 a 6), e recebeu do Senhor uma mensagem, que sugeria uma renovação de confiança (Mar. 16:7). Cristo, ressuscitado, apareceu-lhe quando ele estava só (Luc. 24:34; 1 Co 15:5) – e também Jesus se manifestou estando Pedro com outros discípulos "no mar de Tiberíades", sendo ali interrogado pelo mesmo, e novamente encarregado de anunciar o Evangelho (Jo. 21:1 a 23 – 2 Pe. 1:14). Esteve presente nas reuniões que os apóstolos tiveram depois da ascensão (At. 1:13) – foi ele quem sugeriu a nomeação de um apóstolo para o lugar de Judas (At. 1:15 a 25) – e foi quem explicou as manifestações do Espírito Santo no dia de Pentecoste (At. 2:14 a 40). O acontecimento de curar o coxo, que junto da Porta Formosa do Templo pedia esmola, resultou no seu discurso ao povo, bem como a sua prisão (At. 3,4.1 a 26). Ele censurou Ananias e Safira (At. 5:1 a 11) – e em virtude de certos milagres, foram os apóstolos presos, açoitados e depois soltos (At. 5:12 a 42).

Pouco tempo depois, Pedro e João, representaram os apóstolos e foram mandados para confirmar os convertidos em Samaria (At. 8:14) – e achando ali cristãos batizados, que não tinham recebido o Espírito Santo, impuseram sobre eles as suas mãos. Então Simão Mago patenteou os seus sentimentos anticristãos, propondo a Pedro que lhe fosse vendido o poder de dar o Espírito Santo por meio da imposição das mãos (At. 8:18-24). Três anos depois aconteceu o primeiro encontro mencionado de Pedro e Paulo (At. 9:26; Gl. 1:17,18). Foram realizados dois milagres de cura (Eneias, Dorcas), enquanto Pedro andava visitando as igrejas ao sul da Palestina. A uma visão que ele teve, seguiu-se a conversão de Cornélio, sendo removidas da alma de Pedro as suas dúvidas quanto à possibilidade de os pagãos se tornarem cristãos sem ser necessário que fossem primeiramente circuncidados (At. 10). A família de Cornélio recebeu o Espírito Santo, sendo os seus membros batizados por Pedro, que por esse fato ofendeu os seus conterrâneos (At. 11:2). Defendeu-se, contudo, convencendo-os de que "também aos gentios foi por Deus concedido o arrependimento para a vida" (At. 11:18).

Seguiu-se a prisão de Pedro por ordem de Herodes Agripa I e o seu miraculoso livramento. Tiago, o filho de Zebedeu, já tinha sido executado (At. 12:2). Seis anos depois ele foi encontrado em Jerusalém discutindo com os outros apóstolos o assunto da circuncisão. Mas ele não foi o presidente daquele concílio, nem apresentou as suas deliberações (At. 15). Foi em Antioquia, não muito depois do concílio, ou, segundo alguns, antes dessa grande reunião, que houve o memorável conflito entre Pedro e Paulo (Gl. 2:11 a 14). Pedro parecia estar indeciso sobre a questão da igualdade dos gentios. Paulo denunciou a conduta de Pedro, e então o mais velho submeteu-se ao apóstolo mais novo, ficando para sempre seu amigo (2 Pd. 3:15). Nada se sabe a respeito dos últimos anos da vida de Pedro, a não ser as tradições que se contam, que ele foi para Roma, onde sofreu o martírio. Porém, essa história não é contada pela Bíblia. Mas há alusões à crucificação de Pedro, na profecia de Jesus sobre esse apóstolo, em João 21:18, 19.

Clemente foi o primeiro a testemunhar a presença de Pedro a Roma que, escrevendo aos gregos de Corinto, diz que "Pedro, que por iníqua inveja, teve que suportar inúmeras penas, deu testemunho e assim alcançou o lugar reservado a ele na glória"[4]. Provavelmente Clemente fala do período da perseguição de Nero contra os cristãos, por volta do ano 64 depois de Cristo. Clemente, porém, não diz como Pedro morreu. Outros indícios da presença de Pedro em Roma podem ser encontrados numa carta de Inácio de Antioquia aos romanos. Há ainda uma referência no livro Ascensão de Isaías, que foi escrito por volta do ano 100 depois de Cristo. Os textos que falam de Pedro (e Paulo) nos anos sucessivos se multiplicam.

Sobre o modo como Pedro foi martirizado, temos um texto do historiador Eusébio, que cita Orígenes, segundo o qual Pedro foi crucificado com a cabeça para baixo. O texto de Eusébio diz: "Em Roma, Pedro foi crucificado com a cabeça para baixo, forma de martírio que ele mesmo tinha considerado justa". Eusébio fala também das sepulturas de Pedro e Paulo: "Eu poderia mostrar-vos os túmulos dos apóstolos; se vêm ao Vaticano ou à Via Óstia, encontrarão os sepulcros daqueles que ergueram a nossa igreja."[5]

Outra tradição diz que no período em que devia ser crucificado, encontrou, às portas de Roma, Jesus que lhe perguntou: *quo vadis?* (aonde vai?). Isso aconteceu enquanto Pedro estava fugindo de Roma para evitar a morte; o encontro teria mudado a sua decisão e ele teria voltado para Roma.

PILATOS (PÔNCIO)

Procurador ou governador da Judeia, quando governava o imperador Tibério, de 26 a 36 d.C., Mostrava-se cruel nos negócios públicos e particulares (veja Luc. 13:1), e durante os dez anos do seu governo foi ele a principal causa de constantes perturbações e revoltas. Pilatos fez algumas tentativas para livrar Jesus, porque ele sabia a causa da hostilidade para com o Rabi da Galileia (Mat. 27:18), e também porque a sua mulher tinha ficado perturbada com um sonho. Naquela ocasião ele estava ansioso por conservar a paz pública e por isso procurou apaziguar os judeus, mandando açoitar Jesus (Mat. 27:26; Jo 19.1), mas ao mesmo tempo desejou libertá-lo no dia da Páscoa. Por fim, para se livrar de dificuldades, enviou Jesus a Herodes, esperando que este o julgasse (Luc. 23:7,8). Todos essas tentativas não deram resultado – e então, com receio de ofender os judeus e o imperador (Jo. 19:12 a 15), entregou Jesus aos inimigos para ser crucificado, lavando em público as suas mãos para fazer crer que estava inocente naquele crime (Mat. 27:23,24). A inscrição que foi colocada sobre a crucificada vítima revela que ele se arrependeu da ação que julgou necessário tomar (Jo. 19:19). O último ato de Pilatos, descrito no Novo Testamento, foi ter mandado uma guarda para junto do túmulo, onde estava o corpo de Jesus (Mat. 27:64). Depois de dez anos a Judeia foi perturbada por Pilatos, sendo por fim, no ano de 36 d.C. deposto por Vitélio, o procônsul da Síria, e mandado para Roma, a fim de dar conta dos seus atos perante o imperador. Quando estava em viagem para Roma, morreu Tibério – mas Calígula, o seu sucessor, desterrou Pilatos para Vienne da Gália, onde caiu em tal extremidade que atentou contra a sua existência.

PINÁCULO

A palavra pináculo significa literalmente a ponta de um telhado em forma triangular ou o ponto mais alto de um edifício. A expressão "pináculo do Templo" tornou-se conhecida com o episódio da tentação de Cristo, onde é dito que o diabo o levou até o pináculo do Templo e sugeriu que ele se atirasse dali à vista de todos. Assim, Deus enviaria anjos para salvar Cristo e o evento seria testemunhado por milhares que transitavam pelo local do edifício. Mas Jesus não aceitou a sugestão do inimigo e o repulsou (Mat. 4:5-7 e Luc. 4:9-12).

Embora não se tenha uma certeza sobre qual parte seria o "pináculo do Templo" que Jesus conheceu, dois setores do antigo edifício são considerados pelos historiadores com base nos levantamentos arqueológicos e nas descrições de Flávio Josefo, que viu o Templo pessoalmente antes de ser destruído. Um seria um elevado parapeito de onde o trombeteiro tocava seu instrumento convidando o povo às orações e anunciando a hora do sacrifício. O outro seria o telhado do Sinédrio, onde alguns fariseus, sacerdotes e anciãos do povo se reuniam.

Acontece que a esplanada do Templo era literalmente um caixote de arrimo com pesadas pedras feito por Herodes, o grande. O lado sul desse "caixote" era mais elevado que os demais por causa do desnível do próprio monte onde o Templo estava edificado. Ali, portanto, era o lado mais elevado e, consequentemente, mais provável para a localização do pináculo do Templo. Tanto o telhado do Sinédrio quanto o parapeito do trombeteiro ficavam neste lado.

Este lado tinha cerca de 50 metros acima da rocha original, por isso havia uma rampa no lado ocidental da extremidade sul (hoje chamada arco de Robinson) que conduzia os oficiais até o nível do átrio superior. De fato, considerando a historicidade do confronto entre Cristo e Satanás, a sugestão do inimigo para que ele pulasse torna uma situação muito mais tensa do conflito entre ambos.

POMBA

A primeira referência que se faz da pomba na Bíblia é em Gênesis 8:8,10,12. Noé usou esta ave com o objetivo de saber o quanto às águas do dilúvio tinham baixado. Nas terras bíblicas, as pombas são abundantes, tanto soltas como domesticadas. São classificadas por Moisés entre os animais limpos e sempre foram aves da mais alta estima nas nações orientais.

A maioria das referências bíblicas à pomba está associada às experiências positivas e pacíficas. Citamos como exemplo Gênesis 8:8-12; Salmos 55:6; Salmos

68:13. O Salmo 68:13 refere-se ao brilho de suas asas, quando começam a voar. Lê-se em Isaías 60:8: "Quem são estes que vêm voando como nuvens, e como pombas ao seu pombal?" A pele brilhantemente avermelhada, em volta dos olhos pretos da rola, explica as palavras de Cantares. 5:12. Além disso, o esterco dos pombos é muito utilizado para adubar as terras no Oriente.

A pomba é mencionada como símbolo de simplicidade, de inocência, gentileza, afeição e fidelidade (Os. 7:11; Mat. 10:16) e podia ser oferecida em sacrifício por gente pobre, quando não podia ofertar algo mais custoso. Foi nessas condições que Maria ofereceu "um par de rolas ou dois pombinhos", depois do nascimento de Cristo (Lv. 12:8; Luc. 2:22 a 24).

No Novo Testamento a pomba está relacionada ao batismo do Senhor Jesus (Mat. 3:16; Marcos 1:10; Lucas 3:22 e João 1:32). Após Seu batismo, o Espírito de Deus, na forma corpórea de uma pomba, desceu sobre Ele.

Cristo necessitava de uma capacitação maior para a obra que deveria realizar, como qualquer ser humano, limitado pela natureza humana. Por Si mesmo, Ele não poderia fazer nada. Cristo necessitava de um poder adicional para cumprir tudo quanto precisava fazer.

O apóstolo Pedro revela o seguinte: "Concernente a Jesus de Nazaré, como Deus O ungiu com o Espírito Santo e com poder; o qual andou por toda parte, fazendo o bem e curando a todos os oprimidos do diabo, porque Deus era com Ele." (Atos 10:38).

Depois de ser tentado por Satanás, no deserto, Jesus foi a Nazaré, entrou na sinagoga no dia de sábado e, segundo o Seu costume, leu uma passagem do profeta Isaías que falava a Seu respeito: "O Espírito do Senhor está sobre Mim, porquanto Me ungiu para anunciar boas-novas aos pobres; enviou-Me para proclamar libertação aos cativos, e restauração da vista aos cegos, para por em liberdade os oprimidos, e para proclamar o ano aceitável do Senhor." (Luc. 4:18-19).

PRATA, MOEDAS DE

No Antigo Testamento, essa expressão refere-se, provavelmente, ao siclo, sendo, em Mateus 26:15 e 27:3,5,6,9, uma provável referência aos trinta siclos que se pagavam por um escravo (Zc. 11:12,13). Em Lucas 15:8,9 a moeda perdida chama-se "dracma", peça grega equivalente ao denário romano de prata.

PRÓDIGO

Do latin, *pródigu*. É o nome que dá título a uma das mais conhecidas parábolas de Cristo acerca de um pai amoroso e seus dois filhos. O mais moço que junta sua herança e sai pelo mundo, vivendo desregradamente e o mais velho que permanece em casa, mas sem muita afetividade para com o seu pai. O destaque maior cai sobre o que saiu do lar. Por isso, os teólogos, desde longa época, chamam esse conto de "A parábola do filho pródigo". Pródigo, neste caso, representa aquele que gasta excessivamente; que dá espontaneamente; gastador; dissipador; esbanjador; perdulário.

PROSTITUIÇÃO

A prostituição era disseminada no império romano. Chegava a ser realizada em cabines portáteis instaladas nas ruas. Com as diversas menções a meretrizes no Novo Testamento, indica-se que Jesus estava familiarizado sobre isso. Não havia preocupação com doenças sexualmente transmissíveis: sífilis e gonorreia não eram conhecidas.

PUBLICANO

Ocupação que aparece várias vezes nos evangelhos de Mateus, Marcos e Lucas. Além disso, era a profissão de Mateus, um dos apóstolos de Cristo. Os publicanos normalmente eram tratados com muita resistência pelo povo comum.

O publicano era um cobrador de impostos que o império romano escolhia entre o próprio povo judeu para cobrar seu próprio povo em nome do império. Em vários textos da Bíblia essas pessoas eram comparadas aos piores tipos de gente: "Por que, se amardes os que vos amam, que recompensa tendes? Não fazem os publicanos também o mesmo?" (Mat. 5:46).

Os motivos para sua impopularidade generalizada podem ser compreendidos pela análise da sua função social e do contexto da época.

Em primeiro lugar, por trabalharem para o império romano, que dominava com violência. As pessoas os viam como uma espécie de traidores. Em segundo lugar, havia muitos impostos abusivos cobrados pelo império, que, ao invés de trazer benefício ao povo, trazia muita dificuldade e consequentemente enriquecia cada vez mais o império e seus governantes, trazendo revolta ao povo trabalhador. Além disso, a maioria dos publicanos eram muito corruptos, cobrando além do que era taxado pelo império. Com isso, muitos deles enriqueciam pela corrupção e exploração de seu próprio povo, atraindo o ódio deles contra os que trabalhavam como publicanos.

Na Bíblia, temos dois exemplos bastante famosos de publicanos, que são os do apóstolo que é chamado de Levi ou também de Mateus e Zaqueu. São exemplos de publicanos que se converteram através da mensagem de Jesus Cristo. Zaqueu, por exemplo, arrependido, prometeu devolver quadruplicadamente tudo aquilo que tinha roubado: *"Entrementes, Zaqueu se levantou e disse ao Senhor: Senhor, resolvo dar aos pobres a metade dos meus bens; e, se nalguma coisa tenho defraudado alguém, restituo quatro vezes mais."* (Luc. 19:8). Mateus largou o trabalho de cobrador de impostos e seguiu Jesus.

Jesus foi acusado algumas vezes pelos religiosos – enciumados – por estar na presença de publicanos: *"E sucedeu que, estando ele em casa, à mesa, muitos publicanos e pecadores vieram e tomaram lugares com Jesus e seus discípulos. Ora, vendo isto, os fariseus perguntavam aos discípulos: Por que come o vosso Mestre com os publicanos e pecadores?"* (Mat. 9:10-11)

Q

QUADRANTE

Menor moeda romana em circulação nos dias de Cristo. As duas pequenas moedas da viúva, ofertadas no Templo, também chamada de Lepton.

QUERUBIM

Mesmo sendo muito comum na iconografia cristã, os querubins não são mencionados nominalmente no Novo Testamento, exceto em Hebreus 9:5. Quando se fala desses misteriosos seres, pensa-se imediatamente nas imagens de crianças gordinhas e fofas, com asas que estampam cartões de Natal ou imagens católicas relacionadas à Maria, mãe de Jesus. Não se sabe exatamente como essa imagem foi criada, pois esses seres na Bíblia que, ao que tudo indica, seriam uma espécie de anjos, aparecem com algumas descrições diferentes, porém nunca como crianças. Em alguns trechos eles são descritos como seres parecidos com os homens, mas com asas. Em outros, aparecem como formas de animais ou ainda com uma aparência mais estranha, com quatro rostos.

No Antigo Testamento os querubins aparecem como seres celestiais, ministros da vontade divina. Mas as referências nos deixam em dúvida quanto ao seu aspecto e quanto às suas funções. Em Gênesis 3:24 eles são colocados ao oriente do Jardim do Éden, "para guardar o caminho da árvore da vida". Em cada uma das extremidades da cobertura da arca, ou propiciatório, estava um querubim de ouro, de asas abertas (Êx. 25:18 a 22; Hb. 9:5). Também se achavam tecidas figuras de querubins nas cortinas e no véu do tabernáculo (Êx. 26). Estas formas angélicas achavam-se representadas, com grande magnificência, no Templo de Salomão (1 Rs. 6 – veja também 2 Rs. 19:15; Sl. 80:1 e Is. 37:16), e aparecem na visão de Ezequiel a respeito da Jerusalém restaurada (Ez. 41:18, 20, 25). Contudo, a mais completa descrição está em Ezequias 10. No hebreu, *ckerub* é singular, e *cherubim* é plural.

R

RAABE

Raabe significa, altivez insolência, orgulho. É um nome poético do Egito (Sl. 87:4; 89:10; Is. 51:9), pelo que parece, baseado num antigo conto mitológico, em que Raabe aparece como monstro marinho.

Esta, mencionada na Bíblia Sagrada, foi uma prostituta de Jericó, que ocultou os espias que tinham sido mandados por Josué. Como recompensa do seu ato, sua vida foi poupada, quando a cidade foi conquistada (Js 2,e 6.25). Casou com Salmom, um príncipe de Judá, e dela descendeu Davi e Jesus (Mat. 1.5). O autor da carta aos Hebreus engrandece a sua fé (11:31) – e Tiago a mencionou como exemplo daquela fé, que produz boas obras (2:25).

RABI, RABONI

Empregado pelos judeus, Rabi, Raboni é um título hebraico de honra, que significa "Mestre" (Raboni seria "Meu Mestre"), sendo muitas vezes esse o tratamento dado a Jesus (Mat. 23:7,8; 26:25,49; Mar. 9:5; 11:21; 14:45; Jo. 1:38,49; 3:2,26; 4:31; 6:25; 9:2; 11:8). "Rab", na sua significação de grande, entra na composição de muitos nomes de altos cargos.

RACA

Raca significa "vil", "desprezível" (Mat. 5:22), sendo um termo popular de insulto. Está muito próximo em conexão com a palavra "rekim", que em Juízes (11:3) se acha traduzida por "homens levianos". Os rabinos ensinavam que o uso dessa expressão era quase como cometer um crime como o assassinato.

RAÇA DE VÍBORAS

Raça de víboras foi uma expressão de advertência e sentença pronunciada tanto por Cristo quanto por João Batista, para se referir aos fariseus e aos que se opunham à mensagem do reino (Mat. 3:7; 12:32; 23:33; Luc. 3:7).

Víboras é uma expressão que faz alusão a cobras venenosas de tamanho pequeno, do mesmo tipo que normalmente subia na vegetação à beira do rio Jordão para fugirem das enchentes e, por isso, acabava sendo muito perigosa ao indivíduo desavisado.

Considerando que muitas víboras comem os próprios filhotes e outras serpentes da mesma espécie, talvez o sentido empregado no Novo Testamento tenha por comparação os líderes judeus que, ao mentirem e se oporem ao verdadeiro Messias, conduziam o povo à perdição e, como víboras, contribuíam para a destruição de sua própria espécie.

RENOVO

A palavra "renovo" foi usada figurativamente em Isaías (11:1) significando Messias. "Do tronco de Jessé sairá um rebento, e das suas raízes um renovo". Quando se representa Cristo como um delgado rebento, saindo do tronco de uma velha árvore, desbastada até à própria raiz e enfraquecida, e tornando-se depois uma árvore poderosa, faz-se referência à dignidade real de Cristo, provindo da decaída casa de Davi, e também à posição altíssima que havia de ter o Messias, após a Sua condição humilde sobre a terra (Jr. 23:5; 33:15; Zc. 3:8; 6:12).

RESGATE

Resgate é o preço que se paga para obter uma pessoa ou coisa, que alguém mantém em seu poder. Tudo o que se dá em compensação de uma pessoa é o seu resgate, e assim se diz que um homem resgata a sua vida (Êx. 21:30), dá pela sua vida uma certa quantidade de dinheiro (Êx. 30:12; Jó 36:18; Sl. 49:7) – e algumas espécies de sacrifícios podiam ser considerados como resgates, isto é, eram feitos em substituição da pessoa que fazia a oferta.

Desta maneira se diz a respeito de Jesus Cristo, quando Ele deu a Sua vida "em resgate por muitos" (Mat. 20:28; Mar. 10:45; 1 Tm. 2:6), substituindo-os, carregando com as suas dores, suportando a pena de que eles teriam de sofrer (veja também Rm. 3:24; 1Co. 1:30; Ef. 1:7; 4:30; Hb. 9:15; 1 Pe. 1:18).

RESSURREIÇÃO

A ressurreição dos mortos, como é compreendida nas Sagradas Escrituras, deve-se distinguir da ressuscitação, ou restabelecimento da ordinária vida humana. A ressuscitação é a restauração da vida que se deixou; é a entrada num novo estado de existência. Há três narrativas de ressuscitação no Antigo Testamento, e cinco no Novo Testamento a restauração do filho da viúva de Sarepta por meio de Elias (1 Rs. 17:17 a 23) – a restauração do filho da Sunamita pela obra de Eliseu (2 Rs. 4:18 a 36) – o recobramento da vida, que teve o homem lançado no sepuLuc.ro de Eliseu (2 Rs. 13:20,21) – Jesus ressuscitou a filha de Jairo (Mar. 5:35 a 42; Luc. 8:49 a 56) – e o filho da viúva de Naim (Luc. 7:11 a 15) – e a Lázaro (Jo. 11:1 a 44) – e foi narrado dois casos nos Atos – o de Tabita (9:36,42) – e o de Êutico (20:9 a 12).

No Antigo Testamento, são poucos os indícios de uma crença na ressurreição (Jó 14:13 a 15; Sl. 49:15; 73:24; Is. 26:14,19; Dn. 12:2) – diz-se que não era para os inimigos de Deus (Sl 49:14 – cp. com Is 26:14) – mas, simbolicamente, essa esperança era aplicada à nação (Ez 37:1 a 14 – Os 6:2). A crença foi aumentando na igreja judaica, e cada vez se torna mais distinta à medida que nos aproximamos do tempo de Jesus Cristo. No tempo do nosso Salvador a ressurreição geral era uma doutrina consideravelmente admitida, embora os saduceus, aceitando o ponto de vista do Eclesiástico, a negassem. Deste modo Marta, quando Jesus lhe afirmou que seu irmão havia de ressurgir, respondeu: "Eu sei que ele há de ressurgir na ressurreição, no último dia" (Jo. 11:23,24 – cp. com At. 24:15). Quando Jesus tratou da ressurreição dos mortos, Ele, na verdade, não declarou que essa doutrina estava reconhecida pela Lei, ou pelos profetas, mas fez ver que se subentendia nas palavras que Deus dirigiu a Moisés na sarça ardente, acrescentando: "Ora, ele não é Deus de mortos, e, sim, de vivos" (Mar. 12:27). Em verdade, Jesus claramente ensinou uma ressurreição geral dos justos e dos injustos (Mat. 22:23 a 33; Mar.12:18 a 27; Luc. 20:27 a 38; Jo. 5:28). Jesus Cristo associou de um modo definitivo a volta à vida com a Sua própria obra de expiação pelo Seu povo (Jo. 6:39, 44, 54; 11:25, 26 – 14:19). A doutrina apostólica era esta também (At. 4:2; Rm. 6:5,8; 1 Co. 15:20 a 22; 1 Pe 1:3,4). Mas em Romanos 8:11 descreve que: "[Deus]... vivificará os vossos corpos mortais, por meio do seu Espírito que em vós habita." A ressurreição é, de um modo geral, no Novo Testamento atribuída a Deus, ao Pai, ou ao Filho (Jo. 5:21; 6:39; 11:25; 2 Co. 4:14), mas não somente ao Espírito Santo. (Em 1 Pe. 3:18 deve entender-se que Cristo morreu no corpo, mas foi trazido a uma nova vida pelo Seu espírito.)

Com respeito à ressurreição do corpo, o argumento de Paulo em 1 Coríntios 15:35 a 53 mostra:

(a) que é real;

(b) que esse corpo é, em qualidade e poder, muito mais sublime do que o terrestre;

(c) que, de algum modo, é o resultado deste. (veja Ressurreição de Jesus Cristo)

RESSURREIÇÃO DE JESUS CRISTO

Na história da vida terrestre de Jesus, nenhum fato é tratado com mais particularidade, quer pelos evangelistas, quer pelos autores dos Atos e das Epístolas, do que a Sua ressurreição. Este interesse corresponde à importância que Paulo lhe dá nos seus argumentos (1 Co. 15:14) e justifica a conclusão do bispo Westcott: "Considerando todos os elementos de prova, ... não há um incidente histórico melhor ou mais diversamente sustentado do que a ressurreição de Cristo." Presságios da ressurreição podem ver-se no Salmo. 16:9,10 (At. 2:31) e em Isaías. 26:19. O próprio Senhor predisse a Sua ressurreição não menos abertamente do que a Sua morte (Mat. 12:40; 16:21; 17:23; 20:19; 26:32; 27:63; Mar. 9:9; 14:28; Luc. 24:7; Jo. 2:19, 21). A ação de Pedro (Mat. 16:22) mostra o espírito com que esses avisos eram recebidos. Os fatos sobre a ressurreição acham-se descritos pelos evangelistas, em Mateus 28; Marcos 16; Lucas 24; e João 20 e 21. Essas narrativas registram aparecimentos de Jesus a Maria Madalena, no jardim (Mar. 16:9,10; Jo. 20:14,17) – às mulheres, que voltavam do sepulcro (Mat. 28:9) – aos discípulos, no caminho de Emaús (Mar. 16:12,13; Luc. 24:13 a 35) – a Pedro, em Jerusalém (Luc. 24:34; 1 Co. 15:5) – aos dez apóstolos, numa sala superior (Luc. 24:36; Jo 20:19) – aos onze apóstolos, quando estavam à mesa (Mar. 16:14; Jo. 20:26) – aos discípulos no mar de Tiberíades (Jo. 21:1 a 24) – aos onze apóstolos, num monte da Galileia (Mat. 28:16) – aos apóstolos, na Sua ascensão (Mar. 16:19; Luc. 24:50, 51; At. 1:4 a 10). Além desses fatos, o apóstolo Paulo refere a uma aparição a 500 irmãos de uma vez – a Tiago – e a ele próprio (1 Co. 15:6 a 8). A linguagem de Atos 1:3 sugere que essas menções estão incompletas. As manifestações apontadas são claramente distintas de qualquer coisa que se possa classificar de visão ou alucinação. Jesus ressuscitado falou com os Seus discípulos, comeu com eles e foi por eles tocado. As circunstâncias foram várias – e os aparecimentos se realizaram, entre discípulos já preparados para isso, ou entre pessoas não preparadas. A ressurreição desde o princípio foi um ponto essencial do ensino apostólico.

Réplica da tumba de Cristo em Israel.

O sucessor de Judas para o colégio apostólico foi escolhido para ser uma testemunha da "sua ressurreição" (At. 1:22). O testemunho apostólico foi sempre argumento básico (At. 2:32; 3:15; 10:41; 13:30). Era o tema dos discursos dos apóstolos (At. 4:2,33; 17:18; 23:6). Semelhantemente, nos Atos e nas Epístolas, os apóstolos, como homens que reconheciam a importância da ressurreição, evangelizaram, nessa ideia, aqueles que, mortos em delitos e pecados, foram regenerados "para uma viva esperança mediante a ressurreição de Jesus Cristo dentre os mortos" (1 Pe 1:3). E declara-se que essa ressurreição foi "por causa da nossa justificação" (Rm. 4:25) – que "seremos salvos pela Sua vida" (Rm. 5:10) – que são princípios de salvação, confessar ao Senhor Jesus e crer em Cristo ressuscitado (Rm. 10:9) – que a Sua ressurreição é a garantia da nossa própria (1 Co 15:20 a 23).

Houve uma intensa mudança operada nos apóstolos quando eles se certificaram da ressurreição: A história da Igreja de Cristo tem a sua explicação no fato da sua crença e da sua dependência daquele que disse: "Estive morto, mas eis que estou vivo pelos séculos dos séculos (Ap. 1:18).

ROLO

Rolo era uma referência aos livros no tempo de Jesus, especialmente as Escrituras Sagradas dos judeus, também chamado de pergaminho. Um livro nos tempos antigos continha uma simples tira de papiro ou de pergaminho, que habitualmente se conservava enrolado em duas varas – e quando alguém queria lê-lo o desenrolava.

O Evangelho de Lucas (4:16-30) diz que em um sábado Jesus estava na sinagoga de Nazaré, quando, depois das orações preliminares e da leitura de uma passagem da Torá, foi convidado a comentar um trecho de um dos profetas e Lhe foi entregue o rolo de Isaías.

RUA

Nos evangelhos existem pelo menos sete menções de Cristo às ruas de seu tempo. Ele usa o termo em quatro situações: a de não se exibir nas ruas, como faziam os hipócritas (Mat. 6:2 e 5); a realidade de um Messias discreto que não ficava se anunciando pelas ruas ou praças (Mat. 12:19); o servo que sai às ruas convidando os rejeitados para o banquete do seu senhor (Mat. 22:9; Luc. 14:21) e, finalmente, as cidades impenitentes, em ruas onde Jesus e os que proclamavam sua vinda já andaram. (Luc. 10:10 e 13:26).

Geralmente, as ruas das cidades orientais eram estreitíssimas, tendo algumas vezes 90 a 120 cm de largura e sendo quase sempre tortuosas. Em muitos lugares, uma pessoa não podia passar com segurança por um camelo carregado, mas devia comprimir-se junto a uma porta, ou abaixar-se muito, para deixar o animal passar. A rua onde Ananias achou Saulo, em Damasco, tinha o nome de "Direita" (At. 9:11). Essa rua ainda existe e tem uma cobertura em todo o seu comprimento, cerca de dois quilômetros.

Uma rua que, de algum modo, adapta-se à descrição que está em Apocalipse 22:2 é uma rua em Esmirna, banhada por um rio, com árvores de um lado e de outro. Até o tempo dos romanos, as ruas raramente eram calçadas, e é algo notável que uma das glórias da Jerusalém Celestial é a pavimentação de suas ruas.

SAMARITANOS

Samaria é o nome de uma província mencionada por diversas vezes no Novo Testamento situada no alto de um monte entre a Judeia e a Galileia. Atualmente, a região está entre Israel e a Cisjordânia. No total, existem cerca de 700 samaritanos que vivem em Holon, Israel, e em Nablus, Cisjordânia.

A palavra samaritano, em sentido figurado, significa uma pessoa caridosa, que tem **bom coração** e se preocupa com os outros. Este significado teve origem na parábola do "Bom Samaritano", narrada por Jesus em Lucas 10:30-37. E, além disso, o nome samaritano, traduzido literalmente do hebraico, significa os guardiões (de leis e tradições originais).

Os samaritanos têm a sua própria doutrina religiosa: o samaritanismo. Eles não se consideram um povo judeu, e sim descendentes dos antigos israelitas que habitaram a histórica província de Samaria. Além disso, eles eram considerados impuros pelos judeus. Da Bíblia do judaísmo, seguem apenas o Pentateuco. Atualmente, as línguas falada pelos samaritanos é o hebraico e o árabe. Nos cultos religiosos, resgatam a antiga língua falada pelos seus ascendentes: o hebraico e o aramaico samaritano.

As fontes nos apresentam, pelo menos, duas histórias diferentes dos samaritanos. Uma, de acordo com samaritanos israelitas, e a outra de acordo com judeus israelitas. Enquanto existem dificuldades sobre a confiabilidade dos documentos antigos contaminados pela polêmica judaica-samaritana, bem como a datação tardia das fontes de ambos os lados. Algumas coisas podem, contudo, ser estabelecidas. A estória samaritana de sua história e identidade correspondem aproximadamente ao seguinte:

(1) Os samaritanos chamavam-se a si mesmos de Bnei Israel (filhos de Israel).

(2) Os samaritanos eram um grupo considerável de pessoas que acreditavam preservar a religião original do antigo Israel. Mesmo sendo difícil falar em números concretos, a população samaritana no tempo de Jesus era comparável àquela dos judeus e incluiu a grande diáspora.

(3) Os samaritanos acreditavam que o centro de adoração de Israel não deveria ter sido o Monte Sião, mas sim o Monte Gerizim. Eles argumentaram que este era o local do primeiro sacrifício Israelita na Terra (Deut. 27: 4) e que continuou a ser o centro da atividade sacrificial dos patriarcas de Israel. Este era o lugar onde as bênçãos foram pronunciadas pelos antigos Israelitas. Os samaritanos acreditavam que Betel (relacionado a Jaco), o Monte Moriá (relacionado a Abraão) e o Monte Gerizim eram o mesmo lugar.

(4) Os samaritanos tinham essencialmente um credo quádruplo: 1) um Deus, 2) um Profeta, 3) um livro e 4) um lugar.

(5) Os samaritanos acreditavam que as pessoas que se chamavam judeus (crentes no Deus de Israel situados na Judeia) haviam tomado o caminho errado em sua prática religiosa, pela importação de novidades para a terra durante o retorno do exílio Babilônico

6) Os samaritanos autênticos rejeitaram a supremacia da dinastia Davídica em Israel. Eles acreditavam que os sacerdotes levitas em seu templo eram os legítimos líderes de Israel.

Com esse resumo parcial, levando-se em conta o outro lado da história e as crenças dos samaritanos, vamos nos voltar para a versão judaica da mesma história. Este registro essencialmente origina-se de dois Talmuds e sua interpretação da Bíblia Hebraica, de Josefo e do Novo Testamento:

(1) Os samaritanos eram um grupo de pessoas com misturas teológicas e étnicas. Eles acreditavam em um Deus único. Além disso, eles associavam seu Deus, com o Deus que deu a Torá ao povo de Israel. Os samaritanos são geneticamente relacionados aos remanescentes das tribos do norte que foram deixados na terra após o exílio assírio. Eles se casaram com gentios, que foram transferidos para Samaria por um imperador assírio. Este ato de desapropriação e transferência de sua terra natal foi feito com uma tentativa estratégica de destruir a identidade do povo israelita e prevenir qualquer potencial de futura revolta.

(2) Nos escritos rabínicos judaicos, os samaritanos são geralmente mencionados pelo termo "Kuthim." O termo está provavelmente relacionado a um local no Iraque do qual foram importados exilados não israelitas para Samaria (2 Reis 17:24). O nome Kuthim ou Kuthites (de Kutha) foi usado em contraste com o termo "samaritanos" (os guardiões da lei). Os escritos judaicos enfatizaram a identidade estrangeira da religião e prática samaritanas, em contraste com a verdadeira fé de Israel. Mas a interpretação rabínica posterior acerca dos samaritanos não foi totalmente negativa.

(3) De acordo com 2 Crônicas 30:1-31:6, a alegação de que as tribos do norte de Israel foram todas exiladas pelos assírios e, portanto, aqueles que ocuparam a terra (samaritanos) eram de origem não israelita é rejeitada em uma leitura mais atenta da Bíblia Hebraica. Esta passagem diz que nem todas as pessoas do reino do norte foram exiladas pelos assírios. Alguns, talvez confirmando a versão samaritana, permaneceram mesmo após a conquista assíria da terra no século 8 a.C.

(4) Os judeus acreditam que não só os samaritanos optaram por rejeitar as palavras dos profetas a respeito da supremacia de Sião da dinastia Davídica, mas também deliberadamente mudaram a própria Torá para ajustar sua teologia e práticas heréticas. Esta é uma das visões que pode ser tirada da comparação dos dois pentateucos, a Torá dos samaritanos e a Torá dos judeus. O texto samaritano permite uma leitura muito melhor do que o mesmo judeu. Em alguns casos, as histórias da Torá judaica parecem truncadas, com pouca lógica e fluxo narrativo não claro. Em contraste, os textos da Torá samaritana parecem ter um fluxo narrativo muito mais suave. Superficialmente, isto torna a Torá judaica problemática. Após uma análise mais aprofundada, no entanto, isso poderia levar ao argumento de que o pentateuco samaritano seria uma revisão ou edição tardia do texto judaico anterior. Com base nesse e em outros argumentos, estamos de acordo com a visão judaica, argumentando que a Torá samaritana é uma revisão magistral e teologicamente dirigida dos primeiros textos judaicos correspondentes.

SALOMÉ

Nome hebraico, provavelmente a forma feminina do nome Salomão. Viria duma raiz hebraica que significa "paz". Há pelo menos duas mulheres com esse nome citadas no Novo Testamento: a filha de Herodias, enteada de Herodes, e uma discípula de Jesus, provavelmente irmã de sua mãe Maria.

SALOMÉ DISCÍPULA

Seguidora ativa de Jesus e provável parenta do Mestre. Uma comparação de Mateus 27:56 com Marcos 15:40 talvez indique que Salomé era a mãe dos filhos de Zebedeu — Tiago e João, que eram apóstolos de Jesus Cristo. O primeiro texto menciona duas Marias, a saber, Maria Madalena e Maria, a mãe de Tiago (o Menor) e de José; e junto com elas menciona também a mãe dos filhos de Zebedeu que estava presente quando Jesus foi pregado na cruz; ao passo que o último texto menciona a mulher que estava com as duas Marias como Salomé.

Em bases similares conjectura-se que Salomé era também irmã carnal de Maria, mãe de Jesus. Isso foi sugerido porque o texto de João 19:25 menciona as mesmas duas Marias, Maria Madalena e a "esposa de Clopas" (que se entende, em geral, ser a mãe de Tiago, o Menor, e de José), e diz também: "Junto à estaca de cruz de Jesus, porém, estavam paradas a sua mãe e a irmã de sua mãe." Se este texto (além de mencionar a mãe de Jesus) estiver falando das mesmas três pessoas mencionadas por Mateus e por Marcos, isto indicaria que Salomé era a irmã da mãe de Jesus.

Por outro lado, Mateus 27:55 e Marcos 15:40, 41 declaram que estavam presentes muitas outras mulheres que haviam acompanhado Jesus, e, portanto, Salomé pode ter estado entre estas.

Salomé era discípula do Senhor Jesus Cristo, estando entre as mulheres que o acompanhavam e lhe ministravam dos seus bens, conforme Mateus, Marcos e Lucas (8:3) dão a entender.

Se a identificação dela como mãe dos filhos de Zebedeu for correta, então foi ela quem se chegou a Jesus com o pedido de que se concedesse aos filhos dela sentar-se à direita e à esquerda de Jesus no seu Reino. Mateus retrata a mãe como fazendo o pedido, ao passo que Marcos indica que Tiago e João o fizeram. Pelo visto, os filhos tinham esse desejo e induziram a mãe a fazer a solicitação. Isso é apoiado pelo relato de Mateus, no sentido de que os outros discípulos, ao saberem desse pedido, ficaram indignados, não com a mãe, mas com os dois irmãos. (Mat. 20:20-24; Mar. 10:35-41).

Ao romper da alva, no terceiro dia depois da morte de Jesus, Salomé estava entre as mulheres que foram ao túmulo de Jesus para untar o corpo dele com aromas, mas encontraram a pedra rolada na frente do túmulo e dentro dele um anjo que lhes anunciou: "Ele foi levantado, não está aqui. Eis o lugar onde o deitaram." (Mar. 16:1-8).

SALOMÉ, DE HERODIAS

Filha de Herodes Filipe e filha única de sua mãe Herodias. Com o tempo, Herodes Antipas casou-se com a mãe de Salomé, tendo-a tomado de forma adúltera de seu meio-irmão Filipe. Pouco antes da festa da Páscoa, Herodes Antipas ofereceu uma festa, em celebração de seu aniversário. Ele convidou a princesa Salomé, então sua enteada, a dançar perante os presentes, que consistiam em "seus dignitários e comandantes militares, e os principais da Galileia". Herodes agradou-se tanto da apresentação de Salomé que prometeu dar-lhe tudo o que pedisse — até a metade do seu reino. Seguindo o conselho de sua iníqua mãe, Salomé pediu a cabeça de João Batista. Herodes, embora contristado, "em respeito pelos seus juramentos e pelos que se recostavam com ele, ordenou que lhe fosse entregue; e mandou e fez que João fosse decapitado na prisão. E a cabeça dele foi trazida numa travessa e entregue à donzela, e ela a levou à sua mãe". (Mat. 14:1-11; Mar. 6:17-28).

Embora o nome dela não seja mencionado nas Escrituras, é preservado nos escritos de Josefo. Ele fala também do casamento dela, sem ter filhos, com o governante distrital Filipe, outro meio-irmão de Herodes Antipas. Após a morte de Filipe, diz o relato de Josefo, ela casou-se com o seu primo Aristóbulo e deu-lhe três filhos homens.

STÁTER OU ESTÁTER

Moeda de ouro ou prata, é originada do termo grego *istêmi*, também significa "fixar", "instituir", trazendo a ideia de que o *státer* era o valor e a moeda instituída e fixada como base no sistema monetário grego. Foi encontrado no interior do *peixe que Pedro pegou com anzol*, a mando de Jesus, a fim de pagar o tributo de ambos (Mat. 17:27).

T

TADEU

Provável variante do grego Teudas, ou uma palavra aramaica significando o seio feminino. Se assim for, seria então um apelido carinhoso. Este nome está vinculado a Judas, não o traidor, mas um dos 12 apóstolos (Mat. 10.3; Mar. 3.18). Alguns o entendem como significando Judas, irmão (ou filho) de Tiago (Luc. 6.16; At. 1.13).

TALENTO

Unidade monetária usada nos tempos bíblicos desde a Antiga Mesopotâmia e consolidada com poucas variações de peso na Grécia, Egito, Babilônia, Israel e Roma. Era o peso legal, de cerca de 27 kg, e poderia ser de ouro, prata ou cobre. Tanto o termo grego *talanton*, quanto o hebraico *kika*, traduzidos por "talento", podem se referir a um objeto na forma de um pão redondo, um disco de chumbo ou um peso. Sendo de um valor monetário altíssimo, o talento pode equivaler a cerca de 6.000 *denários*, ou algo como 6.000 dias de trabalho braçal comum.

O homem da parábola dos talentos, de Mateus 25:14-30, entregou somas altíssimas à confiança de seus criados ou servos, a saber: 1) ao primeiro entregou 5 talentos, 30.000 *denários* (ou dinheiros), mais do que um homem poderia angariar em toda sua vida: mais de 90 anos de trabalho. 2) ao segundo conferiu 2 talentos, ou 12.000 *denários*, ou mesmo 40 anos de trabalho. 3) ao último deu apenas um *talento*, cuja relação já conhecemos. Os dois primeiros dobraram os valores recebidos, mostrando terem empreendido e aplicado de maneira eficiente tais somas. O último nada fez.

O mesmo valor hiperbólico aparece na parábola do credor incompassivo, que devia 10.000 talentos ao seu senhor, algo como 60.000.000 denários (Mat. 18:24). O objetivo dessa ilustração é mostrar como a dívida humana era impagável perante o Senhor.

TALITÁ CUMI

Expressão aramaica usada por Jesus Cristo ao ressuscitar a filha de Jairo. Significa: "Menina! Levanta-te!" (Mar. 5:41). O nome próprio Talita originou-se dessa frase e tornou-se muito popular, especialmente no meio evangélico.

TEÓFILO

Nome do destinatário do Evangelho de Lucas e do livro de Atos. Seu nome significa "amigo de Deus", pelo que muitos sugerem que se trate de um nome fictício, para referir-se a todos os cristãos. Os que assim pensam, argumentam que, por causa da perseguição suscitada pelos judeus contra os cristãos, Lucas teria criptografado a identidade de seus destinatários, para poupá-los da morte.

Tal hipótese, contudo, carece de maior embasamento. As fortes indicações são de que Lucas não escreveu para cristãos que estivessem dentro da Judeia ou Galileia. Ademais, a utilização de personagens fictícios é estranha aos escritores bíblicos. Seria muito melhor não fazer nenhuma dedicatória, como Marcos, Mateus e João, do que fazê-la de forma fictícia.

Outra hipótese mais sustentável, sugere que esse Teófilo seria uma pessoa real, com um nome bonito, embora não incomum, uma pessoa que deveria estar ocupando uma alta posição no mundo romano, e convertido ao Senhor Jesus. O adjetivo "excelentíssimo", que ele omite em Atos, mas que utiliza no seu primeiro volume (evangelho), mormente é destinado para qualificar a condição social de uma pessoa ou para se referir a alguma autoridade, conforme exemplo no livro de Atos, quando Tértulo, um advogado, se dirige ao governador Felix (At. 24: 3), durante o processo movido contra Paulo pelos judeus.

TIAGO

O nome Tiago é uma derivação em grego do nome Jacó. Existem quatro personagens com esse mesmo nome citados no Novo Testamento:

(1) Tiago, o filho de Zebedeu, é um dos 12 apóstolos escolhidos e nomeados por Cristo (Mat. 10:2), é irmão do apóstolo João (Mat. 10:2) (à parte do qual nunca é mencionado). Juntamente com este e com Pedro, foi especialmente íntimo do Senhor Jesus (Mat. 17:1; Mar. 5:37; 9:2; 14:33) e foi martirizado por Herodes (At. 12:2).

(2) Tiago, o filho de Alfeu (ou Cléopas, ou Clopas) e de Maria (a irmã de Maria, a mãe de Jesus, Jo. 19:25), talvez primo de Jesus, é um dos 12 apóstolos escolhidos e nomeados por Cristo (Mat. 10:3), é irmão de José (Mar. 15:40), e é chamado de "Tiago, o Menor" (talvez em estatura) (Mar. 15:40).

(3) Tiago, o irmão do Senhor (Mat. 13:55; Mar. 6:3; Gl. 1:19 (Não está escrito que esse Tiago é apóstolo!)). Tal como todos os irmãos de Jesus, não creu nEste durante Sua vida na terra (Mar. 3:21; Jo. 7:5), andou enciumado e o antagonizou (Jo. 7:3-8) e longe dEle (Mar. 3:31-32), mas, após a ressurreição, Cristo lhe apareceu (1Co. 15:7) e, somente então, Tiago e todos os seus irmãos se arrependeram, creram e ajuntaram-se aos discípulos (At. 1:14). Veio a ser o líder da assembleia em Jerusalém (At. 12:17; 15:13; 21:18; Gl. 1:19; 2:9,12).

(4) Tiago, pai do apóstolo Judas (Luc. 6:16; At. 1:13). Este Tiago não é um dos doze apóstolos nem o irmão de Jesus (Mat. 10:4).

TIBÉRIAS

Cidade na praia ocidental do Mar da Galileia, dando o seu nome ao Mar (Jo. 6.1,23; 21.1). Foi edificada por Herodes Antipas, que lhe deu esse nome em honra do imperador Tibério, e a fez capital da Galileia. Esse Herodes, o assassino de João Batista, residia em Tibérias, ficando assim explicado o fato de ele nunca ter visto Jesus e observado qualquer milagre, pois parece que nunca o Salvador visitou aquela cidade. Tibérias, era de modo predominante, uma cidade gentílica, e o trabalho de Jesus Cristo efetuava-se entre aquelas populações mais ao norte do lago, as quais eram quase inteiramente judaicas.

TIBERÍADES

Nome alternativo para o Mar da Galileia, também chamado Lago da Galileia ou Lago de Genesaré, que é um lago de água doce, o maior de Israel, com um comprimento de 19 km e largura máxima de 13 km. Nele deságua e prossegue o rio Jordão, que desce em direção ao Mar Morto. O lago fica 213 metros abaixo do nível do Mar Mediterrâneo.

TIBÉRIO CESAR

Imperador romano que iniciou seu governo em 18 de setembro de 14 d.C. e o concluiu com sua morte em 16 de março de 37. Era filho de Tibério Cláudio Nero e Lívia Drusa. Foi o segundo imperador de Roma pertencente à dinastia júlio-claudiana, sucedendo ao padrasto, Augusto. Foi durante o seu reinado que, na província romana da Palestina, Jesus Cristo foi crucificado. A sua família aparentou-se com a família imperial quando sua mãe, com 19 anos e grávida, se divorciou do seu pai e contraiu matrimônio com Otaviano, o futuro imperador Augusto. Mais tarde, ele casou-se com a filha de Augusto, Júlia, a Velha. Foi adotado formalmente por Augusto em 26 de junho de 4 d.C., passando a fazer parte da gens Júlia.

TOMÉ

Também chamado de Dídimo, o nome atual vem do aramaico *teoma*, com o sentido literal de gêmeo. É o nome de um dos 12 apóstolos de Jesus, que demonstrou lealdade, mas também dúvida ao ouvir a notícia da ressurreição do Mestre (Mat. 10:3; Mar. 3:18; Luc. 6:15; Jo. 11:16;14:5; 20:25-29). Contudo, ele, aparentemente, permaneceu firme depois disso, pelo que é visto com os discípulos no Mar da Galileia, após a ressurreição de Jesus (Jo. 21:2).

U

UNGUENTO

Em Êxodo 30:25 se diz "o óleo sagrado para a unção". O unguento com o qual Jesus foi ungido era um produto do nardo (Mat. 26:7; Jo. 12.3).

UNIGÊNITO

Expressão referente a Jesus como Filho Unigênito de Deus, enviado para salvar a humanidade, conforme João 3:16. A princípio, significa o único gerado por seus pais; filho único. Mas a rigor, seria um erro de tradução do grego monogenês, cujo sentido mais apropriado seria o *de único da espécie, alguém sem igual*.

V

VESTES

As roupas usadas no tempo de Jesus seguiam mais ou menos a moda do mundo greco-romano. Contudo, havia distinções próprias de cada povo. Era possível, por exemplo, reconhecer pelos trajes se um indivíduo era judeu, grego ou romano. Também era possível pela roupa saber a posição social de uma pessoa e a profissão que ela exercia.

As vestes largas, flutuantes, dos hebreus davam lugar a uma variedade de ações simbólicas: quando as rasgavam, era esse gesto expressivo de várias emoções, como o desgosto (Gn. 37:29,34 – 2 Sm. 1:2; Jó 1:20), o medo (1 Rs. 21:27; 2 Rs. 22:11,19), a indignação (2 Rs. 5:7; 11:14; Mat. 26:65), o desespero (Jz. 11:35; Et. 4:1). Geralmente, apenas a vestidura exterior é que era rasgada (Gn. 37:34; Jó 1:20; 2:12) – mas, em certos casos, a interior (2 Sm. 15:32) – e em outras ocasiões tanto uma como outra (Ed. 9:3; Mat. 26:65). Sacudir os vestidos, ou o pó, era sinal de rejeição (At. 18:6).

Estendê-los diante de uma pessoa significava lealdade e recepção festiva (2 Rs.9:13; Mat. 21.8); envolvendo com eles o rosto manifestava-se temor (1 Rs. 19:13), ou dor (2 Sm. 15.30; Et. 6:12; Jr. 14:3,4) – arrojá-los de si era indício de excitação (At. 22:23) e segurá-los queria dizer súplica (1 Sm. 15:27; Is. 3:6; 4:1; Zc. 8:23).

Durante as viagens, os vestidos exteriores eram cingidos (1 Rs. 18.46), e lançados fora quando embaraçavam os movimentos do corpo (Mar. 10:50 – Jo. 13:4; At. 7:58). A expressão "tens roupa" (Is. 3:6) indicava abastança, porque as mudanças de roupa constituíam um dos muitos elementos de riqueza (Jó 27:16; Mat. 6:29; Tg. 5:2). As mulheres da casa faziam os vestidos (Pv. 31:22; At. 9:39), sendo certo que, em virtude da grande simplicidade do corte, não era preciso grande arte para os confeccionar. O profeta Isaías (3:16) refere-se à extravagância no vestuário (e também Jr. 4:30; Ez. 16:10; Sf. 1:8; 1 Tm. 2:9; 1 Pe. 3:3).

Os elementos básicos de uma roupa comum seriam:

Túnica – roupa casual, feita de linho ou lã, colocada pelo pescoço e com mangas. Existiam modelos diferentes para homens e mulheres. As peças coloridas eram mais difundidas entre as mulheres.

Manto – enrolado no corpo, por cima da túnica, em ocasiões formais ou em dias frios. Incômodo, era removido para atividades físicas. Por ser caro, era alvo de ladrões. Só os abastados possuíam mais de um.

Roupa de baixo – os homens às vezes usavam uma espécie de tanga, feita de lã. No trabalho sob o sol quente, essa podia ser a única vestimenta. As mulheres vestiam uma peça desse tipo quando menstruadas.

Cinto – era colocado ao redor da túnica, permitindo baixar ou elevar a altura do traje conforme a necessidade.

Véu – uma particularidade do vestuário da mulher, no Oriente. Rebeca cobriu o rosto quando, pela primeira vez, viu Isaque (Gn. 24:65).

VIDEIRA

Planta que produz uvas; parreira. Por causa de sua referência nos ensinos de Jesus, a videira passou a ser entendida, na linguagem comum religiosa, como aquilo que dá vida, que tem capacidade de fornecer alimento, seja físico e ou espiritual. *"Jesus disse: Eu sou a videira verdadeira"* (Jo. 15:1).

Isto também estaria em acordo com sua etimologia latina, pois a videira é normalmente atribuída às plantas do gênero *vitis*, que, por sua vez, tem relação com as palavras vita, vital, vitalício, vitamina.

Em sua alegoria da videira e dos ramos (Jo. 15), é quase certo que Jesus estava pensando em Israel, a videira escolhida, que Deus Pai havia plantado em Canaã, e supondo a continuidade entre Israel e a nova comunidade de Deus. A mensagem essencial da alegoria é clara, a saber, que o propósito de Deus é que seu povo frutifique, do mesmo modo que é função da videira produzir uvas.

Videira.

Na figura da videira, o Pai é o cultivador, que zela pela frutificação do ramo.

VIGÍLIA

Os judeus dividir a noite em três vigílias: a primeira, "princípio das vigílias" (Lm. 2:19), ia desde o sol posto até às 10 horas da noite; a segunda, "a vigília média" ou da meia-noite (Jz. 7:19), principiava às 10 horas da noite e prolongava-se até às duas horas da madrugada; e a terceira, a "vigília da manhã" (1 Sm. 11:11), desde as duas horas da manhã até o nascer do sol. Em tempos posteriores, a noite era dividida, segundo o costume dos romanos, em quatro vigílias (desde as 6 horas da tarde às 6 horas da manhã), de três horas cada uma (Mat. 14:25; Luc. 12:38). Em Marcos 13.35, as quatro vigílias são designadas pelo nome especial de cada uma.

VINHA DO SENHOR

Símbolo de um campo de trabalho espiritual. Nas Escrituras, a expressão a Vinha do Senhor geralmente se refere à casa de Israel ou ao Reino de Deus na Terra. Às vezes se refere aos povos do mundo em geral. Jesus ensinou a parábola dos trabalhadores da vinha (Mat. 20:1-16).

Na parábola, um dono de uma fazenda tem uma empreitada em sua propriedade e precisará de um bom número de trabalhadores para a realização dela. Ele sai e começa a contratar pessoas. Lá pelas 6h da manhã contrata alguns trabalhadores que deverão trabalhar das 8h às 18h. Ele combina que lhes pagará ao final do dia um denário. Lá pelas 9h e 12h, encontra mais alguns e combina o mesmo valor pelo trabalho das 13h às 18h. Às 15h, contrata ainda alguns, para trabalhar das 16h às 18h, pelo mesmo valor.

No fim do expediente, o dono da fazenda vai fazendo os pagamentos e aqueles trabalhadores que começaram o trabalho mais cedo acusam o dono da fazenda de ser injusto, achando que ele deveria lhes pagar mais por terem trabalhado mais.

O interessante é que este homem realmente contrata vários trabalhadores ao longo do dia, em diferentes horários, e, consequentemente, ao final do dia, uns tinham trabalhado mais do que outros, e mesmo assim todos foram recompensados da mesma maneira. É justamente nesse ponto que o principal ensino da Parábola dos Trabalhadores da Vinha começa.

Sem dúvida, essa parábola traz a ideia principal de que a recompensa de Deus é dada conforme a sua soberana vontade, sendo Ele justo e totalmente bondoso, embora essa justiça nem sempre pareça coerente aos olhos humanos.

Alguns estudiosos também aplicam a essa parábola uma interpretação mais exclusiva relacionada aos judeus e aos gentios, sendo que, embora o evangelho tenha sido pregado primeiro aos judeus, posteriormente também foi anunciado aos gentios, e estes receberam os mesmos privilégios e vantagens dos judeus, que foram chamados primeiro.

Z

ZEBEDEU

Era pescador da Galileia, pai de Tiago e João, discípulos de Cristo, e marido de Salomé. Alguns supõem teria sido tio de Jesus. Seus dois filhos foram chamados por Cristo, na ocasião em que estavam no barco de seu pai, ajudando-o a consertar as redes. A família tinha bens suficientes para ter empregados ao seu serviço. As relações entre João e o sumo sacerdote também sugerem, para alguns, uma certa posição de destaque social (Mat. 4:21; 27; Mar. 1:20; 15:40; Jo. 18:15).

ZAQUEU

Homem desonesto e odiado por seu povo, que se converteu após um encontro com Cristo. Encontramos a história de sua conversão no Evangelho de Lucas (19:1-10). Tudo ocorreu a partir do encontro que teve com Jesus em sua cidade, Jericó e, posteriormente, em sua própria casa, onde Jesus se hospedou.

Dele só sabemos que era chefe dos publicanos, o que indica que fazia um trabalho de supervisão da coleta dos impostos que eles efetuavam. Esse seu trabalho causava uma impopularidade e até indignação da parte dos judeus, uma vez que os cobradores de impostos retinham uma parte da arrecadação para si e repassavam ao governo romano apenas a parte estipulada no contrato. E muitas vezes, por isso, a cobrança de impostos era abusiva, também para garantir o que deveria ser repassado. A parte a ser paga era estipulada pelo governo, com base em uma estimativa das rendas e era inferior ao que era arrecadado. E, por isso, eles enriqueciam.

ZELOTES

Grupo extremista de rebeldes judeus, que lutava pela independência do país nos tempos da dominação romana. O nome "zelotes" possivelmente foi dado por eles próprios, aludindo ao seu zelo por Deus e pelo cumprimento da Lei. Também pensavam que, embora a salvação seja concedida por Deus, estavam convencidos de que o Senhor contava com a colaboração humana, para se obter essa salvação.

Essa colaboração se movia primeiro num âmbito puramente religioso, no zelo pelo cumprimento estrito da Lei. Mais tarde, a partir da década de 50, consideravam que também havia de se manifestar no âmbito militar, razão pela qual não se podia recusar o uso da violência quando essa fosse necessária para vencer, nem se devia ter medo de perder a vida em combate, pois era como um martírio para santificar o nome do Senhor.

ZACARIAS

Embora haja outros com esse nome, aquele diretamente ligado à vida de Jesus é o pai de João Batista, primo distante do mestre, e que antecedeu o início de seu ministério na terra.

Era casado com Isabel, uma descendente de Arão (irmão mais velho de Moisés) e parenta de Maria, mãe de Jesus. Isabem era uma mulher virtuosa, mas também que era estéril. Porém deu à luz João Batista em idade muito avançada, como sua ancestral Sara, esposa de Abraão. Zacarias era também um sacerdote no Templo de Jerusalém, do turno de Abias (1 Crôn. 24: 10-19).

Não se sabe mais detalhes acerca de sua vida. Uma tradição mantida por Orígenes diz que o Zacarias mencionado em Mateus 23:35, morto entre o Templo e o altar, seria o mesmo pai de João Batista.

Segundo a tradição cristã ortodoxa e o Proto Evangelho de Tiago (Cap. XXIII), durante o massacre de crianças ordenado por Herodes, Zacarias havia omitido onde estava o menino João Batista, que estaria escondido com Isabel nas montanhas. Por recusar a dizer onde estava a criança, foi morto. Porém, outra tradição também antiga informa que Zacarias e Isabel teriam educado o filho, fazendo dele um nazireu e que o mesmo morrera em 12 d.C. É difícil posicionar-se diante de qualquer uma dessas fontes.

Notas

1   Este pequeno dicionário não pretende ser uma fonte exaustiva de pesquisa, mas apenas um complemento à Enciclopédia. Além das notas particulares do autor, várias fontes foram utilizadas para prepará-lo, de modo que as informações seguintes podem coincidir ou não com outros dicionários. Haverá, portanto, semelhanças redacionais que não intencionam plágio, mas também descontinuidades em função da coerência metolódica adotada nesta obra. Algumas das fontes utilizadas foram: *Anchor Bible Dictionary; Barnes's Bible Encyclopedia, Biographical, Geographical, Historical and Doctrinal ; New Interpreter's Dictionary of the Bible; Standard Bible Dictionary; A New Comprehensive Dictionary of the Bible; International Standard Bible Encyclopedia*; http://biblia.com.br/dicionario-biblico/; http://www.abiblia.org/index.php; http://www.bibliaonline.net/?lang=pt-BR; http://www.downloadsgospel.com.br/enciclopedia/#.

2   *Jewish Antiquities* [Antiguidades Judaicas], XVIII, 28, [ii, 1]).

3   Antiguidades Judaicas XIII, 5.2.

4   I Epístola de Clemente aos Coríntios 5:4.

5   *Eusébio* de Cesareia História Eclesiástica 3,1.

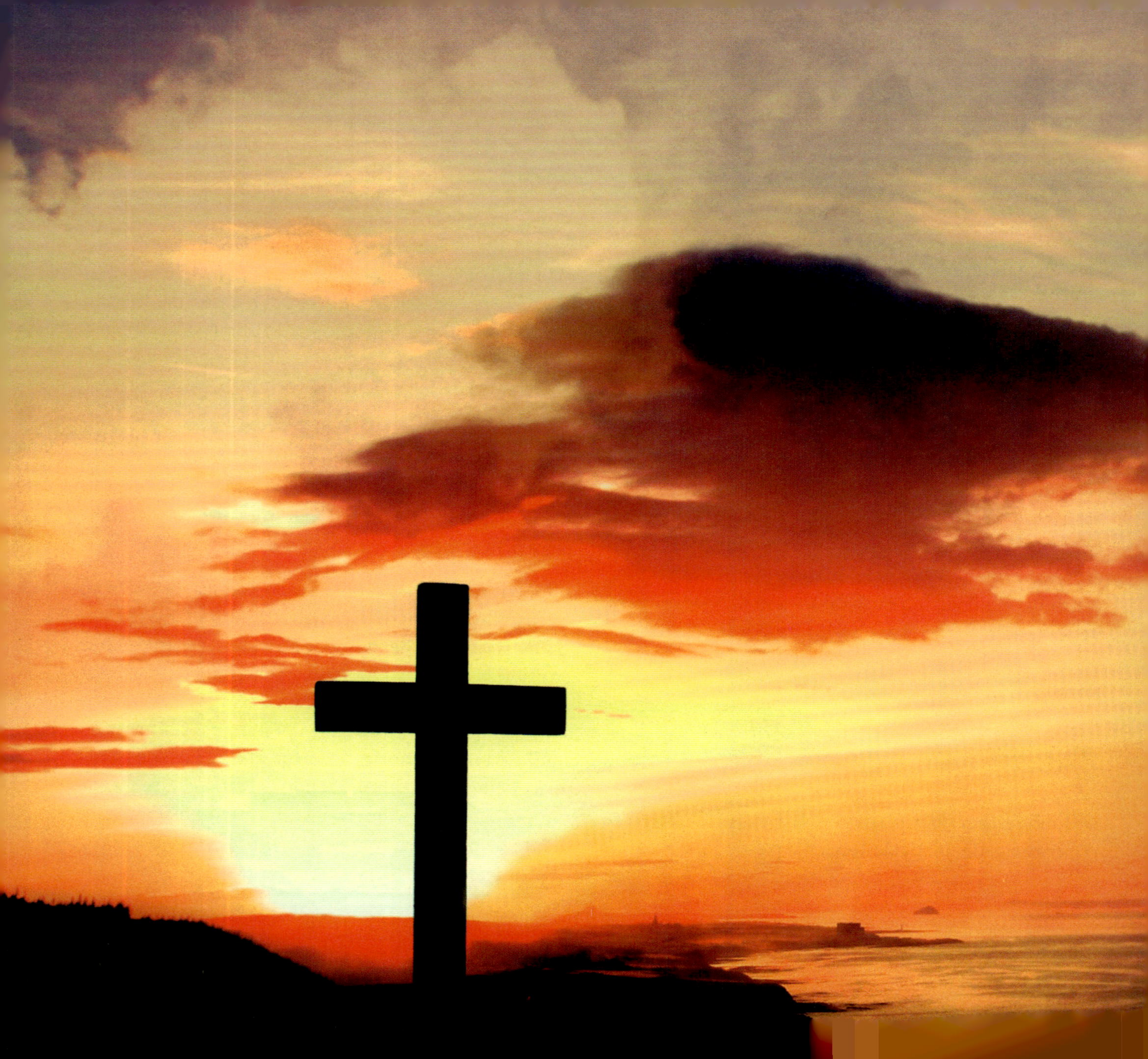

Apêndice
Cristológico

Cristologia é, tecnicamente falando, o estudo ou a doutrina acerca de Jesus Cristo. Esse ramo do saber lida com os aspectos da Revelação voltados à pessoa, obra e ministério de Jesus. Sua natureza divina e humana, sua consciência de Deus, seu papel salvífico, enfim tudo que tenha a ver com o ser de Cristo.

Quando conceituamos o Filho de Deus em seus mais variados aspectos, estamos fazendo ou construindo uma "cristologia". Portanto, outro modo de expressar esse conceito seria definir que mais do que um verbete, um conjunto de palavras ou uma declaração de fé, a cristologia como tal tem a ver com a relação epistemológica entre o crente e a pessoa de Jesus, reconhecido desde os mais antigos credos como o Filho de Deus em figura humana.

Há quem sugira que, em havendo uma hierarquia de saberes nas verdades divinas, pode-se dizer que o conhecimento acerca de Jesus Cristo é superior – embora não excludente – a qualquer verdade religiosa jamais ensinada.

Os dois tipos básicos de cristologia, conforme a nomenclatura anglo-saxônica, seriam: a cristologia "from below" (partindo de baixo) e cristologia "from above" (partindo de cima). Ambas nasceram das premissas e da ênfase de cada abordagem à pessoa de Jesus Cristo, conforme visto em vários credos e manuais de teologia produzidos ao longo da história.

A cristologia "from below" começa com o chamado "Jesus da história" e tende a enfatizar sua humanidade. Os autores que se moldam por essa linha de apresentação reforçam muito os aspectos de similaridade entre Jesus e os demais membros da família humana. Destacam sua encarnação, sua natureza física e moral, sua vida pública e seu ministério desde a terra até a ascensão e a glorificação no céu. Por isso é chamada "from below", pois parte do Cristo terreno – a quem dá maior ênfase – para chegar ao Cristo celestial.

Esta, pode-se dizer, é a cristologia encontrada nos evangelhos sinópticos, a saber, Mateus, Marcos e Lucas. Tem, portanto, muito valor para a compreensão, sobretudo, histórica de Cristo. As teologias europeia e latino-americana tendem a pautar-se por esse tipo de reflexão acerca do Filho de Deus.

Já a cristologia "from above" segue em sentido contrário. Um Cristo que vem de cima para se revelar aos homens. Esta é a ênfase encontrada no Evangelho de João que inicia seu relato apresentando Jesus como o Verbo ou o Logos Divino que "desce" do céu, da eternidade, para entrar na história humana. A teologia norte-americana e dos países do Oriente tendem para essa forma de aproximação do tema.

Ambas as abordagens têm seu respectivo valor, pelo que são claramente vistas nos próprios evangelhos canônicos. Contudo, a ênfase desequilibrada em qualquer uma delas pode gerar discrepâncias em relação ao tema que terminam beirando à especulação e histeria. Certa vez um professor definiu muito sabiamente as grandes heresias da história como "um lado da verdade que ficou louco" e isso se torna bem apropriado ao alerta acerca da cristologia que construímos.

Corre-se o risco de enfatizar tanto a natureza humana de Cristo que no fim sua divindade é negada e ele passa a ser visto como um bom "ser humano", mas não diferente de qualquer outro grande líder que já existiu. Por outro lado, é possível, à semelhança dos antigos gnósticos, acentuar em demasia sua divindade ao ponto de negar que ele, de fato, tenha se tornado humano.

O mesmo se pode dizer da tendência de alguns que separam tanto o chamado Jesus histórico do Cristo da fé, que criam o falso dilema de se saber qual dos dois será o centro da reflexão cristológica. Rudolf Bultmann, por exemplo, defendeu a tese de que é impossível saber qualquer coisa do Jesus histórico, pois esse se perdeu na poeira do tempo, restando apenas o Cristo da fé ou do Querigma, proclamado pela Igreja e construído pelos dogmas.

Focar em demasia sobre uma cristologia "from below" pode levar à conclusão de que Jesus era apenas humano e em nada divino, a não ser, talvez, em sua consciência de Deus (Schleiermacher) – algo que, em tese, qualquer um de nós poderia ter.

Um cristologia para ser essencialmente bíblica não pode tratar as abordagens "from below" e "from above" como se fosse algo do tipo "um ou outro". O mais antigo entendimento cristão (a despeito de vozes marginais que existiram ao longo da história) sustenta que, após a encarnação, Jesus foi "Deus e homem" ao mesmo tempo. De um modo superior a qualquer explanação humana, sua natureza divina recebeu em seu seio uma natureza humana que passou a fazer parte do seu ser. Assim, de um modo espetacular, pode-se dizer que a cristologia é onde a teologia e a antropologia se encontram na pessoa de Jesus Cristo.

A invisibilidade de Deus

Para entender as razões da encarnação de Cristo, é preciso primeiramente reconhecer as dimensões do Deus que se tornou humano. Assim, existe uma reflexão acerca do divino que antecede o mistério da encarnação. Considerando que Deus existe, que ele é? Qual seu tamanho? Qual sua dimensão e unicidade, isto é, que elementos o tornam único?

A dimensão antropológica dessas perguntas reside no aspecto de que a existência e a natureza divinas refletem diretamente no sentido de nossa própria existência e destino. Em outras palavras, se Deus existe, quem ele é? Se não existe, quem somos nós? Que será de nossa existência?

De acordo com a Bíblia, Deus não apenas existe, mas tem planos para nós, Suas criaturas. Diz Isaías 45:18: "Porque assim diz o Senhor, que **criou** os céus, o Deus que formou a **terra**, que a fez e a estabeleceu, **não** a criando para **ser um caos**, mas para **ser** habitada". Ao que Cristo complementa: "eu **vim para que tenham vida**, e a tenham com abundância" (João 10:10).

Mas é notório também admitir que esse mesmo Deus está efetivamente oculto à nossa contemplação. Podemos até dizer que o enxergamos pela fé, mas sua pessoa ainda parece distante de nossos sentidos. Sentimos na pele a realidade incômoda de um Deus que parece escondido de nós.

Tal sensação não pode ser negada sem o preço de se criar uma teologia falsa. Como dizia Blaise Pascal: "Uma vez que Deus se escondeu, toda religião que não diz que Deus está escondido não é verdadeira; e toda religião que não explica a razão deste *ocultamento* não instrui. ... *Vere tu es Deus absconditus*" (Isa. 45:15).

Já no século XI, Anselmo, bispo da Cantuária, apresentava seu proslógio acerca do ocultamento de Deus: "Nunca te vi, oh Senhor meu Deus, nada sei a teu respeito. O que fará, oh Altíssimo Senhor, este pobre ser exilado longe de ti? O que fará teu servo, ansioso de amor por ti, porém, desprovido de tua presença? Ele se esforça para te ver, e tu estás demasiado longe. Tento ir a ti, tua morada, no entanto, é inacessível. Quero te encontrar e não sei onde estás. Desejo buscar-te, mas não reconheço teu rosto. Oh Senhor, tu és meu Deus, todavia nunca te contemplei. És meu Criador, fizeste-me do nada e pusestes em mim todas as bênçãos, e ainda assim não te conheço. Por último, fui Criado para contemplar-te, contudo, não me foi dado o propósito da minha existência".

Um Deus que não podemos ver.

O texto bíblico também não olvida a realidade do ocultamento divino: "Ninguém jamais viu a Deus, o Deus unigênito que está no seio do Pai foi quem o revelou". (João 1:18). Paulo parece dizer que os homens não podem sobreviver a uma visão direta de Deus, quando descreve o Senhor como ser que habita em uma **"luz inacessível"** (I Timóteo 6:16). Chegar perto de Deus é como se aproximar de uma fornalha acesa. (veja também Êxodo 33:2-5; 20; I Timóteo 1:17).

Muitos podem achar contraditório esse ocultamento diante da declaração bíblica de que Moisés falou com Deus "face a face". Trata-se, contudo, de uma figura de linguagem. Observemos, por exemplo, a parte inicial de Êxodo 33:

"E sucedia que, entrando Moisés na tenda, descia a coluna de nuvem, e punha-se à porta da tenda; e o SENHOR falava com Moisés. E, vendo todo o povo a coluna de nuvem que estava à porta da tenda, todo o povo se levantava e cada um, à porta da sua tenda, adorava. **E falava o SENHOR a Moisés face a face, como qualquer um fala com o seu amigo;** depois tornava-se ao arraial; mas o seu servidor, o jovem Josué, filho de Num, nunca se apartava do meio da tenda". (Êxodo 33:9-11)

O ponto-chave destas palavras, conforme as partes sublinhadas, não é que Moisés tenha realmente visto a face de Deus, mas que ele falou **intimamente** com o Altíssimo. Isso se torna particularmente claro nos versos seguintes:

"Então ele disse: Rogo-te que me mostres a tua glória. Porém ele disse: Eu farei passar toda a minha bondade por diante de ti, e proclamarei o nome do SENHOR diante de ti; e terei misericórdia de quem eu tiver misericórdia, e me compadecerei de quem eu me compadecer. E disse mais: **Não poderás ver a minha face, porquanto homem nenhum verá a minha face, e viverá.** Disse mais o SENHOR: Eis aqui um lugar junto a mim; aqui te porás sobre a penha. E acontecerá que, quando a minha glória passar, pôr-te-ei numa fenda da penha, e te cobrirei com a minha mão, até que eu haja passado. E, havendo eu tirado a minha mão, me verás pelas costas; **mas a minha face não se verá."** (Êxodo 33:18-23).

Portanto, ver Deus "face a face" é uma expressão idiomática que não coincide com o ato de "ver literalmente o rosto de Deus". Uma figura de linguagem similar aparece em Números 14:13 e 14: "E disse Moisés ao SENHOR: Assim os egípcios o ouvirão; porquanto com a tua força fizeste subir este povo do meio deles. E dirão aos moradores desta terra, os quais ouviram que tu, ó SENHOR, estás no meio deste povo, que face a face, ó SENHOR, lhes apareces, que tua nuvem está sobre ele e que vais adiante dele numa coluna de nuvem de dia, e numa coluna de fogo de noite."

Note que a aparição "face a face" significa uma visibilidade circunstancial da "presença" divina guiando o povo através de uma nuvem que de dia era uma sombra e à noite uma coluna de fogo. Assim podem ser entendidos outros textos do AT que aparentemente sugerem uma visão direta de Deus.

A dimensão divina

As razões bíblicas do ocultamento divino podem ser resumidas em duas realidades: a pequenez humana, incapaz de alcançar o conhecimento pleno de Deus, e a ruptura causada pela entrada do pecado na história.

Ainda que a Bíblia use determinadas imagens antropomórficas para falar de Deus, ela continua única em apresentá-lo como acima de qualquer descrição humana. Tudo o que dissermos a seu respeito não esgota, nem resume a complexidade do seu ser. Basta para isso imaginar as obras de suas mãos.

"Com quem vocês me compararão? Quem se assemelha a mim? ", pergunta o Santo. Ergam os olhos e olhem para as alturas. Quem criou tudo isso? Aquele que põe em marcha cada estrela do seu exército celestial, e a todas chama pelo nome. Tão grande é o seu poder e tão imensa a sua força que nenhuma delas deixa de comparecer!" (Isaías 40:25,26).

Falando da onipresença e onisciência divinas em face à pequenez humana, o salmista declara: "Tal ciência é para mim maravilhosíssima; tão alta que não a posso atingir. Para onde me irei do teu espírito, ou para onde fugirei da tua face? Se subir ao céu, lá tu estás; se fizer no inferno a minha cama, eis que tu ali estás também. Se tomar as asas da alva, se habitar nas extremidades do mar, até ali a tua mão me guiará e a tua destra me susterá. Se disser: decerto que as trevas me encobrirão; então a noite será luz à roda de mim. Nem ainda as trevas me encobrem de ti; mas a noite resplandece como o dia; as trevas e a luz são para ti a mesma coisa" (Salmos 139:6-12).

Finalmente Salomão também acena a incomensurável natureza da dimensão divina ao dizer: "habitaria Deus na terra? Eis que o céu, e até o céu dos céus, não te podem conter" (I Reis 8:27, cf. II Crônicas 6:18).

O texto, em outras palavras, parece dizer que não há espaço que caiba Deus, seu centro está em todas as partes e a periferia não cabe em parte alguma.

Mas note que não se trata de panteísmo, monismo ou holismo divino. Deus é distinto daquilo que ele cria. Seu espírito pode até habitar em suas criaturas, mas não deve ser confundido com elas.

Como falar de Deus

Em termos metafísicos podemos predicar ou falar de três modos acerca da realidade em existente, lembrando, é claro, que predicar é dizer algo acerca de um sujeito. Podemos falar dos seres por *univocidade*: o que dizemos de um vale integralmente para o outro. Por exemplo: a macieira é uma árvore *frutífera*. A pereira é uma árvore *frutífera*. O adjetivo de uma serve igualmente para a outra.

Podemos também falar por *equivocidade*: o que dizemos de um, não serve definitivamente para o outro. Exemplo: Fiquei tocado ao ver um homem cego e seu *cão*. A beata saiu correndo, pois cria que o sujeito estava possuído pelo *cão*. O sentido de cão, é claro, tem um significado bem distinto do primeiro para o segundo caso, pelo que não podem ser em nada comparados um com o outro, embora se trate do mesmo vocábulo.

Finalmente, podemos falar por *analogia*: É um meio termo entre os anteriores. O que dizemos de uma coisa pode ilustrar, mas não repetir em essência, o que significaria o ser da outra. Não é unívoco, nem equívoco, é análogo. Trata-se, portanto, de realidades que se assemelham no ser (pois estão aí), mas desassemelham na essência e no modo de ser.

Ora, o Deus apresentado na Bíblia é um ser do qual pode-se falar por analogia, mas nunca por univocidade, muito menos por equívoco. O discurso excessivamente comparativo de Deus pode conduzir a uma descrição catafática do altíssimo que tende a torná-lo uma extensão de nossas próprias pretensões e características. E o discurso da não comparação absoluta (aquele que nega a analogia) tende para um conceito apofático que conduz ao deísmo.

A abordagem catafática é aquela que descreve Deus de maneira tão minuciosa e pequena que termina fazendo dele um ser "à nossa imagem conforme nossa semelhança". É o Deus do comentário crítico de Xenófanes que disse: "*Se* os *bois* e os *cavalos* tivessem mãos e pudessem pintar e produzir obras de arte similares às do homem, os *cavalos* pintariam os *deuses* sob forma de cavalos e os bois pintariam os deuses sob forma de bois".

Xenófanes e a visão catafática de Deus.

Lembremos que Deus ama, nós também amamos, mas não amamos como ele nos ama. Nosso amor é circunstancial, ou seja, amamos, mas poderíamos não amar. Ele não tem como não amar. Nós amamos, mas Deus é amor (I João 4:8). Não se pode separar seus atos de seus atributos absolutos. Suas ações são a expressão exata de seu ser. Essência e atitude não se separam no ser de Deus.

Por isso não se pode falar dele como sendo um de nós. O credo, por exemplo, afirma o conceito de trindade onde três seres perfazem a unicidade da divindade. Mas não se trata do "três da matemática" em que um algarismo pode ser adicionado e este se torna quatro ou em que outro pode ser subtraído e o resultado passa a ser dois. Não há acréscimos, subtrações ou operações aritméticas nesse valor divino de aparência numérica.

Por outro lado, porém, seria um erro responder às descrições catafáticas com um discurso apofático de Deus. Contrário à proposta anterior, o viés apofático assume como pressuposto a afirmação de Santo Tomás de Aquino, segundo o qual "não podemos saber nada a respeito do que Deus realmente é ... por isso só podemos dizer o que ele não é".[1]

A teologia apofática fundamenta-se no fato de que Deus está acima de todas as categorias e descrições humanas e, por isso, é impossível atribuir-lhe caracteres positivos ou determinados.

Levada, porém, a extremo, essa visão dilui qualquer possibilidade real de conhecimento do divino e pode conduzir ao deísmo e ao ateísmo. Ademais, não se pode esquecer que, a despeito das limitações da linguagem humana, até a descrição negativa de Deus pode contribuir para dizer o que ele é. Ele não é ódio, logo, é amor. Ele não é mortal, logo, é imortal e assim por diante. Mas isso ainda é pouco para criar um relacionamento autêntico entre Deus e suas criaturas, pois oferece apenas uma dimensão conceitual, porém, não afetiva. Não gera comunhão divino-humana.

Cristo revelador do Pai

Mediante o que já foi exposto, é possível dizer que Deus é, em essência, incognoscível. Ninguém é capaz de diretamente conhecê-lo (Sal. 139:6; Rom. 11:33-34). Porém, nossa salvação depende de conhecê-lo e de relacionarmo-nos com ele (Jo. 17:3; cf. Jr. 9:23,24). Logo, qual seria a solução? Deus se revela (Mat.11:27; Rom. 1:19), pois jamais o conheceríamos por nossa própria capacidade (I Co. 1:21).

Considere-se, contudo, que em virtude da grandiosidade incomparável de seu poder e glória, o único modo do ser humano contemplar Deus seria se ele mesmo restringisse seu fulgor. Se é impossível contemplar a olho nu o sol do meio-dia, imagine uma exposição desprotegida à luz de Deus, ainda que seja apenas uma fagulha do seu poder.

Portanto, o primeiro elemento norteador da visibilidade divina é um paradoxo necessário: Deus, para se revelar, tem de se esconder. Lutero dizia que os homens usam máscaras para se esconder, Deus, ao contrário, usa uma máscara para se revelar.

Sua revelação se dá por muitas maneiras, especialmente, através de suas obras e sua Palavra (cf. Deut. 29:29; Sal. 19:1-2; 139:14; Rom. 1:20; II Tim. 3:16). Porém, o suprassumo da manifestação divina ou sua revelação suprema se deu através da pessoa de Jesus Cristo.

Assim inicia o autor da carta aos Hebreus: "Havendo Deus antigamente falado muitas vezes, e de muitas maneiras, aos pais, pelos profetas, a nós falou-nos nestes últimos dias pelo Filho, a quem constituiu herdeiro de tudo, por quem fez também o mundo. O qual, sendo o resplendor da sua glória,

Cristo Revelador do Pai.

e a expressa imagem da sua pessoa, e sustentando todas as coisas pela palavra do seu poder." (Hebreus 1:1-3a.).

O original grego dessa passagem traz uma peculiaridade pouco notada. Ao citar os profetas, por meio dos quais Deus havia falado, o autor faz uso de uma preposição mais um artigo definido dativo (*én* + *tois*). Ao mencionar, porém, o filho, repete-se a preposição, mas exclui-se o artigo. A diferença parece ser de menos importância, mas não o é.

O sentido da primeira expressão poderia ser traduzido de diferentes modos: Deus falou aos pais... *"pelos profetas"* (*BJ*; *ARC*; *ARA*; *EC*; *RVR*; *KJ & RSV*); *"por meio dos profetas"* (*NVI*) ou *"nos profetas"*, conforme A *Tradução Ecumênica da Bíblia* (*TEB*), embora esta seja uma sugestão incomum e mais literal.

No caso do Filho, por intermédio de quem o Pai se revelou nos últimos tempos, o uso da preposição grega *"én"* foi análogo ao caso dos profetas, mas a ausência do artigo definido confere certa indeterminação à identidade desse Filho, permitindo que a ênfase recaia sobre a sua natureza em completa distinção daqueles que o antecederam.

A ideia seria de que Deus falou aos pais de muitos modos "pelos" profetas, finalmente nos falou "no filho" ou "em um filho", não meramente através dele. Não que o Pai e o Filho sejam a mesma pessoa, mas sim que a unidade entre ambos é tal que, em Cristo, Deus falou "filialmente" aos homens.

Disse Jesus: "Eu e o Pai somos um" ... "quem me vê a mim, vê o Pai" (João 10:30; 14:9). Por isso, a comunicação divina que recebemos de Jesus é um movimento revelador muito mais profundo e luminoso; a revelação ocorre não apenas por meio do Filho, mas, sobretudo pelo fato dele ser o "Filho Único" de Deus, e, não apenas um profeta dele. Cristo não era um homem inspirado por Deus, mas Deus falando em forma humana.

Seu ministério terrestre é mencionado em seguida no texto de Hebreus: "Como escaparemos nós, se não atentarmos para uma tão grande salvação, a qual, começando a ser anunciada pelo Senhor, foi-nos depois confirmada pelos que a ouviram; testificando também Deus com eles, por sinais, e milagres, e várias maravilhas e dons do Espírito Santo, distribuídos por sua vontade? (Hebreus 2:3-4).

A missão de Jesus foi vir e demonstrar como o Pai é realmente e estabelecer a comunhão da humanidade com a divindade. Portanto, o melhor meio de conhecer Deus é conhecer Jesus. Ele disse: "Se vós me tivésseis conhecido, conheceríeis também a Meu Pai" (João 14:7).

O Filho de Deus estava com o Pai desde o princípio de todas as coisas (João 1:1-2). Somente Ele verdadeiramente viu o Pai (6:46), e, por isso, foi capaz de revelar as coisas que presenciou enquanto estava com o Pai (8:38). Além disso, sua morte expiatória na cruz é o acontecimento que propicia a salvação dos pecadores e a revelação final de Deus para toda a humanidade.

Jesus Cristo é *"a imagem do Deus invisível"* (Cl. 1:15). Ele assumiu a forma humana para transpor a barreira entre o divino e o humano e se relacionar de perto com suas criaturas. Por isso, é corretamente chamado Emanuel, que quer dizer *"Deus conosco"* (Mat. 1:23). Sua encarnação não é uma analogia da divindade, é Deus em forma humana.

O preço da encarnação

Cristo não perdeu sua divindade ao assumir a natureza humana (João 1:14). Contudo, sua morte na cruz era o preço a ser pago pelo resgate do mundo que havia caído em pecado. "Porque Deus amou ao mundo de tal maneira, que deu o seu Filho único, para que todo aquele que nele crê não pereça, mas tenha a vida eterna" (João 3:16).

A morte de Cristo na cruz não pode ser compreendida na forma de um martírio. Trata-se de um ato redentor. Muito menos podemos atribuir-lhe um caráter meramente físico, semelhante à experiência fúnebre a que todos os seres estão sujeitos.

"Vemos, todavia, Aquele que por um pouco foi feito menor do que os anjos, Jesus, coroado de honra e de glória por ter sofrido a morte, para que, pela graça de Deus, em favor de todos, experimentasse a morte". (Hebreus 2:9).

Note a força do texto: Cristo experimenta a morte "em favor de todos", trata-se, pois, de um ato salvífico e mediador do Filho de Deus. Mas como pode alguém de natureza divina morrer, principalmente considerando que seu sacrifício seria uma morte eterna, a mesma que todos nós merecíamos (Apoc. 20:11-15)?

Grupos gnósticos do final do século I d.C. tentaram resolver o dilema com ensinos que iam desde a negação de uma verdadeira encarnação de Cristo até propostas surrealistas de que ele havia sobrevivido ao calvário ou que seu sofrimento havia sido uma encenação, pois ele não poderia morrer de verdade. Apesar de rejeitados pela tradição cristã, tais posicionamentos levantam ainda o dilema que continua moderno: Como poderia um Deus eterno sinceramente morrer?

A resposta está na explanação de Paulo em Filipenses 2:5-8, que diz: "De sorte que haja em vós o mesmo sentimento que houve também em Cristo Jesus. Que, sendo em forma de Deus, não teve por usurpação ser igual a Deus. Mas esvaziou-se a si mesmo, tomando a forma de servo, fazendo-se semelhante aos homens. E, achado na forma de homem, humilhou-se a si mesmo, sendo obediente até à morte, e morte de cruz" (Filipenses 2:5-8).

O texto é claro em mostrar um movimento escalonar descendente. Cristo vai descendo degrau por degrau desde sua condição original na "forma de Deus", passado pela forma de servo e pela semelhança humana, até alcançar a morte na cruz – o mais humilhante ponto a que ele poderia chegar.

O verbo grego traduzido por "esvaziou-se" vem do substantivo *kenosis ou ekénose* cujo sentido é esvaziamento, tornar-se oco, deixar sair o seu conteúdo. O sentido dado por Paulo é forte, porém, bastante claro. Cristo voluntariamente esvaziou-se de sua glória e resplendor celestial, a fim de revelar Deus e ser capaz de morrer pela humanidade.

Hebreus 10:5-7 traz o que possivelmente seria um antigo hino cristão, expressando uma fala poética do Filho em relação ao Pai, à medida em que ele desce para se encarnar entre os homens. "Por isso entrando no mundo, diz: Sacrifício e oferta não quiseste, mas corpo me formaste; não te deleitaste em holocaustos e sacrifícios pelos pecados. Então eu disse: Eis aqui venho (No rol do livro está escrito de mim) para fazer, ó Deus, a tua vontade."

Esse esvaziamento, porém, não pode ser entendido como uma perda de seus atributos ou de sua natureza divina. Deus não pode deixar de ser Deus. Isaías 43:10 diz: *"Vós sois as minhas testemunhas, diz o SENHOR, o meu servo a quem escolhi; para que o saibais, e me creiais, e entendais que sou eu mesmo, e que antes de mim deus nenhum se formou, e depois de mim nenhum haverá"*. A imutabilidade de Deus está patente no verso acima, de modo que negar a imutabilidade de Deus é negar Deus e a Escritura.

O que Cristo fez foi voluntariamente deixar de usar seus atributos a fim de se tornar verdadeiramente um membro da raça humana. Ele assumiu verdadeiramente a nossa natureza que agora é ancorada à sua natureza divina. Existem muitas formas de expressar esse conceito, mas fundamentalmente, pode-se dizer que a kenosis de

Cristo, isto é, o seu esvaziamento foi "a troca voluntária de uma forma de existência por outra" (Thommasius).

Um dono de carro que deixa seu automóvel na garagem e anda a pé ou de ônibus não perdeu sua condição de motorista ou proprietário. Pelo contrário, reforçou seu senhorio sobre o bem que ele possui, tomando a livre iniciativa de usá-lo ou não conforme sua própria vontade.

Cristo, da mesma forma, deixou de lado seus atributos divinos, sem perder sua natureza divina. Ele agora precisava ser um de nós e, para tanto, deixou-se depender do Pai e do poder do Espírito para vencer o pecado em sua carne. Não cessou de ser Deus durante o Seu ministério terreno, mas submeteu-se completamente à vontade do Pai.

Por isso, embora sendo de origem divina, enquanto ser humano ele foi tão dependente, frágil e susceptível às mesmas dores e medos que todos nós enfrentamos. Porém ainda era perfeitamente justo e santo, sem pecado algum que pudesse ser usado contra sua pessoa.

"E, visto como os filhos participam da carne e do sangue, também ele participou das mesmas coisas, para que pela morte aniquilasse o que tinha o império da morte, isto é, o diabo. E livrasse todos os que, com medo da morte, estavam por toda a vida sujeitos à servidão" (Hebreus 2:14-15).

Existe porém um dado dessa teologia da *Kenosis* que precisa ser ressaltado. Ao tratar do assunto, muitos se concentram naquilo de que Jesus abriu mão. A kenosis, contudo, também lida com aquilo que Cristo assumiu por toda eternidade. Ele tomou sobre si mesmo uma natureza humana e se humilhou. Esse era o preço eterno a ser pago por nossa redenção (Romanos 5:12-21).

Por isso mesmo em sua volta ao céu, Jesus continua retendo um corpo humano, glorificado, na verdade, porém "humano" de modo que Ele, voluntariamente deixou de ser a glória das glórias para ser um homem glorificado pelo Pai (Atos 1:10 e 11). Na continuidade do texto kenótico (isto é, o hino do "esvaziamento" de Cristo", Paulo passa a apresentar um movimento ascendente de Cristo desde o humilhante degrau da cruz até a volta ao Pai:

"Pelo que Deus o exaltou sobremaneira e lhe deu o nome que está acima de todo nome, para que ao nome de Jesus se dobre todo joelho, nos céus, na terra e debaixo da terra, e toda língua confesse que Jesus Cristo é o Senhor para a Glória de Deus Pai" (Fil. 2:9-11).

Note a força do verso: o Pai dá um nome a Cristo! Esta outorga ficaria sem sentido se ele não levasse alguma autolimitação para o céu. Não se pode atribuir nada a Deus que ele já não tenha e o sentido do verso não parece ser figurativo. Pelo contrário, o mesmo conceito repete-se em Hebreus 1:4, onde diz que Cristo herdou um nome superior ao dos anjos, e em Apocalipse 2:28 em que ele dá aos seus servos uma estrela como ele mesmo recebeu de seu Pai.

O sentido parece ser o de que Cristo era e sempre será Deus por natureza. Porém, após sua humilde resignação, seu esvaziamento e sua morte de Cruz, ele também se torna Deus por "causa honrosa". Em outras palavras, Cristo é Deus (natureza) e merece ser

Deus (encarnação). Pois demonstrou um caráter e uma nobreza divina, mesmo quando voluntariamente abriu mão de seus atributos para revelar a divindade e salvar a humanidade.

Cristo, o Filho de Deus, **recebeu o maior de todos os nomes por mérito e conquista (Col. 2:15).** Ele triunfou sobre os principados e potestades na cruz, despojando-os e decretando sua consumada derrota. Foi na cruz que ele, usando seu "caráter" de Deus, em lugar de seus "poderes" de Deus, arrancou a armadura do valente e o expôs ao desprezo, vencendo o diabo, o pecado e a morte. "Pelas suas pisaduras fostes curados" (Isa. 53:5).

No supremo ato de humildade, o Deus do universo tornou-se um ser humano e morreu por Sua criação. A *kenosis*, portanto, é Cristo assumindo a natureza humana com todas as suas limitações, exceto o pecado.

Respostas humanas

A identidade de Cristo, sua natureza e atitude são conceitos que ultrapassam os limites de um credo eclesiástico. São dados que demandam uma decisão por parte daquele que é confrontado com tais elementos. É impossível assumir postura de neutralidade diante desse mistério anunciado e relevado aos homens.

O que se pode, portanto, dizer acerca das modernas correntes céticas em relação a Jesus? A primeira observação é que muitos dos ditos atuais que negam a veracidade histórica de Jesus e da mensagem evangélica não são os criadores, mas apenas os propagadores das dúvidas que já foram lançadas há muitos séculos.

Um exemplo é a negação do nascimento virginal de Cristo que muitos pensam estar advogado de maneira inédita. Isso já era insinuado por contemporâneos de Jesus que se tornaram seus inimigos (João 8:41). O teólogo alemão Reimarus pode ter escrito extensivamente sobre a ressurreição, argumentando que os discípulos roubaram o corpo de Jesus. Mas esse era um rumor que já estava anotado no Evangelho de Mateus 28:11. De igual modo, Strauss não foi o primeiro a rejeitar o mistério da encarnação. Celso e Porfírio (filósofos pagãos do século II e III d.C.) já diziam isso.

Assim, muitos dos ataques e dúvidas levantadas hoje já fizeram parte do debate desde o princípio da história do Cristianismo, nem por isso barraram a divulgação da mensagem da cruz. De igual modo seria anacrônico supor que a igreja cristã primitiva fosse um tipo fundamentalista de movimento similar a grupos anti-intelectuais ou anticientíficos que surgiram nos séculos posteriores.

Por meio de quatro diferentes relatos da vida de Jesus, isto é, quatro evangelhos, é possível dizer que a descrição dos fatos não seguiu nenhum padrão historiográfico moderno, muito menos a criação de um mito com fins propagandísticos. Os relatos poderiam não ter a precisão descritiva de todos os mínimos detalhes, mas eram fiéis ao testemunho e desprovidos de embelezamentos folclóricos. Eram narrativas de fatos por demais extraordinários, mas que, por sua singularidade, tornavam o evento impossível de não ser proclamado. Esse é o sentido do Kerygma, termo técnico que representa a proclamação cristã do evangelho.

A pesquisa acadêmica moderna sobre o movimento de Jesus e suas consequências para a humanidade pode ser dividida em três ondas surgidas a partir dos anos 1700 que inauguraram a busca pelo Jesus histórico, contraposto ao Cristo da fé. Elas também são primeira, segunda e terceira "busca" (*Quest*) por Jesus.

A primeira seria aquela que poderia ser chamada de "a busca liberal". Ela se inicia com o trabalho de Hermann Samuel Reimarus, então reconhecido como o "pai" da busca histórica de Jesus. Seu método consistia em aplicar princípios do Iluminismo para interpretar as declarações singulares de Jesus, especialmente aquelas que o identificavam como Filho de Deus.

O pressuposto dessa corrente liberal é a dúvida sistemática contra todo e qualquer tipo de ocorrência que desafia as compreensões do racionalismo ou que se situa fora do alcance dele. Tudo, portanto, que foge à racionalidade humana (os milagres, por exemplo) são descartados *a priori* como não históricos. Trata-se, pois, de uma busca não racional, mas racionalista de Deus, que confina todas as coisas aos limites da razão humana, especialmente a razão do século XVIII.

Por isso, a visão liberal dos evangelhos é a de que as descrições bíblicas de Jesus são falsas em sua essência. Não desonestas, porém, folclóricas e de pouco valor histórico. O propósito da teologia bíblica conclui esse segmento, é o de separar Jesus e história como dois movimentos excludentes e pouco comunicantes. A partir desse pressuposto, todas as demais teses liberais foram erguidas sobre quem seria Jesus de Nazaré.

O problema com essa abordagem, percebido ao longo dos tempos, foi que o descarte do texto bíblico, ao invés de trazer objetividade nas pesquisas, ampliou o espectro do subjetivismo entre os pesquisadores. Cada um estabelecia seu critério de historicidade elegendo por si mesmo o que seria histórico ou mitológico nos evangelhos e que fatia percentual cada um representava.

O próprio Albert Schweitzer, que era um autor liberal, demonstrou de modo convincente o subjetivismo vigente nas pesquisas sobre Jesus publicadas em seu tempo. No final das contas, cada um recriava um Jesus diferente à sua própria imagem e que terminava sendo uma autobiografia idealizada de si mesmo, conforme visto na proposta de Friedrich *Schleiermacher*.

A própria crítica das fontes e a crítica das formas, conduzidas para recriar o evangelho original ou as origens textuais do Novo Testamento, também foram munidas de tanto subjetivismo que no final era impossível falar de "crítica", assim no singular, mas sim de "críticas", no plural, tão variadas quando o número daqueles que as propunham.

Finalmente, o outro dilema dessa visão liberal é que, ao contrário do que se supõe, seus proponentes não advogavam um ateísmo antirreligioso, mas uma contribuição para a própria caminhada da Igreja. O problema porém é que a crítica das formas não logrou revelar nenhum evangelho melhor que os canônicos que já possuíamos e o chamado Cristo querigmático, isto é, o Cristo do púlpito demonstrou-se ineficaz por não possuir os principais elementos históricos que o legitimem. A proposta, portanto, tornava-se cada vez mais teórica e nada prática ou relevante.

A fé, contudo, destituída de uma racionalidade, não se sustenta e pode conduzir à credulidade ingênua. Ainda que um teólogo se posicione de modo conservador em relação aos evangelhos, deve reconhecer que os movimentos liberais levantaram importantes questões que talvez não seriam imaginadas se não houvesse uma sacudida das estruturas confessionais do cristianismo.

Assim surgiu uma segunda onda de pesquisas sobre Jesus e história, também chamada de New Quest na literatura inglesa. Ela começou no século XX a partir de um diálogo interconfessional entre teólogos católicos e protestantes.

Utilizando-se de diferentes critérios, esses acadêmicos pretenderam identificar distintos graus de certeza nas declarações acerca de Jesus. Não há dúvidas de que o trabalho deles produziu valiosos conhecimentos da área. Muitos, porém, tornaram-se céticos ou dúbios demais em sua forma de reconstruir o Jesus da história.

Para eles o Jesus histórico seria apenas um fragmento daquele Jesus real que existiu no século I. E muitos, como Bultmann, chegaram ao ponto de desestimular a busca por um Jesus "da história". Faltou também à proposta uma consciência filosófica mais acentuada acerca do que é possível ou não se descobrir da história antiga. Qualquer evento histórico precisa ser entendido como um recorte particular de uma estrutura geral e, portanto, análogo a eventos e pessoas passíveis de serem investigadas, senão em todos os detalhes, pelo menos em sua essência.

Porém, em que pese a legitimidade dos critérios que surjam desse entendimento de história, ele não é capaz de excluir a possibilidade de um evento incomum ou prever um evento inédito. Por isso, seria um erro os historiadores minimizarem ou maximizarem aquilo que é verdadeiramente único no evento de Jesus. Como categorizar, por exemplo, a ressurreição? Atribuir a ela qualquer categoria comum ou impossível de acontecer é negar a própria existência de um Deus Todo-Poderoso que intervém nos negócios da humanidade. Em outras palavras, a única coisa que precisamos para que a ressurreição de Cristo seja uma possibilidade é que Deus exista.

Nesse sentido, é impossível aplicar a um evento dessa natureza critérios positivistas, principalmente considerando que é um evento singular, jamais repetível em laboratório, ainda que submetido a condições e ambiente controlados. O conhecimento que advém dele só pode vir do testemunho factual de pessoas que o presenciaram e descreveram em primeira mão. Não se pode isolar um fato de sua interpretação. Isso seria perder o sentido do depoimento.

Temos, finalmente, a terceira onda ou *Third Quest* – termo cunhado pelo teólogo britânico N.T. Wright. Surgida nos anos 1980 e 1990 a partir das tendências deixadas pela "New Quest", ela representa a continuidade da busca histórica de Jesus num movimento de retorno às origens de Jesus.

Vale lembrar que a segunda onda (New Quest) havia surgido de um desapontamento com os resultados inconclusos deixados pela Teologia Liberal Protestante acerca da busca histórica de Jesus. Ela, portanto, era uma crítica pela busca de um Jesus histórico, surgida entre os anos 1890 a 1910 a partir do pensamento de acadêmicos como Martin Kahler (1835-1920), William Wrede (1859-1906) e Albert Schweitzer (1875-1965). Depois, então, veio o mais proeminente representante deles, o teólogo alemão Rudolf Bultmann (1884-1976) que considerava a busca pelo Jesus histórico um beco sem saída.

Essa terceira onda, na verdade, refere-se a três distintos grupos acadêmicos: 1) o Wester Institute em conjunto com o Jesus Seminar, fundado por Robert Funk; 2) o grupo pós-moderno propondo abordagens revolucionárias e genitivas de Cristo (Jesus a partir dos pobres, das mulheres, dos negros, dos excluídos etc.) e, por último, 3) aqueles que redescobriram a identidade judaica de Jesus.

Por isso, a proposta da terceira onda poderia ser chamada de cristologia pluralística, pois abarca várias reconstruções de Jesus ao mesmo tempo. Um ponto, porém, que unifica esse novo projeto é a crença de que Jesus não foi o personagem construído pela teologia liberal protestante, nem pelos proponentes da nova busca, mas uma figura histórica cuja vida e atitudes estavam enraizadas no judaísmo do primeiro século, especialmente dentro de seu contexto religioso, político, social e econômico.

Este *insight* não deixa de ser uma proposta interessante. Ele finalmente procura contextualizar Jesus dentro de seu ambiente histórico, o que facilita muito a compreensão de suas ações, diálogos e expressões que certamente não podem ser interpretadas fora de contexto. Contudo, ainda existe o perigo do anacronismo e da tendência intelectual do pesquisador que fica tentado buscar no Jesus histórico um eco para sua própria agenda de ideias.

Falando especificamente dos três grupos vistos nesse movimento, podemos traçar os seguintes comentários:

O Jesus Seminar e o Wester Institute são um grupo de acadêmicos que se reúne periodicamente desde 1985 para discutir assuntos relacionados com o Jesus Histórico. No início o foco era mais nos autênticos "ditos de Jesus", isto é, a plausibilidade ou não dos discursos de Cristo terem sido conforme nos informam os Evangelhos de Mateus, Marcos, Lucas e João. Eles ainda acrescentaram o texto apócrifo de Tomé como um quinto relato, de modo que falavam em cinco evangelhos.

Semelhante a um comitê de condomínio, eles decidem por voto entre si os textos que teriam ou não sido ditos por Cristo a partir de um grau de confiabilidade. Eles ainda dividem por cores os graus, de modo que os versículos que pintam de rosa referem-se a coisas que Jesus talvez tenha dito ou que sejam muito próximas ao que ele realmente ensinou. O grupo cinza refere-se a palavras que ele não disse, mas que seriam próximas aos que ele pensava. E a cor preta refere-se a coisas que, pelo voto do grupo, decidiu-se que Jesus jamais teria dito. São na verdade palavras posteriores, frutos de algum conflito interno do cristianismo e que foram propositadamente introduzidas nos ditos de Cristo para legitimar a autoridade da declaração, mesmo que ela jamais tenha sido pronunciada pelo Senhor.

É tremendamente questionável a metodologia científica desse exercício, principalmente considerando que eles partem de um pressuposto não comprovado de que o Jesus histórico não teria nada a ver com a Igreja cristã posterior. Logo, quanto mais similaridade houver entre um dito atribuído a Cristo e uma declaração de fé feita pelo cristianismo, maior a chance daquilo nunca ter sido dito pelo Mestre, mas acrescentado posteriormente.

Para os acadêmicos do Jesus Seminar, 80% dos ditos atribuídos a Cristo cairiam nas cores cinza ou preta. Apenas 20% seriam autênticos. Contudo, suas propostas corretivas beiram os limites do achismo. A declaração "bem-aventurados os pobres de espírito", por exemplo, é corrigida pela alternativa "parabéns aos pobres", nada, porém, existe que legitime historicamente a sugestão apresentada.

Existe ainda no Jesus Seminar uma super ênfase e uma preferência aberta por textos tardios e marginais em relação à tradição apostólica que seriam os evangelhos apócrifos, especialmente os encontrados na biblioteca de Nagi Hammadi. O evangelho de Tomé, por exemplo, apesar de muito posterior aos evangelhos canônicos é mais autêntico na opinião deles que os tradicionais relatos de Mateus, Marcos, Lucas e João.

A última crítica a esse grupo consiste no curioso comentário que Luke Timothy Johnson faz a seu respeito[2]. Para ele, seus proponentes se tornaram *experts* em sensacionalismo e manipulação da mídia. Ou seja, aproveitando que o tom de "denúncia", "ineditismo" e "revelação" potencializam discursos, eles sempre aparecem em documentários de TV ou revistas não científicas fazendo declarações que antagonizam tudo o que foi até agora dito, especialmente os temas tracionais do cristianismo. E assim conseguem chamar a atenção para sua "agenda".

As pessoas não querem mais saber da "velha e feliz história", nem da letra original de "noite feliz", muito menos do Cristo bíblico. Sendo assim, novas propostas surgem remodelando o Filho de Deus, tornando-o um John Lennon, um Che Guevara ou um Cínico dos tempos greco-romanos. Enfim qualquer ser que atenda a um ou outro setor da sociedade. As palavras ditas por Cristo são para esses proponentes apenas um jogo de aforismos sem qualquer potencialidade salvadora.

Assim, dilui-se da figura de Cristo o papel de redentor da humanidade tornando propostas como estas apenas uma forma mutante da velha busca liberal que comentamos anteriormente.

O segundo grupo (pós-moderno) também é constituído por teólogos liberais de formação ou mentalidade sociológica, focados em questões como feminismo, socialismo e teologia da libertação. Seus resultados não são muito distintos da primeira proposta.

Por ter um viés pluralista, as pesquisas pós-modernas sobre o Jesus histórico terminam recebendo diferentes enfoques: sabedoria divina; Jesus profeta do cumprimento das expectativas dos últimos tempos; estudos sobre o contexto histórico-social da Palestina do século I d.C. – a Galileia; a guerra judaica; o movimento de Jesus; as influências helênicas no movimento de Jesus; Jesus como um feminista à frente de seu tempo; Messias marginalizado e homem santo e carismático.

Finalmente, o terceiro grupo, que para uns seria um desdobramento do segundo, destaca mais Jesus dentro do judaísmo do século I. Mas note que muitas vezes é difícil separar os grupos de modo tão distinto. Eles se mesclam muitas vezes nos próprios métodos que utilizam.

Gerd Theissen[3], por exemplo, um dos mais destacados autores atuais, faz uma abordagem sociológica do movimento que Jesus supostamente teria fundado, mas o recria dentro de um arcabouço ou releitura do que seria o judaísmo de seu tempo. Sua conclusão é a de que Jesus e seus seguidores seriam um grupo de carismáticos itinerantes vagando de cidade em cidade à semelhança dos cínicos gregos que também renunciavam família, posses e cidade de origem para vagar pelo mundo buscando sabedoria.

Considere-se, porém, que essa tentativa de encontrar Jesus dentro do judaísmo de seu tempo tem boas contribuições e defensores tanto do lado conservador quando do mais liberal. Nomes de peso como Klausner, Buber, Montefiore, Fluser, Hagner, Chilton, Charlesworth, Riesner, Meyer, Moule e Brandon fazem parte do rol daqueles que adotam essa abordagem do Jesus histórico. Seu ponto de partida são questões como: Por que Jesus entrou em conflito com determinadas correntes de seu tempo? Qual era sua relação com as disputas políticas e religiosas do judaísmo antigo? Por que ele morreu afinal?

A Third Quest, portanto, contém vários autores, cuja definição das principais características varia muito. Nesse sentido, algumas das imagens que foram construídas a respeito de Jesus são: Jesus, a cabeça falante – *talking head* (Jesus Seminar); Jesus, o filósofo cínico irritante – nas obras de John Dominic Crossan, Burton Mack e Gerald Downing; Jesus, o homem do espírito – nas obras de Marcus Borg, Geza Vermes e Graham H. Twelftree; Jesus, o profeta escatológico – nas obras de E. P. Sanders e Maurice Casey; Jesus, o profeta da mudança social – nas obras de Gerd Theissen, Richard Horsley e David Kaylor; Jesus, a saga: a sabedoria de Deus – nas obras de Elisabeth Schüssler Fiorenza e Ben Whiterington; Jesus, judeu marginal ou Messias Judeu? – nas obras de John Meier, James Dunn, Marinus de Jonge, Marcus Backmuehl e N. T. Wright.

Conclusão

Nenhuma das propostas anteriores colocadas tanto para a sistematização cristológica quanto para uma busca pelo Jesus histórico, pode ser inteiramente consagrada ou rechaçada. Todas têm seus pontos positivos e seus problemas. Ademais, muitos dos métodos sugeridos podem ser úteis ou desastrosos dependendo da ênfase unilateral ou da predisposição acadêmica do pesquisador em curso.

Conforme já acentuado, o risco do anacronismo e da subjetividade investigativa continua presente em todas as frentes de pesquisa. Um exemplo palpável disso é a criação de muitos esboços da vida de Jesus que acabam direcionando as publicações a respeito do assunto. De acordo com acadêmicos como Craig Evans, muito do labor dos críticos tem produzido um "Jesus Fabricado", que, aliás, é praticamente o título em inglês de um de seus livros mais conhecidos – *Fabricating Jesus*. E ele não usa eufemismos em sua crítica. Nas suas próprias palavras:

Fabricando Jesus é um livro que examina com seriedade alguns dos estudos desleixados e das teorias equivocadas que têm sido apresentados em anos recentes. Fico consternado com muitos desses trabalhos. Alguns deles são, francamente, uma vergonha.[4]

Mesmo admitindo que nem tudo pode ser redescoberto e que há um hiato intransponível de dois mil anos entre nós e o Jesus histórico, não podemos minimizar a importância da pesquisa. Parafraseando John Meier, o Jesus histórico que encontrarmos poderá não ser exatamente o Jesus que existiu, e o Jesus que existiu poderá não ser exatamente o Jesus histórico que descrevemos, mesmo assim não podemos desanimar de sua busca. A fé cristã, diferente de outras propostas religiosas ou filosóficas, precisa do evento histórico para ser realmente autêntica. Ela não pode se basear num mito, muito menos num achismo ou num credo decorado.

A mensagem dos evangelhos não pode ser entendida como uma vaga atitude existencial, uma maneira de ser ou uma filosofia espiritual. Ela está enraizada num evento que, de fato teve lugar na história e encontra-se vinculada a alguém especial cujas ações e palavras podem ser situadas num tempo e local específico da história humana. Por isso o cristianismo verdadeiro não pode temer qualquer escrutínio referente à sua proclamação. Apenas espera-se que a honestidade intelectual esteja na vanguarda das pesquisas acadêmicas, seja de quem investiga, seja de quem confessa sua adesão a Cristo.

No dizer de Ernest Kesemann, a fé cristã demanda naturalmente o Jesus histórico, caso contrário, o cristianismo não será baseado em outra coisa senão num mito insustentável para manter as radicais afirmações que ele apresenta: salvação, esperança, vida eterna. Nas suas palavras, "a vida histórica de Jesus era essencial para a fé, por uma razão muito simples: o Senhor terreno e exaltado [nos céus] constituem a mesma pessoa"[5]. Com esse pensamento resume-se a razão de todas as informações coletadas anteriormente nesta enciclopédia.

Silenciando a profecia

O rabino Abba Hillel Silver publicou um livro em 1917, no qual afirmou que de fato não havia expectativa messiânica antes do século I d.C. Mas a partir do ano 1 d.C. até à geração que testemunhou a destruição do Segundo Templo, o fervor messiânico aumentou exponencialmente. A razão disso, a seu ver, era simples: "não era uma intensificação [de esperança] resultante da perseguição de Roma, mas sim da prevalescente crença induzida pela *cronologia popular daquele dia* [da vinda do Messias] cuja idade estava no limiar do milênio... O Messias [portanto] era esperado para algum tempo em torno da primeira metade do século I d.C., porque o milênio estava às portas. Antes desse tempo ele não era aguardado."[6]

Embora mencione algumas fontes primárias como Josefo e determinados pseudoepígrafos, Abba Hillel não provê textos originais que revelem explicitamente qualquer relação entre a virada do milênio e a vinda do Messias. Ademais, não temos indícios para supor que o calendário da época marcasse para aquele tempo qualquer tipo de "passagem de ano milenar". A não ser que entendamos como segura a possibilidade de que o rabino Jose ben Halafta – o mais antigo cronologista judeu a calcular o ano da criação – já tivesse em mente a ideia de anos milenares compondo o Anno Mundi e que suas informações procederiam de uma tradição anterior à produção de sua obra *Seder Olam Rabbah*, escrita em torno do ano 165 d.C.

Tal ideia, no entanto, não conta como uma comprovação textual direta que a confirme, e são várias as propostas rabínicas para o ano da criação. Não se pode afirmar inequivocamente que o nascimento de Jesus coincidia com uma virada milenar nos cômputos da época. Ademais, Maimônides afirma que o calendário Anno Mundi só foi inventado em torno do século VI d.C. e que os judeus só passaram a utilizá-lo no século XIII[7].

Existe, a bem da verdade, uma obscura fonte citada por Israel Jacob Yuval[8] que foi preservada num antigo manuscrito hebraico descoberto na Biblioteca Municipal de Darmstadt. Yuval infelizmente não fornece nenhum dado quanto à datação do manuscrito (se é cópia ou original), mas informa uma parte substancial de seu conteúdo. O título do documento era "Homilias do Rei Messias e Goque e Magogue". O autor, que permanece anônimo, apenas se apresenta como um discípulo do rabino Isaac ben Abraham (conhecido pelo apelido de Rizba) e que foi um importante pensador franco-judeu que viveu no começo do século XIII d.C.

O manuscrito revela como principal tema a convicção judaica de que o Messias se revelaria antes de 5000 anno mundi, que em nosso calendário daria algo em torno de 1240 d.C. O cálculo profético é feito com base na tradição talmúdica de que este mundo existiria por apenas 6.000 anos divididos em três períodos de 2.000 anos cada um. O primeiro seria o período do Caos, marcado pelo dilúvio. O segundo o período da Torá e o terceiro o período do Messias. Ora, se o período do Messias começaria em 4000 (anno mundi) e, de acordo com a cronologia profética do Talmude Babilônico (*BT Sanhedrin 97 a*), deveria durar dois mil anos. Seu nascimento, portanto, deveria ser em qualquer período entre 4001 e 4999 anno mundi, para que (pela contagem inclusiva) pudesse-se falar de 2 milênios de era messiânica (pelo menos "um" ano dentro do primeiro milênio e parte dos mil anos do segundo).

Ora, o Grande Rabi Rizba morrera em 1210 d.C. e o primeiro ano do 5000 anno mundi coincidiria, como já foi dito, com 1240 de nosso calendário. Logo, o Messias deveria vir antes disso, pois após esta data a profecia talmúdica não teria como ser cumprida. Então, os anos que se seguiram até 1240 foram de tremenda expectativa para alguns judeus.

Aproximadamente um século antes de Rizba, mais propriamente em 1172 d.C., Maimônides fez uma revelação tardia, mas muito digna de consideração, principalmente pela possibilidade de se basear em fontes ainda mais antigas. Em sua Carta ao Iêmen (*Iggeret Teiman*) escrita para confortar e orientar judeus pobres do Iêmen que eram enganados por um falso Messias árabe, Maimônides observa:

"Daniel tem desvendado para nós o conhecimento do tempo do fim. No entanto, uma vez que ele ainda é um secreto, os sábios [rabis] têm impedido o cálculo dos dias da vinda do Messias, de modo que a população não orientada não seja levada ao desânimo quando virem que o tempo do fim já começou, mas que não temos ainda nenhum sinal do Messias". [9]

A pergunta é: por que os rabinos desistimulavam os contínuos estudos da profecia de Daniel? Duas hipóteses não excludentes podem responder a essa questão: primeiro, o tempo da chegada passou e o Messias de fato veio na pessoa de Jesus de Nazaré, mas como não podiam aceitar que esse fosse o prometido rei dos judeus, ficaram retardando ao máximo o cumprimento do vaticínio até que, ao não poderem mais esticar a linha do tempo, partiram para a inibição do estudo que certamente apontava para Jesus e esse não podia ser reconhecido como Messias. A segunda hipótese é a de que esse desistímulo pode advir desde os tempos do Segundo Templo, o que demonstra uma efevercência messiânica por um lado (efetivada pelos que estudavam as profecias de Daniel) e uma indiferença do outro (formada por aqueles que desistimulavam seu estudo). O fato é que se os rabinos chegaram a proibir o cálculo das 70 semanas é porque muitos já o estavam fazendo.

Alfred Edersheim afirmou: "O rabinismo tardio, não podendo encontrar um modo natural de compreender as profecias do livro, chegou a declarar que Daniel estava equivocado"[10].

Curiosamente, o Talmude Babilônico (compilado entre os séculos III e V d.C.) já acenava às profecias do tempo de Daniel como estando cumpridas no passado. O contexto envolve especialmente a profecia das 70 semanas. O rabi Judá, um dos principais compiladores das regras talmúdicas, definiu que "todas as datas predestinadas [para a redenção] já se passaram" (*BT Sanhedrin 97 b*)[11].

O grande problema discutido nesta seção do tratado talmúdico é que a dita redenção (i.e. o Messias) não havia vindo conforme esperavam. Então houve grandes discussões entre os rabinos na tentativa de reinterpretar o prognóstico escriturístico. Um deles, o rabino Samuel b. Nahmani chegou a amaldiçoar em nome do rabino Jonathan os que insistissem em estudar e ensinar a cronologia profética de Daniel. "Que sequem os ossos, disse ele, daquele que calcular o advento do Messias"[12]. A razão do amaldiçoamento, continua o rabino, estaria no fato de que "uma vez que o tempo determinado veio e ele [o Messias] não chegou, então ele nunca virá" – esta seria, na conclusão dele, a opinião que tais mestres inculcariam no povo. (*BT Sanhedrin 97 b*).

O que a profecia de Daniel 9:26 claramente revelava – e muitos rabinos assim o compreendiam – era que o Messias deveria exercer seu ministério durante o período do Segundo Templo, pois em sequência disso viria um povo e um príncipe estrangeiros que destruiriam a cidade (Jerusalém) e o santuário (o Templo).

Ora o Templo foi, de fato, destruído pelos romanos em 70 d.C., logo o Messias deveria ter vindo antes disso. Mas, conforme o entendimento rabínico, ele não veio. Alguns entenderam que isso se deveu à apostasia do povo, outros que sua vinda realmente deveria ser *depois* da destruição do Templo, pois o Messias viria para restaurá-lo. Essas são algumas das discussões encontradas nesta parte do Talmude.

Os rabinos Shlomo Yitzaki (mais conhecido como Rashi) e Eliyahu de Vilna (mais conhecido como Vilna Gaon) foram sem dúvida os mais famosos talmudistas dos séculos XI e XVIII. Ambos afirmaram – baseados no Talmude - que os tempos messiânicos já haviam realmente começado há séculos, mas que o Messias não viera por causa da apostasia do povo[13]. Outros diziam que o Messias veio quando o Templo foi destruído, mas permaneceria escondido até que Israel fosse digno de recebê-lo.[14]

A certeza de que o Salvador viria antes da destruição do Templo era tamanha que até no momento da destruição do Templo pelos romanos, houve quem se apegasse a isso como certeza de que o Messias viria antes da viração do dia:

"Um falso profeta estava ali na ocasião em que o povo estava sendo destruído, ele fez uma proclamação pública na cidade [de Jerusalém] de que naquele mesmo dia, Deus o havia comandado a seguir para o Templo e que lá eles deveriam ficar até receber os miraculosos sinais de livramento. Por causa disso, houve um grande número de falsos profetas ... [dizendo] para esperarem pelo livramento de Deus." (Guerras, VI, 5,2).

O texto continua dizendo que cerca de 6.000 homens, mulheres e crianças se refugiaram no pátio do Templo. Os soldados, porém, mesmo sem terem recebido ordens para isso, incendiaram o Templo e todos morreram. Nenhum escapou.

No tratado talmúdico do Yoma 39 b, temos um curioso testemunho histórico. O Talmude cita um *Baraisa*[15] que discute um estranho fenômeno que ocorreu no Templo durante o serviço do Yom Kippur. Ali diz que era costume colocarem na cabeça do Bode Azazel uma faixa de lã tingida de vermelho-escarlata. Normalmente essa fita se tornava branca na presença de toda a multidão que se reunia no Templo naquele dia. O povo entendia que essa mudança de cor era um sinal de que seus pecados estavam perdoados.

Contudo, continua o Talmude, 40 anos antes da destruição do Templo, nenhuma mudança de cor pôde ser mais verificada. A fita continuava vermelha[16]. A interpretação do Talmude era de que isso ocorreu por causa dos pecados e da apostasia do povo que se tornaram cada vez mais intensificados depois da morte de Simeão, o Justo (310-291 ou 300-273 a.C.) que foi um dos mais importantes e piedosos sacerdotes do período do Segundo Templo. Diz a história (Josefo e o próprio Talmude) que ele conduziu o povo de maneira muito espiritual, mas que o povo mergulhou novamente na apostasia depois de sua morte.

Então os milagres que começaram a ocorrer em seu tempo, diminuíram progressivamente até que 40 anos antes da destruição as fitas nunca mais mudaram de cor. A ocupação romana do Templo foi a consequência maior disso.

É interessante que computando 40 anos antes da destruição do Templo no ano 70 d.C., chegamos por volta do ano 30 d.C. Ora, Jesus morreu na Páscoa de 31 d.C. e os Sinópticos também mencionam um estranho evento relacionado ao serviço no Templo: a cortina do santuário se rasgou de alto a baixo em sinal do ocorrido na cruz (Mat. 27:51; Mar. 15:38; Luc 23:45). Josefo disse que o véu tinha as mesmas dimensões das portas de ouro que ficavam atrás dele separando o Santo do Santíssimo. As dimensões seriam 50 côvados de algura por 16 côvados de largura, algo em torno de 18,30 m x 9,15m (Guerras 5.5.4).

Aparentemente o véu era trocado a cada ano. A Mishná também aponta para esse fato (embora contradiz as medidas de Josefo): "Raban Simeão, o filho de Gamaliel diz, em nome do Rabi Simeão, o filho do chefe [dos sacerdotes]: O véu era de uma mão de largura em espessura e era tecido em 74 cordas, cada corda composta de 22 segmentos. Era de 40 côvados de comprimento e 20 côvados de largura, e era composto de 82 vezes 10.000 (fios). Eram feitos 2 véus cada ano, e 300 sacerdotes eram necessários para mergulhá-lo." (Shekalim 8, 5).

Também é interessante que Lucas tenha chamado tanto a atenção para a coincidente presença de outro Simeão, o Justo, exatamente na apresentação de Jesus no Templo. O evangelista deveria conhecer a tradição sobre o que aconteceu depois da era do Simeão original e, por isso, registrou o fato (Luc. 2:25-35).

Outra curiosa tradição talmúdica diz que 40 anos antes da destruição do Templo, suas enormes e pesadas portas de ouro aparentemente se abriram sozinhas durante a noite e foram encontradas abertas pela menhã por sacerdotes que iam fazer as preces matinais (y. Yoma 6:43c; b. Yoma 39b). Tal evento foi interpretado pelos rabinos como um sinal da grande destruição (Sifrê Deut. § 328 [sobre Deut. 32:38]). O evento se repetiu por oito sábados consecutivos:

"Quarenta anos antes do Templo ser destruído, ... as portas de Helek (o santíssimo) se abriram por si mesmas, até o rabino Yohanan B. Zakkai as repreendeu dizendo: Hekel, Kekel, porque vocês estão nos alarmando? Nós sabemos que a arte que está em vocês está para ser destruída..." (b. Yoma 39 b).

Um dos rabinos talmudistas, R. Alexandri, citando o R. Joshua b. Levi, afirmou: "Se eles [os judeus] forem meritórios, [o Messias] virá nas nuvens do céu; se não forem, virá humildemente montado sobre um jumento." (*TB Sanhedrin, 98 a*).

Não seria incongruente com as interpretações talmúdicas entender que, além da apostasia, os fenômenos ocorridos no Templo eram uma maneira de Deus revelar que seu serviço chegara ao fim, pois – a despeito da apostasia – o Messias havia vindo conforme o prometido, não necessitavam mais sacrificar. Mas povo rejeitara o prometido de Deus.

Expectativas messiânicas no Século I a.C. e Século I d.C.

Muitos documentos de Qumran e outras fontes da época do Segundo Templo também nos dão indícios claros de que uma parcela significativa dos judeus esperava para aquele tempo a chegada de seu Messias e isso certamente não foi um movimento pequeno ou escondido. O incômodo chegou demandar uma reinterpretação do oráculo por parte dos próprios romanos a fim de que pudessem acomodar a profecia dentro de seus próprios interesses. Isto é o que nos revelam duas passagens de Tácito e Suetônio:

"Muitos [no séc. I] estavam persuadidos de que constava, das antigas escrituras dos sacerdotes, que, por este tempo, o poder do Oriente subiria. E da Judeia viriam os dominadores do mundo. Esse texto ambíguo anunciava Vespasiano e Tito; mas a população [judaica], como geralmente acontece com a paixão humana, interpretou esta grandeza fatal em seu favor." (Tácito, *Historiae*, V, 13 = partes entre colchetes suprimidas do texto original).

"Aumentava em todo o Oriente a antiga e constante opinião de que estava escrito no destino do mundo que da Judeia viriam, naquele tempo, os dominadores do mundo." (Suetônio, *Vidas*, Vespasiano, XXXVIII, 11).

Talvez aludindo ao mesmo contexto de Tácito e Suetônio, Josefo descreve o surgimento de uma multidão de falsos messias incentivados pela convicção de que havia chegado o tempo de cumprir as profecias messiânicas. Isso teria sido por volta da guerra judaica que antecedeu a destruição do Templo no ano 70 d.C.

"Mas, o que mais incitou [os judeus] à guerra foi uma ambígua profecia, também mencionada nas Escrituras, segundo a qual, naquele tempo alguém proveniente de sua própria terra haveria de se tornar o 'dominador do mundo'... Este [oráculo] foi interpretado pelos judeus como uma alusão a um de seus compatriotas, e muitos se equivocaram com essa interpretação. O oráculo, na verdade se refere ao domínio de Vespasiano, aclamado como imperador da Judeia". (Guerras VI, 5)

Hoje é sabido, conforme sinalizou Tabor, que "o grupo de Qumran [também] estava intensamente interessado na profecia das 'Setenta Semanas' de Daniel. Eles mesmos tentaram se localizar dentro deste esquema cronológico conforme seu entendimento do *eschaton*. Eles também devem ter feito alguma dedução daquela figura do Messias que seria cortado [i.e. morto]."[17]

O *Pesher* escatológico de Melquisedeque (11Q Melch ou 11Q13), largamente baseado em Levítico 28 e na lei do jubileu, indica que os membros de Qumran estavam se preparando para a vinda iminente de uma era de paz anunciada pelo "Messias (lit. [o un]gido do espírito) de quem falou o profeta Daniel".

Esta mescla entre Melquisedeque, Daniel e os jubileus é muito interessante e merece ser comentada. Aludindo especialmente a Daniel 9 (i.e à profecia das Setenta Semanas), o texto diz:

"Ele (Melquisedeque) proclamará liberdade para eles, para libertá-los da [dívida] de todas as suas iniquidades. E isto [acontecerá] na primeira semana do jubileu que segue aos nove jubileus. E o dia [da expiação] é o fim do décimo jubileu no qual expiação será feita para todos os filhos de [Deus] e para os homens da porção de Melquisedeque... Melquisedeque executará a vingança dos juízos de Deus [neste dia, e eles serão libertados das mãos] de Belial e das mãos de todos os esp[íritos do seu grupo]".

Esse trecho mostra a compreensão de que os comunitários de Qumran tinham o Messias como sacerdote segundo a ordem de Melquisedeque, algo coincidentemente ensinado por Paulo, caso o entendamos como o autor de Hebreus 5:1-10[18].

Outro destaque da passagem é o sentido cronológico da esperança messiânica que mostra uma real expectativa cronológica sustentada pelos jubileus relacionados a Daniel 9.

Aliás, essencial para os membros da comunidade de Qumran era a noção historicista da profecia, conforme podemos nos fragmentos de 4Q180 e 181 (ou 4QPerCr), denominados "Períodos da criação". Ali temos a história humana dividida em períodos, o próprio documento se diz um "*pesher* [i.e. interpretação] sobre os períodos que Deus fez: um período para completar [tudo o que existe] e o que haverá de ser." (4Q180 frag. 1 linhas 1 e 2). Fala-se da "ordem exata dos períodos", "dos períodos de Juízo" e "do juízo do conselho" (que é o juízo final). Tudo previsto nas tábuas celestes para os filhos dos homens.

No 4Q181 linha 3, menciona-se algo em relação à chegada da septuagésima semana (certamente de Daniel 9), mas o texto está muito fragmentado. As linhas dão a entender que seria um tempo em que os homens deveriam se preparar, pois haveria um ajuste de contas com Deus.

Flávio Josefo, por sua vez, também testemunha acerca de Daniel dizendo que ele "não apenas profetizou o futuro, como outros profetas o fizeram, mas revelou especificamente *quando* as coisas iriam ocorrer" (Antiguidades x, 268). Essa convicção profético-cronológica certamente serviu de inspiração a muitos judeus no período do Segundo Templo e apontava seguramente para a chegada do Messias.

Um *targum tadio* alude possivelmente ao livro de Daniel, como tendo o poder de revelar a data da vinda do Messias. No TB Megillah 3a, temos esta declaração: "[Jonatan bem Uzziel] procurou revelar através de um *targum* dos *ketuvim* (os escritos)[19], mas a *bath kol* [a voz divina] se antecipou e disse: Basta! Qual seria a razão para isso? – ora, porque a data do Messias estava lá profetizada, anunciada."

A contagem das 70 semanas

Como os judeus que esperavam o Messias faziam suas contas para ter certeza de que era chegado o tempo da redenção?[20] Novamente os Manuscritos de Qumran nos dão uma pista. Foram encontradas nas grutas diversas cópias do livro canônico de Daniel e do pseudoepígrafo dos Jubileus. A interpretação conjunta de ambos revela que a comunidade tinha grande interesse na datação da vinda do Messias.

O livro dos Jubileus enfatiza que Deus faria grandes coisas durante o chamado ano jubileu – ocorrido a cada 49 anos (cf. 11Q Melch. #15). Juntando essa tradição do jubileu ao cômputo daniélico da chegada do "ungido" (Dan. 9:24-25), Qumran traz – como veremos a seguir – interessantes pistas de que muitos (senão todos em sua comunidade) esperavam que o Messias viesse em algum tempo entre o ano 3 a.C. e 2 d.C.[21]

Como dissemos anteriormente, os membros da comunidade mesclavam a figura de Melquisedeque, a noção de jubileus e as setenta semanas de Daniel 9 (às vezes equiparadas exegeticamente aos setenta anos de cativeiro babilônico).

O jubileu bíblico está fundamentado em Levítido 25:10: "Declarareis santo o quinquagésimo ano e proclamareis a libertação de todos os moradores da terra. Será para vós um jubileu: cada um de vós retornará a seu patrimônio, e cada um de vós voltará a seu clã."

É importante notar não apenas o aspecto social, mas, sobretudo, o significado teológico, profético e sabático por detrás desse mandamento. No caso do sábado, temos uma ordem anterior em Levítico 25:2 que diz: "*Quando entrardes no país que eu vos darei, a terra deverá guardar o seu sábado consagrado ao Senhor*". Note-se o tom septenário e temporal do discurso. Como bem acentuou Samson Raphael Hirsch, famoso rabino alemão do século XIX: "o calendário é o catecismo dos judeus"[22].

Deus determinara que a partir da entrada na terra prometida, os hebreus deveriam contar seis anos nos quais a terra era semeada, cultivada e ceifada. O sétimo ano, porém, deveria ser um ano sabático. Isto é, um ano de descanso para a terra. Nele não se podia fazer nem semeadura, nem poda. Nem mesmo o que germinasse de grãos acidentalmente caídos durante a colheita anterior poderia ser ceifado. O que se permitia era uma colheita individual para consumo próprio. Por exemplo, se nascesse acidentalmente uma fruta ou cereal, este ficava à disposição de qualquer um que quisesse pegar e comer fosse ou não dono daquela propriedade onde germinou o fruto. Os animais também não eram impedidos de comer as plantas que cresciam por si mesmas (Lev. 25:2-7; Êx. 23:10, 11).

Além disso, aos hebreus foi ordenado contarem sete desses períodos de sete anos (7 x 7 = 49). O ano seguinte, o 50º, deveria ser considerado um ano de jubileu. Toques programados de trombeta proclamariam a chegada daquele ano que simbolizaria a liberdade em todo o país (Lev. 25:8-10). O jubileu também compartilhava alguns elementos com o ano sabático. Nele a terra tinha novamente um repouso completo. Isso significa que os produtos do 48º ano de cada ciclo de 50 anos deveriam ser estocados para servirem de alimento para os dois anos seguintes e alguns meses a mais até que chegasse o tempo da colheita no 51º ano, ou o primeiro ano após o jubileu. A fidelidade a Deus garantiria ao povo uma bênção especial de Javé sobre a colheita do 6º e do 48º anos para suprir a nação durante o ano sabático, o ano jubilar e uma parte do próximo até à época da colheita seguinte (Lev. 25:20-22). Cumprir essa cerimônia significava para o povo a demonstração de sua fé na liberdade e nas provisões prometidas por Deus.

Em Qumran encontraram-se cinco cópias de um manuscrito chamado "livros dos jubileus" que é parte da epigrafia judaica e foi certamente produzido por vários autores provavelmente 200 anos antes do nascimento de Cristo. Nele existem indícios importantes sobre a interpretação profética da comunidade e sua expectativa quanto à iminente vinda do Messias atrelada à profecia de Daniel.

Outro texto importante é o documento de Damasco que prevê um ciclo profético que vai desde o cativeiro até a revelação da verdadeira Lei de Deus e o aparecimento de um futuro Mestre de Justiça que ensinaria a retidão no final desse período. Dentro desse espaço de tempo, haveria a "era da iniquidade" (também conhecida como "época da Ira"), que seria caracterizada por uma grande apostasia dentre o sacerdócio no Templo de Jerusalém. Nesse tempo, a lei de Deus foi seriamente posta de lado e não completamente obedecida. A validade de uma tradição legal dos judeus (leis cerimoniais?) teria seu fim com a chegada desse Mestre de Justiça que purificaria o Templo e restauraria a verdade.

A era da iniquidade duraria 390 anos e se estenderia desde a queda de Jerusalém em 586 a.C. até a formação da comunidade. Depois haveria outros 20 anos então viria o Mestre de Justiça[23] e daí outros 40 anos se passariam desde a morte do Mestre de Justiça até o julgamento de Deus. Os detalhes são obscuros e, por isso, imprecisos para averiguação total[24], mas a última seção que fala de 40 anos entre a morte do Mestre de Justiça e a vinda do juízo de Deus é algo realmente fascinante:

"E desde os dias em que o Mestre único foi recolhido até ao fim dos homens de guerra que se rebelaram juntamente com o homem da mentira, haverá cerca de quarenta anos" (CD MS B 20:13-15).[25]

Normalmente os textos de Qumran mencionavam dez jubileus para o cumprimento dessa profecia. Os jubileus seriam 70 anos, mas como se fala de "semana de anos", entendiam como 70 x 7 ou 490 anos como está em Daniel 9[26]. Esses seriam, na sua compreensão, um período de terrível apostasia em Israel, especialmente dentre o sacerdócio. No décimo jubileu se cumpririam as profecias e viria o juízo/salvação de Deus.

R. T. Beckwith[27], que estudou profundamente o assunto, concluiu que na cronologia profética dos essênios (ele pressupõe Qumran como uma comunidade essênia), os 490 anos deveriam começar com o retorno do cativeiro babilônico. Eles também entendiam que partindo da datação anno mundi, esse evento teve lugar no ano 3430 A.M. Logo, eles projetavam os 490 anos para depois dessa data e concluíram que o Mestre de Justiça deveria chegar por volta de 3920 A.M., quer equivaleria aos anos 3/2 a.C.

É possível dizer que para um considerável número de judeus o início daqueles tempos era determinado para a esperança humana da salvação ansiosamente aguardada. Esse tempo, no entanto, não era indeterminado, mas nas palavras do Pesher de Habacuque: "(...) todo o tempo de Deus virá na ordem fixada, como determinou para eles nos mistérios de sua providência" (IQpHab VII, 13-14a).

O rabino José ben Halaphta (c. 140 d.C.) forneceu no *Seder Olam Rabbah* 28 uma outra descrição de como seria a contagem para a chegada dos tempos messiânicos. Como os membros de Qumran, eles também faziam suas contas a partir de Daniel e também concluíam que o Messias viria num ciclo jubileu ou sabático anual, dentro do século I de nossa era. Seu cômputo, no entanto, era diferente; eles vinculavam os 490 anos aos períodos das diferentes hegemonias sobre Judá.

Exílio babilônico	70 anos
Domínio persa	34 anos (*sic*)
Domínio selêucida	180 anos
Hasmoneus	103 anos
Herodianos	103 anos
	490 anos

Para esse rabino, os 490 anos terminariam em 10 de abib de 70 (ou de acordo com o cômputo do calendário rabínico, 9 de abib de 68).

Tais fatos nos permitem concluir que havia, sem dúvida, um importante clima de expectativa no ar, exatamente na época do nascimento de Jesus. Aquela geração sabia que era chegado o momento de testemunharem um grande evento profético. Os 70 anos de ira mencionados em Daniel 9:3 figuravam proeminentemente no *Manuscrito da Guerra*. Os judeus temiam a volta do cativeiro ou a continuação da opressão por não estarem prontos para a chegada dos tempos messiânicos. Seu comportamento, porém, destoava com esse temor e muitos admitiram isso.

Entendimentos modernos

A profecia das 70 semanas referida no cap. 9 do livro de Daniel não é um tema partilhado da mesma forma em todas as denominações cristãs ou no judaísmo.

Alguns, negando a possibilidade de haver profecias reais nas Escrituras, preferem entender o texto como um vaticínio *ex eventu*. O que significa isso? Partindo do latim, essa expressão se refere a profecias feitas depois do evento haver ocorrido. Desse modo, não constituem previsões reais, mas interpretações espirituais posteriores ao evento ocorrido. É o exercício de se atribuir causas espirituais a eventos meramente humanos ou naturais.

Assim, tais especialistas leem o texto de modo alegórico ou preterista. Em ambos os casos, o contexto da passagem seria a crise judaica ocorrida por ocasião dos ataques de Antíoco IV Epifânio no século II a.C. Proponentes dessa abordagem afirmam que o autor de Daniel nunca viveu realmente na Babilônia e não visava de modo algum dissertar profeticamente sobre a vinda do Messias ou o fim dos tempos. Pelo contrário, sua pretensão seria sustentar a fé dos judeus e encorajar sua resistência diante da perseguição promulgada por Antíoco. Por isso, mostrava, através de símbolos, que a opressão e a perseguição um dia haverão de acabar.

Os versículos 24 a 27 do cap. 9, portanto, trariam pormenores relacionados ao que ocorreu em 170 a.C. O sumo sacerdote Onias III, assassinado covardemente por seus rivais, seria o único sumo sacerdote justo, portanto, o ungido mencionado no verso 26). A seguir, Antíoco IV invade Jerusalém e coloca no Templo uma estátua de Júpiter (ídolo abominável), fazendo com os sacerdotes do Templo um acordo ou aliança durante uma semana.

O problema com tal abordagem é que, além de negar o caráter sobrenatural das Escrituas – elas deixariam de ser um livro inspirado por Deus – o paralelismo torna-se, em alguns pontos, forçado. Não se tem, por exemplo, como afirmar que o acordo de Antíoco com os sacerdotes durou exatamente uma semana, no meio da qual Onias fora morto e o sacrifício interrompido. A correlação cronológica é totalmente improvável.

Ademais, a proposta pretende corrigir até mesmo a interpretação de Cristo em Mateus 24:15, que projeta a profecia de Daniel para tempos futuros, posteriores ao seu ministério, ao passo que Antíoco estaria no passado.

Dentro da ala mais conservadora, ainda que não exista consenso em todos os detalhes, pode-se dizer que estamos diante de uma profecia messiânica, revelada a Daniel no século VI a.C. e que se cumpre precisamente no ministério de Jesus de Nazaré.

No contexto de Daniel, um anjo aparece ao profeta, após sua oração intercessora pelos judeus, e lhe revela uma verdade cronológica acerca dos futuros acontecimentos ligados ao povo de Israel. Eis a transcrição do texto.

"Setenta semanas estão determinadas sobre o teu povo e sobre a tua santa cidade, para fazer cessar a transgressão, para dar fim aos pecados, para expiar a iniquidade, para trazer a justiça eterna, para selar a visão e a profecia e para ungir o Santo dos Santos.

Sabe e entende: desde a saída da ordem para restaurar e para edificar Jerusalém, até o Ungido, o Príncipe, 7 semanas e 72 semanas; as praças e as circunvalações se reedificarão, mas em tempos angustiosos.

Depois das 72 semanas, será morto o Ungido e já não estará; e o povo de um príncipe que há de vir destruirá a cidade e o santuário, e o seu fim será num dilúvio, e até ao fim haverá guerra; desolações são determinadas.

Ele fará firme aliança com muitos, por uma semana; na metade da semana, fará cessar o sacrifício e a oferta de manjares; sobre a asa das abominações virá o assolador, até que a destruição, que está determinada, se derrame sobre ele." (Daniel 9:11; 24 a 27).

Num apanhado geral, a texto aponta para o ano do aparecimento do Messias (seu batismo no ano 27), e sua morte (para muitos no ano 31). Depois chega-se ao que seria o término da exclusividade aos judeus como sendo "o povo de Deus". A partir daí o evangelho seria levado para os não judeus (também chamados "gentios") e também pregado por eles. Segundo um cômputo, isso se daria a partir da mote de Estêvão no ano 43 e descrita em Atos 6 e 7.

Há, porém, várias interpretações. Alguns afirmam que as 69 semanas ou 483 anos se cumprem exatamente no ano em que Jesus começou seu ministério na Galileia. Outros afirmam que os 483 anos coincidem no ano em que Cristo foi crucificado.

Seja como for, é bastante razoável supor que cômputo dessas datas se dá pela equivalência profética do chamado dia/ano. De acordo com uma hipótese bastante aventada por teólogos conservadores, 1 dia em profecia equivale a 1 ano literal e supondo-se que isto se aplique à profecia das **70 semanas**, então elas seriam na verdade uma representação profética de 490 anos literais.

Um exame profundo a esse respeito revela que existem precedentes bíblicos para se falar de anos em termos de dias. Em Gênesis 29:27-28, Jacó trabalha "uma semana" por Raquel: "Cumpre a semana desta; então te daremos também a outra, pelo serviço que ainda outros sete anos comigo serviras. E Jacó fez assim, e cumpriu a semana de Lia; então lhe deu por mulher Raquel sua filha." Esse período de sete dias é na verdade claramente de sete anos: "Assim serviu Jacó sete anos por Raquel; e estes lhe pareceram como poucos dias, pelo muito que a amava." (29:20).

Em Números 14:34, os 40 anos no deserto resultaram dos 40 dias de espionagem: "Segundo o número dos dias em que espiastes esta terra, quarenta dias, cada dia representando um ano, levareis sobre vós as vossas iniquidades quarenta anos, e conhecereis o meu afastamento.". Ezequiel 4:6 emprega o mesmo padrão de medida profética que Daniel: "E, quando tiveres cumprido estes dias, tornarte-ás a deitar sobre o teu lado direito, e levarás a iniquidade da casa de Judá quarenta dias; um dia te dei para cada ano".

Daniel 9:25 diz que seriam 69 semanas desde a reconstrução do Templo de Jerusalém até a vinda do Messias. Embora haja alguma leve discordância sobre o começo e o término desse período, é notório que se passariam pelo menos 500 anos entre a ordem para reconstruir Jerusalém e a vinda de Cristo. Logo, as semanas seriam de anos e não literais.

O cômputo da profecia ficaria, portanto, deste modo:

70 semanas x 7 dias = 490 dias proféticos = 490 anos literais

Partindo desse pressuposto, a expressão "desde a saída da ordem para restaurar e para edificar Jerusalém até o Ungido [i.e., o Messias], ao Príncipe, sete semanas e sessenta e duas semanas", computariam um total de 483 anos:

62 semanas + 7 semanas = 69 semanas

69 semanas x 7 dias = 483 dias proféticos = 483 anos literais

Porém sobra a última semana para completar as 70 semanas.

7 semanas + 62 semanas e 1 SEMANA

7 semanas = 49 anos

62 semanas = 434 anos

1 semana = 7 anos

= 490 anos

Em termos gerais, um ponto em comum em várias leituras cristológicas do texto seria o de que tanto o "Ungido, o Príncipe" do verso 25 quanto o "Ungido" do verso 26 equivalem a Cristo que também é entendido, em algumas fontes como o "santo dos santos" ungido no verso 24 – assim se entende pelas versões da Septuaginta e da Peshita.

Mas também vale dizer que alguns estudiosos entendem que o "Ungido" (ou Messias) citado no versículo 25 pode não ser uma referência a Cristo, mas a um rei usado por Deus como instrumento para realizar sua vontade. Neste caso, geralmente é utilizada a data do decreto de Circ. Todavia, o contexto interno da passagem sugere que a melhor interpretação é que tal passagem recebe-se realmente ao Messias.

Muitos pais da Igreja também viam em Cristo o cumprimento da expressão "um príncipe que haveria de vir" (v. 24), embora outros o entendam como uma figura do futuro anticristo ou do oficial romano responsável pela destruição de Jerusalém e do Templo no ano 70 d.C.

De qualquer modo, no que diz respeito aos períodos proféticos (7 semanas + 62 semanas + 1 semana), grande parte dos comentários bíblicos os entendem como consecutivos, isto é, não sobrepostos cronologicamente, e que alcançam o momento histórico da unção de Cristo, a saber, seu batismo ou início de seu ministério.

Em relação ao evento da crucifixão, muitos teólogos conservadores entendem que a expressão "cortado" presente em 9:26 refere-se à morte do Messias que ocorreria na metade da última semana. Porém, a nova corrente dispensacionalista, popularizada pelas referências da Bíblia anotada de Scofield, tem uma interpretação distinta que lança tais eventos para o futuro, durante o reinado do anticristo predito no Apocalipse.

Outra questão é o *terminus ad quo* destes eventos, isto é, quando a profecia tem início? De acordo com a própria visão de Daniel o tempo deveria ser contado "*desde a saída da ordem para restaurar e para edificar Jerusalém*". De acordo com a Bíblia, **isso ocorreu no sétimo ano do reinado de Artaxerxes I (Esdras 7:7,8), quando ele emitiu seu primeiro "decreto" (vs. 11-26).**

Houve outro decreto, é verdade, expedido por Ciro em 538 a.C. e mencionado em II Crônicas 36:22-23 e Esdras 1:1-4; 5:13, 17; 6:3. De fato, Ciro dá uma ordem para reconstrução da cidade (Isaías 44:28). Contudo, o cerne dessa ordem é a reconstrução do Templo que Nabucodonosor havia destruído. Daniel, no entanto, fala especificamente de um decreto para "restaurar e reconstruir Jerusalém", o que é um dado importante para estabelecer o começo da profecia. Afinal de contas, apesar do esforço de muitos para reconstruir Jerusalém depois do decreto de Ciro, a cidade permaneceu por muitos anos ainda com uma população esparsa e sem muros.

Notemos que Daniel fala de uma ordem para "restaurar" Jerusalém (Daniel 9:25), o que certamente envolve a restauração completa da cidade, com suas ruas, praças e muros. Tanto o é que a própria profecia destaca "... as ruas e o muro se reedificarão, mas em tempos angustiosos." (Daniel 9:25). Os judeus não empreenderam essa restauração antes do século V a.C..

Assim o decreto de Esdras 7, expedido durante o sétimo ano de Artaxerxes I, parece a melhor possibilidade. Esdras certamente entendeu esse decreto como uma permissão do rei para a reconstrução de Jerusalém, começando por seus muros e circunvalações.

A partir desse dado, podemos lançar mão de estudos cronológicos atuais que apontam com relativa precisão o sétimo ano de Artaxerxes entre 458/457 a. C. e o retorno de Esdras ocorrendo em 457 a.C. Esse, portanto, seria o início das primeiras duas divisões do período das 70 semanas (7 + 62 semanas = 483 anos), a conclusão dos 483 anos é 27 d.C., o ano da "unção" de Cristo, isto é, quando ele inaugura seu ministério sendo batizado por João (Luc. 3:21-23).

O primeiro período de 7 semanas pode ser uma referência aos 49 anos que aparentemente cobrem o período de reconstrução de Jerusalém. Os judeus reconstroem a cidade durante esse tempo, em meio à oposição e "tempos difíceis" (Neemias 4:18; Daniel 9:25).

O segundo período, de 62 semanas, estende-se da conclusão da reconstrução de Jerusalém até à inauguração histórica do ministério do Messias em Israel, o que entendemos ter se cumprido em seu batismo (Daniel 9:25). Isso ocorre por volta de 27 d.C. Teólogos conservadores concordam amplamente com essa interpretação, que é virtualmente universal entre os exegetas cristãos – exceto entre os já mencionados dispensacionalistas.

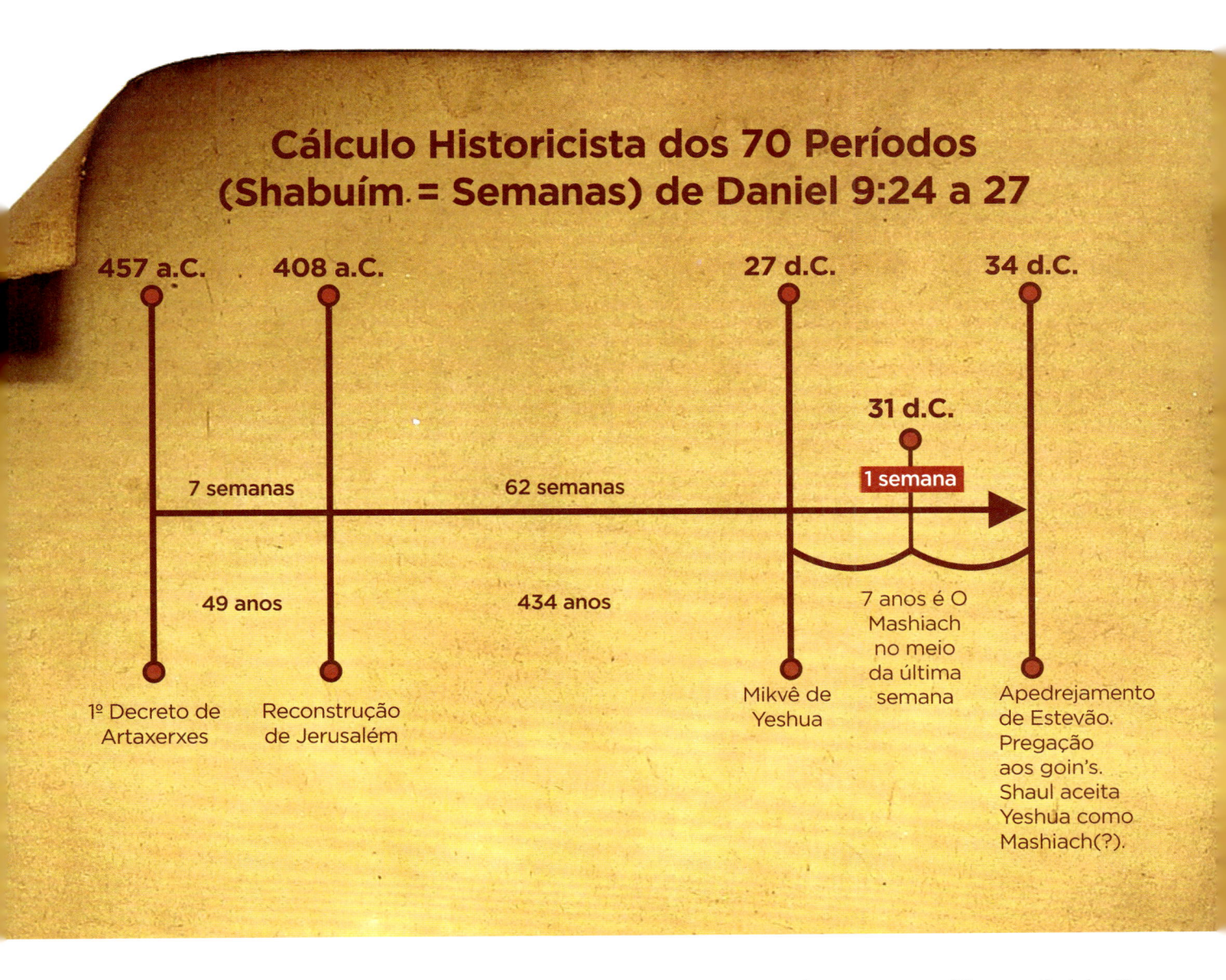

Cálculo Historicista dos 70 Períodos (Shabuím = Semanas) de Daniel 9:24 a 27

- **457 a.C.** — 1º Decreto de Artaxerxes
- **408 a.C.** — Reconstrução de Jerusalém
- **27 d.C.** — Mikvê de Yeshua
- **31 d.C.** — 7 anos é O Mashiach no meio da última semana
- **34 d.C.** — Apedrejamento de Estêvão. Pregação aos goin's. Shaul aceita Yeshua como Mashiach(?).

- 7 semanas = 49 anos
- 62 semanas = 434 anos
- 1 semana

Conclusão

Ainda que o leitor se entusiasme mais por uma interpretação do que outra, é notório que, adotando qualquer um dos cenários, e somando os testemunhos históricos apontados nesta enciclopédia, é possível afirmar que havia uma expectativa messiânica por ocasião do primeiro século d.C. Tal situação corrobora com a historicidade de textos como Mateus 11:3; Marcos 15:43; Lucas 1:76-79; 2:25; 26; 38; 3:15.

Candidatos a Messias[28]

Josefo ainda é a melhor fonte que temos a este respeito e ele nos revela a existência de vários pretensos Messias que circularam entre a diáspora, Judeia, Pereia, Galileia e arredores nos tempos cercanos imediatamente antes e depois do movimento de Jesus. Difícil é precisar qual a relação clara entre o historiador judeu e os movimentos que menciona. Não é claro que ele considerava todos eles, pretensos Messias, mas sua ânsia por realeza e pelo título de libertadores certamente nos motiva a considerá-los assim.

A princípio, parece-nos que Josefo não nega acreditar no cumprimento de uma antiga profecia judaica que anunciava a vinda de um libertador. Contudo, é notório que, com exceção de duas ocorrências no chamado "testemunho flaviano" sobre Jesus, o historiador jamais utiliza a palavra *Christos* em qualquer de seus escritos. Isso talvez se deva ao fato de que a tradição judaica de um "filho de Davi" que viria se instalar em Jerusalém e, de lá, governar outras nações certamente incomodaria a sensibilidade imperial romana. Em razão disso, provavelmente para permanecer na política de adular os romanos, Josefo conclui que esse libertador seria Vespasiano:

"Mas agora, o que mais motivaria os judeus em prosseguir nesta guerra era um era um ambíguo oráculo que fora encontrado em seus escritos sagrados, dizendo que, 'por este tempo, um dentre seu país se tornaria governador de toda terra habitada'. Os judeus tomaram essa profecia como pertencendo a si mesmos em particular; e muitos dentre os sábios se enganaram em sua interpretação. É claro que este oráculo certamente se referia ao governo de Vespasiano que foi proclamado imperador no território da Judeia" (Guerras, VI, 5, 4 [6.312-314]).

Como diz Foakes Jackson:

"Se ele (Josefo) estava ansiosamente buscando um Messias no sentido exato da palavra, ele então parece ter ficado satisfeito com alguém como Vespasiano."[29]

Essa interpretação de Josefo, aliás, coincide com as já mencionadas interpretações de Tácito e Suetônio. Contudo, nenhum desses autores dá indicações claras da "fonte" deste "ambíguo oráculo". Se Josefo estava se referindo a alguma parte das Escrituras hebraicas, não há nenhum meio seguro de sabê-lo. Contudo, alguns autores arriscam certas possibilidades.

N. T. Wright supõe que Daniel 2 estaria por detrás deste oráculo mencionado, pois ao falar de Roma (certamente o último dos quatro reinos[30]), é dito: "Mas nos dias destes reis, o Deus do céu suscitará um reino que não será jamais destruído. Este reino não passará a outro povo; esmiuçará e consumirá estes reinos, mas ele mesmo subsistirá para sempre." (Dan. 2:44)[31].

Curiosamente em outra passagem sobre Daniel, Josefo titubeia em oferecer o verdadeiro significado da última parte do sonho de Nabucodonosor. O motivo, é claro, esta parte apontava para o fim do império romano, e ele não queria escrever coisas comprometedoras. Afinal Josefo parecia satisfeito com a ideia de que o imperador romano cumpriria aquela antiga profecia do domínio messiânico mundial.

Donizete Scardelai[32] segue um raciocínio diferente para supor que texto bíblico estaria por detrás do prognóstico mencionado por Josefo. Ele acompanha duas possíveis pistas. Uma seria um relato do Tamude (Gittin 56b), onde se discute sobre a reputação do sábio rabino Yohanen ben Zakkai, contemporâneo da destruição do Segundo Templo, que num encontro com Vespasiano teria dito ao imperador: "Tu és verdadeiramente rei, senão, Jerusalém jamais teria sido entregue em suas mãos". Josefo também "profetizou", supostamente que Vespasiano seria imperador antes mesmo de ser oficializado como tal (Guerras III.8.9 399-408). A sustentação "bíblica" de tal declaração pode ser extraída de interpretações proféticas de textos como Isaías 10:34; Jeremias 31:21 e Deuteronômio 3:25.

A outra pista de Scardelai viria da expectativa redentora de orientação zelota que deve ter levado Josefo a interpretar o oráculo à luz dos últimos acontecimentos. Afinal de contas, como já mostramos anteriormente, havia uma expectativa clara quanto à chegada, naqueles tempos, de um redentor messiânico cumprindo a profecia de Daniel cap. 9.

Justamente por isso, temos a seguinte descrição do clima que envolvia o mundo judeu daquela época:

"Inúmeros profetas, de fato, foram naquele período subornados por tiranos para enganar o povo. Estes propunham [ao povo] que esperassem pela ajuda divina, a fim de que as deserções pudessem ser subjugadas e que os que estivessem sob o temor ou desencorajados pudessem ser motivados pela esperança (...) Assim, aconteceu do povo miserável ser iludido naqueles dias por charlatães que se diziam pretensos mensageiros de Deus" (Guerras VI, 266-8).

Esse texto nos ajuda a compreender melhor o pano de fundo da advertência de Cristo em Mateus 24:23-26 e Marcos 13:21-22. É claro que o complexo quadro ideológico que marcava a esperança messiânica, somado à apostasia generalizada e à falta de harmonia doutrinária em assuntos importantes como redenção e escatologia, contribuiu em muito para o surgimento de falsários e charlatães. Além disso, o caráter profético daqueles dias e o clima messiânico que pairava no ar favoreciam a agregação de pessoas em torno de qualquer figura carismática que aproveitando os "sinais dos tempos" fizesse propaganda de si mesma.

O poder romano, é claro, via nesses líderes carismáticos uma ameaça em potencial à ordem estabelecida e à subversão das massas. E Galileia, como veremos, foi o celeiro mais proeminente gerando não apenas líderes zelotas, mas também figuras apocalípticas, taumaturgos e praticantes de magia[33].

1 – Judas, filho de Ezequias ou Judas Galileu (4 a.C.-6 d.C.)[34]

Fontes: Guerras II,56 and Antiguidades XVII, 271-272; XVIII, 4-6, 23

História: no ano 4 a.C., com a morte de Herodes, o Grande, surgiram um série de revoltas contra o governo de seu filho Arquelau.

"Houve um homem chamado Judas, filho de Ezequias, que era tido como o chefe dos bandidos. Ezequias tinha sido um homem muito forte e foi com dificuldade que Herodes o capturou. Judas, tendo reunido em Séforis, na Galileia, uma grande multidão de homens de caráter duvidoso, assaltou o palácio que ali havia e apossou-se de todas as armas ali depositadas, armando com elas todos os que estavam consigo. Ele também levou junto o dinheiro do palácio. Tornou-se terrível para todos os homens, assaltando e rendendo todos os que se aproximavam dele. Tudo isso a fim de se afirmar e de alimentar seu ambicioso desejo por dignidade real – pois ele esperava obter dignidade não como recompensa por uma virtuosa morte em batalha, mas por sua extravagância em fazer maldades." (Antiguidades XVII, 271-272).

"Houve um homem, Judas, o Galileu, de uma cidade cujo nome era Gamala. Ele, tomando consigo Zadoque, um fariseu, tornou-se zeloso em conduzir o povo à revolta. Ambos diziam que esta cobrança de impostos não era melhor do que um regime de escravidão. Sendo assim, exortavam a nação a lutar por sua liberdade. (...) Eles também diziam que Deus, de outra maneira, não os assistiria, e que por sua união uns com os outros eles seriam bem-sucedidos (...) assim os homens recebiam com alegria o que eles diziam, e este movimento pretendeu atingir uma grande dimensão". (Antiguidades XVIII, 4-6).

"Judas, o Galileu foi o autor do quarto segmento da Filosofia judaica. Estes homens concordam em todas as outras coisas com as noções farisaicas; mas eles tem um vínculo inegociável com a liberdade e dizem que Deus é seu unido Governante e Senhor. Eles também não valorizam qualquer tipo de morte, nem valorizam a morte de seus parentes e amigos". (Antiguidades XVIII, 23)

Observações: Ezequias, embora bandido, parece que era amado do povo, pois este líder foi peça-chave no desenvolvimento posterior de toda uma geração de revolucionários judeus que se inspiravam em seu exemplo. Ele foi uma espécie de bandido-revolucionário que inspirava a luta armada conduzindo um comportamento guerrilheiro contra o domínio romano e a família de Herodes que era altamente comprometida com esse domínio. Dois de seus filhos (Tiago e Simão [Antiguidades XX, 102]) seguiram o ideal guerrilheiro do pai e foram igualmente executados.

Josefo não nos oferece informações adicionais quanto ao fim que levou Judas, mas alguns supõem que ele foi capturado pelo governador romano da Síria (Publius Quinctilius Varus) que marchou até o reino de Arquelau com o objetivo de restaurar a ordem. De fato, Atos 5:36 e 37 diz que ele foi executado. Acredita-se também que o Judas filho de Ezequias seria o mesmo Judas Galileu que se revoltou por ocasião do censo judeu em 6 d.C. Sua pregação revolucionária era sustentada em dois pilares: primeiro a repugnante política romana de contar o povo judeu (proibida em II Sam. 24:1-17, esp. verso 10). Segundo, a elevação de impostos que certamente adviria disso.

O quarto segmento da Filosofia judaica a que menciona Josefo é o movimento dos zelotes, os outros três são: os saduceus, essênios e fariseus. Josefo relaciona os zelotes com os piores adjetivos pois acredita que foram eles os responsáveis pela ira romana que resultou na destruição de Jerusalém e do Templo no ano 70 d.C.

2 – Simão de Pereia (4 a.C.)

Fontes: Guerra II, 57-59 e Antiguidades XVII, 273-277; Tácito, Histórias 5:9:2

História: logo após a morte de Herodes, ele liderou uma revolta, intitulou-se o "Rei dos judeus" e queimou o Palácio de Herodes, forçando a intervenção do legado romano na Síria (Publius Quinctilius Varus).

"Depois da morte de Herodes, um certo Simão assumiu o nome de rei, sem esperar pela decisão de César. Ele, no entanto, foi condenado à morte por Quictilius Varus, governador da Síria; os judeus foram reprimidos e o reino foi dividido em três partes e dado aos filhos de Herodes. Sob Tibério tudo ficou calmo." (Tácito, Histórias 5:9:2)[35].

"Houve também Simão, que tinha sido escravo do rei Herodes, mas que em outros aspectos tinha sido uma pessoa comedida, de grande estatura e corpo robusto. Ele era muito mais superior aos outros de sua classe (...) esse homem foi elevado durante o estado caótico dos acontecimentos e chegou ao ponto de colocar um diadema sobre sua cabeça, ao mesmo tempo em que um certo número de pessoas aderiram ao seu comando e o declararam rei. Ele mesmo se achava mais digno do que qualquer outro de receber esta honra.

Ele queimou o palácio real que ficava em Jericó e pilhou o que sobrou [do incêndio]. Ele também incendiou muitas outras casas do rei em vários lugares do país e, depois de destruir tudo, permitiu que aqueles que o acompanhavam pilhassem o que sobrou destas residências. Ele teria conquistado muito se não fosse a ação imediata [do governo] em reprimi-lo. [O comandante da infantaria de Herodes] Gratus arregimentou alguns soldados romanos e foi ao encontro de Simão. Depois de uma grande e demorada batalha, não sobrou nada daqueles que haviam vindo da Pereia (um desorganizado agrupamento de homens, lutando sem nenhuma ordem). Todos foram destruídos. Embora Simão tenha conseguido escapar, fugindo através de um vale, Gratus o alcançou e cortou sua cabeça." (Antiguidades XVII, 273-276).

Observações: Foakes Jackson deduz que o simples fato de Simão e Atronges (que veremos a seguir) terem usado uma coroa (lit. diadema) é um indicativo de que ambos se proclamaram em alguma espécie de Messias[36].

3 – Atronges (4 a.C. – 6 d.C.)

Fontes: Guerras II, 60-65; Antiguidades XVII, 278-284

"E depois houve Atronges, homem cuja eminência não provinha nem do renome de seus antepassados, nem da superioridade de seu caráter, nem da extensão de seus recursos. Era obscuro pastor, mas notável pela sua estatura e sua força. Ele ousou aspirar à realeza pelo motivo de que, uma vez obtido esse nível, ele poderia deleitar-se com mais libertinagem. Quando se tratava de enfrentar a morte, ele não tinha medo de pôr em risco a própria vida em tais circunstâncias. Também tinha quatro irmãos. Estes eram igualmente homens de grande estatura, confiantes de que venceriam em virtude de seus feitos de força e esperando sólido apoio para a sua tomada do reino. Cada um deles liderava um bando bem armado, pois uma multidão se reunira em torno deles. Embora fossem generais, estavam subordinados a ele, sempre que faziam incursões para lutar por sua própria conta. Usando o diadema real, Atronges reunia um conselho para deliberar sobre o que devia ser feito, ainda que em última instância tudo dependesse de seu próprio julgamento. Manteve o poder por longo tempo, tendo sido designado rei e podendo fazer o que quisesse sem interferência. Ele e seus irmãos atuaram vigorosamente na matança de tropas romanas e herodianas, agindo com ódio semelhante contra ambas, contras as tropas reais por causa dos abusos que estas cometeram durante o reinado de Herodes (…) Com o passar do tempo tornaram-se cada vez mais brutais, sem consideração por ninguém. Às vezes agiam na esperança de fazer despojos, outras simplesmente porque estavam acostumados a derramar sangue (…) Seus irmãos continuaram suas ações de guerrilha por muito tempo … mas depois foram capturados e feitos prisioneiros (…)". (Antiguidades XVII, 278-285/10:7).

Observações: a rebelião de Atronges pode ter durado pelo menos dois anos. Curiosamente Josefo diz o que aconteceu a seus irmãos, mas nega-se a dizer o que aconteceu com o próprio Atronges. O fato de que ele era um pastor antes da revolução, tornava-o um tipo do rei Davi que também era pastor de ovelhas.

4 – Um profeta Samaritano (36 d.C.)

Fontes: Antiguidades XVIII, 85-87

História: em 35 d.C., Pôncio Pilatos teve de enfrentar uma grave rebelião na Samaria.

"Para um homem que fez a luz de mentira e em todos os seus projetos eram de acordo com a escória, reuniram-se [os samaritanos], oferecendo-se ir em um grupo com ele para o Monte Gerizim, que, em sua opinião, é a mais sagrada das montanhas. Ele garantiu que em sua chegada ele iria mostrar-lhes os vasos sagrados, que foram enterrados lá, onde Moisés os tinha depositado. Seus ouvintes, vendo este conto como plausível, apareceram com armas. Eles colocaram-se em um vilarejo, chamado Tirathana e, como eles planejaram subir a montanha em uma grande multidão, deram boas-vindas para as suas fileiras os recém-chegados que iam entrando. Mas antes que pudessem subir, Pilatos bloqueou a rota projetada até a montanha com um destacamento de cavalaria e infantaria fortemente armados, e num encontro com os primeiros chegados na aldeia, mataram alguns em uma batalha campal e puseram os demais em fuga. Muitos prisioneiros foram levados, dos quais Pilatos sentenciou [vários] à morte: os principais líderes e aqueles que foram mais influentes entre os fugitivos". (Antiguidades XVIII, 85-87).

Observações: também é polêmica a identificação deste sujeito como um pretenso Messias, porque ele era Samaritano. Contudo, o equivalente samaritano do prometido Messias é o Taheb, um profeta-restaurador "semelhante a Moisés", conforme anunciado em Deut. 18:15-18. Note também sua peregrinação ao Monte Gerizim que era o anúncio da restauração do templo Samaritano que ficava ali. Compare com João 4:25.

5 – Teudas (45 ou 46 d.C.)

Fontes: Antiguidades XX, 97 e 98 e Atos 5:36

História: mais um pretenso Messias, possivelmente helenista, pois alguns supõem que seu nome seja composto por duas raízes gregas e significaria "presente de Deus". Outros pensam numa origem semita que significaria "fui como as águas". Proclamando-se um herói enviado por Deus, ele recorreu à tradição nacional do Messias Mosaico assegurando que tinha poderes para abrir as águas do Rio Jordão.

"Passando um tempo, enquanto Cuspius Fadus era procurador da Judeia, um certo charlatão, cujo nome era Teudas, persuadiu muitas pessoas do povo simples a tomar seus haveres e acompanhá-lo até o rio Jordão. Dizia que era profeta e que à sua ordem o rio se separaria abrindo fácil passagem para eles. Com essas palavras, iludiu a muitos. Mas Fadus não permitiu que eles consumassem essa loucura. Enviou uma unidade de cavalaria contra eles, que matou muitos num ataque de surpresa e também capturou muitos vivos. Tendo capturado Teudas, cortaram-lhe a cabeça e a levaram a Jerusalém" (Antiguidades XX, 97 e 98).

Observações: existe uma dificuldade cronológica na identificação entre este Teudas e aquele mencionado em Atos. É que o Teudas citado por Josefo aparece no tempo de Cláudio. Mas o Teudas mencionado por Gamaliel em Atos teria vivido antes disso. Várias soluções já foram propostas, mas nenhuma conclusiva.

6 – Um anônimo profeta egípcio (52 e 58 d.C. *aproximadamente*)

Fonte: Guerras II, 259-263; Antiguidades XX, 169-171; Atos 21:38

História: o profeta egípcio aqui mencionado conduziu 30 mil homens (4 mil dos quais eram assassinos e homens violentos) ao deserto, prometendo-lhes liberdade, diversos sinais da parte de Deus, e o fim do domínio romano. Félix, evidentemente, matou a maioria desses homens e assim ficou patente que aquele Cristo era falso. Josefo escreve que muitos apareceram afirmando ter recebido revelações divinas e orientação dos céus, fazendo toda sorte de declarações bombásticas. Simão, o Mago, persuadiu os habitantes de Samaria que ele era o grande poder de Deus, e evidentemente se vangloriava, entre os judeus, de ser o filho de Deus (ver Atos 8:9,10). Em Atos 21:38 Paulo é confundido com esse profeta e tem de se explicar ao tribuno romano.

"Um golpe ainda mais duro foi dado aos judeus pelo falso profeta egípcio. Um charlatão, que tinha obtido para si próprio a reputação de profeta, esse homem apareceu no país e reuniu atrás de si uns 30 mil tolos, e liderou-os por um caminho tortuoso do deserto até o monte denominado das Oliveiras. Dali pretendeu entrar à força em Jerusalém e, após dominar a guarnição romana, tornar-se tirano do povo, empregando os que o tivessem acompanhado na invasão como sua guarda pessoal [...] Como resultado, o egípcio escapou com alguns de seus seguidores, a maior parte da força que o acompanhava foi morta ou tomada como prisioneira; o restante dispersou-se e voltou discretamente aos seus lares" (Guerras II, 261-263).

7 – João de Giscala (66 - 70 d.C.)

Fontes: Guerras II – VI

História: João de Giscala, filho de Levi, atuou na Galileia nos anos 66 a 70 d.C., época da Guerra Judaica contra Roma. Ele fora um pobre camponês que "usava uma foice para ceifar", mas que se tornou, mais tarde, um revolucionário. Na sua época, a situação de revolta popular contra Roma tinha tomado proporções sem precedentes. No início de seu movimento, João de Giscala defendia um acordo pacífico com os romanos depois se tornou violento. Josefo o tratava como um inimigo pessoal. Foi o pretenso Messias mais atacado pelo historiador judeu.

Depois que os romanos conquistaram a parte norte do país no início das Guerras Judaicas, João e seus 600 homens fugiram para o sul, onde assumiu o controle de Jerusalém. À medida que se aproximava da cidade, ele recebia uma eufórica recepção, o que indica que o povo viu nele uma espécie de redentor popular ou quem sabe um rei.

Já no comando de Jerusalém, ele designou Phannias como sumo sacerdote e passou a governar o Templo. Josefo o descreve como um tirano e déspota. Embora João tivesse uma grande inspiração zelota, também teve algumas oposições. Alguns zelotas se revoltaram contra ele, mas foram todos mortos à espada. Segundo a interpretação de Josefo, foi a sua descida para Jerusalém que propiciou o ataque romano à cidade. Quando Tito capturou Jerusalém, João se rendeu e foi sentenciado à prisão perpétua. Josefo chama os seguidores de João de sicários ou *sicarii* (nome derivado de sua espada curta: sica)[37].

"Enquanto estava encarregado dos negócios da Galileia [Josefo aqui fala de si mesmo], eis que apareceu em cena um amate de intrigas, natural da Giscala, chamado João, filho de Levi, um dos indivíduos mais inescrupulosos e astutos que já havia surgido, o que lhe conferiu notoriedade por tal reputação de recursos. Pobre desde o início de sua carreira, sua penúria por muito tempo o incomodou tanto que ele chegou a ficar frustrado diante de seus propósitos de vida. [Ele era] um impostor astuto e muito bem preparado pra obter lucros mediante suas fraudes (...) o prospecto do lucro fez dele o mais sanguinário dos homens, sempre cheio de ilimitadas ambições." (Guerras II, 585-7/21.1).

"Restava então somente Giscala, única cidade da Galileia que ainda não tinha sido tomada. Uma parte daqueles que lá estavam desejava a paz, porque quase todos eram trabalhadores, cujos bens consistiam em tudo o que podiam tirar do seu emprego e trabalho. Havia, porém, outros, em muito grande número e mesmo dos habitantes do lugar, que haviam sido corrompidos pelas suas relações com os ladrões e assaltantes, e João, filho de Levi, os impelia à revolta. Era um homem muito mau, grande mentiroso, inconstante em seus afetos e que não punha limites às suas esperanças; tudo fazia para conseguir os seus fins, e ninguém duvidava de que assim procedia pelo desejo de se elevar em autoridade, incitando com tanto ardor esta guerra." (Guerras IV, 84-86).

"(...) João tomou a palavra por todos e disse que aceitava o oferecimento e persuadiria os outros a aceitá-la também ou a isso os obrigaria pela força; mas rogava que lhe concedesse ainda aquele dia para a observância de suas leis, que os obrigavam a santificar o sábado e não lhes permitia outrossim fazer naquele dia tratados de paz, bem como tomar as armas para fazer a guerra, (...)"

"... Mas não era por respeito ao dia de sábado que João havia falado daquele modo. O temor de ser abandonado se fossem atacados fazia-o pôr sua única esperança na fuga: seu fim era enganar Tito e fugir de noite; há motivo de se crer que Deus o quis preservar para a ruína de Jerusalém.

Chegou a noite e os romanos não montaram guarda; ele, então, fugiu para Jerusalém e não somente levou consigo o que tinha de soldados, mas também alguns dos principais habitantes com suas famílias. (...)" (Guerras IX, 297).

"No momento da entrada de João de Giscala em Jerusalém, toda a população se lançou à sua frente e cada um dos fugitivos estava cercado por uma vasta multidão" (Guerras IV, 121).

"Quando João e os revoltosos que o haviam seguido chegaram a Jerusalém, todo o povo reuniu-se junto deles para lhes pedir notícias sobre a desgraça que havia desabado sobre a infeliz nação: (...) João e os seus assim falando, apresentaram a retirada com um pretexto tão honesto que muitos acharam que era verdade e a narração de alguns prisioneiros espantou de tal modo o povo, que ele considerou a ruína de Giscala como a de Jerusalém. (...)"

"Era grande a perturbação e a confusão que reinava em Jerusalém; antes da rebelião que surgiu em seguida, uma parte do povo do campo já se tinha começado a dividir. (...) A divisão começou pelas famílias que já há muito eram inimigas; passou depois ao povo, que antes era tão unido e cada qual se colocava no partido dos que tinham as mesmas ideias e manifestavam a um grande número. Assim, tudo era agitação e os que desejavam a revolução e a guerra prevaleciam por sua mocidade e coragem (...)"

"Em tal confusão cada qual roubava, por primeiro; mas depois de se terem reunido praticavam abertamente toda sorte de furto e não causavam menos mal que os romanos. Assim não havia outra diferença entre o mal que as pessoas sofriam de uns e de outros, senão que era muito mais doloroso ser assim tratado por homens de sua própria nação do que por estrangeiros." (Guerras X, 298 e 299).

Observações: enquanto dominou Jerusalém, João mandou cunhar moedas de prata e de bronze com a inscrição "ano x da liberdade de Sião" (67 d.C.).

dado pelo slogan *herut tzion* (pela ou da "liberdade de Sião"). A ânfora no outro lado talvez seria para guardar o produto da uva, o vinho. Como existem muitas variações, os arqueólogos creem que as moedas foram cunhadas em diferentes lugares.

8 – Simão bar Giora de Gerasa (66–70 d.C.)

Fontes: Guerras, IV-VII.

História: Simão era um rebelde Idumeu e foi o opositor mais forte de João de Giscala. Competente general, ele arregimentou 40 mil seguidores e 15 mil soldados, prometendo liberdade para escravos e recompensas para os livres. Josefo também odiava esse homem. Ele também conseguiu conquistar os habitantes de Jerusalém que eram opositores de João e estes lhe pediram para governarem ali o que ele aceitou, tirando Giscala do poder (embora de algum modo esse continuou morando ali).

Mas em pouco tempo, Simão se mostrou igualmente déspota. Um grupo de zelotes que não aceitaram sua liderança sequestraram sua esposa pensando que com isso o fariam ceder, mas ele acabou agindo com grande ira e praticou uma verdadeira carnificina entre os cidadãos. Alguns ele torturou, outros ele cortou as mãos e disse que faria o mesmo com todos os cidadãos até que sua esposa fosse libertada. Os zelotes, é claro, cederam diante da situação.

Antigos simpatizantes de Giscala passaram para o seu lado e ele proclamou uma guerra santa contra os romanos para proteger Jerusalém que, em seu entender, não seria jamais dominada.

Simão entrou na cidade em meados de abril maio de 69 d.C. e governou como um rei até ser obrigado a se render para os romanos, cerca de um ano depois. Diferente de João de Giscala, ele não foi sentenciado à prisão perpétua, mas foi conduzido a Roma por ordem do general Tito e submetido a um vergonhoso tratamento (foi conduzido como troféu de guerra na marca triunfal). Depois foi conduzido à morte.

Curiosamente, no dia do assalto romano à cidade em 70 d.C., Josefo diz que ele se refugiu entre as pas-

Moeda da Revolta Judaica

Essa é a moeda de bronze de João de Giscala. Tem o diâmetro de um dime americano. No verso temos um vaso com duas alças (uma ânfora), circundado pela data em antigas letras hebraicas (*shanat shtayim* = ano dois ou *shanat shalosh* = ano três). As datas em todas as moedas da revolução passam a contar do ano 66 quando começou a revolta judaica. Geralmente as moedas do terceiro ano diferenciam-se pelo formato da ânfora, que tem uma tampa decorada. O reverso das moedas de bronze traz um cacho de uva circun-

sagens secretas deixadas pelos escombros da cidade que já estava bastante destruída pelas milícias romanas. Mas vencido pela fome e pela sede, teve de sair e para isso usou um artifício, no mínimo, inusitado: apareceu no meio das pedras vestido de túnica branca e manto púrpura. Ele supôs que essa "aparição" assustaria os soldados. No início eles realmente se surpreenderam com o surgimento daquele indivíduo, mas o capturaram sem muita dificuldade.

"Parece, pelo que eu acabo de dizer, que nenhum acidente humano, nem flagelo algum mandado por Deus, jamais causou ruína de tão grande número de pessoas como as que pereceram pela peste, pela fome, pelas armas e pelo fogo, durante esse grande cerco, ou que foram levadas como escravos pelos romanos. Os soldados buscaram até nos esgotos e nos sepulcros, onde mataram todos os que encontraram mais de dois mil que se haviam matado uns aos outros ou a si mesmos, ou que tinham sido mortos pela fome. O mau cheiro que saía desses lugares infectados era tão grande que vários, não podendo suportá-lo, abandonaram-no. Mas outros sabendo que lá estavam escondidas muitas riquezas, não tiveram receio de pisar naqueles cadáveres para procurá-las e satisfazer assim à sua insaciável ambição. De lá retiraram-se várias pessoas que João e Simão tinham feito prender acorrentadas; a crueldade desses tiranos era maior do que mesmo no extremo a que se encontravam reduzidos. Mas Deus os castigou como eles mereciam. João, que se havia escondido num esgoto, com seus irmãos, foi atormentado de tal fome que, não podendo mais suportá-la, implorou a misericórdia dos romanos, que ele tinha tantas vezes insolentemente desprezado. Simão, depois de ter combatido contra a má sorte, entregou-se a eles como diremos em seguida. Foi reservado para o triunfo e João condenado à prisão perpétua. Os romanos queimaram o que restava da cidade e derrubaram-lhe as muralhas." (Guerras VI, 46, 499).

Observações: Simão também cunhou uma moeda própria, mas diferente daquelas cunhadas por Giscala, ele escreveu ali "para a redenção [*ge'ullah*] de Simão". Alguns autores supõem que isso faria dele um líder mais messiânico e João de Giscala um líder mais político[38].

Moedas de "bar Giora":

Moeda de prata traz no verso um cálice e a inscrição "shekel de Israel" e as letras Shin e Heh (abreviando "ano 5"). No reverso está a inscrição "Jerusalém, a Santa" e traz ao centro três romãs (símbolo de sacerdócio).

No verso [LG'LT SYWN] "ano quatro [da] ou pela redenção de Simão" as palmeiras com sete ramos representam a festa dos tabernáculos, abaixo cestas de frutos. No reverso: [SNT'RB'HSY] "ano quatro e meio" duas palmeiras pequenas e um frasco (?).

9 - Menahem ben Ezequias (66-70 d.C.)

Fontes: Guerras II, 433-450

História: de acordo com Josefo, esse Menahem seria filho de Judas, o Galileu. Mas isso parece ser um erro do historiador, pois as cronologias não batem (ele deve ter sido neto de Judas e bisneto do revolucionário Ezequias). O fato é que este Menahem se auto proclamava filho de Ezequias por descendência (assim como Jesus também era reconhecido como "Filho de Davi"). Antigas tradições rabínicas, como o Lamentações Rabbah I, 16, trazem informações importantes sobre o nome Menahem (que quer dizer "consolador") como sendo um título messiânico. Também é dito que esse Menahem deveria ser da linhagem de Ezequias – coincidentemente o ancestral de Menanhem tinha esse nome (*TB Sanhedrin* 98b). Além disso, existe a importância talmúdica dada a outro Menahem que foi morto pelo regime herodiano.

Suas investidas se deram no começo das guerras judaicas (em 66 d.C.). Começou atacando Massada, derrotou as tropas de herodes Agripa II e cercou a fortaleza Antônia em Jerusalém. Ele ordenou a morte do antigo sumo sacerdote Ananias e seu irmão Ezequias. Mas terminou sendo morto por outro líder Zelota, Eleazar ben Ananias. De acordo com Josefo, isso aconteceu quando ele apareceu no pátio do Templo vestido em trajes reais, revelando seu interesse em ser rei.

"Neste tempo, surgiu um certo Menahem, filho de Judas, o Galileu, que reuniu seus seguidores e marchou para Masada onde invadiu o palácio de Herodes. Ele tomou o arsenal [do rei] e muniu de armas seus seguidores e outros bandidos. Depois voltou a Jerusalém na condição de rei e, tornando-se líder da insurreição, organizou o cerco ao palácio [a fortaleza Antônia}" (Guerras, II 433-4/17:8).

"(...) mas a redução das fortalezas e o assassinato do sumo sacerdote Ananias fizeram com que Manahem se exaltasse e se brutalizasse a tal ponto que sua ousadia o fez supor que não teria rivais a sua altura. Ele tornou-se um tirano intolerável (...) assim [seus inimigos] maquinaram de matá-lo enquanto estivesse no Templo, para onde ele teria ido com a intenção de fazer suas devoções [propositadamente] vestido com um manto real, ao mesmo tempo em que era seguido por um séquido de fanátidos armados.

Então, Eleasar e seus partidários caíram violentamente sobre ele, bem como o resto do povo, tomando pedras para atacá-lo, eles atiravam as pedras no Mestre[39], supondo que uma vez que ele estivesse morto todo o seu movimento fadaria ao fracasso. Menahem e seu seus homens resistiram por um pouco de tempo [à muldidão], mas percebendo que não poderiam suportar por mais tempo, fugiram cada um para um lado. Os que foram pegos foram mortos e os que se esconderam começaram a ser procurados. Uns poucos conseguiram escapar para Masada [...]. E o próprio Menahem correu para o palácio de Ophla, e lá ficou escondido, mas eles o encontraram vivo e o trouxeram perante a multidão. Então o torturaram com muitos tipos de tormentos e depois o mataram [apedrejado], como também seus líderes imediatos." (Guerras II, 442-448).

Outras seitas e movimentos judaicos

Josefo ainda faz menção de três (ou talvez quatro) segmentos judaicos especialmente em Guerras II, 119-166 e Antiguidades XVIII, 11-25. Ele chama esses segmentos de "filosofias" provavelmente por causa de seus leitores de cultura grega. São eles: os fariseus, os saduceus, os essênios e a menção pejorativa de uma "quarta filosofia" fundada ou inspirada por Judas Galileu.

Com exceção deste último movimento, Josefo não menciona as origens, os fundadores, nem os principais líderes dos grupos anteriores. Contudo, um apanhado de suas menções esparsas permite reconstruir algo do que cada segmento acreditava[40]:

Os saduceus não criam na imortalidade da alma, nem na ressurreição final dos homens. Para eles, o ser humano é responsável por seu próprio destino e sua vida se limita a esse planeta. Eles obedeciam a Lei de Moisés, mas rejeitavam a tradição dos pais. Talvez por isso, poucos aceitavam seus ensinos e eles acabavam artificialmente plagiando ensinos e conceitos farisaicos para ter maior suporte popular.

Os fariseus aparentemente criam na imortalidade da alma, na ressurreição final e na recompensa última dos justos. Para eles a história era a somatória dos atos de Deus em cooperação ou conflito com os atos humanos. Eram mais próximos do povo e geralmente não demonstravam-se possuidores de grandes quantias. O povo era mais inclinado à sua liderança do que a de qualquer outro grupo. Sua influência era muito grande. Algumas vezes eram associados com os escribas (profissinais da lei) outras eram distintos deles[41].

Os essênios acreditavam no juízo final, eram deterministas (a vontade de Deus era soberana sobre os homens). Viviam em comunidades separadas, eram celibatários, dividiam os bens entre si, não possuíam escravos e se abstiveram do serviço do templo em Jerusalém. Aparentemente eram ex-sacerdotes ou pessoas anteriormente ligadas à classe sacerdotal.

Já a chamada "quarta filosofia" seria semelhante aos fariseus em suas concepções teológicas, com a diferença de que nutriam um exagerado amor à liberdade com radical oposição ao domínio dos romanos. Isso os faz parecer com os zelotes, mas o quadro geral esboçado por Josefo acerca desse grupo é muito confuso e impreciso[42].

Josefo dizia que os fariseus eram geralmente bondosos e amistosos com o povo, enquanto os saduceus eram mais arrogantes e, por isso, mais rejeitados (Guerras II, 162). Aparentemente todos esses grupos consistiam de pessoas letradas (talvez menos de 10% da população em geral).

De acordo com Josefo, os fariseus somavam seis mil membros e os essênios quatro mil (Antiguidades XVIII, 20). O número pode parecer exagerado, mas, pelo menos em relação aos essênios, o cômputo é confirmado por Filo que acrescenta a informação de que os essênios costumavam viver "juntos em grandes comunidades em várias cidades da Judeia e em muitas vilas" (*Apologia pro Judaeis, 1; Quod omnis homo probus liber sit, 75*).

Os nazarenos e as origens do Movimento de Jesus

Os membros da primeira geração de cristãos (e talvez até da segunda) eram em sua maioria ou em sua totalidade judeus (quer por conversão ao judaísmo ou por nascimento). Esse é um fato óbvio, porém negligenciado por muitos historiadores do cristianismo primitivo.

Quais seriam, portanto, os traços judaicos desse movimento? Lembrando que o judaísmo do primeiro século era um mosaico de segmentos, conforme vimos até aqui, de qual ramificação teriam saído os primeiros cristãos ou o próprio Jesus?

É interessante mencionar uma informação patrística da fuga dos cristãos para Pella e Decápolis, pouco antes da destruição de Jerusalém no ano 70 d.C. Ela nos dá a entender que os seguidores de Jesus, antes de serem chamados de "cristãos", foram reconhecidos pelo apelido de "nazarenos". Quem nos dá essa informação é Eusébio citando Epifânio[43], contudo, a fonte mais antiga desta afirmação pode ter sido Hegesipo que viveu por volta de 180 d.C. e foi, ele mesmo, um cristão convertido do judaísmo[44].

Epifânio, mais completo que a citação de Eusébio, nos diz que os nazarenos eram um movimento separatista do judaísmo comum que antecedia o cristianismo (e essa é uma informação preciosa para nós): "Então houve os nazarenos dentre os judeus *antes* dos dias de Cristo" (*Adversus Haereses* XXIX, 6, 1). Logo, eles não estão na fase de derivação, mas nas origens do cristianismo. Ainda segundo Epifânio, eles guardavam a Torá, incluindo a circuncisão e a observância do sábado e que liam as Escrituras em hebraico[45]. Eles também possuíam um certo evangelho em hebraico, se entendermos que a citação que Eusébio faz de Hegesipo se refere a este grupo.

Diz Eusébio:

"O mesmo autor [Hegesipo] também menciona as antigas heresias que surgiram entre os judeus nas seguintes palavras: 'Houve, ainda, várias opiniões acerca da circuncisão entre os filhos de Israel. Os seguintes foram aqueles que se opuseram à tribo de Judá e ao Cristo: os essênios, os hemerobatistas, os masboteanos, os samaritanos, os saduceus e os fariseus'. Ele também escreveu de muitos outros assuntos, que nós temos em parte mencionado, contextualizando os relatos em seus devidos lugares. E também acerca do evangelho siríaco de acordo com os hebreus, do qual ele cita algumas passagens em língua hebraica, o que demonstra que ele era um convertido dentre os hebreus. Ele também menciona outros assuntos como tirados da tradição não escrita dos judeus". (*História Eclesiástica*, IV, 22, 6 e 7).

Curiosamente fala-se muito dos ebionitas e quase nada sobre os nazarenos. Aliás, até mesmo alguns pais da Igreja dos séculos III e IV parecem fazer alguma confusão entre os dois movimentos. Mas as informações de Epifânio são importantes demais para serem negligenciadas. Aliás, em Atos 24:5 vemos que ainda nos dias do julgamento de Paulo perante o governador Félix, os seguidores de Jesus eram identificados como a "seita dos nazarenos", segundo os laudos do promotor Tértulo que acusa Paulo de ser um dos líderes do movimento.

É claro que esse título vem de Jesus de Nazaré. O curioso, no entanto, é a forma grega como os evangelhos o atribuem a Jesus. Ela aparece cerca de 18 vezes no NT (dependendo das variantes textuais) e é grafada de diversas formas. Só o substantivo aparece como *Nazarét*, *Nazará* e *Nazareth* (com as três formas atestadas no Evangelho de Mateus (2:23; 4:13; 21:11)[46]. Além disso há duas formas adjetivais: *Nazarênos* (Marcos usa apenas essa forma – a não ser que aceitemos a variante *Nazôraios* que aparece em Marcos 10:47 segundo os mss R e G) e *Nazôraios* (Mateus, João e Atos usam essa forma). Lucas usa as duas formas.

Nazarênos: Marcos 1:24; [10:47 L T Tr WH]; 14:67; 16:6; Lucas 4:34; [24:19 L mrg. T Tr txy. WH].

Nazôraios: Mateus 2:23; 26:69 [var. *Galilaios*], 71; [Marcos 10:47 segundo R G]; Lucas 18:37; [24:19 R G L txt mrg]; João 18:5 e 7; 19:19; Atos 2:22; 3:6; 4:10; 6:14; [9:5, L br.]; 22:8; 26:9 e 24:5, aplicado aos cristãos[47].

Embora *Nazarênos* seja naturalmente entendido como "nazareno" ou oriundo de Nazaré, *Nazôraios* não é um termo que se liga naturalmente a *Nazaret* em grego. A transição linguística de *Nazaret* a *Nazôraios*, como acentua o léxico de Bauer, é complexa e várias tentativas não conclusivas já foram feitas para explicá-la[48].

Apesar de muitas Bíblias traduzirem a expressão *Iesou Nazaré* e *Iesou tou Nazôraiou* por "Jesus de Nazaré", alguns gramáticos sugerem que o mais correto seria "Jesus, o Nazareno" e que o título nada teria a ver com a procedência de Jesus, mesmo porque ele era nascido em Belém (Mateus 26:71; Marcos 1:24; 10:47; 14:67; Lucas 4:34; João 17:5; Atos 2:22). Curiosamente, o Evangelho de Felipe diz o seguinte acerca do significado de Nazaré[49]:

"47. Os primeiros apóstolos o chamavam assim: Jesus Nazareno Messias, que quer dizer Jesus Nazareno Cristo. A última palavra é Cristo; a primeira Jesus, no meio, Nazareno. A palavra Messias tem dois significados: Cristo e rei. Jesus em hebraico significa Salvador. Nazara é Verdade. Nazareno é Rei e Jesus também é Rei."

Embora se trate de um texto apócrifo, ele aponta para uma antiga tradição que não via "nazareno" como significando procedência. A forma aramaica/hebraica de Nazaré embora tardia também nos diz algo a esse respeito e quem anota esse detalhe é o professor Daniel Gershenson do departamento de estudos clássicos da Universidade de Tel Aviv[50].

Ela seria *nzrt* (que se lê Nazrat ou Nazaret). Mas a forma grega *Iesous ho nazaraios*, sem o "t" parece mais adequado à raiz *nzr* que ocorre inclusive no *targum* de Isaías 44:13, onde o rabino Jinathan ben Uzziel traduz *Maqtsuot* (formão) como *nazora* (desprezível). Isso se coaduna com a proposta de que a referência de Mateus concernente a Cristo como "nazareno" refere-se mais à atitude pejorativa de seus contemporâneos em relação à sua pessoa e de seus seguidores. De fato, João 1:26 torna evidente que Nazaré era um lugar desprezível (cf. Isaías 53:3 e Salmo 22:6-8). "Contudo, a mesma raiz *nzr* aparece também em sentido positivo nos textos aramaicos. No *targum* de Isaías 26:2 ela substitui *emunim* que quer dizer "fiéis" ou "guardadores da lei"[51].

Outra sugestão implica tomar a raíz *nasar*, de onde deriva o termo *netzer* (ramo, broto) e entender que o adjetivo "nazareno" seria um trocadilho profético para Isaías 11:1 – uma clara promessa messiânica – que justificaria o fato de que Jesus havia "crescido" em Nazaré[52]. Epifânio, de fato, como já mostramos, nos informa que antes que os discípulos fossem chamados de cristãos, eles foram por um tempo reconhecidos como *Iessaoi* (pan 29, 1, 3-9; 4, 9). Esse nome viria, segundo ele, de Jessé o pai de Davi. Epifânio não menciona Isaías 11:1, mas é possível que esse texto esteja por detrás de sua informação. A dificuldade com essa hipótese linguística é que a palavra mais comum para "ramo" nas profecias messiânicas é *tzemach* (Jer. 23:5; 33:15; Zec. 3:8; 6:12).

Pensou-se também, baseado numa referência do Talmude acerca de Iesu Há Nozri, que o termo viria de Nosri que significa "aquele que guarda [a lei]".

Nenhuma dessas sugestões é conclusiva e nenhuma também nega a realidade histórica de um lugarejo ou comunidade chamado Nazaré. As menos prováveis, no entanto, seriam: em primeiro lugar a adequação que alguns autores tentaram fazer no passado entre os vocábulos "nazareno" e "nazireu". Jesus obviamente não era um nazireu (Mateus 11:19; Lucas 7:33 e 34 cf. Números 6:2). Em segundo lugar de improbabilidade estaria uma outra sugestão mais recente de que "nazareno" seria um nome derivado do mandeanismo por intermédio do movimento de João Batista.

O mandeanismo é uma religião dualísca e monoteísta de origens obscuras, que mantém cerca de 70 mil seguidores em sua maioria localizados no Irã, Iraque e Arábia Saudita. Eles cultuam a memória de Adão, Abel, Sete, Enos, Noé, Arão e, especialmente, João Batista. É a única religião gnóstica que ainda existe em nossos tempos[53].

Sua conexão, no entanto, com o movimento de Jesus é improcedente. Não temos nenhuma informação de que os discípulos de João Batista fossem mandeanos ou se identificassem como nazarenos. Ademais, vários autores estão colocando em questão a teoria de que os mandeanos seriam um grupo judeu/gnóstico pré-cristão[54]. Alguns questionam até mesmo se eles seriam de fato judeus, pois, dentre outras coisas, não praticavam a circuncisão, não observavam o sábado nem oravam voltados para Jerusalém[55].

Seja como for, embora a Bíblia não nos dê muitas informações a esse respeito, pelo que se coleta de vários pais da Igreja, o termo "nazarenos" era um adjetivo dos discípulos que antecede o apelido de "cristãos". Talvez seja anterior ou contemporâneo ao apelido "seguidores do caminho".

Alguns supõem que o termo cristãos/cristianoi seria inicialmente um apelido nascido no contexto dos primeiros contatos com conversos gentios, enquanto "nazarenos" seria usado na palestina para referir-se aos judeus aderentes a uma nova seita messiânica[56].

Origem dos nazarenos

Vários acadêmicos têm tentado traçar uma hipótese sobre as obscuras origens dos nazarenos. Uma das primeiras dificuldades vem do próprio texto evangélico: "E ele [José] foi e habitou em uma cidade chamada Nazaré, para que se cumprisse o que fora dito pelos profetas: 'e ele será chamado um nazareno'" (Mateus 2:23). Que profeta disse isso? Nenhum texto do Antigo Testamento corresponde exatamente a esse prognóstico. Aqui temos três possibilidades: primeiro que Mateus estaria citando um profeta não canônico cujas profecias se perderam não chegando até nós. Outra possibilidade seria a de que aqui seria a referência à profecia em geral, não a um profeta, mas "aos profetas". Seria um cumprimento sumarizado e não específico. E, finalmente, uma terceira hipótese, a de que Mateus esteja se referindo a Isaías 11:1 que já comentamos anteriormente poderia ter em hebraico uma correlação com o termo Nazaré. Note que na sequência da narrativa (Mateus 3:3) o evangelista citará textualmente o livro de Isaías.

Arqueologicamente falando temos vários problemas em relação à cidade de Nazaré. Fora essa menção do Novo Testamento, tal cidade é, como já foi dito, praticamente desconhecida na Antiguidade. Josefo não faz nenhuma menção dela na longa lista de 200 cidades e vilarejos da Galileia que apresenta. O Talmude, embora relacione 63 cidades da Galileia, não faz menção de Nazaré. O mesmo pode ser dito da antiga literatura rabínica, do AT, de Paulo e dos primeiros historiadores e geógrafos. Nenhum deles demonstrou o menor interesse em mencionar sequer a existência de um assentamento chamado *Nazaré*. Somente no século IV ela aparecerá citada num documento não cristão.

As escavações em Nazaré começaram em 1955 sob a liderança do italiano Belarmino Bagatti. Mas o achado que revelou sua mais antiga menção ocorreu em 1962. Em agosto daquele ano, arqueólogos sob a liderança de Michael Avi-Yonah escavavam uma sinagoga em Cesareia Marítima, datada possivelmente do século III e IV d.C. O grupo encontrou entre os alicerces três fragmentos de um mármore escurecido contendo inscrições hebraicas. Uma comparação com alista de I Crônicas 24:7-19, que relaciona os 24 turnos sacerdotais, ajudou a restaurar o texto que era uma fórmula técnica repetitiva[57].

Juntos, os fragmentos revelaram o nome de algumas famílias sacerdotais (provavelmente de um grupo de 24) que por volta dos tempos de Adriano em 135 d.C., foram obrigadas a migrar dos arredores de Jerusalém para assentamentos sem presença de gentios que estivessem próximos à cidade de Séforis ou no entorno do Mar da Galileia. Aparentemente eles ainda seguiam o curso de 24 turnos advindo desde os tempos do AT. A 18ª família sacerdotal, por nome Hapizzez, estabeleceu-se em Nazaré que, alguns pensam, estaria desabitada.

Evans lembra que já desde o período pós-destruição do Templo em 70 d.C., as famílias sacerdotais eram identificadas não apenas pelo nome, mas pela localidade onde moravam[58]. O mais importante, porém, desse achado é a presença da mais antiga menção não cristã à cidade de Nazaré.

Assim, confirma-se o comentário de James Strange: "Nazaré não é mencionada em antigas fontes judaicas anteriores ao século III d.C. Essa lacuna de menções reflete [na opinião do autor] a falta de proeminência [de Nazaré] tanto na Galileia quanto na Judeia"[59]. Strange supôs anteriormente que a cidade de Nazaré deveria possuir em torno de 1.600 a 2.000 habitantes, mas numa publicação posterior, ele indica que ali havia, no máximno, 480 moradores.[60]

"Apesar da obscuridade de Nazaré (o que tem levado alguns críticos a sugerirem apenas uma recente fundação da cidade), a arqueologia indica que o vilarejo já era ocupado desde o século X a.C., embora ele possa ter experimentado algum tipo de 'refundação' no século II a.C."[61] Deduz-se isso por causa da cerâmica localizada no local que vai de 900 a 600 a.C. Depois temos um hiato até 100 a.C. quando talvez a cidade foi reocupada. Nesse tempo seriam aproximadamente 50 casas num campo de 4 acres de terra.

É essa possível "refundação" que nos interessa para reconstruir as origens do movimento de Jesus. Mesmo as antigas fundações encontradas (túmulos, evidência agricultutral, silos, prensas de oliveiras etc.) mostram que o assentamento nunca foi grande. Havia ali apenas uma cisterna, o que corrobora para a ideia de uma população bem pequena.

Em 2009 a arqueóloga israelense Yardena Alexandre escavou o estrato que possivelmente dataria dos dias de Cristo, no começo do domínio romano. Uma casa foi encontrada![62]

O fato de Mateus 2:23 chamar Nazaré de "cidade" não nos deve prender à descrição moderna de um assentamento urbano, nem mesmo à ideia de uma pólis ou uma urbe completas (cf. ainda Lucas 1:26; 2:4, 39). Embora *pólis* possa ser traduzido por cidade, seu sentido primário é "lugar de habitação" e no uso do Novo Testamento ela não denota necessariamente uma ideia de organização municipal. "O uso de pólis no NT é de fato completamente não político"[63].

Veja que *polis* é usada pelos evangelistas em intercâmbio como *kômê*, que quer dizer povoado, aldeia, lugar de descanso para trabalhadores do campo [fazenda][64]. Veja: Betsaida é chamada de *kômê* em Marcos 8:23, 26 e de *pólis* em Mateus 11:20. Belém é chamada de *kômê* em João 7:42 e de *pólis* em Lucas 2:4. O termo *kômópolis* em Marcos 1:38 é mudado para *pólis* em Lucas 4:43.

Também devemos anotar que a LXX usa a palavra *pólis* para traduzir um termo hebraico que não significa necessariamente um assentamento urbanístico no sentido moderno da palavra. Trata-se de "îr" que pode significar uma torre, um lugar para sacrifícios, uma fortaleza, uma fazenda, enfim, qualquer povoação permanente sem referência a tamanho ou situação política. A única distinção básica de "îr" nos tempos do AT é que ela frequentemente tinha muros, enquanto vilas menores não. Contudo, Deuteronômio 3:5 menciona a existência de cidades que não tinham muros[65].

Os dados, portanto, parecem apontar para a migração de algum grupo judaico que aguardava o Messias e se ajuntou coletivamente naquela região da Galileia. Não é inverossímel supor que tenha havido alguma ligação prévia deles com os essênios ou ainda que esse grupo seria uma subdivisão daquele anterior por discordar de algumas ideias.

Os parentes de Jesus, que creram que ele seria o Messias, continuaram morando em Nazaré. Segundo o testemunho de Atos 1:14, os irmãos de Jesus aceitaram seu messianismo após a ressurreição e se uniram aos apóstolos em Jerusalém. Isso aconteceu em algum tempo durante os dias em que Jesus ressurreto apareceu aos discípulos tanto na Judeia quanto na Galileia. Eles provavelmente não estavam em Jerusalém durante crucifixão de Jesus e, se estivessem, certamente não estariam do lado dele.

Depois do Pentecostes, aparentemente, os parentes de Jesus voltaram para Nazaré. Talvez temessem as ameaças que haviam sobre o grupo em Jerusalém – o martírio de Tiago já sinalizava os novos tempos. A exceção foi Maria, que, de acordo com a tradição posterior, seguiu para Éfeso em companhia de João. Os nazarenos, contudo, continuaram sendo perseguidos e em 44 d.C. Pedro e João foram presos.

Durante a perseguição promovida por Décio (249-251), um homem chamado Cônon foi preso. Ele então disse à corte: "eu sou de Nazaré, na Galileia. Eu sou membro da família de Cristo, a quem ofereço culto desde os tempos de meus ancestrais".

Nazaré, portanto, continuou contando com a presença ativa de cristãos. Alguns destes podem ter fundado no Século V a igreja sobre a casa onde Maria teria supostamente vivido. O fundador pode ter sido um certo Cônon de Jerusalém (não confunda com o Cônon de Nazaré), pois seu nome aparece num mosaico local ao lado noroeste da igreja, datado do século V d.C.

Hegesipo também menciona os parentes de Cristo ao falar da perseguição sob Domiciano (81-96 d.C.)[66]. Julius Africanus (250 d.C.) menciona como os parentes de Jesus (de outra geração) ainda eram zelosos em manter viva a memória de seus ancestrais[67].

Os escritos apócrifos ampliam ainda mais a atividade dos parentes de Jesus. Eles tentam recolher dos parentes informações da infância e juventude de Jesus, muitas, é claro, já transformadas em lendas.

Nazarenos e essênios

Supondo a teoria mais comum atualmente de que os essênios seriam os habitantes da comunidade de Qumran, é interessante notar alguns paralelismos entre a seita e o movimento de Jesus. Esses paralelos não indicam de maneira nenhuma que Jesus seria um essênio (eles podem ser apenas eco de uma cultura judaica comum entre os dois movimentos). Contudo, pelo menos indicam as origens mais específicas do movimento de Jesus dentro do mosaico de segmentos do judaísmo do Segundo Templo.

"Aquele que pratica a verdade"(João 3:21 e Manual de Disciplina 3, 21).

"Obras de Deus" (João 6:28 e Manual de Disciplina 4, 4).

"Anjo de Satanás" (II Cor. 12:7 e Documento de Damasco 16, 4).

"Belial"(II Cor. 6:14 e Manual de Disciplina 1, 16 ss., Documento de Damasco 4, 13 etc.).

O dualismo ético entre luz e trevas e a batalha dos filhos da luz contra os filhos das trevas (Rom. 13:12; II Cor. 6:14; Ef. 4:17; 5:14 comp. com Documento de Damasco 4, 3).

"Luz da vida"(João 8:12 e Manual de Disciplina 3, 7).

"aquele que anda nas trevas" (João 8:12; 12:35 e Manual de Disciplina 3, 21)

"filhos da Luz" (Luc. 16:8; Jo. 12:36; Ef. 5:8; I Tes. 5:5 e Manual de Disciplina 1,9;2:24; I Qm).

A expressão "água viva" de João 4:10 aparece na literatura rabínica para descrever as águas que correm na cerimônia do Tevillah (o batismo). Em Qumran as "águas vivas" correm do poço de Jacó e trazem a vida eterna (Manual de Disciplina). João 4 parece seguir essa temática (conf. Núm. 21:18).

A expressão "Espírito Santo" só aparece duas vezes no AT, mas é abundante seu uso em Qumran. O Espírito Santo é o "Espírito da verdade" que, como as águas de purificação, limpam o homem de sua maldade (Manual de Disciplina 4, 12-13). A mesma missão do Espírito Santo no NT.

Outra expressão paralela é "livro selado com sete selos" (Apoc. 5:1 comp. com 4Q550; col. 4 linha 5).

Um dos mais impressionantes paralelos estará entre Mateus 11:4-6 (Luc. 7:22) e 4Q521. Veja os critérios messiânicos da versão qumrânica:

[os cé]us e a terra ouvirão o seu Messias e ninguém ali apartará dos mandamentos do Santo. Vós que buscais o Senhor, fortaleçam-se em seu service. Todos vós tenhais esperança em vossos corações, não achareis o Senhor em tudo isso? Pois o Senhor considerará os piedosos (Hasidim) e chamará os justos pelo nome. Sobre os pobres, haverá de pairar o seu Espírito e renovará os fiéis com seu poder. E ele mesmo glorificará os piedosos sobre o trono do reino eterno. É ele quem liberta os cativos, restaura a vista aos cegos, fortalece os quebrantados ... ele curará as enfermidades, ressuscitará os mortos e trará boas-novas aos pobres. (baseado na tradução de Michael O. Wise)

Notas

1. Questão terceira da Parte I da Suma Teológica.

2. Luke Timothy Johnson, *The Real Jesus*: The Misguided Quest for the Historical Jesus and the Truth of the Traditional Gospels San Francisco: HarperSanFrancisco, 1998.

3. Gerard Theissen, *Sociology of Early Palestinian Christianity*, Philadelphia: Fortress Press, 1978.

4. Craig A. *Evans, Fabricating Jesus*: How Modern Scholars Distort the Gospels. Downers Grove: IVP, 2006.

5. E. Kasemann, "The Problem of the Historical Jesus" In: *Essays on New Testament Themes SBT41* London and Nashville, 1964, p. 33.

6. *Abba Hillel Silver*, A History of Messianic Speculation in Israel (Nova Iorque: Macmillan Co., 1927),5-7.

7. Cf. Israel Drazin, Maimonides: Reason Above All (Jerusalém: Gefen Publishing House Ltd, 2009), 13

8. Israel *Jacob Yuval*, "*Jewish Messianic Expectations* towards 1240 and Christian Reactions" in Peter Schäfer, Mark R. Cohen (ed.), Toward the Millennium: Messianic Expectations from the Bible to Waco (Leiden: Brill, 1998), 105 e 106.

9. Para uma versão inglesa completa, veja Iggeret Teiman, 12, baseado na tradução inglesa de Boaz Cohen e disponível online em http://en.wikisource.org/wiki/Epistle_to_Yemen/XII

10. Alfred Edersheim, The Life and Times of Jesus The Messiah (Peabody, MA: Hendrickson Publishers, 2000), 957.

11. Citado de acordo com a versão do Soncino Babylonian Talmud [traduzido por I. EPSTEIN] versão eletrônica disponível em http://www.come-and-hear.com/tcontents.html

12. Uma variante diz lit. "aqueles que calcularem o fim". Cf. a nota editorial da versão de Soncino Press.

13. Para uma descrição do pensamento de Rashi e Vilna Gaon, com referências bibliográficas veja Michael L. Brown, Answering Jewish Objections to Jesus. Volume 1: General and Historical Objections (Grand Rapids, MI: Baker Book House, 2005), 70-75, 78-79.

14. Lloyd *Gaston No Stone on Another*: The Significance of the Fall of Jerusalem in the Synoptic Gospels (Leiden: E. J. Brill, 1970), 463.

15. *Baraisa é uma citação feita por um Tanna (um Rabino intérprete da Mishná), mas que não não havia sido incluído na Mishná pelo Rabino Yehuda Ha'nasi (aprox. 200 d.C.).*

16. Veja o texto talmúdico conforme uma tradução inglesa: "Our Rabbis taught: During the last forty years before the destruction of the Temple the lot ['For the Lord'] did not come up in the right hand; nor did the crimson-coloured strap become white; nor did the westernmost light shine; and the doors of the Hekal would open by themselves, until R. Johanan b. Zakkai rebuked them, saying: Hekal, Hekal, why wilt thou be the alarmer thyself? I know about thee that thou wilt be destroyed, for Zechariah ben Ido has already prophesied concerning thee: Open thy doors, O Lebanon, that the fire may devour thy cedars." Disponível online in http://www.yashanet.com/library/temple/yoma39.htm.

17. James D. *Tabor, "A Pierced or Piercing Messiah? -- The Verdict is Still Out Biblical"* Archaeology Review 18 (Nov/Dec 1992): 58-59, cf. também Michael O. Wise e James D. Tabor, "The Messiah at Qumran." BAR 18 (Nov/Dec 1992): 60-61, 65.

18. P. Rainbow, "*Melchizedek as a Messiah at Qumran*," BBR 7 (1997) 179-94. 21; *J. A Fitzmyer*, "*Further Light On Melchizedek From Qumran Cave 11*," JBL 86 (1967) 25—41 e J. Carmignac, "Le document de Qumran sur Melchisédeq," RevQ 7 (1970), 343-78.

19. Deduz-se que seja Daniel, pois este se encontra entre os "escritos" na divisão hebraica da Tanak.

20. Não podemos esquecer que depois da helenização do templo em 175 a.C. e também depois da destruição do templo em 70 d.C., alguns rabinos, mas não todos, começaram a interpretar Daniel 9 (esp. o verso 25) de um modo não messiânico. Muitos comentários sobre Daniel priorizam a utilização dessa interpretação não messiânica, contudo, como acentua Beckwith, "as interpretações mais usuais do judaísmo [sobre as setena semanas] até depois do ano 70 e do cristianismo ao final do século 19 eram todas de natureza messiânica". Roger T. Beckwith Calendar and chronology, Jewish and Christian: biblical, intertestamental and patristic studies (Leiden: Brill, 2001), 260.

21. Roger Beckwith, "The Significance of the Calendar for Interpreting Essene Chronology and Eschatology" RvQ 10 (1980), 179-80; idem, "Daniel & the Date of Messiah's Coming," RvQ 10 (1981), 523-25.

22. Samson Raphael Hirsch, Gesammelte Schriften, ed. Naphtali Hirsch, (Frankfurt: J. Kauffmann, 1908), vol 1:3;citado por Ron H. Feldman, "*The Sabbath versus the new moon*: a critique of Heschel's valorization of the Sabbath from Judaism" artigo provido por Find Articles at BNET.

23. Knibb, porém, entende que os 390 anos teriam uma aplicação espiritual e não cronológica. Cf. M. A., Knibb. The Qumran Community. (Cambridge: Cambridge University Press. 1987), 20.

24. Alguns como Vanderkam fizeram tentativas históricas de encontrar esse Mestre de Justiça. Pensaram no Sumo Sacerdote Onias III que foi exilado e provavelmente assassinado e desde sua morte seguem a João Hircano como o "ímpio" mas para isso assumem que os "anos" da profecia seriam artificiais. Cf. J. C. Vanderkam.J.C. The Dead Sea Scrolls Today. (Grand Rapids, MI: Wm B. Eerdmans Publishing Company. 1994) 105, O pesher de Habacuque (i QpHab x, 5c-13) também fala de um pregador de Mentira e um homem de mentira e falta saber se se tratam de duas personagens ou apenas uma. Ademais temos o Sacerdote ímpio. O assunto é bastante vasto e discutido entre os especialistas (cf. James H. Charlesworth, "Historical Allusions in the Pesharim" in The Qumran and Qumran History: Chaos and Consensus, (Grand Rapids: William B. Eerdman's Publ. Co., 2002), 80- 118; John J. Collins, "The Time of the Teacher: An Old Debate Renewed" in peter W. Flint, Emmanuel Tov & James C. VanderKam, Studies in the Hebrew Bible, Qumran and the Septuagint, (Leiden: Brill, 2006), 212-229; Frank M. Cross, "The Righteous Teacher and the Wicked Priest" in Frank M. Cross, The Ancient Library of Qumran, 3rd Ed., Minneapolis: Fortress Press, 1995, pp. 100-119; A. S. Van der Woude, "Wicked Priest or Wicked Priests? Reflections on the Identification of the Wicked Priest in the Habakkuk Commentary", JJS (33, 1982), pp. 349-359.

25 Citado conforme a tradução de J. *Charlesworth* and F. M. *Cross*, eds., *The Dead Sea Scrolls: Hebrew, Aramaic, and Greek Texts with English Translations* (Louisville: Westminster/John Knox, Mohr Siebek, 2006), vol. 3.

26 Alguns autores fazem a conta um pouco diferente: propõem que seriam 7 x 7 = 49 anos, adicionam um ano extra para o ano jubileu = 50 então multiplicam por 50 ficando 500 anos e não 490.

27 O autor analisa detidamente aquelas cronologias proféticas que, a seu ver, deram sentido à profecia messiânica de 70 semanas de Daniel. A literatura antiga judaica, propõe três tipos principais de linha do tempo: essênios (que seguem o texto hebraico samaritano tipo), gregos (seguindo a Septuaginta) e fariseus / Zealotas (de acordo com o texto massorético). Essas interpretações são expostas em vários livros apócrifos e pseudepigrafos, especialmente Jubileus, Assunção de Moisés, Pseudo-Demétrio. Os fariseus sucessivamente retomaram as Interpretações múltiplas que também aparecem em Josephus, 2 Esdras e Pseudo-Philo.R.T. *Beckwith*, "*Daniel 9 and the Date* of the *Messiah's Coming in Essene*, Hellenistic, Pharisaic, Zealot and Early Christian Computation", RvQ 10, (1981),521-42. De modo mais completo veja seu livro: R.T. *Beckwith Calendar and Chronology, Jewish and Christian: Biblical, Intertestamental* and Patristic Studies. (Leiden: E.J. Brill, 1996), 217-272.

28 Cf. o resumo e comentários sobre os vários pretensos Messias em: Craig A. *Evans, Jesus and His Contemporaries: Comparative Studies* (AGJU 25; Leiden: Brill, 1995), 53-82; R. A. Horsley, "Popular Messianic Movements around the Time of Jesus," CBQ 46 (1984), 47-95; R. A. Horsley e J. S. Hanson, Bandits, Prophets, and Messiahs: Popular Movements at the Time of Jesus (New Voices in Biblical Studies; Minneapolis: Winston, 1985; repr. San Francisco: Harper & Row, 1988); S. Talmon, "Types of Messianic Expectation at the Turn of the Era," in Talmon (ed.), King, Cult and Calendar in Ancient Israel (Jerusalem: Magnes, 1986), 202-24; T. Rajak, "Hasmonean Kingship and the Invention of Tradition," in P. Bilde et al. (eds.), Aspects of Hellenistic Kingship (Studies in Hellenistic Civilization 7; Aarhus: Aarhus University Press, 1996), 99-115.

29 F. J. Foakes Jackson, Josephus and the Jews: The Religion and History of the *Jews* as Explained by Flavius *Josephus* (Londres:- Society for Promoting Christian Knowledge, 1930), 90.

30 Wright entende o último reino (os pés) como uma extenção do quarto reino de ferro e não um quinto poder.

31 N. T. Wright, *The New Testament and the People of God* - Vol. 1 : Christian Origins and the Question of God (Londres: SPCK: 1992), 304.

32 Donizete Scardelai, Movimentos Messiânicos no Tempo de Jesus, (São Paulo: Paulus, 1998), 116 e 117

33 Scardelai, 124.

34 Seguimos, com adaptações, a estrutura de apresentação que se encontra em http://www.livius.org.

35 Citado conforme a versão em inglês do Texto de Tácito que se encontra online em http://penelope.uchicago.edu/Thayer/E/Roman/Texts/Tacitus/Histories/5A*.html#9

36 Foakes Jackson, 87.

37 Diferença entre Sicários e Zelotas: Kippenberg, apoiando-se em Baumbach e em documentos judaicos, diz que o termo sicários "foi a denominação dada ao movimento revolucionário rural da judéia" e os zelotas como sendo "um movimento sacerdotal". Hans Kippenberg, Religião e formação de classes na antiga Judéia, (São Paulo: Paulinas, 1988),121.

38 B. *Kanael*,'*The Historical Background of the Coins "Year Four ... of the Redemption of Zion"* ', BASOR 129 (1953), 18-20.

39 Esta designação de Josefo faz alguns suporem que Menahem seria o "Mestre de Justiça" mencionado em Qumran.

40 As descrições a seguir baseiam-se em Gerd Thiesen e Annete Merz, O Jesus Histórico, Um Manual, (São Paulo: Loyola, 2002), 159 ss. Cf. também: Antiguidades XVIII, 1 (§ 11-25), XIII, 5, XIII, 9 e XIII, 10 (§ 171-173 e 297), GuerrasII, 8, 2 (§ 118-166).

41 Joachim Jeremias, Jerusalem in the Time of Jesus, (Londres: SCM Press LTD, 1969), 246-267.

42 Tessa Rajak, Josephus, (Londres: Duckworth, 1983), 140. Cf. também Martin Hengel, The Zealots. Investigations into the Jewish Freedom Movement in the Period from Herod I until 70 A.D. (Edimburgh: T&T Clark, 1989), 150, 237-240, 245 e 251.

43 Eusébio, História Eclesiática, III, 5,3; Epifânio, panarion 29, 1 – 7. Panarion é o nome grego, na literatura judaica a obra de Epifânio é chamada de Adversus Haereses.

44 Ray A. Pritz, Nazarene Jewish Christianity – from the end of the New Testament period until its disappearance in the fourth Century, (Jerusalém: Magnes Press e Hebrew University Press, 1992), 10 nota 4.

45 David C. Sim The Gospel of Matthew and Christian Judaism , SNTW. (Edinburgh: T&T Clark. Stanton, Graham, 1998) 182.

46 Mesmo nos primeiros documentos cristãos fora do Novo Testamento, a cidade é gravada de diferentes modos: Nazara é como grafa Sextus Julius Africanos em cerca de 200 d.C.; Origenes (185-254 d.C.) demonstra conhecer as formas Nazara e Nazaret [Comment. In Joan. Tomus X (Migne, Patrologia Graeca 80:308–309.)] e Eusébio (traduzido por Jerônimo) traz em seu Onomasticon o termo Nazara.

47 Joseph Henry Thayer, The New Thayer's Greek-English Lexicon of the New Testament with Index, (Peabody, MA: Hendrickson, 1981), 422 #3479 e 3480.

48 William F. Arndt e F. Wilbur Gingrich, A Greek-English Lexicon of the New Testament and Other Early Christian Literature – a translation na adaptation of the fourth revised and augmented edition of Walter Bauer's Griechisch-Deutsches Wörterbuch zu den Schriften des Neuen Testaments und der übrigen urchristlichen Literatur, (Chicago e Londres: The University of Chicado Press, 1979), 523.

49 Disponível online em http://www.swami-center.org/en/text/gospelofphilip.pdf

50 Apud David Donnini "Estratti da alcuni Vangeli Apocrifi" disponível em http://www.nostraterra.it/apocrifi/apocrifi.html

51 Para os textos aramaicos de Isaías veja Bruce D. Chilton, ed., The Isaiah Targum: introduction, translation apparatus and notes. (Edinburgh: T & T Clark, 1987). (Vol. 11 of the Aramaic Bible series), versão eletrônica.

52 SDABC V, 293.

53   *Kurt Rudolph, Gnosis: The Nature and History of Gnosticism* (San Francisco, CA: Harper & Row, 1983), 343.

54   Edwin M. Yamauchi, *Pre-Christian* Gnosticism: A Survey of the Proposed Evidences (Grand Rapids, MI: Baker, 1983), 117-142.

55   Pritz, 12.

56   "Messianic," or "Messianics," Greek Christianoi, which could be rendered... as in other translations, "Christians." ...the name "Christianoi" was applied to Gentile believers by Gentile nonbelievers. The name nonbelieving Jews gave to Jewish believers was "Natzaratim"... ("Nazarenes"),..." – David H., Stern, Jewish New Testament Commentary. (*Jewish New Testament* Publications: 2004).

57   M. Avi-Yonah, "A List of Priestly Courses from Caesarea" Israel Exploration Journal 12: (1962), 137–139.

58   Craig A. Evans, Jesus and the Ossuaries, (Waco, TX: Baylor University Press, 2003), 48.

59   James Strange, "Nazareth" in the Anchor Bible Dictionary, (New York: Doubleday, 1992).

60   E. Meyers & J. Strange, Archaeology, the Rabbis, & Early Christianity. (Nashville TN: Abingdon, 1981), 57.

61   Idem, 56-57.

62   Cf. também Rousseau, John J. & Rami Arav, *Jesus & His World*, (Minneapolis: Fortress Press, 1995), 248-251, Horsley, Richard A. *Archaeology, History & Society in Galilee.* (Valley Forge PA: Trinity Press International, 1996), 107-112.

63   Strathmnn, polis, in TDNT, VI, 520.

64   Thayer, #2968, 367.

65   Carl Schultz, "'ir" in R, Laird Harris et. alli, Eds, Dicionário Internacional de Teologia do Antigo Testamento, (São Paulo: Vioda Nova, 1999), #1615, 1110 e 1111.

66   Citado por Eusébio História Eclesiástica, III, 19,20, 1-6.

67   Idem, História Eclesiastica, I,7,13-14

68   Na verdade, os gafanhotos eram comida Kosher segundo Lev. 1:20-23. Do mesmo modo os Manuscritos de Qumran afirmam que os gafanhotos podiam ser comidos, desde que bem cozidos ou assados (Documento de Damasco xii, 11-15). Contudo, vários autores advogamque João era vegetariano. Uma longa revisão de toda a discussão acadêmica sobre o vegetarianismo em João e entre os essênios pode ser encontrada em: Jameds A. Kelhoffer, *The Diet of John the Baptist: "Locusts and Wild Honey" in Synoptic* and. *Patristic interpretation* (WUNT 176; Tübingen: Mohr Siebeck, 2005), esp. pp. 19-21. Veja também sobre o vegetarianismo em Qumran: **Yizhar Hirschfeld.** *Qumran in Context: Reassessing the Archaeological Evidence.* (Peabody: Hendrickson Publishers, 2004). Ellen White afirma que João tinha uma dieta vegetariana, (Maranata, 1977). E há quem sugira, embora com base no argumento do silêncio e nada mais, que a ceia pascal de Jesus e os discípulos fora celebrada sem o cordeiro pascal à semelhança do que se fazia em Qumran, embora essa seja uma afirmação possível, porém, inconclusa.

Ruínas Cesareia.